KB151848

계약의사와 간호직원을 위한

노인요양원 지침서

둘째판

지은이 **가 혁**

대한요양병원협회 학술위원장 /
미래복지요양센터 계약의사 /
인천은혜요양병원 병원장

군자출판사

계약의사와 간호직원을 위한

노인요양원 지침서 (둘째판)

첫째판 1쇄 발행 | 2018년 2월 6일
둘째판 1쇄 인쇄 | 2021년 4월 16일
둘째판 1쇄 발행 | 2021년 4월 30일

지 은 이 가 혁
발 행 인 장주연
출 판 기 획 조형석
책 임 편 집 이예제
편집디자인 조원배
표지디자인 김재욱
제 작 담 당 이순호
발 행 처 군자출판사(주)
　　　　　등록 제4-139호(1991. 6. 24)
　　　　　본사 (10881) **파주출판단지** 경기도 파주시 회동길 338(서패동 474-1)
　　　　　전화 (031) 943-1888　　　팩스 (031) 955-9545
　　　　　홈페이지 | www.koonja.co.kr

ISBN 979-11-5955-697-5

정가 40,000원

계약의사와 간호직원을 위한

노인요양원
지침서

둘째판

저자약력

학력

가정의학과 전문의

인하대학교 의과대학 졸업

인하대학교 의학박사(가정의학 전공) 수료

현재 활동내역

인천은혜요양병원장

미래복지요양센터 계약의사

서천노인요양원 운영위원

대한요양병원협회 학술위원장

대한노인병학회 홍보/정보통신 이사

대한노인병학회 학술지 AGMR 부편집장

대한노인병학회 학술위원

대한가정의학회 노인의학위원

질병관리본부 노인검진분야 인지기능 전문기술분과위원

의료기관평가인증원 조사위원

교육활동

대한의사협회 계약의사교육 TFT

대한의사협회 계약의사교육 강사

인하대학교 의과대학 노인의학 강사

인하대학교 간호학과 겸임교수

아주대학교 보건대학원 출강

대한간호조무사협회 온라인교육, 현장교육 강사

집필활동

요양병원 진료지침서

노인요양병원 완화의료 임상지침서

노인주치의 매뉴얼

대한노인병학회 편 노인병

대한가정의학회 편 가정의학

RAKEL 가정의학 편역

노인포괄평가(CGA) 포켓카드

머리말 (2판)

　3년 전 전국의 노인요양시설 종사자와 운영자, 그리고 계약의사를 위한 노인요양원 지침서를 처음 집필한 이후 현장의 많은 사랑을 받아 이번에 2판을 출간하게 되었음에 뿌듯함을 느낍니다. 2021년 현재 고령사회에서 초고령사회로 진입하는 과도기에 있는 우리나라에서 노인요양시설은 어느덧 신체적, 정신적으로 도움이 필요한 어르신들의 삶의 장소로 자리 잡고 있기에, 양질의 돌봄 서비스 제공을 위한 지침은 필수라고 생각합니다.

　한편 2020년 초부터 시작된 코로나-19 감염병의 팬데믹 현상은, 취약한 노인이 밀집한 노인요양시설에서의 체계적인 운영과 감염관리 등의 안전관리의 중요성에 대한 인식을 강화하는 계기가 되었습니다. 이로 인해 노인요양시설은 단순한 주거 공간이 아닌, 전문적인 돌봄 서비스를 제공하는 장소로 거듭나게 되었기에 관련 종사자들의 수준도 이에 부응해야 할 것입니다.

　이번 제2판의 특징은, 우선 가독성을 위해 책의 크기를 키웠고, 노인요양시설의 간호직원들이 꼭 알아야 할 내용들을 간편한 포켓카드 형식의 부록으로 제공하였다는 점입니다.

　아무쪼록, 전국의 노인요양시설에서 근무하시는 직원 및 계약의사 여러분들에게 이 책이 조금이나마 도움이 되기를 바랍니다.

2021년 3월, 가혁

머리말 (1판)

　　2018년은 우리나라에 노인장기요양보험제도가 도입된 지 10년이 되는 해이다. 지난 10년 사이에 우리나라는 전문가들의 예상을 훨씬 뛰어 넘는 수준으로 급속히 고령화되었고, 2017년 후반에는 전체 인구의 14%가 65세 이상인 고령사회(**Aged society**)가 되었다. 이는 65세 이상 인구가 7%인 고령화사회(**Ageing society**)에 접어든 2000년으로부터 단 17년만에 이루어진 일로, 세계적으로도 유래를 찾기 힘든 고령화 속도이다. 노인장기요양보험제도와 더불어 저출산, 핵가족화, 그리고 부모를 자식이 직접 부양하지 않는 문화의 확산으로 인해 노인장기요양시설의 비중은 점점 커지고 있고, 요양시설의 개수도 급속도로 증가하고 있다. 수급자의 일상생활능력과 인지능력의 저하를 바탕으로 입소자격이 주어지는 현재의 시스템 내에서는 수급자들의 신체, 정신 건강 상태가 일반 노인들에 비해 취약하기 마련이다. 수급자들에게 양질의 서비스를 제공하기 위해 요양보호사 자격제도를 강화하고 최근에는 촉탁의사 규정도 개선하였으나 현장에서는 아직도 아쉬움의 목소리들이 들리고 있다. 필자는 2007년부터 노인요양병원에서 진료 업무를 수행 중이고 2012년부터 요양원 촉탁의사로 활동하고 있다. 특히 2016년부터는 대한의사협회의 초대로 촉탁의사 교육 프로그램에 참여하게 되고 다수의 요양시설 직원교육에 강사로 참여하게 되면서 촉탁의사와 요양시설 간호직원, 그리고 요양시설 운영을 희망하는 분들에게 쉽고 현장감 있는 교재가 필요함을 느끼게 되었다. 마침 기존에 3판까지 출간한 '의사, 간호사를 위한 노인요양병원 진료지침서' 집필 경험이 있었기에 새로운 작업에 뛰어드는 데에 망설임이 없었다. 다만 병원이 아닌 시설의 환경에 맞추어야 한다는 원칙을 지키려 노력했다.

계약의사와 간호직원을 위한 노인요양원 지침서

본 책의 특징은 다음과 같이 요약할 수 있다.

1. 노인장기케어의 초보자도 쉽게 이해할 수 있도록 쉬운 표현과 다양한 현장 사진을 활용하였다.

2. 노인요양시설에 필요한 각종 시설과 관련 법령, 제도를 소개함으로써 시설 운영을 계획 중인 분들에게 길잡이가 될 수 있도록 하였다.

3. 2018년에 일제히 이루어지는 시설평가를 대비할 수 있도록 하였다.

4. 노인요양시설에서 흔히 볼 수 있는 입소자들의 특성에 따른 접근법을 소개하였다.

5. 치매환자에 대한 실질적 접근법을 소개하였다.

6. 그 밖에, 필자의 경험들과 의견을 간간히 넣어 현장감을 유지하도록 노력했다.

아무쪼록 우리나라 장기요양 역사에 또 다른 10년을 맞이하여, 이 책이 취약한 노인들에 대한 질 높은 케어를 제공하는 데에 조금이나마 도움이 된다면 큰 기쁨이 될 것이다.

2018년 3월, 가혁

목차

PART 2 　계약의사를 위한 지침

Chapter 13   노인장기요양보험 의사소견서 작성요령

Chapter 14   사망진단서(시체검안서) 작성요령

PART 3   노인요양시설에서 흔한 질병과 증상들의 관리 방법

Chapter 15   노인요양시설에서의 고혈압 관리

Chapter 16   노인요양시설 입소자가 열이 날 때 어떻게 할까?

Chapter 22   수면장애 : 잠을 못 이루는 입소자를 어떻게 대할 것인가?

PART 4   간호인력과 요양보호사를 위한 지침

Chapter 23   입소자 간호체크와 보호자 안내문

Chapter 24   간호팀 라운딩 시에 꼭 확인해야 할 것들

Chapter 25   노인요양시설에서의 간호기록 작성요령

PART 5 　치매란 무엇이며, 어떻게 돌볼 것인가?

Chapter 31　치매환자에 대한 ABC 접근법

Chapter 32　섬망 : 치매와 구별해야 한다.

PART **1**

노인요양시설을 어떻게 운영할 것인가?

세계의 노인요양시설 현황

KEYPOINT

노인요양시설의 역할은 무엇인가요?
일상생활능력이 저하된 자들에게 숙박을 포함하여
24시간 케어를 제공하는 장소이며,
나라 별로 다양하게 운영되고 있습니다.

❶ 노인요양시설 혹은 요양원(Nursing Homes; NHs)의 정의

노인 케어를 위한 세계 최초의 요양시설("Gerocomeia")은 지금으로부터 약 1,700년 전인 고대 그리스 비잔티움제국의 콘스탄티누스 1세(서기 272- 337년) 시절에 건립되었다고 한다. 이 시설들은 노인들에게 거주공간, 음식, 약간의 의료적 케어를 제공했으며, 보통은 수도원이나 교회 근처에 위치했다.

그림 1-1   노인요양시설을 처음 세운 비잔티움 시대의 콘스탄티누스 1세와 수도원
(a) 콘스탄티누스 1세(Constantine the Great)와 그의 어머니 헬레나(St. Helena)
(b) 비잔티움 시대에 지어진 수도원 (그림의 출처: (a)printerest.co.kr (b)ipernity.com)

그 후 수세기의 시간이 지나면서 노인요양시설은 진화하였고, 나라별로 형태와 정의, 서비스의 종류가 다양해졌다. 본 저자 등이 우리나라, 미국, 캐나다, 영국, 스코틀랜드, 프랑스, 일본, 독일, 호주, 네덜란드, 스페인, 이탈리아, 체코, 중국, 인도, 레바논, 홍콩 등의 전문가 의견을 바탕으로 2015년에 발표한 국제 연구에서는 다음의 표에서 보는 바와 같이 나라별 노인요양시설의 정의와 역할을 규정하였는데, 이 연구에서는 노인요양시설(요양원, **nursing homes**)의 정의를 다음과 같이 제안하였다.

표 1-1   노인요양시설(Nursing Homes)의 정의

노인요양시설이란? = nursing homes

가정집과 같은 환경(domestic-styled environment)
24시간 케어
일상생활능력이 저하된 취약한 자들을 보조
거주 기간: 재활을 위해 단기간이 될 수도 있고, 장기요양이 될 수도 있으며, 말기환자를 위해 사망 시점까지 될 수도 있다.
의료전문가에 의한 어느 정도의 건강케어를 제공
미국은 시설에서 급성기 후 관리를 제공하지만, 대부분의 나라에서는 노인(요양)병원이나 급성기 병원의 노인(요양)병상과 같이 의료기관에서 제공

Adapted from: Sanford AM, et al. J Am Med Dir Assoc. 2015;16(3):181-4.

표 1-2   노인요양시설(Nursing Homes)의 종류

	정 의
케어주택 Care home	신체적, 인지적으로 장애가 있는 환자들에게 침실 등을 제공하고, 다양하게 만성질병을 관리하며, 일상생활을 보조해주는 시설. 규모는 작고 집과 같은 구조이며, 의료전문가의 서비스는 제공되지 않음.
노인원호생활시설 Assisted-living facility	신체적, 인지적으로 장애가 있는 환자들에게 침실 등을 제공하고, 다양하게 만성질병을 관리하며, 일상생활을 보조해주는 시설.
장기케어시설 Long-term care facility	신체적, 인지적으로 장애가 있는 환자들에게 침실 등을 제공하고, 만성질병을 관리하며, 24시간 일상생활을 보조해주는 시설.
아급성기케어시설 Subacute care facility	급성기 질병 이후에 의료서비스와 집중적인 물리치료/작업치료/언어치료를 제공하는 시설. 종종 장기간 입원을 함.
전문요양시설(SNF) Skilled-nursing facility	급성기 질병 이후에 의료서비스와 집중적인 물리치료/작업치료/언어치료를 제공하는 시설. 종종 장기간 입원을 함.
재활병원 Rehabilitation hospital	입소자들의 기능을 향상시키거나 회복시키기 위하여 물리치료/작업치료/언어치료에 집중된 서비스를 제공하는 의료기관.
노인(요양)병원 Geriatric hospital	주로 노인들에게 급성기병원 퇴원 후 돌봄서비스와 재활치료를 제공하는 의료기관.
호스피스 주택 Hospice home	말기환자들에게 완화서비스를 제공하는 시설

Adapted from: Sanford AM, et al. J Am Med Dir Assoc. 2015;16(3):181-4.

표 1-3 각 나라별로 운영되는 여러 가지 형태의 장기요양시설들

	아급성기케어시설	장기케어시설	재활병원	전문요양시설(SNF)	노인원호생활시설	케어주택	노인병원	호스피스주택
우리나라					V	V	V	
호주		V		V				
캐나다		V						
중국		V			V	V		
체코		V		V		V		
영국	V	V					V	
프랑스	V			V	V			V
독일		V						
홍콩		V			V			
인도	V	V(드묾)						
이탈리아	V	V	V	V				
레바논	V	V	V					
일본		V		V	V	V		
네덜란드	V	V	V	V			V	V
스코틀랜드	V					V		
스페인		V		V	V	V	V	V
미국	V	V		V				V(드묾)

████████ 로 표시된 부분 − 시설이 아니라 의료기관(병원)에서 서비스 제공
Adapted from: Sanford AM, et al. J Am Med Dir Assoc. 2015;16(3):181-4.

다음에 주요 국가들의 노인요양시설 운영 현황을 소개하였다.

❷ 일본

우리나라 노인장기요양보험 제도의 모델이라 할 수 있으며 세계적으로도 최고령 국가의 하나인 일본의 장기요양 의료서비스 제도에 대해 아는 것은 우리나라 장기요양 의료서비스 정책을 예측하고 대비하는 데에 큰 길잡이가 된다.

1) 일본 노인요양시설의 종류

개호노인복지시설(특별양호노인홈), 개호노인보건시설(노인보건시설) 및 개호요양형 의료시설

로 구성된다. 이 중에서 우리나라의 요양병원에 가장 가까운 형태는 개호요양형 의료시설인데, 일부 요양병상은 건강보험(=건강보험), 나머지는 개호보험(介護保險; =노인장기요양보험)의 적용을 받는다.

표 1-4　일본 요양 관련 시설의 분류와 특징

구분	개호노인복지시설	개호노인보건시설	개호요양형 의료시설
의료	사립시설: 개호보험의 기본 수가에 포함되어 있지 않음. 건강보험에 의해 지불됨 공공시설 : 개호보험 적용	개호보험의 기본 수가에 포함되어 있음.	개호보험의 기본 수가에 포함되어 있음.
기능	생활지원 도움이 필요한 노인들을 위한 생활서비스	재활 (간호 및/또는 가정 복귀를 도움)	요양 (의료, 간호, 장기치료)
시설 수 (2012년)	6,590	3,951	1,759
시설당 평균 병상 수	89.6	72.2	43.5
평균 재원기간	1465.1일	277.6일	427.2일
직원기준 (입소자 100인당)	의사(비상근가) 1인 간호직원 3인 개호직원 31인 개호직원 전문원 1인 기타 생활지도원 등	의사(상근) 1인 간호직원 9인 개호직원 25인 이항요법사 또는 작업요법사 1인 개호직원 전문원 1인 기타 지원 상담원 등 (간호직원수는 간호 개호직원 총수의 2/7, 개호직원수는 개 간호 개호직원 총수의 5/7)	의사 3인 간호직원 17인 개호직원 17인 개호직원 전문원 1인 기타 약제사, 영양사 등
이용 대상자	상시개호가 필요한 자로서 재가 생활이 곤란한 요개호자	병상안정기로, 입원치료는 필요 없으나, 사회복귀 또는 간호, 개호가 필요한 요개호자	카테터를 장착하고 있는 등 상시 의료관리가 필요한 안정기의 요개호자

출처: http://www.roken.or.jp/servers/institution.html

그림 1-2 원래는 호텔 건물이었던 건물을 개호노인복지시설(특별양호노인홈)로 개조(일본 가나자와[金沢]현에 있는 소위 '노인홈'. 우리나라의 '실버타운'과 비슷한 개념의 시설)

그림 1-3 로비에는 인간형 인공지능로봇이 우리를 맞아주었다. 로봇에 익숙한 입소자는 로봇과 자연스럽게 대화도 나누고 머리도 만지는 등 익숙한 모습이었다.

❸ 미국

1) 전문요양시설(**Skilled Nursing Facility; SNF**)

　① 미국에서 가장 흔한 형태의 아급성 케어 기관.

　② 단기 전문요양케어, 물리치료, 작업치료, 언어치료 등의 재활치료 서비스 제공.

　③ 자원이용량에 따라 수가를 책정하여 일당정액제로 보상. 즉, RAI (**Resident Assessment Instrument**)를 사용한 MDS 3.0에 기초하여 대상자를 사정하여 RUG (**Resource Utilization Group**)로 분류함.

　④ 20일까지는 Medicare에서 부담하고 21일 이후는 본인부담금 적용.

그림 1-4　"사랑이 없는 케어 – 요양원의 비극" 책 표지. 1980년에 출간되어 미국 요양시설의 처참한 현실과 사설기관의 부당이득을 고발함. 이는 미국 노인요양시설의 개혁을 유발하였고, 결국 요양시설을 감독하는 의사직인 Medical Directors를 의무적으로 두게 되었음(OBRA법률, 1987).

2) Medical Director

　① 미국 노인요양시설을 관리, 감독하는 의사(감염관리, 약물관리, 주치의 관리 포함).

　② Agency에 속한 한 명의 의사(**Medical Director**)가 여러 노인요양시설들과 계약을 맺음

　③ 각 노인요양시설의 행정 업무에도 관여할 수 있는 권한이 있음.

　④ Medical Director의 연합인 AMDA(**American Medical Directors Association**)는 이미 미국 노인장기요양관련 모임 중 규모 면이나 학술적으로 영향력이 큼.

❹ 네덜란드

1) 장기요양의사(Nursing Home Physician; NHP)

① 1972년 NHP 학회 창립.

② 1989년: 노인요양시설 의사들에게 2년 간의 교육 시작.

③ 1990년: '요양학'을 전문과목으로 인정.

④ 2009년: 기존의 '요양원 의사'라는 용어가 '노인의학전문의'로 변경됨.

⑤ NHP는 의과대학 졸업 후 2년 간의 '장기요양' 관련 수련 과정을 마쳐야 자격이 생김.

2) 인력 및 시설

① 인력: 장기요양의사(일반적으로 환자 100명당 전담의사 1명)를 포함하여 간호사, 물리치료사, 작업치료사, 언어치료사, 심리사 등의 인력으로 구성

② 신체적인 질병 및 장애가 있는 노인들이 입원하는 somatic ward와 치매 노인들이 입원하는 psychogeriatric ward로 구분하여 운영함.

❺ 대만

대만은 우리나라와 더불어 세계에서 가장 노령화 속도가 빠른 나라들 중 하나이다. 아시아 지역에서는 드물게 2005년부터 노인의학전문의 제도를 도입하여 성공적으로 수련받고 있다. 2018년 현재 일본의 개호보험과 우리나라의 노인장기요양보험을 모델로 노인장기요양보험제도의 도입을 준비 중에 있으며, 주요 거점 병원들이 지역 장기요양시설들과 연계를 맺고, 의료적 처치가 필요한 경우에는 병원의 장기요양병동에서 치료를 하고 있다.

참 · 고 · 문 · 헌

1. Lascaratos J, Kalantzis G, Poulakou-Rebelakou E. Nursing homes for the old ('gerocomeia') in Byzantium (324-1453 AD). Gerontology 2004;50(2):113-7.

2. Sanford AM, Orrell M, Tolson D, Abbatecola AM, Arai H, Bauer JM, et al. An international definition for "nursing home". J Am Med Dir Assoc. 2015;16(3):181-4.

3. 보건복지부, 대한노인병학회. 노인 요양시설과 요양병원의 역할 정립 방안 연구, 2010.

4. 보건복지부, 경희대학교 산학협력단. 촉탁의 업무지침 내실화 및 교육교재 개발, 2014.

노인장기요양보험제도란
무엇인가?

노인요양시설의 운영과 입소자 돌봄의 이해를
위해서는 우선 관련 제도를 알아야 합니다.
특히 노인장기요양보험법의
숙지가 필요합니다.

❶ 왜 우리나라에 노인장기요양보험제도가 도입되었을까?

UN이 제시한 기준에 따르면 한 국가의 총 인구 중 65세 이상 인구 비중이 7%, 14%, 20% 이상이면 각각 고령화사회(Ageing society), 고령사회(Aged society), 초고령사회(Super-aged society)로 분류한다. 우리나라는 이미 2000년에 고령화사회, 2017년에 고령사회가 되었고, 2026년에는 초고령사회가 될 것이다. 우리나라보다 먼저 고령화를 겪었던 외국과 비교할 때, 그 어떤 나라보다도 빠른 속도이다. 특히 2060년에는 우리나라가 세계 1위 고령국가가 될 것이라고 한다.

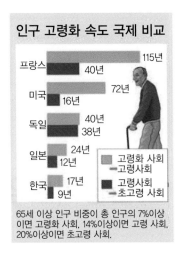

그림 2-1   주요 국가의 인구 고령화 속도 비교.

정부에서는 우리나라가 고령화사회에 접어든 2000년에 장기요양문제에 대한 대책을 수립하기 위해서 공적 노인장기요양정책기획단을 설치하였고, 2001년 8월 15일 광복절 경축사에서 대통령은 노인장기요양보험의 도입을 발표하였다. 이후, 2007년에 노인장기요양보험법이 국회에서 통과되었고, 2008년 7월 1일부터 노인장기요양보험제도를 시행하고 있다. 기존에 장기요양보험제도를 시행하고 있는 나라들로는 독일, 오스트리아, 스위스, 일본 등이 있다.

표 2-1	노인장기요양보험법의 제정 과정
연도	내용
2000년	보건복지부에 공적 노인장기요양정책기획단을 설치하여 기초연구 및 향후 추진계획 발표
2001년	보건복지부의 의뢰로 한국보건사회연구원에서 노인장기요양보호 및 욕구실태 조사를 실시, 장기요양필요 노인 수를 추정
2002년	국무조정실 노인보건복지대책위원회에서 공적 노인요양보장제도의 수립을 발표
2003년	보건복지부에 공적 노인요양보장추진기획단을 설치, 운영하여 노인요양보험제도의 모형을 논의
2004년	보건복지부에 공적 노인요양보장추진 실행위원회를 설치, 운영하여 노인요양보험제도의 시범사업모형을 구축
2005년	노인요양보험 시범사업을 일부 시군구에서 실시하여 제도모형을 수정 보완 : 1차 (2005.7~2006.3, 6개 지역), 2차(2006.4~, 8개 지역), 3차(2007.5~2008.6, 13개 지역)
2007년	노인장기요양보험법 국회통과로 제정

Adapted from 선우덕

이 제도를 도입한 구체적인 배경은 크게 다음과 같이 3가지이다.

- 인구 고령화에 따라 장기요양이 필요한 노인의 급증
- 핵가족화에 따라 가정에서 노인을 수발할 가족이 부족
- 장기요양 비용 증가로 인한 수발 포기, 노인학대 등의 사회문제

❷ 누가 노인장기요양보험제도의 대상인가?

장기요양 수급자 신청을 할 수 있는 자는 65세 이상의 노인이거나, 65세 미만자 중에서 치매, 뇌혈관질환 등 노인성 질병을 지녀야 한다.

노인장기요양보험법 제2조(정의) 이 법에서 사용하는 용어의 정의는 다음과 같다.
1. "노인등"이란 65세 이상의 노인 또는 65세 미만의 자로서 치매·뇌혈관성질환 등 대통령령으로 정하는 노인성 질병을 가진 자를 말한다.

2017년 현재 대통령령에 따른 노인성질환은 다음과 같은 21개 질환이다. 만일 수급 신청자가 만 65세 미만자라면 의사소견서에 의사나 한의사로부터 다음 21개 질환 중 하나 이상의 질병을 진단받아야 등급판정의 대상이 된다.

[별표 1] 〈개정 2016. 11. 8.〉

노인성 질병의 종류(제2조 관련)

구분	질병명	질병코드
한국표준질병· 사인분류	가. 알츠하이머병에서의 치매	F00*
	나. 혈관성 치매	F01
	다. 달리 분류된 기타 질환에서의 치매	F02*
	라. 상세불명의 치매	F03
	마. 알츠하이머병	G30
	바. 지주막하출혈	I60
	사. 뇌내출혈	I61
	아. 기타 비외상성 두개내출혈	I62
	자. 뇌경색증	I63
	차. 출혈 또는 경색증으로 명시되지 않은 뇌졸중	I64
	카. 뇌경색증을 유발하지 않은 뇌전동맥의 폐쇄 및 협착	I65
	타. 뇌경색증을 유발하지 않은 대뇌동맥의 폐쇄 및 협착	I66
	파. 기타 뇌혈관질환	I67
	하. 달리 분류된 질환에서의 뇌혈관장애	I68*
	거. 뇌혈관질환의 후유증	I69
	너. 파킨슨병	G20
	더. 이차성 파킨슨증	G21
	러. 달리 분류된 질환에서의 파킨슨증	G22*
	머. 기저핵의 기타 퇴행성 질환	G23
	버. 중풍후유증	U23.4
	서. 진전(震顫)	R25.1

1. 질병명 및 질병코드는 「통계법」 제22조에 따라 고시된 한국표준질병·사인분류에 따른다.
2. 진전은 보건복지부장관이 정하여 고시하는 범위로 한다.

이를 정리하면 다음의 표와 같다.

표 2-2 노인장기요양보험 관련 대상자

구분	적용대상자 범위
노인장기요양보험 적용대상자	전국민 [장기요양보험가입자(건강보험과 동일) + 의료급여 적용 대상자]
보험료를 부담하는 대상자	장기요양보험가입자 (건강보험료 납부대상자)
장기요양인정을 신청할 수 있는 대상자(장기요양인정 신청인)	65세 이상 노인 또는 노인성 질환을 가진 65세 미만의 국민
장기요양급여를 이용할 수 있는 대상자(수급자)	장기요양인정 신청인 중 6개월 이상 혼자서는 일상생활이 어려운 자로서 장기요양등급판정위원회에서 장기요양인정을 받은 65세 이상 노인 또는 노인성 질환을 가진 65세 미만자

❸ 수급자는 어떤 혜택을 얻는가?

등급을 받은 수급자가 얻게 되는 장기요양급여는 크게 재가급여, 시설급여, 특별현금급여로 구분되며, 이 중 한 가지씩만 이용이 가능하다. 단, 가족요양비(특별현금급여) 지급대상자의 경우 재가급여, 시설급여는 이용할 수 없으나 복지용구(기타 재가급여)를 추가로 이용이 가능하다.

장기요양급여 종류	지원 형태	내용
재가급여 (1~5등급)	주·야간 보호	하루 중 일정한 시간 동안 장기요양기관(주,야간보호센터)에서 보호.
	방문요양	장기요양요원이 수급자의 가정 등을 방문하여 신체활동 및 가사활동 등을 지원.
	인지활동형 방문요양	장기요양 5등급(치매특별등급) 수급자에게 인지자극활동 및 남아있는 기능의 유지, 향상을 위한 훈련 제공. 기존의 '방문요양' 서비스와는 달리 남아있는 기능의 유지,향상을 위해 수급자와 함께 옷 개기, 요리하기, 빨래, 식사준비, 개인위생활동 등 일상생활을 함께 수행.

	방문간호	간호사, 치과위생사, 간호조무사가 의사, 한의사, 또는 치과의사의 방문간호지시서에 따라 수급자 가정을 방문하여 간호, 진료의 보조, 요양에 관한 상담 또는 교육, 구강위생 등을 제공.
	방문목욕	장기요양요원이 목욕설비를 갖춘 장비를 이용하여 목욕서비스 제공.
	단기보호	수급자를 일정 기간 동안 장기요양기관에 보호하여 신체활동 지원 및 심신기능의 유지, 향상을 위한 교육, 훈련 등 제공.
	복지용구	수급자의 일상생활 또는 신체활동 지원에 필요한 용구를 제공하거나 대여.
시설급여 (1,2등급)	노인요양시설	정원: 10명 이상
	노인요양공동 생활가정	정원: 5~9명
특별현금급여	가족요양비	도서벽지 거주, 천재지변 등으로 장기요양급여 서비스를 이용하기 어렵다고 인정되는 자에게 지급.

3,4,5등급인 자도 시설급여를 이용할 수 있나요?

3,4,5등급인 자도 장기요양등급판정위원회에서 시설급여가 반드시 필요한 것으로 인정["동일 세대의 가족구성원으로부터 수발이 곤란한 경우" 또는 "주거환경이 열악하여 시설입소가 불가피한 경우" 또는 "심신상태 수준이 재가급여를 이용할 수 없는 경우"]받으면 시설급여를 이용할 수 있는 자격이 생긴다.

❹ 장기요양재정 및 관리운영체계

노인장기요양보험제도의 재원은 장기요양보험료(법 제8조, 제9조), 국가부담금(법 제58조), 이용자본인 일부부담금 및 기타 잡수입으로 조달되고 있다.

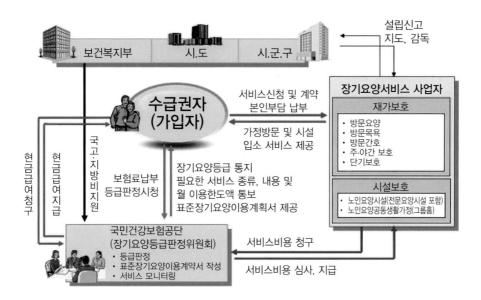

그림 2-2 노인장기요양보험 관리운영 체계. Adapted from 보건복지부.

참·고·문·헌

1. 국민건강보험공단. 노인장기요양보험 법령집, 2012.

2. '고령사회' 1년 일찍 왔다 [Internet]. 서울: 조선일보; c2017 [cited 2017 Aug 16]. Available from: http://news.chosun.com/site/data/html_dir/2017/02/22/2017022200221.html.

3. '가난한 노인의 나라' 한국…2050년 노인비율 '세계 2위' [Internet]. 서울: 한겨레신문; c2017 [cited 2017 Aug 16]. Available from: http://www.hani.co.kr/arti/international/international_general/737489.html

4. Long-term care quality systems based on 'professionalism'. In: Mor, Leone and Maresso. Regulating Long-term care quality An international Comparison. NY: Cambridge University Press; 2014. P.29-31.

5. 선우덕. 노인장기요양보험법. In: 대한노인병학회. 노인병학. 제3판. 서울: 범문에듀케이션; 2015. P.823-29.

6. 보건복지부. 노인장기요양보험과 촉탁의 제도의 이해. In: 대한의사협회. 노인요양시설 촉탁의사 교육 표준교재. 서울: 대한의사협회; 2017. P.3-13.

Chapter 3

등급판정과 시설 입소의 절차

KEYPOINT 🔓

등급판정을 위해 필요한 서류들은 무엇인가요?
공단은 조사결과서, 신청서, 의사소견서,
그 밖에 심의에 필요한 자료를 등급판정위원회에
제출하여야 합니다
(노인장기요양보험법 제15조).

❶ 등급판정 기준 (노인장기요양보험법 시행령 제7조)

장기요양인정조사 신청자 중, 인정조사 점수가 45점 이상이면 등급 인정을 받으며, 수급자의 상태에 따라 다음의 표와 같이 5개의 등급으로 구분된다. 한편, '치매국가책임제'의 일환으로 2018년 1월에 6번째 등급인 '인지지원등급'의 신설이 예정되어 있다.

표 3-1 장기요양인정조사 점수에 따른 등급 기준

인정조사 등급	판정 기준
1등급	심신의 기능상태 장애로 일상생활에서 전적으로 다른 사람의 도움이 필요한 자로서 장기요양인정 점수가 95점 이상인 자
2등급	심신의 기능상태 장애로 일상생활에서 상당 부분 다른 사람의 도움이 필요한 자로서 장기요양인정 점수가 75점 이상 95점 미만인 자
3등급	심신의 기능상태 장애로 일상생활에서 부분적으로 다른 사람의 도움이 필요한 자로서 장기요양인정 점수가 60점 이상 75점 미만인 자
4등급	심신의 기능상태 장애로 일상생활에서 일정 부분 다른 사람의 도움이 필요한 자로서 장기요양인정 점수가 51점 이상 60점 미만인 자
5등급	치매(제2조에 따른 노인성 질병에 해당하는 치매(알츠하이머병에서의 치매, 혈관성 치매, 달리 분류된 기타 질환에서의 치매, 상세불명의 치매) 환자로서 장기요양인정 점수가 45점 이상 51점 미만인 자
6등급 (=인지지원등급)	치매 진단을 받고 약물 복용 중이지만 신체적 기능은 정상에 가까운 자

다음은 등급판정 시에 필요한 서류와, 등급 판정시 수급자로 판정되기 위한 원칙이다.

노인장기요양보험법 제15조(등급판정 등)

① 공단은 제14조에 따른 조사가 완료된 때 조사결과서, 신청서, 의사소견서, 그 밖에 심의에 필요한 자료를 등급판정위원회에 제출하여야 한다. 〈개정 2016.5.29.〉

② 등급판정위원회는 신청인이 제12조의 신청자격요건을 충족하고 6개월 이상 동안 혼자서 일상생활을 수행하기 어렵다고 인정하는 경우 심신상태 및 장기요양이 필요한 정도 등 대통령령으로 정하는 등급판정기준에 따라 수급자로 판정한다. 〈개정 2016.5.29.〉

---

❷ 등급판정 신청 및 절차

장기요양보험 급여를 받기 위해서는 국민건강보험공단에 장기요양인정 신청서를 제출하여 장기요양급여를 받을 자(수급자)로 판정받아야 함. 인정 신청을 할 때, 의사소견서를 함께 제출해야 하는데, 중증의 거동불편자나 도서벽지 거주자인 경우에는 의사소견서의 제출을 생략할 수 있다.

노인장기요양보험법 제13조(장기요양인정의 신청)

① 장기요양인정을 신청하는 자(이하 "신청인"이라 한다)는 공단에 보건복지부령으로 정하는 바에 따라 장기요양인정신청서(이하 "신청서"라 한다)에 의사 또는 한의사가 발급하는 소견서(이하 "의사소견서"라 한다)를 첨부하여 제출하여야 한다. 다만, 의사소견서는 공단이 제15조제1항에 따라 등급판정위원회에 자료를 제출하기 전까지 제출할 수 있다.

② 제1항에도 불구하고 거동이 현저하게 불편하거나 도서·벽지 지역에 거주하여 의료기관을 방문하기 어려운 자 등 대통령령으로 정하는 자는 의사소견서를 제출하지 아니할 수 있다.

인정조사항목은 총 90개 항목이지만 등급판정을 위해 활용하는 항목 수는 52개이고, 이에는 일상생활동작, 인지기능, 행동변화, 간호재활처치 등에 대한 내용을 포함하고 있다. 장기요양등급은 조사자가 1차적으로 조사한 내용을 기초로 PC프로그램에 의해 판정(1차 판정)하고, 그 1차 판정결과와 의사소견서를 바탕으로 각 시,군,구에 설치되어 있는 장기요양등급판정위원회에서 최종적으로 등급을 판정, 확정한다(2차 판정). 등급판정에 이의가 있는 경우에는 이의신청을 할 수 있고(법 제55조), 인정등급의 유효기간은 최소 1년 이상으로 되어 있어서, 그 기간이 경과하면 갱신신청을 하여야 하고(법 제20조), 등급변경이 필요할 때에도 변경신청을 할 수 있다(법 제21조).

노인장기요양보험의 신청 및 등급판정의 흐름도를 다음 그림과 같이 정리하였다

서비스 신청	– 65세 이상 노인 또는 65세 미만 노인성 질환자가 공단에 의사 소견서를 첨부하여 장기요양인정 신청 • 신청서 : 본인 가족이나 친족, 사회복지전담공무원(본인이나 가족 등의 동의 필요), 시장·군수·구청장이 지정하는 자
인정 조사	– 공단 소속직원(사회복지사, 간호사)이 신청인의 가정 등을 방문하여 장기 요양인정조사표에 따라 심신상태 등을 조사 – 인정 조사 후에 의사소견서 제출
등급 판정	– 공단은 조사결과서, 의사소견서 등을 등급판정위원회에 제출 – 등급판정위원회는 대통령령이 정하는 등급판정기준에 따라 장기 요양급 여를 받을 자로 판정 • 신청서를 제출한 날로부터 30일 이내에 판정 완료 다만 정밀 조사가 필 요한 경우 등 부득이한 경우 연장 가능
장기요양인정서 및 표준장기요양 이용계획서 통보	– 장기요양등급, 장기요양급여의 종류 및 내용이 담긴 장기요양 안정서와 적절한 서비스 내용, 횟수, 비용 등을 담은 표준장기요양이용계획서 송부 • 장기요양인정 유효기간 : 최소 1년 이상 • 장기요양인정의 갱신신청, 장기요양등급 등의 변경신청, 이의신청 절차 있음
장기요양급여의 시작	– 장기요양인정서가 도달한 날부터 장기요양급여 시작 • 다만, 돌볼 가족이 없는 경우 등은 신청서를 제출한 날부터 장기 요양 급여를 받을 수 있음
장기요양기관 정보의 안내	– 장기요양기관은 수급자가 장기요양급여를 쉽게 선택하도록 건물, 시설, 설비 등의 사진 및 현황 자료 등을 공단이 운영하는 인터넷에 게시

그림 3-1 노인장기요양등급판정의 과정   Adapted from 보건복지부

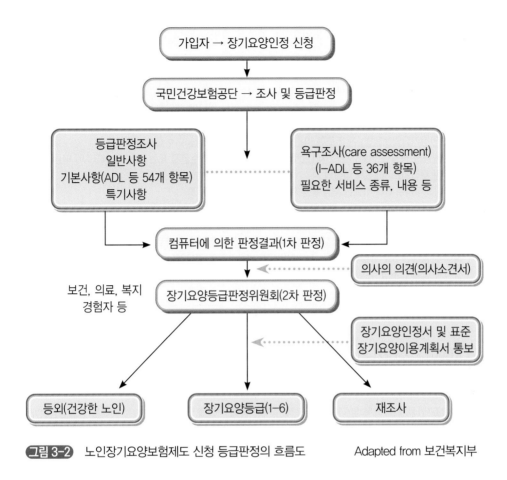

가입자 → 장기요양인정 신청

국민건강보험공단 → 조사 및 등급판정

등급판정조사
일반사항
기본사항(ADL 등 54개 항목)
특기사항

욕구조사(care assessment)
(I-ADL 등 36개 항목)
필요한 서비스 종류, 내용 등

컴퓨터에 의한 판정결과(1차 판정)

의사의 의견(의사소견서)

보건, 의료, 복지
경험자 등

장기요양등급판정위원회(2차 판정)

장기요양인정서 및 표준
장기요양이용계획서 통보

등외(건강한 노인)

장기요양등급(1-6)

재조사

그림 3-2 노인장기요양보험제도 신청 등급판정의 흐름도   Adapted from 보건복지부

그림 3-3 노인장기요양 등급판정위원회 모습. 일반적으로 2주마다 개최되어 최종적으로 등급 판정을 하며, 위원은 의사, 한의사, 간호사, 사회복지사, 관련 공무원, 지역노인회 임원 등으로 구성 된다.

❸ 시설(= 노인의료복지시설 = 노인요양시설, 노인요양공동생활가정) 입소 대상자

노인복지법 시행규칙 제18조(노인의료복지시설의 입소대상자 등)

① 법 제34조에 따른 노인의료복지시설의 입소대상자는 다음 각 호와 같다. 〈개정 2015.12.29.〉

1. 노인요양시설·노인요양공동생활가정 : 다음 각 목의 어느 하나에 해당하는 자로서 노인성질환 등으로 요양을 필요로 하는 자

　가. 「노인장기요양보험법」 제15조에 따른 수급자(이하 "장기요양급여수급자"라 한다)

　나. 「국민기초생활 보장법」 제7조제1항제1호에 따른 생계급여 수급자 또는 같은 항 제3호에 따른 의료급여 수급자로서 65세 이상의 자

　다. 부양의무자로부터 적절한 부양을 받지 못하는 65세 이상의 자

　라. 입소자로부터 입소비용의 전부를 수납하여 운영하는 노인요양시설 또는 노인요양공동생활가정의 경우는 60세 이상의 자

② 제1항제1호에도 불구하고 입소대상자의 배우자는 65세 미만(입소자로부터 입소비용의 전부를 수납하여 운영하는 노인요양시설 또는 노인요양공동생활가정의 경우에는 60세 미만)인 경우에도 입소대상자와 함께 입소할 수 있다.

[전문개정 2008.1.28.]

❹ 시설에 입소하기 위한 절차

노인복지법 시행규칙 제19조(노인의료복지시설의 입소절차 등)

② 제18조제1항제1호나목 및 다목에 해당하는 자가 당해 시설에 입소하고자 하는 때에는 입소신청서에 다음 각호의 서류를 첨부하여 주소지를 관할하는 특별자치시장·특별자치도지사·시장·군수·구청장에게 제출하여야 한다. [개정 2001.2.10., 2008.1.28., 2015.12.29., 2016.12.30.]

1. 건강진단서 1부

2. 입소신청사유서 및 관련 증빙자료 각 1부(「국민기초생활 보장법」 제7조제1항제1호에 따른 생계급여 수급자 또는 같은 항 제3호에 따른 의료급여 수급자의 경우에는 제외한다)

③ 제2항의 규정에 의한 신청을 받은 특별자치시장·특별자치도지사·시장·군수·구청장은 신청일부터 10일 이내에 입소대상자의 건강상태와 부양의무자의 부양능력 등을 심사하여 입소여부와 입소시설을 결정한 후 이를 신청인 및 당해시설의 장에게 통지하여야 한다. [개정 2008.1.28., 2016.12.30.]

④ 특별자치시장·특별자치도지사·시장·군수·구청장은 제18조제1항제1호다목에 해당하는 입소자에 대하여는 1년마다 입소자의 건강상태 또는 부양의무자의 부양능력 등을 심사하여 입소여부를 재결정하여야 한다. [개정 2008.1.28., 2016.12.30.]

⑧ 노인요양시설 또는 노인요양공동생활가정에 입소하고자 하는 자는 국·공립병원, 보건소 또는 제8조의 규정에 의한 건강진단기관이 발행한 건강진단서를 당해시설의 장에게 제출하여야 한다. [개정 2008.1.28.]

참 · 고 · 문 · 헌

1. 국민건강보험공단. 노인장기요양보험 법령집, 2012.

2. 선우덕. 노인장기요양보험법. In: 대한노인병학회. 노인병학. 제3판. 서울: 범문에듀케이션; 2015. P.823-29.

Chapter 4

낙상으로부터 안전한
시설 만들기

KEYPOINT 🔓

왜 낙상이 중요한가?
시설 입소자의 상당수가 인지기능 저하,
골다공증, 거동 저하 등에 의한 근감소증이
있어 넘어졌을 때에 골절 위험이 크다.
만일 낙상 후에 골절 등으로 인해
와상이 되면 그로 인한 합병증은
입소자를 중증의 환자로 만든다.

❶ 노인에서 낙상의 역학

1) <u>65세 이상의 30%, 80세 이상의 40%</u>에서 경험
2) 의도하지 않은 손상(injury)의 가장 흔한 원인(2/3 가량)
3) 노인의 6번째 사망 원인

낙상이 많이 발생하는 상황

a. 와상이나 의존적인 노인보다는 어느 정도 <u>보행 및 이동이 가능한 노인</u>에서 주로 발생
b. 50% 정도: 자가 보행이나 이동 동작 중에 신체의 무게 중심이 동요하면서 발생
c. 25% 정도: 몸을 앞으로 구부리거나, 전방이나 상위의 물건 쪽으로 손을 뻗거나, 의자에 앉거나 의자에서 일어서는 동작, 무게 중심의 이동 시에 발생
d. 심한 낙상: <u>보행에 문제가 있는</u> 자가 의자, 침상, 변기에서 일어나거나 앉을 때, 또는 이동 동작 중에 주로 발생
e. 가정: 실외(실내 - 침실, 욕실, 부엌, 계단(낙상의 최대 1/3이 화장실 이용과 관련)
f. 계단: 내려갈 때가 더 많이 발생. 특히 첫 걸음과 마지막 걸음
g. 요양원: 화장실, 욕실, 침상에서 이동, 휠체어 타려고 할 때
h. <u>입소 초(1-2주)</u>에 많이 발생
i. 침대에서 발생하는 낙상의 37-90%는 bed rail을 올린 상황에서 발생(이때 손상도 더 심각하다. 즉, rail을 넘으려다 걸리면서 머리가 먼저 떨어질 수 있다) 따라서 낙상의 위험이 높은 경우(예, 인지기능 장애)에 bed rail를 올려 놓으면 안된다.

❷ 어떠한 경우에 낙상이 발생하나?

1) 내인적 인자(Intrinsic factors) ⇐ 요양원 수용 노인들에 많다.

표 17-1 낙상의 내인적 위험인자

환자의 나이가 많을수록	치매(균형, 판단력, 문제해결 능력에 문제)
감각기능 장애(시각, 청각, 고유감각)	전정기관 장애(BPV, 메니에르병, 급성 전정염)
뇌 질환(뇌졸중, 파킨슨병 등)	근골격계 장애
대사성 질환(당뇨병성 신경병증 등, vit.B12 결핍증)	심혈관계 질환
호흡기 질환	하지 근력 약화, 보행 장애, 균형 장애
낙상의 과거력	

2) 외인적 인자(Extrinsic factors) ⟸ 지역사회 거주 노인들에 많다.

표 17-2 낙상의 외인적 위험 인자

약물 요인	
각성 상태 저하	진통제(특히 마약성 진통제), 신경계 작용 약물(특히 항우울제, 벤조다이아제핀)
대뇌 혈류 장애	항고혈압제(특히 혈관확장제), 부정맥 약, 이뇨제
전정 기관 장애	Aminoglycoside, 고용량의 Lasix
추체외로증상(EPS)	페노티아진
환경적 요인들	
어두운 조명, 고르지 못한 지면, 문지방, 카펫 가장자리, 전기선, 전화선, 부적절한 위치의 가구, 집기, 적절하지 못한 계단 높이와 깊이, 미끄러운 바닥	

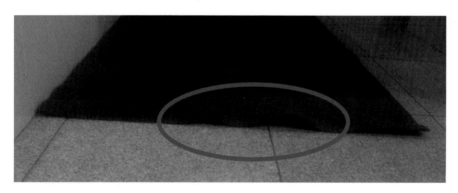

그림 4-1 낙상 유발 환경적 요소: 끝이 살짝 들린 카펫은 걸려 넘어지기 쉽다.

❸ 낙상의 합병증

골절, 심각한 연부조직 손상, 두부 손상 등의 심한 합병증의 경우 지역 사회에서 발생한 낙상의 5~15%, 요양시설에서 발생한 낙상의 10~25%에서 동반된다. 찰과상, 열상, 좌상 정도의 가벼운 손상까지 포함하면 합병증 발생 비율은 전체 낙상의 1/4~1/3에 이른다. 매년 65세 이상 노인의 8%에서 낙상과 관련된 손상으로 응급실에 내원하며, 그 중 절반 가량이 입원 치료를 받는다. 나이가 많은 환자일수록 낙상 후 오랜 시간을 쓰러진 채로 있을 가능성이 높기 때문에 탈수, 폐렴 등의 합병증이 발생하기도 한다.

1) 골절

    a. 낙상의 2~10%에서 발생

    b. 25% 가량이 고관절 부위 골절

    c. 65세 이상 모든 골절의 87%, 고관절 부위 골절의 95%의 원인이 낙상

    d. 골절 → 침상 생활 → 욕창, 탈수, 폐렴, 저체온증, 근용해증

2) 사망

    a. 사고로 인한 사망의 가장 큰 원인이 낙상

3) 부동증(움직이지 못함)

    a. 낙상 후 노인의 20~40%에서 보조 도구 없이 기립이 불가능

    b. 어떤 분들에게 잘 생기나?

      −80세 이상, 근력 약화, 균형감 감소, 관절염, 일상생활 동작의 의존성

4) 활동성 저하

    a. 적어도 25%에서 일시적이나마 향후 활동에 제한

5) 낙상의 악순환

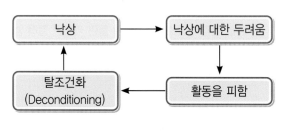

그림 4-2 낙상의 악순환 고리

Modified from Kochar J, Bludau J.

표 14-3   폐용증후군(廢用症候群)

폐용증후군

골절 등으로 장기간 누워 지내면 어느 새 몸도 잘 움직여지지 않게 되고 전신의 기능도 쇠퇴한다. 이를 폐용증후군이라고 하며, 한번 빠지면 다시 움직이는 것이 힘들어지며 더 심각한 폐용증후군이 되는 악순환이 계속 된다.

폐용증후군의 증상들

- 혈압 조절 기능이 저하되어 기립성 저혈압을 일으키기 쉽다.
- 심장 기능이 저하된다.
- 폐활량이 저하되고 감염증에 걸리기 쉽다.
- 근육이 쇠퇴하여 몸을 움직이거나 자세를 취하는 것이 어렵다.
- 평형 감각이 저하되어 몸의 균형을 잡기 어렵다.
- 음식을 잘 넘기지 못해 잘 못 삼키는 경우가 많다.
- 배설 기능이 저하되어 방광염이나 변비 등이 생기기 쉽다.
- 뇌의 자극이 떨어져 우울증에 걸리거나 인지 장애가 나타날 수 있다.
- 바닥에 넘어지기 쉽다.

Adapted from 일본방문치과협회

❹ 낙상의 위험 요소 평가 도구들

표 17-4   낙상위험 평가도구(Morse Fall Scale)

평 가 항 목		점수	/ :	/ :				
3개월 이내에 낙상한 과거력이 있는가?	아니오 예	0 25						
2차적 진단(주 진단 외 치료중인 질환)	아니오 예	0 15						
사용하고 있는 이동 보조기구	없음/침상안정/휠체어 Crutch/지팡이/ Walker 가구(Furniture)를 잡고 보행	0 15 30						
정맥 주사/헤파린 락 Foley관/ 산소라인 등	아니오 예	0 20						
걸음 걸이	정상/침상안정/부동 약함 손상	0 10 20						
정신상태	본인 활동에 대한 지남력이 있음 제한이 있다는 것을 잊어버림	0 15						
총점								
평가								
MFS ≥ 51: 낙상 고위험 환자								

Morse Fall Scale의 점수 산정 방법

- **2차적 진단 15점**: 주된 진단명(**primary active diagnosis**) 외에 추가적인 진단명(**active diagnosis**)이 있는 경우.

  例〉 "당뇨병"을 가진 자가 "호흡곤란"을 주소로 입원했다면, "호흡곤란"과 관련된 진단명이 primary diagnosis가 되고, 당뇨병은 "2차적 진단명"이 된다. 이 때 당뇨병을 치료 중인 입소자에게서 낙상위험 요인으로는 "당뇨병약 투여 시점, 어지럼증, 불안정, 잦은 배뇨(실제로 화장실을 가려고 움직이는 상황) 등"이 있다.

- **활동 보조 기구 30점**: 보행 시에 보조기구가 필요한 상태인데도 보조기구를 사용하지 않고 침대 식판 등의 가구(**furniture**) 등을 잡고 이동하거나, 침상 안정하라는 권유를 따르지 않는 경우. 결국, 보행이 불안정하면서 직원의 권유를 따르지 않는 자.

- **정맥 주사 20점**: 산소라인, 헤파린 락(**Lock**)이나 Foley catheter 포함.

- **걸음걸이 0점**: 머리를 세우고, 양손을 앞뒤로 흔들며, 머뭇거리지 않고 걷는 경우/ 혹은 아예 걸음 걸을 일이 없는 와상환자

- **걸음걸이 10점**: 구부정하나 균형을 잃지 않고 머리를 들 수 있고, 걸을 때 가구를 이용한다면 단지 가이드용으로만 짚는 정도(깃털과 같이 가벼운 터치)이며, 종종 걸음이나 발을 질질 끄는 걸음걸이.

- **걸음걸이 20점**: 의자에서 일어나기 힘든 정도, 땅을 보며 걷기, 스스로 걷지 못하고 가구 등을 잡아야 걸을 수 있고, 종종 걸음이나 발을 질질 끄는 걸음걸이.

- **정신상태 15점**: 자신의 능력에 대해 과대평가하거나 한계를 망각할 때. 예를 들어, "어르신은 화장실에 혼자 가실 수 있습니까, 아니면 도움이 필요합니까?"라는 질문에 대한 대답이 간호기록의 내용과 일치하지 않거나 비현실적인 경우.

❺ 낙상의 중재와 예방

1) 단일 중재
  a. 낙상예방 교육 프로그램 : 유의한 차이가 없었음.
  b. 운동 프로그램 : 근력 운동, 태극권(**tai-chi**) 등이 도움이 됨.
  c. 균형 감각 검사 도구인 한 발로 서기, 8자 걷기 등도 도움

2) 복합적 중재
  a. 환경 요소의 교정, 운동 치료, 투여 약물 수의 감소, 낙상의 원인이 되는 여러 급, 만성 질

환의 치료, 시력 교정 등 복합적 요소를 포괄적으로 개입

3) 노인요양시설에서의 낙상의 예방

시설에서의 낙상 관련 유의 사항들

- 인지 장애가 많으므로 주로 보호자를 통해 병력 청취
- 급, 만성 질병 및 약물 복용력이 많음.
- 요로 감염, 폐렴 등이 인지기능 장애나 운동성 장애 유발 가능
- 점심 식사 후 복도에서 발생한 낙상 → 식후 저혈압 가능성!
- 취침 시간에 즈음한 욕실에서의 낙상 → 직원이 다른 환자 보호하는 동안 잘 발생

팀 접근법에 의한 다양한 원인 인자에 대한 포괄적 접근

- 균형 및 근력 향상을 위한 운동 치료
- 감각 이상에 대한 보완적 치료
- 내재된 원인 질환 치료
- 투약 약물의 조정
- 관절염, 발 변형에 대한 치료
- 보조기 처방 및 교정
- 고관절 보호대 사용 : 골절을 60% 정도 줄여줌.

- 입소자 및 보호자에 대한 교육

  » 기립 방법에 대한 교육 : 누운 자세에서 일어날 때에는 앙와위(바로 눕기) 자세에서 복와위(엎드려 눕기) 자세로 바꾼 후 사지 모두를 이용하여 몸을 일으키기

- 시설 내의 환경 개선

  » 침대 높이 조정 : 환자가 무릎을 90도 굴곡하면 바닥에 발이 닿을 수 있을 정도
  » 환자가 앉는 모든 의자는 팔걸이가 있는 딱딱한 것으로
  » 욕실 벽에는 손잡이 설치
  » 복도 및 욕실 바닥 - 부드러운 매트 깔기

- 결박(PR) ; 오히려 이를 풀려고 격한 반항을 하는 환자는 낙상이 증가될 수 있다.
- 침상 주변 알람 기구 : 낙상의 빈도를 유의하게 줄이지 못했음

그림 4-3 침실, 복도 등에 부착하는 침상 낙상 예방 수칙(사진 제공: 안산시립노인병원).

a. 고관절 보호 장치

- 10가지 이상의 다양한 보호 장치들이 있다.

b. 보장구 사용법

- 지팡이(그림 4-4)

  » 편마비 환자 등 균형을 잡기 힘든 환자가 사용

  » 체중을 싣기 위해서는 네발 지팡이를 사용하는 것이 좋다.

  » 편마비 환자의 경우 건강한 쪽 손을 사용

  » 지팡이 손잡이가 환자의 대퇴골 대전자(**greater trochanter**)까지 오는 것이 좋다.

  » 바로 섰을 때 팔목 관절이 20도 정도 굴곡 되는 정도가 좋다.

- 보행기(워커)(그림 4-5)

  » 양쪽 다리에 어느 정도 몸을 지탱할 수 있는 환자가 사용

  » 30 ㎝ 전방에 놓고 잡았을 때 양쪽 팔목 관절이 20도 정도 굴곡되는 정도

- 바퀴 달린 보행기(그림 4-6)

  » 보행기를 사용하기에는 걷는 힘이 부족한 경우

  » 대부분 간병인이 옆에서 부축하며 쓰러지지 않게 보호해 준다.

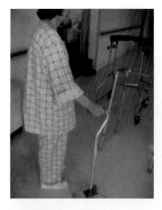

그림 4-4　지팡이

그림 4-5　보행기(워커)

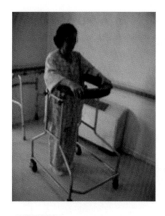

그림 4-6
바퀴 달린 보행기

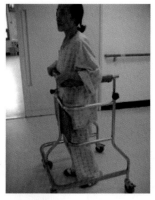

그림 4-7
올바른 사용법

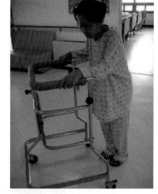

그림 4-8
잘못된 사용법

c. 낙상으로부터 안전한 환경 만들기

그림 4-9   낙상 고위험자 전용 온돌방. 낙상 고위험자들은 침대에서 낙상할 확률을 줄이기 위해 온돌방에 모시는 방법도 있다. 단, 온돌방은 욕창 위험이 높은 입소자들에게는 더 안 좋을 수도 있다.
(사진: 부천 가은병원)

그림 4-10   창문을 통한 낙상 예방을 위해 설치한 철봉(사진: 부천 가은병원).

그림 4-11   경사로 바닥은 요철면으로 하고, 벽에는 충격흡수용 쿠션을 대었다(인천은혜병원).

그림 4-12   경사로 바닥에 마찰력 높은 밴드와 카펫을 대었다(사진 제공: 안산시립노인병원).

참 · 고 · 문 · 헌

1. Kochar J, Bludau J. Falls. In: Cho KH, Michel JP, Bludau J, Dave J, Park SH, editors. Textbook of Geriatric Medicine International. Seoul: Argos; 2010. p. 351-358.

2. 전민호. 낙상. In: 대한노인병학회. 노인병학. 개정판. 서울: 의학출판사; 2005. p. 329-339.

3. Tinetti ME, Speechley M, Ginter SF. Risk factors for falls among elderly persons living in the community. N Engl J Med 198;319:1701-1707.

4. Tinetti ME, Baker DI, McAvay G, Claus EB, Garrett P, Gottschalk M, et al. A multifactorial intervention to reduce the risk of falling among elderly people living in the community. N Engl J Med. 1994;331:821-827.

5. 일본방문치과협회. 노인을 위한 구강 관리. 서울: 군자출판사; 2008.

6. Whedon MB, Shedd P. Prediction and prevention of patient falls. Image J Nurs Sch 1989;21:108-114.

7. Home Safety Checklists [Internet]. Atlanta: National Center for Injury Prevention and Control; [cited 2010 July 30]. Available from http://www.cdc.gov/ncipc/falls/fallprev4.pdf.

8. 정한영, 박진희, 심재진, 김명종, 황미령, 김세현. 한글화된 Berg 균형 검사의 신뢰도 분석. 대한재활의학회지 2006;30:611-618.

9. 이광우, 정희원 역. 임상 신경학. 2판. 서울: 고려의학; 1997. P. 55.

10. 원장원. 노인에서 태극운동(9개 기본형)이 균형 능력에 미치는 영향. 가정의학회지 2001;22:664-673.

11. 신동민 역. 응급의료체계를 위한 노인전문응급처치학. 서울: 한미의학; 2008. p. 110.

노인요양시설의 설립기준과
직원배치기준, 운영기준

KEYPOINT 🔒

요양시설의 설립과 운영의 근거는 주로
노인복지법에 따르므로, 이 법의 시행령과
시행규칙을 참조하면 도움이 됩니다. 특히
시행규칙 [별표4]와 [별표5]를 참조하세요.
또한, 시설 입소자에 대한
환경에서 가장 중요한 요소는
안전과 존엄임을 기억합시다.

본 책에서 '시설'이라 함은 노인의료복지시설을 의미한다. 노인복지법에 따르면 우리나라의 시설은 규모에 따라 노인요양시설과 노인요양공동생활가정으로 구분된다. 이 장에서는 노인복지법에 따른 시설 기준을 알아보고, 비록 법적 기준은 아니지만 실제 시설에 구비한 사례들을 소개하고자 한다.

그림 5-1   노인요양시설에 구비한 각종 시설의 예 (미래복지요양센터, 서천노인요양원)
(a)입소자 200명 이상 규모 시설, (b)입소자 60명 규모 시설

❶ 시설의 법적 기준 (노인복지법 시행규칙[별표 4])

1) 시설 규모

① 노인요양시설 : 입소정원 10명 이상(입소정원 1명당 연면적 23.6 ㎡ 이상의 공간을 확보하여야 한다) ← 통상적으로 '요양원'으로 불린다!

② 노인요양공동생활가정 : 입소정원 5명 이상 9명 이하(입소정원 1명당 연면적 20.5 ㎡ 이상의 공간을 확보하여야 한다)

2) 시설의 구조 및 설비

① 시설의 구조 및 설비는 일조·채광·환기 등 입소자의 보건위생과 재해방지 등을 충분히 고려하여야 한다.

그림 5-2 일조, 채광, 환기가 잘 되는 구조(미래복지요양센터 제공)
(a)햇빛이 잘 비치는 가족면회실, (b)테라스에 마련한 휴게공간, (c)안전하게 환기가 되는 창문, (d)한쪽 벽 전체를 유리창으로

② 복도·화장실·침실 등 입소자가 통상 이용하는 설비는 휠체어 등이 이동 가능한 공간을 확보하여야 하며 문턱제거, 손잡이시설 부착, 바닥 미끄럼 방지 등 노인의 활동에 편리한 구조를 갖추어야 한다.

그림 5-3   복도 등은 휠체어 등이 이동 가능할 정도로 넓어야 하고, 손잡이시설이 부착되어야
한다(미래복지요양센터 제공).
(a)휠체어 등이 이동 가능한 공간 확보, (b)문턱이 없는 출입구, (c)손잡이시설이 부착된 계단, (d)
손잡이시설이 부착된 화장실

③ 「소방시설 설치유지 및 안전관리에 관한 법률」이 정하는 바에 따라 소화용 기구를
비치하고 비상구를 설치하여야 한다. 다만, 입소자 10명 미만인 시설의 경우에는 소화
용 기구를 갖추는 등 시설의 실정에 맞게 비상재해에 대비하면 된다.

그림 5-4   소화전, 소화기, 비상구

④ 입소자가 건강한 생활을 영위하는 데 도움이 되는 도서관, 스포츠·레크리에이션 시설 등 적
정한 문화·체육부대시설을 설치하되, 지역사회와 시설간의 상호교류 촉진을 통한 사회와의
유대감 증진을 위하여 입소자가 이용하는데 지장을 주지 아니하는 범위에서 외부에 개방하
여 운영할 수 있다.

그림 5-5 각종 외부행사와 레크리에이션 활동이 가능한 강당

3) 시설기준

시설별	구분	침실	사무실	요양보호사실	자원봉사자실	의료 및 간호사실	물리(작업)치료실	프로그램실	식당및조리실	비상재해대비시설	화장실	세면장 및 목욕실	세탁장 및 세탁물 건조장
노인요양시설	입소자 30명 이상	○	○	○	○	○	○	○	○	○	○	○	○
	입소자 30명 미만 10명 이상	○		○		○	○	○	○	○	○	○	
노인요양공동생활가정(9명 이하)		○		○			○		○	○		○	

비고: ① 세탁물을 전량 위탁처리하는 경우에는 세탁장 및 세탁물 건조장을 두지 아니할 수 있다.

　　　② 의료기관의 일부를 시설로 신고하는 경우에는 물리(작업)치료실, 조리실, 세탁장 및 세탁물 건조장을 공동으로 사용할 수 있다. 다만, 공동으로 사용하려는 물리(작업)치료실이 시설의 침실과 다른 층에 있는 경우에는 입소자의 이동이 가능하도록 경사로 또는 엘리베이터를 설치하여야 한다.

그림 5-6 세탁실에서의 침구류 세탁

4) 설비기준

가. 침실

(1) 독신용·합숙용·동거용침실을 둘 수 있다.

(2) 남녀 공용인 시설의 경우에는 합숙용 침실을 남실 및 여실로 각각 구분하여야 한다.

(3) 입소자 1명당 침실면적은 6.6 ㎡ 이상이어야 한다.

(4) 합숙용 침실 1실의 정원은 4명 이하이어야 한다.

(5) 합숙용 침실에는 입소자의 생활용품을 각자 별도로 보관할 수 있는 보관시설을 설치하여야 한다.

(6) 적당한 난방 및 통풍장치를 갖추어야 한다.

(7) 채광·조명 및 방습설비를 갖추어야 한다.

(8) 노인질환의 종류 및 정도에 따른 특별침실을 입소정원의 5% 이내의 범위에서 두어야 한다.

(9) 침실바닥면적의 7분의 1 이상의 면적을 창으로 하여 직접 바깥 공기에 접하도록 하며, 개폐가 가능하여야 한다.

(10) 침대를 사용하는 경우에는 노인들이 자유롭게 오르내릴 수 있어야 한다.

(11) 안전설비를 갖추어야 한다.

(12) 공동주택에 설치되는 노인요양공동생활가정의 침실은 1층에 두어야 한다.

그림 5-7　쾌적하고 안전한 침실
(a)침실 창의 면적은 바닥면적의 1/7 이상(개폐
가능한 창), (b)침실 내 세면대에 낙상 방지를
위해 안전한 의자를 비치, (c)개인 사물함

그림 5-8　특별침실 : 중환자 발생을 대비한
특별침실

　나. 식당 및 조리실 : 조리실바닥은 내수재료로서 세정 및 배수에 편리한 구조로 하여야
　　 한다.

그림 5-9   조리실과 식당
(a)조리실 바닥은 타일이며, 배수에 편리한 구조로 건축(서천노인요양원)
(b)입소자 전용 식당(서울시립 서부노인요양복지센터)

다. 세면장 및 목욕실

(1) 바닥은 미끄럽지 아니하여야 한다.

(2) 욕조를 설치하는 경우에는 욕조에 노인의 전신이 잠기지 아니하는 깊이로 하고 욕조
출입이 자유롭도록 최소한 1개 이상의 보조봉과 수직의 손잡이 기둥을 설치하여야
한다.

(3) 급탕을 자동온도조절장치로하는 경우에는 물의 최고온도는 섭씨 40도 이상이 되지
아니하도록 하여야 한다.

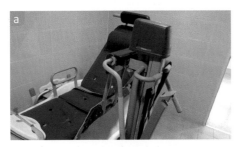

그림 5-10   거동이 불편한 입소자를 위한 목욕 보조도구들
(a)침대형태의 목욕 보조도구, (b)의자 형태의 목욕 보조도구

라. 프로그램실 : 자유로이 이용할 수 있는 적당한 문화시설과 오락기구를 갖추어 두어야
한다.

그림 5-11   프로그램실

마. 물리(작업)치료실 : 기능회복 또는 기능감퇴를 방지하기 위한 훈련 등에 지장이 없는 면적과 필요한 시설 및 장비를 갖추어야 한다.

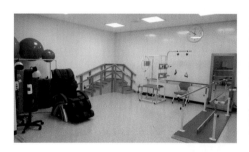
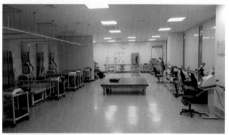

그림 5-12   물리치료실

바. 의료 및 간호사실 : 진료 및 간호에 필요한 상용의약품·위생재료 또는 의료기구를 갖추어야 한다.

그림 5-13   의료 및 간호사실. 촉탁의가 기록을 하는 공간이기도 하다.

그림 5-14   요양보호사실(개인 사물함과 소파, 휴식공간 제공)

그림 5-15   자원봉사자실

그림 5-16   사무실

사. 그 밖의 시설

(1) 복도, 화장실, 그 밖의 필요한 곳에 야간 상용등을 설치하여야 한다.

(2) 계단의 경사는 완만하여야 하며, 치매노인의 낙상을 방지하기 위하여 계단에 출입문을 설치하고 잠금장치를 하여야 한다.

(3) 바닥은 부드럽고 미끄럽지 아니한 바닥재를 사용하여야 한다.

(4) 주방 등 화재위험이 있는 곳에는 치매노인이 임의로 출입할 수 없도록 잠금장치를 설치하고, 배회환자의 실종 등을 예방할 수 있도록 외부출입구에 적정한 잠금장치를 하여야 한다.

그림 5-17 입소자의 외부 출입을 차단하기 위한 장치
(a)비밀번호로 열리는 출입문, (b)카드접촉식 엘리베이터, (c)입소자 안전을 위한 협조 안내문, (d) 입소자 통과 시 경보음 발생장치
(a:서천노인요양원, b,c:미래복지요양센터, d:서울시립 서부노인요양센터)

아. 경사로 : 침실이 2층 이상인 경우 경사로를 설치하여야 한다. 다만, 「승강기시설 안전관리법」에 따른 승객용 엘리베이터를 설치한 경우에는 경사로를 설치하지 아니할 수 있다.

그림 5-18   엘리베이터 대신 경사로 설치 가능(서천재단 서천노인요양원 제공)

법적으로 요구되지는 않지만, 실제 설치한 독특한 구조물 혹은 시설들

그림 5-19   마을형 구조. 한 층에 3개의 마을이 연결되어 있다.
(a)각 마을은 복도로 이어져 있다., (b)각 마을별 쉼터, (c)쉼터에서는 간단한 조리시설도 있다.

그림 5-20   감염예방을 위해 복도 중간에 설치한 세면시설.

그림 5-21   침대로부터의 낙상위험이 높은 입소자들을 위한 온돌방(서천노인요양원)

그림 5-22   휠체어용 체중계.

그림 5-23   이미용실: 장기적으로 머무는 곳에서 이미용은 필수임.

그림 5-24   복도에 설치한 보행연습시설(서울시립 서부노인요양센터)

그림 5-25 전통식 구조의 휴게공간(서울시립 서부노인요양센터)

❷ 시설의 인적 기준 (노인복지법 시행규칙[별표 4])

1) 시설의 장

사회복지사업법에 따른 사회복지사나 의료법 제2조에 의한 의료인만이 할 수 있다. 단, 의료기관의 일부를 시설로 신고한 경우에는 의료기관의 장(의료인인 경우만 해당한다)이 해당 시설의 장을 겸직할 수 있다.

2) 시설 직원 배치 기준 중 의사

입소자 10명 이상의 노인요양시설은 의사(한의사) 또는 촉탁의사를 두거나, 의료기관과 협약을 체결해야 한다.

직원의 자격기준

직종별	자격기준
시설의 장	「사회복지사업법」에 따른 사회복지사 자격증 소지자 또는 「의료법」 제2조에 따른 의료인
사회복지사	「사회복지사업법」에 따른 사회복지사 자격증 소지자
물리치료사 또는 작업치료사	「의료기사 등에 관한 법률」에 따른 물리치료사 또는 작업치료사 면허 소지자
요양보호사	법에 따른 요양보호사 1급 자격증 소지자

직원의 배치기준

직종별 시설별		시설의 장	사무국장	사회복지사	의사(한의사를 포함한다) 또는 촉탁의사	간호사 또는 간호조무사	물리치료사 또는 작업치료사	요양보호사	사무원	영양사	조리원	위생원	관리인
노인요양시설	입소자 30명 이상	1명	1명(입소자 50명 이상인 경우로 한정함)	1명(입소자 100명 초과할 때마다 1명 추가)	1명 이상	입소자 25명당 1명	1명(입소자 100명 초과할 때마다 1명 추가)	입소자 2.5명당 1명	필요 수	1명(입소자 50명 이상인 경우로 한정함)	필요 수	필요 수	필요 수
	입소자 30명 미만 10명 이상	1명	1명		1명	1명	필요 수	입소자 2.5명당 1명			필요 수	필요 수	
노인요양공동생활가정		1명				1명		입소자 3명당 1명					

비고: (1) 의료기관의 일부를 시설로 신고한 경우에는 의료기관의 장(의료인인 경우만 해당한다)이 해당 시설의 장을 겸직할 수 있다.

(2) 사회복지사는 입소자에게 건강유지, 여가선용 등 노인복지 제공계획을 수립하고, 복지증진에 관하여 상담·지도한다.

(3) 의료기관과 협약을 체결하여 의료연계체계를 구축한 경우에는 의사(한의사를 포함한다) 또는 촉탁의사를 두지 않을 수 있다.

(4) 요양보호사는 요양서비스가 필요한 노인에게 신체활동지원 서비스와 그 밖의 일상생활지원 서비스를 제공한다.

(5) 영양사가 소속되어 있는 업체에 급식을 위탁하는 경우에는 영양사를 두지 아니할 수 있다.

(6) 세탁물을 전량 위탁처리하는 경우에는 위생원을 두지 아니할 수 있다.

(7) 모든 종사자는 시설의 장과 근로계약을 체결한 사람이어야 한다.

(8) 위 표에서 직원의 배치기준에 관하여 "필요 수"로 규정한 경우에는 해당 직원의 배치와 관련하여 그 시설의 장이 판단하여 결정할 수 있다.

❸ 시설의 운영기준 (노인복지법 시행규칙[별표 5])

노인의료복지시설의 운영기준(제22조제2항관련) 〈개정 2016. 8. 31.〉

1. 건강관리
　가. 노인의료복지시설(이하 이 표에서 "시설"이라 한다)에는 입소자 건강관리를 위한 책임자를 두고 의사(한의사를 포함한다)·간호사 기타 자격이 있는 자가 그 임무를 수행하여야 한다.
　나. 전담의사(한의사를 포함한다)를 두지 아니한 시설은 가급적 신경과, 정신과 또는 한방신경정신과 등 노인의 질환과 관련한 전문의로서의 촉탁의사(시간제 계약에 의한 의사, 한의사 또는 치과의사를 포함한다)를 두거나 의료기관과 협약을 체결하여 의료연계체계를 구축하여야 한다.

다. 나목에 따라 촉탁의사를 두거나 의료기관과 협약을 체결한 경우 해당 촉탁의사 또는 의료기관의 의사는 매월 시설을 방문하여 입소자의 건강상태를 확인하고 건강상태가 악화된 입소자에 대하여 적절한 조치를 하여야 한다. 이 경우 시설의 입소정원에 따른 방문횟수 등 세부적인 사항은 보건복지부장관이 정한다.

라. 시설은 연 1회 이상 입소자 및 직원에 대하여 건강진단을 하고, 매월 입소자의 구강건강상태를 확인하여야 하며, 그 결과 건강이 좋지 않은 자에 대하여는 필요한 조치를 하여야 한다.

마. 입소자에 대하여 그 건강상태에 따라 적절한 훈련과 휴식을 하도록 하여야 한다.

바. 시설의 환경을 항상 청결하게 하고 그 위생관리에 유의하여야 한다.

2. 급식위생관리

가. 시설의 장은 입소자가 필요한 영양을 섭취할 수 있도록 영양사가 작성한 식단에 따라 급식을 행하여야 한다. 다만, 영양사가 없는 시설의 경우에는 소재지를 관할하는 보건소장 또는 다른 시설 등의 영양사의 지도를 받아 식단을 작성하고 이에 따라 급식하여야 한다.

나. 전염성질환·화농성창상 등이 있는 자는 입소자의 식사를 조리하여서는 아니된다.

다. 시설에서 사용되는 음용수의 경우에는 수도법 및 먹는물관리법이 정하는 바에 따라 수질검사를 받아야 한다.

라. 입소자의 식사를 조리하는 자는 항상 청결을 유지하여야 한다.

3. 운영규정

가. 시설의 장은 조직·인사·급여·회계·물품 기타 시설의 운영에 관하여 필요한 규정(이하 이 표에서 "운영규정"이라 한다)을 작성하여 시장·군수·구청장에게 제출하여야 한다.

나. 시설의 운영규정에는 다음 각 호의 사항이 포함되어야 한다.

(1) 입소정원 및 모집방법 등에 관한 사항

(2) 입소계약에 관한 사항(계약기간, 계약목적, 입소보증금, 월이용료 기타 비용부담액, 신원인수인의 권리·의무, 계약의 해제, 입소보증금의 반환 등에 관한 사항을 포함한다)

(3) 입소보증금·이용료 등 비용에 대한 변경방법 및 절차 등에 관한 사항

(4) 서비스의 내용과 그 비용의 부담에 관한 사항

(5) 특별한 보호를 필요로 하는 경우에는 그 서비스기준과 비용에 관한 사항

(6) 의료를 필요로 하는 경우에는 그 구체적인 처리절차

(7) 시설물 사용상의 주의사항 등에 관한 사항

(8) 서비스 제공자의 배상책임·면책범위에 관한 사항

(9) 운영규정의 개정방법 및 절차 등에 관한 사항

(10) 운영위원회의 설치·운영에 관한 사항

다. 시설의 장은 운영규정에서 정한 바에 따라 당해 시설을 운영하여야 한다.

4. 보증금의 수납 및 반환

가. 시설을 설치한 자가 보증금을 수납하는 때에는 월 입소비용 중 이용자 본인이 부담하여야 할 금액의 1년분 이내에서 이를 수납하여야 한다(다만, 입소자로부터 입소비용의 전부를 수납하여 운영하는 시설의 경우는 제외한다).

나. 노인의료복지시설을 설치한 자는 입소자가 퇴소하는 때에는 수납한 보증금을 지체없이 입소자 또는 입소자를 대신하여 입소계약을 체결한 배우자 또는 부양의무자에게 반환하여야 한다.

5. 회계
가. 시설의 설치·운영에 관한 회계는 법인회계 또는 다른 사업에 관한 회계와 분리하여 계리하여야 한다.
나. 국가 또는 지방자치단체로부터의 보조금품 기타 시설이 수수한 기부금품은 이를 별도의 계정으로 계리하여야 한다.

6. 장부 등의 비치
시설에는 다음 각목의 장부 및 서류를 비치하여야 한다.
가. 시설의 연혁에 관한 기록부
나. 재산목록과 재산의 소유권 또는 사용권을 증명할 수 있는 서류
다. 시설운영일지
라. 예산서 및 결산서
마. 총계정원장 및 수입·지출보조부
바. 금전 및 물품의 출납부와 증빙서류
사. 보고서철 및 행정기관과의 협의 등 관련문서철
아. 정관(법인의 경우에 한한다) 및 관계질의서류
자. 입소자 관리카드(입소계약 체결일, 입소보증금, 이용료 기타 비용부담 관계 등에 관한 내용을 포함한다)
차. 연계의료시설과의 제휴계약서
카. 촉탁의사 근무상황부(촉탁의사가 있는 경우에 한한다)

7. 시설에서의 기거자
가. 시설의 장은 입소자의 침실 또는 침실이 있는 건물마다 요양보호사 기타 직원 중 1인을 입소자와 함께 기거하도록 조치하여야 한다.
나. 시설 안에서는 입소자 외에 시설의 장 및 직원과 그 가족이 아닌 자는 거주하지 못한다.

8. 사업의 실시
가. 시설의 장은 입소자의 요양 및 재활을 도울 수 있는 다양한 프로그램을 운영하여야 한다.
나. 시설의 장은 입소자에 대하여 적극적으로 필요한 생활지도를 하여야 한다.
다. 시설의 장은 입소자의 연령·성별·성격·생활력·심신의 건강상태 등을 고려하여 수시로 입소자와 면담하거나 관찰·지도하고 특이사항을 기록·유지하여 보호의 정도에 따라 다른 노인복지시설로의 전원 등 필요한 조치를 하여야 한다.
라. 시설의 장이 생활지도 등을 함에 있어서는 입소자의 의사를 최대한 존중하여야 한다.
마. 시설의 장은 시설의 종사자(사무원·조리원·위생원·영양사·관리인을 제외한다)가 치매 및 중풍환자의 간병요령 등 치매환자 보호에 필요한 교육을 받을 수 있도록 조치하여야 한다.
바. 시설의 장은 다음의 기준에 따른 사업을 실시하여야 한다.

사업기준
(가) 입소자의 생활의욕증진 등을 도모하기 위하여 입소자의 신체적·정신적 상태에 따라 그 기능을 회복하게 하거나 기능의 감퇴를 방지하기 위한 훈련에 참가할 기회를 제공하여야 한다.
(나) 교양·오락설비 등을 구비하고 적절한 레크리에이션을 실시하여야 한다.
(다) 입소자에 대한 상시보호를 할 수 있도록 이에 적합한 직원의 근무체제를 갖추되, 특히 오후 10시부터 다음날 오전 6시까지의 야간시간대에는 입소자 보호 및 안전 유지를 위하여 별표 4 제6호에 따른 간호사, 간호조무사 또는 요양보호사 중 1명 이상의 인력을 배치하여야 한다. 시설의 규모 및 근무방식 등에 따른 세부적인 배치기준은 보건복지부장관이 정한다.
(라) 입소자의 건강상태에 유의하여야 하며 건강의 유지를 위하여 필요한 조치를 하여야 한다.
(마) 입원치료를 필요로 하는 입소자를 위하여 진료기관을 정하는 등 인근 지역의 의료기관과 긴밀한 협조체계를 갖추어야 한다.
(바) 거동이 불가능한 와상노인의 욕창예방과 치료를 위하여 적절한 보호조치를 하여야 한다.
(사) 치매노인은 치매의 정도에 따라 분리하여 보호하여야 한다.

사. 노인요양시설 내 치매전담실, 치매전담형 노인요양공동생활가정에서는 프로그램관리자의 지도 하에 치매노인의 기능 유지, 악화 방지를 위한 맞춤형 프로그램을 실시하여야 한다.

9. 운영위원회
「사회복지사업법」 제36조 및 같은 법 시행규칙 제24조에 따라 운영위원회를 설치·운영하여야 한다.

참 · 고 · 문 · 헌

1. 노인복지법. 법제처 국가법령정보센터. [Internet]. 세종; [cited 2017 Aug 16]. Available from: http://www.law.go.kr/lsInfoP.do?lsiSeq=188084&efYd=20170603#0000.

2. 노인복지법 시행규칙. [Internet]. 세종; [cited 2017 Aug 16]. Available from: http://www.law.go.kr/lsInfoP.do?lsiSeq=194079&efYd=20170530.

Chapter 6

장기요양기관 평가관리
대비하기

KEYPOINT 🔓

2018년과 비교하여 2021년 평가기준의 주요 개정 내용은 무엇인가요?

2021년 기준에는 2개 지표(직원권익보호, 가족 및 지역사회 교류)가 신설되었습니다.

본 장의 내용은 '2021년 장기요양기관 시설급여(노인요양시설) 평가 매뉴얼'을 기준으로 기술하였다.

시설급여 평가의 관련근거는 다음과 같다.

1) 노인장기요양보험법 제54조(장기요양급여의 관리□평가), 제37조(장기요양기관 지정의 취소 등) 제1항 3의7, 제38조(재가 및 시설급여비용의 청구 및 지급 등) 제3항, 제60조(자료의 제출 등) 및 제69조(과태료) 제1항 제7호

2) 같은 법 시행규칙 제38조(장기요양기관 평가방법 등), 제31조의2(장기요양급여비용의 가감지급 기준)

3) 장기요양기관 평가방법 등에 관한 고시

4) 장기요양기관 평가관리 시행세칙

❶ 평가주기

1) 정기평가 : 3년 주기

    a. 시설은 2015년, 2018년, 2021년...

2) 수시평가

    a. 휴업 등의 사유로 정기평가를 받지 못한 장기요양기관 및 정기평가 결과 하위등급 기관에 대하여 정기평가 다음 해(2016년, 2019년, 2020년...)에 실시

    b. 수시평가계획 수립 후 정기평가와 같은 절차와 방법으로 실시

2018년	2019년	2020년	2021년
• 시설급여 정기평가	• 재가급여 정기평가 (기관기호 끝자리 짝수)	• 재가급여 정기평가 (기관기호 끝자리 홀수)	• 시설급여 정기평가
	• 시설급여 수시평가 (15년 평가결과 하위등급)	• 재가급여 수시평가 (16년 평가결과 하위등급)	• 재가급여 수시평가 (17년 평가결과 하위등급)

그림 6-1 정기평가 및 수시평가 운영 체계도. 요양시설은 2018년, 2021년에 정기평가를 받는다.

❷ 평가절차 및 평가방법

1) 평가대상기관

a. 평가개시 전전년도까지 지정 또는 설치된 장기요양기관

b. 휴업중인 장기요양기관 등의 경우 평가대상기관에서 제외할 수 있다.

c. 공단은 장기요양기관 평가예정통보서(이하 "평가예정통보서"라 한다)를 평가실시 7일 전까지 통지하여야 하고, 평가 3일 전까지 도달 여부 확인

평가예정일자 확인은? ⋯ 평가예정일 7일전부터 조회가능
노인장기요양보험 홈페이지 기관로그인 〉 기관평가〉평가예정일 조회

---

3) 평가 연기 요청

장기요양기관이 천재지변 등의 불가피한 사유로 평가예정일에 평가를 받을 수 없는 경우 공단에 '장기요양기관 평가 연기요청서'를 제출하여야 한다. 그러나, 공정한 평가를 위하여 천재지변 등 불가피한 사유가 아니면 평가일정 연기 불가

4) 평가의 실시

공단이 평가를 실시하는 때에는 직원으로 하여금 장기요양기관을 방문하여 서류 또는 현장을 확인하는 방법 등으로 평가를 실시한다.

5) 평가의견 등록

평가를 받은 장기요양기관은 평가관련 의견을 평가 종료 후 7일 이내에 노인장기요양보험 홈페이지 평가의견수렴방에 등록할 수 있다.

❸ 평가결과

1) 평가등급 매기기

a. 평가점수는 고시 제3조제2항에 따른 별표 1의 장기요양기관 평가지표의 대분류별 점수에 환산점수(배점비중)를 적용하여 100점 만점으로 환산하며, 100점 만점으로 환산한 점수에 별도가점을 합산하여 산정한다.

b. 평가위원회 개최(2022년 4월)

- 2021년 평가결과 보고, 등급 결정 및 가산금 지급 등 심의, 의결

평가등급 결정
- 5등급(A~E) 절대평가 … 절대평가등급 기준에 따라 등급 결정
  - » A(최우수)등급: 평가점수 90점 이상이면서 대분류 영역 각 70점 이상
  - » B(우수)등급: 평가점수 80점 이상이면서 대분류 영역 각 60점 이상
  - » C(양호)등급: 평가점수 70점 이상이면서 대분류 영역 각 50점 이상
  - » D(보통)등급: 평가점수 60점 이상이면서 대분류 영역 각 40점 이상
  - » E(미흡)등급: D등급 기준을 충족하지 못하는 기관

2) 평가결과는 어떻게 확인하나?

   a. 노인장기요양보험 홈페이지에서 확인

3) 평가 또는 자료제출 거부혹은 거짓자료 제출 시 조치사항

  a. 평가관련 자료의 제출을 거부하거나 거짓자료를 제출한 기관은 과태료 부과대상

  b. 종사자 평가 시 선정한 직원 중 일부라도 평가를 거부하는 경우 이 사실을 기관에 통보하고 평가 거부기관으로 처리

  c. 평가거부기관 명단을 노인장기요양보험 홈페이지 공개 및 관할 시·군·구에 통보

4) 등급 조정 사유가 발생한 기관은 조정된 등급으로 결정

평가등급 최하위 조정대상
- 직전 정기평가 가산지급일(2019.6.20.)부터 당해 평가 가산지급일 사이에 노인학대로 인하여 행정처분을 받은 장기요양기관
- 거짓자료를 제출한 장기요양기관
- 전산프로그램을 악용해 평가 자료를 거짓으로 조작한 장기요양기관
- 기관 소속 직원이 아닌 사람이 서비스 제공기록 등을 대리 또는 거짓으로 작성한 장기요양기관
- 기타의 사유로 평가위원회 심의를 거쳐 최하위 등급으로 조정된 장기요양기관

⊙ 부당청구에 따른 평가등급 조정대상
➡ 직전 정기평가 가산지급일(2019.6.20.)부터 당해 평가 가산지급일 사이에 부당청구 사유로 노인장기요양보험법 시행규칙 제29조(행정처분의 기준)[별표2]에 따른 행정처분을 받은 장기요양기관
- 업무정지 30일 이하 : 1개 등급 하위조정
- 31일 이상 ~ 60일 이하 : 2개 등급 하위조정
- 61일 이상 : 최하위등급 조정
※ 노인장기요양보험법 제37조의2(과징금의 부과 등)제1항, 제2항에 따른 과징금을 부과한 경우 포함
※ 부당청구에 따른 행정처분이 의뢰된 장기요양기관은 추후 행정처분을 받으면 업무정지일수에 따라 해당 평가등급을 차등 조정함
➡ 기타의 사유로 평가위원회 심의를 거쳐 등급 조정된 장기요양기관

행정처분에 따른 1개 등급 하위조정 대상

- 직전 정기평가 가산지급일(2019.6.20.)부터 당해 평가 가산지급일 사이에 노인장기요양보험법 시행규칙 제29조(행정처분의 기준)
[별표2] 에 따른 행정처분을 받았거나 특별자치시, 시·군·구에 행정처분이 의뢰된 장기요양기관
※ 노인장기요양보험법 제37조의2(과징금의 부과 등)제1항, 제2항에 따른 과징금을 부과한 경우 포함
※ 노인장기요양보험법 외 타 법률을 적용하여 행정처분을 받았더라도 위반내용이 노인장기요양보험법 시행규칙 제29조(행정처분의 기준)[별표2]에 따른 위반이면 평가등급 조정
- 기타의 사유로 평가위원회 심의를 거쳐 1개 등급 하위 조정된 장기요양기관

5) 평가결과가 좋으면 가산금을 받는다.

a. 가산금 지급기준

- 정기평가 결과 급여종류별 상위 20% 범위에 속한 A등급 기관만 지급

  ※ 시설 규모별 상위 20%를 초과하는 A등급 기관은 가산금 지급 대상이 아님

  ※ 시설 규모별 A등급 기관이 20% 미만인 경우 해당 장기요양기관만 가산금 지급

- 정기평가 결과 급여종류별로 상위 10% 범위 내 기관은 평가 직전년도에 심사해 지급하기로 결정한 공단부담금의 2%(복지용구 사업소는 대여품목의 공단부담금의 1%), 상위 10% 초과 20% 범위 내 기관은 공단부담금의 1%(복지용구 사업소는 대여품목의 공단부담금의 0.5%) 지급

  ※ 시설규모 구분(3분류) : 30인 이상, 10인 이상 ~ 30인 미만, 10인 미만

  ※ 동점기관은 시설 규모별 대분류영역 환산점수(배점비중) 순으로 순위 결정

b. 가산금지급 제외 기준

- 평가등급 하향 조정사유가 발생한 기관
- 2018년 평가대상기관은 직전 정기평가 가산지급일(2019.6.20.)부터 2022년 가산 지급일 전에 휴업, 업무정지, 폐업한 장기요양기관

  ※ 다만, 2021년 최초 평가대상기관은 2019.1월부터 2022년 가산 지급일 전에 휴업, 업무정지, 폐업한 기관

- 현지조사 결과 부당청구기관, 수사기관에 수사 의뢰된 기관(부당청구·노인학대·형사사건 등)은 행정처분 결과가 나올 때까지 가산 지급을 보류함

  ※ 추후 행정처분을 받으면 가산지급대상에서 제외하고, 해당 평가연도 평가등급을 조정함

- 기타사유로 가산이 부적절하다고 평가위원회가 심의·의결한 기관

❹ 평가지표에 따른 대비

1) 지표적용기간

평가지표적용기간은 공단이 고시 제3조제2항의 평가지표의 특성을 고려하여 평가지표별로 달리 정할 수 있다〈장기요양기관 평가관리 시행세칙 개정 2015.1.30.〉.

2) 평가문항 척도점수 산출방법

우수 : 평가지표 해당 점수의 100%

양호 : 평가지표 해당 점수의 75%

보통 : 평가지표 해당 점수의 50%

미흡 : 평가지표 해당 점수의 0%

해당없음 : 평가지표 적용불가(총 점수 산출할 때 제외)

3) 장기요양기관 평가지표

2021년의 노인요양시설 평가지표는 총 50개(노인요양공동생활가정은 48개)이다.

장기요양기관(입소시설) 평가지표(제3조제2항 관련)

장기요양기관 평가방법 등에 관한 고시[별표1]

1. 노인요양시설의 50개 평가지표

(★ 노인요양공동생활가정: 48개 지표로, 5번(인력추가배치)과 42번(물리치료) 지표가 없다!)

대분류	중분류	소분류	지표번호	평가요소	항목	점수
기관운영	기관관리	운영원칙 및 체계	1	운영규정	기관운영에 필요한 운영규정을 갖추고, 그에 따라 기관을 운영합니다.	1
			2	운영계획 및 평가	연도별 운영계획에 따라 기관을 운영하고 평가 후 차기년도 계획에 반영합니다.	1
			3	운영위원회	운영위원회를 정기적으로 개최하고, 그 결과를 기관운영에 반영합니다.	1
	인적자원 관리	인력운영	4	인력기준	인력기준을 준수합니다.	1
			5	인력추가배치	인력을 법적 기준보다 추가 배치하여 운영합니다.	1
			6	경력직	해당 기관에서 2년 이상 근무한 직원의 비율이 높습니다.	1
			7	인적자원 개발	직원의 역량강화를 위한 교육 등 인적자원 개발을 위해 노력합니다.	3
		직원의 후생복지	8	건강검진	직원의 건강관리를 위한 정기검진을 매년 실시합니다.	1
			9	직원건강관리	직원의 건강관리를 위해 노력합니다.	1
			10	직원복지향상	직원의 복지향상을 위해 노력합니다.	2
			11	직원권익보호	직원의 권익을 보호하기 위해 노력합니다.	1
	자원 활용	지역사회 자원 활용	12	지역사회 자원 활용	지역사회자원 활용을 통해 수급자에게 다양한 서비스가 이루어지도록 노력합니다.	1
환경 및 안전	시설 및 설비관리	시설, 설비	13	시설기준	시설기준을 준수합니다.	1
			14	특별침실	노인질환의 종류 및 정도에 따른 특별침실을 두고 있습니다.	1
		환경조성	15	안전하고 쾌적한 환경조성	수급자가 안전하고 쾌적한 환경에서 생활할 수 있도록 시설환경을 조성합니다.	3
			16	낙상예방 환경조성	수급자의 낙상을 방지하기 위해 시설환경을 조성합니다.	3
	위생 및 감염관리	위생관리	17	식품위생관리	식품, 식당, 조리실 등을 위생적으로 관리합니다.	2
		감염관리	18	감염관리활동	수급자와 직원의 안전을 위해 감염관리 활동을 실시합니다.	3

대분류	중분류	소분류	지표번호	평가요소	항목	점수
			19	감염병관리	수급자에 대한 감염병 건강진단을 정기적으로 실시하며, 발생 시 즉시 필요한 조치를 합니다.	3
	안전관리	안전, 설비	20	소방시설	화재 등 재난상황에 대비할 수 있도록 소방시설을 관리합니다.	2
			21	전기가스설비	화재 예방을 위하여 전기가스설비를 관리합니다.	2
		응급 및 재난상황	22	재난상황대응	화재, 지진 등 재난 상황에 대비할 수 있도록 훈련을 실시합니다.	3
			23	응급상황대응	응급상황에 관한 대응체계를 갖추고, 응급상황 발생 시 적절히 대처합니다.	3
			24	야간보호	야간에 수급자의 안전을 위해 노력합니다.	2
수급자 권리보장	수급자 권리	수급자 알권리	25	수급자의 알권리 보장	수급자에게 급여이용에 대한 정보를 제공하여 급여선택권 보장을 위해 노력합니다.	2
		수급자 (보호자) 참여	26	수급자 (보호자) 참여강화	기관운영 및 서비스 제공과정에서 수급자와 보호자의 의견이 충분히 반영되도록 노력합니다.	2
			27	가족 및 지역사회 교류	가족 및 지역사회와 교류를 통해 수급자의 사회관계증진을 위해 노력합니다.	1
	수급자 존엄성	노인인권	28	존엄성 및 사생활 보장	수급자의 존엄성과 사생활 보호를 위해 노력합니다.	3
			29	노인인권보호	수급자 학대를 예방하고, 신체적 구속을 하지 않는 등 노인인권보호를 위해 노력합니다.	4
급여제공 과정	급여개시	통합적 사정	30	통합적 사정	수급자의 건강상태와 개인적 특성 등을 고려한 종합적 욕구사정을 실시합니다.	3
	급여계획	급여계획	31	급여제공계획 수립 및 제공	종합적인 욕구사정 등을 바탕으로 개별 급여제공계획을 세우고, 급여제공계획에 따라 급여를 제공합니다.	3
	급여제공	급여제공 성과평가	32	급여제공 결과평가	급여제공에 대한 결과를 정기적으로 평가하고 기록합니다.	2
		사례관리	33	사례관리	수급자에 대한 체계적인 사례관리를 실시합니다.	2
		청결도움	34	수급자 청결서비스	수급자의 기능 상태에 따라 세면, 구강, 몸단장(의복), 목욕서비스를 제공합니다.	2
		식사도움	35	식사제공	수급자의 기능 상태에 따라 식사를 제공합니다.	3
		배설도움	36	배설관리	수급자의 기능 상태에 따라 배설서비스를 제공합니다.	3

대분류	중분류	소분류	지표번호	평가요소	항 목	점수
		욕창예방 및 관리	37	욕창예방	욕창발생위험 수급자에 대해 적절히 관리합니다.	2
			38	욕창관리	욕창발생 수급자에 대한 적절한 조치 및 관리를 위해 노력합니다.	3
		의료관리	39	간호 및 의료서비스	수급자에게 적정한 간호 및 의료서비스 제공을 위해 노력합니다.	2
			40	투약 및 약품관리	약품을 안전하게 관리하고, 수급자의 투약 관련 정보를 숙지하여 정확하게 투약합니다.	1
		재활	41	기능회복훈련	수급자의 신체자립능력 유지를 위해 기능회복훈련을 실시합니다.	1
			42	물리치료	물리(작업)치료사가 수급자의 신체기능을 파악하여 계획을 수립하고 급여를 제공합니다.	2
		프로그램	43	인지기능증진서비스	치매수급자의 개별 특성을 고려한 서비스 제공을 위해 노력합니다.	3
			44	여가활동서비스	수급자의 다양한 여가활동 욕구 충족을 위한 프로그램을 실시합니다.	3
급여제공결과	수급자 상태	수급자 등급	45	등급현황	입소 후 급여를 제공받은 수급자의 등급이 유지·호전되었습니다.	1
		수급자 관리	46	욕창현황	수급자의 욕창발생율이 낮으며, 치유율이 높습니다.	2
			47	유치도뇨관현황	수급자의 유치도뇨관 삽입률이 낮으며, 제거율이 높습니다.	2
			48	배설기능현황	입소 후 수급자의 배설기능상태가 유지·호전되었습니다.	1
	만족도 평가	만족도 평가	49	유선만족도	보호자는 기관에서 제공하는 서비스에 만족합니다.	3
			50	질향상노력	기관의 임직원은 수급자에게 최상의 서비스 제공을 위해 노력합니다.	1

2. 노인요양시설 평가지표의 점수 구성 (100점 만점)

대분류	중분류	문항 수	점수	환산 점수 (배점 비중)
총합계	**13**	**50**	**100**	100
기관운영	합계	12	15	15
	기관관리	3	3	
	인적자원관리	8	11	
	자원 활용	1	1	
환경 및 안전	**합계**	**12**	**28**	28
	시설 및 설비관리	4	8	
	위생 및 감염관리	3	8	
	안전관리	5	12	
수급자 권리보장	**합계**	**5**	**12**	12
	수급자 권리	3	5	
	수급자 존엄성	2	7	
급여제공과정	**합계**	**15**	**35**	35
	급여개시	1	3	
	급여계획	1	3	
	급여제공	13	29	
급여제공결과	**합계**	**6**	**10**	10
	수급자 상태	4	6	
	만족도 평가	2	4	

2) 평가대상자료 선정 기준

 a. 전수평가를 원칙으로 함. 다만, 지표별로 표본을 선정하여 평가할 수 있다.

 b. 직원자료 표본 수 선정 기준 : 직원자료 표본 수는 평가일 현재 시군구에 인력신고된 직원 수(시설장 포함)를 기준으로 아래와 같이 선정함

 가) 직원 10명 미만 : 3명 (다만, 직원이 **3명 미만**인 경우 전수)

 나) 직원 10명 이상 ~ 30명 미만 : 4명

 다) 직원 30명 이상 ~ 50명 미만 : 5명

 라) 직원 50명 이상 : 10%(다만, **최대 15명 이하**로 선정)

  * 소수점 첫째자리에서 반올림

 c. 수급자자료 표본 수 선정기준 : 현원수를 기준으로 아래와 같이 선정한다.

 가) 현원 10명 미만 : 수급자 3명 (다만, 수급자가 **3명 미만**인 경우 전수)

 나) 현원 10명 이상 ~ 30명 미만 : 수급자 4명

 다) 현원 30명 이상 ~ 50명 미만 : 수급자 5명

라) 현원 50명 이상 : 정원의 10%(최대 **15명**, 면담·관찰은 최대 **10명**)

　　* 현원은 평가월 기준 최근 심사 청구월의 등급외자를 포함한 입소자를 의미함

　　** 소수점 첫째자리에서 반올림

[참고] 평가대상 인원수 선정 기준

구분	50이상	30이상~50미만	10이상~30미만	10미만
직원(수급자)수	10% (최대 15명, 면담·관찰· 시연 최대 10명)	5명	4명	3명 (3명 미만은 전수)

　d. '급여제공직원'이란 요양보호사, 사회복지사, 간호(조무)사, 물리(작업)치료사로 해당 시군구에 인력신고 되어 근무하는 직원을 의미

　e. '직원'이란 해당 시군구에 인력신고 되어 근무하는 모든 직원(시설장 포함)을 의미한다. 단, 계약의사 및 협약의료기관 의사는 제외한다.

　f. 표본으로 선정된 자료(직원, 수급자)로 평가가 어려운 경우, 변경하여 선정할 수 있으며 기준에 따라 표본 수를 달리 정할 수 있다.

3) 기관 평가방법 등

　a. 평가계획공고월: 노인장기요양보험 홈페이지에 평가계획을 공고한 월

　b. 평가종료월: 평가계획에서 정한 평가기간 중 평가 종료일이 속한 월

　c. '비치': 잠금장치가 없는 장소에서 쉽게 열람할 수 있도록 관리함

　d. '게시': 여러 사람에게 알리기 위하여 내붙이거나 내걸어 두루 보게 함

❺ "우수"를 목표로 한 평가지표별 대비 요령

2021년 기준에 따라 총 50개 평가요소에 따른 대비 요령을 번호 순에 따라 간단히 짚어보겠다. [우수], [양호], [보통], [미흡]의 평가척도 중에서 [우수]를 기준으로 설명하겠다.

또한 5가지 기준의 대분류인 [I. 기관운영], [II. 환경 및 안전], [III. 권리 및 책임], [IV. 급여제공과정], [V. 급여제공결과]로 나누어서 구성하였다.

[우수(100%)] : 평가기준을 모두 충족함.

I. 기관 운영

1. 운영규정: 기관은 운영규정을 비치하고, 그에 따라 기관을 운영

① 아래와 같은 11개 항목(①~⑪)을 운영규정에 모두 포함시켜서 비치해야 함.
② 운영규정에 따라 시설을 운영.
③ 운영규정 개정사항이 발생한 경우 개정방법 및 절차에 따라 운영규정을 개정.

노인복지법 시행규칙 제22조제2항 [별표 5] "노인의료복지시설의 운영기준 3. 운영규정"

가. 시설의 장은 ① 조직·인사·급여·회계·물품 기타 시설의 운영에 관하여 필요한 규정("운영규정")을 작성하여 시장·군수·구청장에게 제출하여야 한다.

---

① 조직·인사·급여·회계·물품 규정(예시)
- 조직 : 직제, 업무분장 등
- 인사 : 채용, 승진, 인사이동, 휴직, 복직, 징계 등
- 급여 : 지급일자, 임금, 상여금, 퇴직금 등
- 회계 : 회계처리원칙 등
- 물품 : 물품관리(출납, 보관, 폐기) 등

나. 시설의 운영규정에는 다음 각 호의 사항이 포함되어야 한다.

② 입소정원 및 모집방법 등에 관한 사항

③ 입소계약에 관한 사항(계약기간, 계약목적, 월이용료 기타 비용·부담액, 신원인수인의 권리·의무, 계약의 해제 등에 관한 사항을 포함한다)

④ 이용료 등 비용에 대한 변경방법 및 절차 등에 관한 사항

⑤ 서비스의 내용과 그 비용의 부담에 관한 사항

⑥ 특별한 보호를 필요로 하는 경우에는 그 서비스기준과 비용에 관한 사항

⑦ 의료를 필요로 하는 경우에는 그 구체적인 처리절차

⑧ 시설물 사용상의 주의사항 등에 관한 사항

⑨ 서비스 제공자의 배상책임·면책범위에 관한 사항

⑩ 운영규정의 개정방법 및 절차 등에 관한 사항

⑪ 운영위원회의 설치·운영에 관한 사항

본 책의 부록으로 운영규정 샘플을 제시하였으므로 참조하기 바란다.

또한, 다음에 나오는 각 평가지표의 내용 중 기준이 될 만한 지침들을 이 운영규정에 포함시키면 된다.

그림 6-2 간호사실에 비치한 운영규정집(미래복지요양센터).

2. 운영계획 및 평가: 운영계획에 따라 운영, 평가 후 차기년도 계획에 반영

① 연도별 사업계획(세부사업명, 사업내용, 사업대상, 추진일정 등) 수립

② 사업계획에 따른 예산 수립

③ 사업계획에 따라 기관 운영

④ 사업결과에 대해 평가 실시, 그 결과를 차기 연도 사업계획에 반영

3. 운영위원회: 운영위원회를 정기적으로 개최하고 그 결과를 반영

① 운영위원회 구성 : 5인~15인 이하(외부인사는 3개 분야 이상 각 1~2명)로 구성.

　– 내부인사: 시설장, 시설거주자 대표, 시설종사자 대표

　– 외부인사: 시설거주자 보호자 대표, 사회복지 공무원, 후원자 대표, 지역주민, 공익단체 추천인, 전
　　문적인 지식과 경험이 풍부한 자

② 분기별 1회 이상 개최하고 회의록 작성 :

　– 외부인사 1인 이상이 참석한 회의만 인정

　– 서면회의는 불인정. 회의록에 참석자의 발언 내용 명시.

③ 운영위원회 회의결과를 시설운영 등에 연1회 이상 반영

[운영위원회 회의록 예시]

○○ 요양시설 운영위원회 제 차 정기(수시) 회의록			
일 시	20 . . .(: ~ :)	장 소	
출석현황 재적위원 인 중 인 출석			
출석위원			
안건 및 결과			
안건			
결과			
회의내용 (발언내용 기록)			
위 원 장 : 간 사 : ○○○위원 : ○○○위원 : 　　　⋮			
건의사항			

그림 6-3 운영위원회 진행 모습(서천재단 서천요양원 제공)

시설, 안요양원
운영위원회 회의자료

식 순

1. 차 나누기 ----------------- 위원장
2. 현황보고
   - 시설현황 및 사업진행 보고 ---------- 사무국장
3. 안건토의 ---------------------- 위원장
4. 기타토의사항 ----- -------------- 위원장
5. 폐회사 ------------------------- 위원종

서천재단
서천, 안요양원

그림 6-4 운영위원회 회의자료 목차(서천재단 서천요양원 제공)

---

4. 인력기준: 인력기준 준수

노인복지법에 따른 노인의료복지시설 인력배치 기준 준수
*지표적용기간: 2018년 11월 ~ 2021년 평가종료월(2018.12.31. 이전 지정 기관 중, 2018년 정기평가
　　　　　　　를 받지 않은 기관은 2017.1월 ~ 2021년 평가종료월까지로 한다.)

---

5. 인력추가배치: 55% 이상 비율이면 우수

인력을 법적기준보다 추가배치하여 운영
*지표적용기간: 2020.1~2020.12월

---

6. 해당기관에서 2년 이상 근무한 직원의 비율이 높음

[우수] 조건
① 2년 이상 운영기관 : (분모 중 24개월 이상 연속근무 직원 수)/(지표적용기간 근무 직원 수) ⇨ 55%
　　이상
② 2년 미만 운영기관(2019.2월 이후 지정받은 기관) : (분모 중 12개월 이상 근무한 직원 수)/(지표적용
　　기간 근무 직원 수) ⇨ 45% 이상
*지표적용기간: 2018.1월~2020.12월

---

7. 인적자원 개발

① 급여제공지침 10개 항목을 마련하여 비치.
② 신규직원에게 입사일로부터 14일 이내에 교육 실시하고, 내용 숙지(운영규정, 급여제공지침, 담당업
　　무내용 교육).
③ 모든 직원에게 연 1회 이상 급여제공지침 9개 항목 교육 실시, 내용 숙지.
④ 매년 직원의 역량 강화를 위해 노력한다.

@ 급여제공지침 10개 항목

　　1) 종사자 윤리지침

　　2) 성폭력 예방 및 대응지침

　　3) 응급상황 대응지침

　　4) 감염예방 및 관리지침

　　5) 치매예방 및 관리지침

　　6) 욕창예방 및 관리지침

　　7) 낙상예방 및 관리지침

　　8) 노인인권보호지침

　　9) 근골격계 질환 예방 지침

　　10) 개인정보보호 지침

그림 6-4　각종 지침서와 운영규정은 눈에 띄는 곳에 비치한다.

[예시]

교 육 일 지		담당자	OOO	시설장

일 시	년 월 일 요일 (: ~ :)			
강 사		참석자	/ 명	
교 육 명		교육방법	개별 / 단체	
교육내용				

붙임 1. 교육자료 1부.
　　2. 참석자 서명부 1부.
　　3. 교육사진 1부. 끝.

8. 건강검진

① 모든 직원을 매년 건강검진 실시(결핵검진 포함하며, 국민건강보험공단에서 실시하는 5개영역 충족: 계측검사, 요검사, 혈액검사, 영상검사 및 판정)
② 신규입사자 건강검진은 입사일 1년 이내 결과까지 인정. 근무 시작일까지 제출.

9. 직원건강관리

① 모든 직원의 근골격계 질환 검사를 연 1회 이상 실시
② 근골격계 질환 검사결과 증상이 있는 경우 적절한 조치
③ 직원의 건강관리를 위해 추가적인 노력을 한다.
• 추가적인 노력: 건강관리를 위한 보조도구 제공, 체력단련 활동, 의료지원 등

[별지 제2호서식] (2018. 2. 9. 신설)

근골격계질환 증상조사표(제4조 관련)

I. 아래 사항을 직접 기입해 주시기 바랍니다.

성 명		연 령	만 _____세
성 별	□ 남 □ 여	현 직장경력	_____년 _____개월째 근무 중
작업부서	_____부 _____라인 _____작업(수행작업)	결혼여부	□ 기혼 □ 미혼
현재하고 있는 작업(구체적으로)	작 업 내 용 : _____ 작 업 기 간 : _____년 _____개월째 하고 있음		
1일 근무시간	_____시간 근무 중 휴식시간(식사시간 제외) 분씩 회 휴식		
현작업을 하기 전에 했던 작업	작 업 내 용 : _____ 작 업 기 간 : _____년 _____개월 동안 했음		

1. 규칙적인(한번에 30분 이상, 1주일에 적어도 2-3회 이상) 여가 및 취미활동을 하고 계시는 곳에 표시 (∨)하여 주십시오.
   □ 게임 등 컴퓨터 관련 활동   □ 피아노, 드럼펫 등 악기연주   □ 뜨개질, 붓글씨 등
   □ 테니스, 축구, 농구, 골프 등 스포츠 활동   □ 해당사항 없음

2. 귀하의 하루 평균 가사노동시간(밥하기, 빨래하기, 청소하기, 2살 미만의 아이 돌보기 등)은 얼마나 됩니까?
   □ 거의 하지 않는다   □ 1시간 미만   □ 1-2시간 미만   □ 2-3시간 미만   □ 3시간 이상

3. 귀하는 의사로부터 다음과 같은 질병에 대해 진단을 받은 적이 있습니까?(해당 질병에 체크)
   (보기 : □ 류머티스 관절염   □ 당뇨병   □ 루프스병   □ 통풍   □ 알코올중독)
   □ 아니오   □ 예('예'인 경우 현재상태는 ?   □ 완치   □ 치료나 관찰 중)

4. 과거에 운동 중 혹은 사고(교통사고, 넘어짐, 추락 등)로 인해 손/손가락/손목, 팔/팔꿈치, 어깨, 목, 허리, 다리/발 부위를 다친 적인 있습니까 ?
   □ 아니오   □ 예
   ('예'인 경우 상해 부위는 ?   □손/손가락/손목   □팔/팔꿈치   □어깨   □목   □허리   □다리/발)

5. 현재 하시는 일의 육체적 부담 정도는 어느 정도라고 생각 합니까 ?
   □ 전혀 힘들지 않음   □ 견딜만 함   □ 약간 힘듦   □ 힘듦   □ 매우 힘듦

Ⅱ. 지난 1년 동안 손/손가락/손목, 팔/팔꿈치, 어깨, 목, 허리, 다리/발 중 어느 한 부위에서라도 귀하의 작업과 관련하여 통증이나 불편함(통증, 쑤시는 느낌, 뻣뻣함, 화끈거리는 느낌, 무감각 혹은 찌릿찌릿함 등)을 느끼신 적이 있습니까 ?

□ 아니오(수고하셨습니다. 설문을 다 마치셨습니다.)
□ 예."예"라고 답하신 분은 아래 표의 통증부위에 체크(∨)하고, 해당 통증부위의 세로줄로 내려가며 해당사항에 체크(∨)해 주십시오) 힘

통증 부위	목 ( )	어깨 ( )	팔/팔꿈치 ( )	손/손목/손가락 ( )	허리 ( )	다리/발 ( )
1. 통증의 구체적 부위는?		□ 오른쪽 □ 왼쪽 □ 양쪽 모두	□ 오른쪽 □ 왼쪽 □ 양쪽 모두	□ 오른쪽 □ 왼쪽 □ 양쪽 모두		□ 오른쪽 □ 왼쪽 □ 양쪽 모두
2. 한번 아프기 시작하면 통증 기간은 얼마 동안 지속됩니까?	□ 1일 미만 □ 1일-1주일 미만 □ 1주일-1달 미만 □ 1달-6개월 미만 □ 6개월 이상	□ 1일 미만 □ 1일-1주일 미만 □ 1주일-1달 미만 □ 1달-6개월 미만 □ 6개월 이상	□ 1일 미만 □ 1일-1주일 미만 □ 1주일-1달 미만 □ 1달-6개월 미만 □ 6개월 이상	□ 1일 미만 □ 1일-1주일 미만 □ 1주일-1달 미만 □ 1달-6개월 미만 □ 6개월 이상	□ 1일 미만 □ 1일-1주일 미만 □ 1주일-1달 미만 □ 1달-6개월 미만 □ 6개월 이상	□ 1일 미만 □ 1일-1주일 미만 □ 1주일-1달 미만 □ 1달-6개월 미만 □ 6개월 이상
3. 그때의 아픈 정도는 어느 정도 입니까 ? (보기 참조)	□ 약한 통증 □ 중간 통증 □ 심한 통증 □ 매우 심한 통증	□ 약한 통증 □ 중간 통증 □ 심한 통증 □ 매우 심한 통증	□ 약한 통증 □ 중간 통증 □ 심한 통증 □ 매우 심한 통증	□ 약한 통증 □ 중간 통증 □ 심한 통증 □ 매우 심한 통증	□ 약한 통증 □ 중간 통증 □ 심한 통증 □ 매우 심한 통증	□ 약한 통증 □ 중간 통증 □ 심한 통증 □ 매우 심한 통증
	〈보기〉	약한 통증 : 약간 불편한 정도이나 작업에 열중할 때는 못 느낀다. 중간 통증 : 작업 중 통증이 있으나 귀가 후 휴식을 취하면 괜찮다. 심한 통증 : 작업 중 통증이 비교적 심하고 귀가 후에도 통증이 계속된다. 매우 심한 통증 : 통증 때문에 작업은 물론 일상생활을 하기가 어렵다.				
4. 지난 1년 동안 이러한 증상을 얼마나 자주 경험하셨습니까 ?	□ 6개월에 1번 □ 2-3달에 1번 □ 1달에 1번 □ 1주일에 1번 □ 매일	□ 6개월에 1번 □ 2-3달에 1번 □ 1달에 1번 □ 1주일에 1번 □ 매일	□ 6개월에 1번 □ 2-3달에 1번 □ 1달에 1번 □ 1주일에 1번 □ 매일	□ 6개월에 1번 □ 2-3달에 1번 □ 1달에 1번 □ 1주일에 1번 □ 매일	□ 6개월에 1번 □ 2-3달에 1번 □ 1달에 1번 □ 1주일에 1번 □ 매일	□ 6개월에 1번 □ 2-3달에 1번 □ 1달에 1번 □ 1주일에 1번 □ 매일
5. 지난 1주일 동안에도 이러한 증상이 있었습니까 ?	□ 아니오 □ 예	□ 아니오 □ 예	□ 아니오 □ 예	□ 아니오 □ 예	□ 아니오 □ 예	□ 아니오 □ 예
6. 지난 1년 동안 이러한 통증으로 인해 어떤 일이 있었습니까 ?	□ 병원·한의원 치료 □ 약국치료 □ 병가, 산재 □ 작업 전환 □ 해당사항 없음 기타 ( )	□ 병원·한의원 치료 □ 약국치료 □ 병가, 산재 □ 작업 전환 □ 해당사항 없음 기타 ( )	□ 병원·한의원 치료 □ 약국치료 □ 병가, 산재 □ 작업 전환 □ 해당사항 없음 기타 ( )	□ 병원·한의원 치료 □ 약국치료 □ 병가, 산재 □ 작업 전환 □ 해당사항 없음 기타 ( )	□ 병원·한의원 치료 □ 약국치료 □ 병가, 산재 □ 작업 전환 □ 해당사항 없음 기타 ( )	□ 병원·한의원 치료 □ 약국치료 □ 병가, 산재 □ 작업 전환 □ 해당사항 없음 기타 ( )

유의사항

- 부담작업을 수행하는 근로자가 직접 읽어보고 문항을 체크합니다.
- 증상조사표를 작성할 경우 증상을 과대 또는 과소 평가 해서는 안됩니다.
- 증상조사 결과는 근골격계질환의 이환을 부정 또는 입증하는 근거나 반증자료로 활용할 수 없습니다.

10. 직원복지향상

① 기관이 5대 보험에 가입되어 있으며, 보험료를 완납한다. **신설**
  • 5대 보험 : 건강보험, 장기요양보험, 국민연금, 고용보험, 산업재해보상보험
② 퇴직급여제도를 운영한다(퇴직급여 지급여부 확인).
③ 직전 정기평가 결과 가산금을 직원 처우개선을 위해 사용한다.
④ 직원 처우개선을 위한 다양한 복지 제도 운영
  – 2가지 이상의 복지제도 운영(예시) : 복리후생, 포상 등
  – 회식, 상장만 제공하는 경우는 인정하지 않음.

11. 직원의 권익을 보호하기 위해 노력

① 직원은 근로 계약을 체결하고 이에 따른 보수를 지급받고 있다. **신설**
② 직원의 의견 및 고충을 처리하기 위한 고충처리절차를 마련하여 운영하고 있다.
  • 확인사항 : 고충처리지침, 고충처리대장
③ 직원은 고충처리절차를 알고 그에 따른 적절한 조치를 받는다.
④ 운영위원회 회의에 시설 종사자의 대표를 반기별 1회 이상 참여시켜 처우개선을 위한 의견을 파악하고 그 결과를 연 1회 이상 반영한다. **신설**
우수(1점): ①~④ 기준 모두 충족

기준 ④

• 시설 종사자의 대표가 위원으로 참여하는 운영위원회를 반기별 1회 이상 개최하여 직원의 고충, 권익향상 등의 의견을 수렴하고 그 결과를 기관운영에 연 1회 이상 반영하는지를 확인한다.

  - 시설 종사자의 대표로 기관 대표자가 위원으로 구성된 운영위원회 회의는 기준 ④을 충족하지 않음(즉, 기관 대표자가 시설 종사자의 대표가 되어서는 안 됨!).

근로기준법

제15조(이 법을 위반한 근로계약)
① 이 법에서 정하는 기준에 미치지 못하는 근로조건을 정한 근로계약은 그 부분에 한하여 무효로 한다.〈개정2020.5.26〉
② 제1항에 따라 무효로 된 부분은 이 법에서 정한 기준에 따른다.

제16조(계약기간) 근로계약은 기간을 정하지 아니한 것과 일정한 사업의 완료에 필요한 기간을 정한 것 외에는 그 기간은 1년을 초과하지 못한다.
[법률 제8372호(2007. 4. 11.) 부칙 제3조의 규정에 의하여 이 조는 2007년 6월 30일까지 유효함]

제17조(근로조건의 명시)
① 사용자는 근로계약을 체결할 때에 근로자에게 다음 각 호의 사항을 명시하여야 한다. 근로계약 체결 후 다음 각 호의 사항을 변경하는 경우에도 또한 같다. 〈개정 2010. 5. 25.〉
 1. 임금
 2. 소정근로시간
 3. 제55조에 따른 휴일
 4. 제60조에 따른 연차 유급휴가
 5. 그 밖에 대통령령으로 정하는 근로조건
② 사용자는 제1항제1호와 관련한 임금의 구성항목·계산방법·지급방법 및 제2호부터 제4호까지의 사항이 명시된 서면을 근로자에게 교부하여야 한다. 다만, 본문에 따른 사항이 단체협약 또는 취업규칙의 변경 등 대통령령으로 정하는 사유로 인하여 변경되는 경우에는 근로자의 요구가 있으면 그 근로자에게 교부하여야 한다. 〈신설 2010. 5. 25.〉

제19조(근로조건의 위반)
① 제17조에 따라 명시된 근로조건이 사실과 다를 경우에 근로자는 근로조건 위반을 이유로 손해의 배상을 청구할 수 있으며 즉시 근로계약을 해제할 수 있다.

노인복지법

시행규칙 제22조(노인의료복지시설의 시설기준 등)
①법 제35조의 규정에 의한 노인의료복지시설의 시설기준 및 직원배치기준은 별표 4와 같다. 〈개정 2011. 12. 8.〉

[별표4] 노인의료복지시설의 시설기준 및 직원배치기준(제22조제1항관련)
6. 직원의 배치기준
비고
8. 모든 종사자는 시설의 설치·운영자와 근로계약이 체결된 사람이어야 한다.

2020 노인보건복지 사업안내

I- 2. 시설급여를 제공하는 장기요양기관
 1. 법적근거
 2. 시설급여를 제공하는 장기요양기관 지정신청 개요
 3. 시군구 처리절차(행정사항)
  나. 지정요건 심사
   다) 근로계약 기준
    ■ 기관의 근로자가 대표자(설치·운영자)와 직접 근로계약을 체결하였는지 확인
     ※ 다만, 현재 시설관련 고용실정 등을 고려하여, '21년 6월까지 경과 기간을 두어 시정·정비할 수 있도록 지도·감독하고, '21년 7월부터 적용할 것
    ■ 증빙방법:근로계약서 사본 또는 당해 기관의 건강보험 사업장가입자명부
     ※ 사업장가입자명부는 국민건강보험공단으로 신청하면 즉시 발급

12. 지역사회자원 활용

① 자원봉사자 주 1회 이상 정기적 활동(확인: 소속, 시간, 내용, 봉사자 서명)
② 자원봉사자 2주 1회 이상 정기적 활동
③ 자원봉사자 월 1회 이상 정기적 활동
 • 우수(1점): ① 충족

그림 6-5 자원봉사자 활동

II. 환경 및 안전

13. 시설기준

① 노인복지법 시행규칙 제22조 제1항[별표4] 3.시설기준
* 본 책의 "5장. 노인요양시설의 설립기준과 직원배치기준" 참조

노인복지법

시행규칙 제22조(노인의료복지시설의 시설기준등) ①법 제35조의 규정에 의한 노인의료복지시설의 시설기준 및 직원배치기준은 별표 4와 같다. 〈개정 2011.12.8.〉

[별표4] 노인의료복지시설의 시설기준 및 직원배치기준
3. 시설기준

시설별	구분	침실	사무실	요양보호사실	자원봉사자실	의료 및 간호사실	물리(작업)치료실	프로그램실	식당 및 조리실	비상재해대비시설	화장실	세면장 및 목욕실	세탁장 및 세탁물 건조장
노인요양시설	입소자 30명 이상	○	○	○	○	○	○	○	○	○	○	○	○
	입소자 30명미만 10명 이상	○		○		○	○	○	○	○	○	○	
노인요양 공동생활가정		○		○		○			○	○		○	

비고
1. 세탁물을 전량 위탁하여 처리하는 경우에는 세탁장 및 세탁물 건조장을 두지 않을 수 있다.
2. 의료기관의 일부를 시설로 신고하는 경우에는 물리(작업)치료실, 조리실, 세탁장 및 세탁물 건조장을 공동으로 사용할 수 있다. 다만, 공동으로 사용하려는 물리(작업)치료실이 시설의 침실과 다른 층에 있는 경우에는 입소자의 이동이 가능하도록 경사로 또는 엘리베이터를 설치해야 한다.
3. 노인요양시설 안에 두는 치매전담실은 다음의 요건을 갖춰야 한다.
   가. 정원 1명당 면적이 1.65 ㎡ 이상인 공동거실을 갖출 것
   나. 치매전담실 입구에 출입문을 두어 공간을 구분하되, 화재 등 비상시에 열 수 있도록 할 것
   다. 공동으로 사용할 수 있는 화장실과 간이욕실(세면대를 포함한다. 이하 같다)을 갖출 것. 다만, 침실마다 화장실과 간이욕실이 있는 경우에는 그렇지 않다.
4. 치매전담형 노인요양공동생활가정은 다음의 요건을 갖춰야 한다.
   가. 1층에 설치할 것. 다만, 엘리베이터가 설치된 경우에는 2층 이상에도 설치할 수 있다.
   나. 정원 1명당 면적이 1.65㎡ 이상인 공동거실을 갖출 것

4. 설비기준
   가. 침실
   (4) 합숙용 침실 1실의 정원은 4명 이하여야 한다.
   라. 프로그램실: 자유롭게 이용할 수 있는 적당한 문화시설과 오락기구를 갖춰야 한다.
   마. 물리(작업)치료실: 기능회복 또는 기능감퇴를 방지하기 위한 훈련 등에 지장이 없는 면적과 필요한 시설 및 장비를 갖춰야 한다.
   바. 의료 및 간호사실: 진료 및 간호에 필요한 상용의약품·위생재료 또는 의료기구를 갖춰야 한다.

14. 특별침실

① '특별침실' 표찰이 있어야 함.
② 특별침실의 내부환경이 조성되어 있으며 사용수칙에 따라 운영한다
- 사용수칙 확인사항 : 사용대상, 사용절차, 사후절차, 유의사항

노인복지법

제22조(노인의료복지시설의 시설기준 등) ①법 제35조의 규정에 의한 노인의료복지시설의 시설기준 및 직원배치기준은 별표 4와 같다. 〈개정 2011.12.8.〉

[별표4] 노인의료복지시설의 시설기준 및 직원배치기준

4. 설비기준
　가. 침실
　　⑧ 노인질환의 종류 및 정도에 따른 특별침실을 입소정원의 5% 이내의 범위에서 두어야 한다.

그림 6-6   중증환자 발생을 대비한 특별침실

---

15. 안전하고 쾌적한 시설환경 조성

① 안전한 실내 환경 조성
- 모든 외부출입구 자동열림장치, 계단출입구 자동열림장치, 주방 잠금장치
- 유리문 충돌방지 표시(유리로 된 벽이나 문, 통유리 창문)
- 위험요인 제거: 전기콘센트 미사용 시 플러그형 마개 꽂아놓을 것. 세제, 칼, 가위.
② 쾌적한 실내 환경 조성
- 채광, 조명, 냄새, 창문개폐 가능, 환기장치, 온도, 습도(온,습도계 비치), 청소상태
③ 안내표지판, 각 층 위치도, 각 실별 표찰 부착
*지표적용기간: 평가일

그림 6-7　화재 등 비상시에 자동으로 열리는 자동열림(개폐) 장치

그림 6-8　유리문 충돌방지 표시(바닥으로부터 150 cm 이하 높이에 표시)

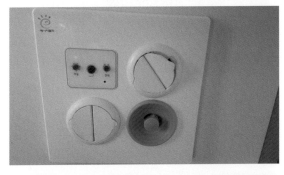

그림 6-9　사용하지 않는 전기콘센트는 플러그 마개로 덮는다.

그림 6-10　창문은 직접 바깥 공기에 접하도록 하며, 개방이 가능해야 한다(미래노인복지요양센터).

그림 6-11 층별로 1개 이상 온도계, 습도계를 설치

그림 6-12 청결한 청소도구 관리

16. 낙상예방 환경조성

① 안전손잡이: 복도(양쪽 벽면), 목욕실(욕조, 샤워기 주변), 물리치료실, 프로그램실, 세면대 주위(싱크대 포함), 변기 주위
② 미끄럼방지 처리: 목욕실, 화장실
③ 문턱 제거: 침실, 거실, 프로그램실, 목욕실, 화장실
④ 휠체어 이동공간 확보: 침실, 복도, 목욕실, 화장실, 거실, 휴게실

그림 6-11 안전손잡이는 복도 양쪽에 설치한다. 휠체어가 이동 가능한 폭이어야 한다.

그림 6-12 세면대에 설치한 안전 손잡이

그림 6-13 미끄럼방지 처리가 된 목욕탕 바닥

그림 6-14 수급자들이 통행할 수 있는 문은 문턱이 없어야 한다.

17. 식품, 식당, 조리실 위생관리

① 식품 유통기한 준수, 주방 및 집기류 소독을 주 1회 이상(일자,점검내용,점검자)
② 식당, 조리실, 식품보관실, 냉장(동)고를 청결하게 관리
③ 조리실 근무 직원의 복장 및 위생상태가 청결함(위생모 착용, 복장 청결상태)
* 급식 운영을 외부 업체에 위탁하더라도 기관 내 식품을 보관하거나 식기 등을 구비하여 사용하는 경우,
식품 유통기한과 주방 및 집기류 등의 소독 상태를 확인한다.

그림 6-15 조리장의 전처리실을 통제구역으로 설정하여 청결을 유지하도록 한다.

그림 6-16 조리실 근무직원의 복장: 위생모, 마스크, 위생장갑, 앞치마, 위생장화 착용

[예시] 위생점검일지

위 생 점 검 일 지 년 월 일 ~ 월 일										
구 분	세 부 점 검 사 항	점 검 사 항								
		/	/	/	/	/	/	/	/	
식당 내부 청결 상태	바닥, 유리창									
	식탁									
	배식대									
	식수대									
조리실 청결 상태	바닥									
	조리기구, 기계의 청결 및 정돈									
	식기 보관소									
	도마의 세척 및 소독									
	씽크대(개수구)									
	음식물 쓰레기 분리수거통									
식품 취급	전 처리과정의 위생(생선, 야채 등)									
	조리 후 식품 보관									
	배식 시 식품보관									
	식품의 유통기한 확인									
냉동 냉장고	물품의 정리									
	바닥의 청결									
	온도	냉동 : ℃								
		냉장 : ℃								
세 척	식기 기구의 세척·소독									
	행주의 청결·소독									
	소독기 온도	아침 : ℃								
		점심 : ℃								
		저녁 : ℃								
	주방의 소독									
창고	물품의 정리, 정돈									
	쥐, 곤충류의 유무									
	통풍, 습기의 상태									
조리사	조리사 손과 복장의 청결									
비 고	조치사항									
	서 명									
	양호 : ○ 보통 : △ 불량 : ×									

18. 감염관리활동

① 외부로 통하는 주출입구에 손소독제가 부착되어 있으며 위생적으로 급여를 제공. 세면대 손세정제 비치.

② 간호에 필요한 비품의 소독 및 청결상태가 양호함

 • 필수사항 : 일자, 장소, 비품명, 소독방법, 점검자 서명

③ 사용한 의료폐기물을 분리하여 배출함

④ 분기별 1회 이상 실내,외 소독(전문소독제 사용, 전문업체소독)

⑤ 수급자 생활환경의 일상소독을 매일 실시한다. 신설 – 확인사항: 일자, 소독부위, 소독제, 소독자

*우수(3점) – 평가기준 모두 충족

*양호(2.25점) – 4개 항목 충족

*보통(1.5점) – 3개 항목 충족

*미흡(0점) – '보통'의 기준 미충족

그림 6-17 수급자의 분비물(체액, 혈액 등)이 묻은 의료폐기물은 골판지로 된 일반의료폐기물통에 버리고, 혈당검사나 인슐린 투여 등을 위해 사용한 바늘은 합성수지(플라스틱) 성분의 손상성폐기물통에 버린다.

그림 6-17 주출입구에 설치한 손소독제와 자동손소독기

[방역 소독제의 종류 및 사용법]

살균소독제	사용법	주의점
• 차아염소산나트륨 : 락스 등 염소계 소독제	혈액과 체액으로 오염된 물건 소독 시 사용	• 통풍이 잘되는 곳에서 사용 • 희석되지 않은 원액 취급 시 보호복 착용 • 염소가스 방출의 위험이 있으므로 강산(염산 등)과 혼합 금지 • 금속을 부식시키므로 주의
• 과립형 염소	액체 소독약을 사용할 수 없을 때 희석하여 사용	위와 같음
• 이소프로필 알코올 : 이소프로필 70% • 에틸알코올 : 에탄올 60% 등 알코올 성분 소독제	• 눈에 보이는 오염물이 없는 경우 손 소독이나 피부 소독, 살균 소독제를 사용할 수 없는 테이블 등 부드러운 표면에 사용	• 가연성, 독성 있음 • 통풍이 잘되는 곳에서 사용 • 흡입 주의 • 화기, 전자제품, 불꽃, 뜨거운 표면 등을 피하여 사용 • 사용 후 바로 건조시킴

19. 감염병 관리

① 모든 수급자는 결핵 검진 포함한 건강진단을 연1회 실시
② 신규 수급자는 결핵 검진 포함한 감염병에 대한 건강진단을 급여개시 전 실시
  • 입소일까지 제출(단, 입소일 이전 1개월 이내 결과)
③ 감염병 유행 및 발생 시 대응체계를 수립하여 운영한다. 신설
  • 확인사항: 감염병에 의한 국가 위기상황 발생 시 대응체계와 기관 내 감염병 환자 발생·확산 시 대응
    체계
④ 감염병 유행 및 발생 시 적절한 조치
* 감염병 발생 시 조치: 특별침실 격리, 병원 이송, 치료 등

노인복지법 시행규칙

제19조(노인의료복지시설의 입소절차등)
② 제18조제1항제1호나목 및 다목에 해당하는 자가 당해 시설에 입소하고자 하는 때에는 입소신청서에
  다음 각호의 서류를 첨부하여 주소지를 관할하는 특별자치시장·특별자치도지사·시장·군수·구청장에
  게 제출하여야 한다.
  1. 건강진단서 1부
  2. 입소신청사유서 및 관련 증빙자료 각 1부(「국민기초생활 보장법」 제7조제1항제1호에 따른 생계급
    여 수급자 또는 같은 항 제3호에 따른 의료급여 수급자의 경우에는 제외한다)
⑧ 노인요양시설 또는 노인요양공동생활가정에 입소하고자 하는 자는 국·공립병원, 보건소 또는 제8조의
  규정에 의한 건강진단기관이 발행한 건강진단서를 당해시설의 장에게 제출하여야 한다.

제22조 제2항 [별표5] 노인의료복지시설의 운영기준〈개정 2019.9.27.〉
  1. 건강관리
    라. 입소자 및 직원에 대해서는 연 1회 이상의 결핵 검진을 포함한 건강진단(이하 이 호에서 "건강진
      단"이라 한다)을 하여야 하고, 매월 입소자의 구강건강 상태를 확인하여야 하며, 그 결과 건강이
      좋지 않은 사람에 대해서는 그 치료를 위하여 필요한 조치를 하여야 한다.

2020 노인보건복지사업안내(보건복지부)

2. 노인요양
  2-5. 노인복지시설 인권보호 및 안전관리지침
  Ⅳ. 시설 위생관리 시 준수사항
    1. 시설 위생관리 시 준수사항
      ○ 시설에서 전염병(결핵, A형간염, C형간염, 옴) 환자 발생시 시설장은 즉시 관할 건보공단(장
        기요양운영센터) 및 시군구에 전염병 발생 사실을 보고하여야 한다.
        – 건보공단은 시군구와 함께 시설 환경 청결 유지 및 전염방지 대책(환자 사용 내의, 침구소
          각, 교육, 소독 등)을 마련하여 시행하여야 한다.
        – 생활노인 전염병 환자에 대해서는 개별적 치료계획(병원 격리치료 실시 등)을 수립하여
          완치 시 까지 직접 관리하고 완치 후 종료한다.
        – 시설은 종사자(요양보호사 등) 전염병 환자에 대해서는 완치시까지 시설과 격리되어 병·
          의원에서 치료를 받을 수 있도록 적극 조치하여야 한다.
      ○ 시설에서는 시군구 및 보건소에 시설 소독 및 방역 등 조치를 요청한다.
        – 집단적 감염병 발생 위험이 높은 시설에 대한 소독 등 작업을 우선적으로 실시하고 환자
          발생 시 적극 대응 요청

2020 노인보건복지사업안내(보건복지부) (계속)

○ 시설에서는 시설 종사자를 대상으로 위 지침을 토대로 감염병 및 식중독 예방과 방지를 위한 교육을 실시하여야 하며, 특히 신규 채용 시에는 반드시 위생관리 교육을 실시토록 하되, 조리나 세탁 등 위생과 관련된 업무를 실시하는 종사자에 대해서는 위 지침에 의거하여 실시 내용과 점검 기록을 비치하여야 한다.
○ 시설은 입소예정자의 감염병에 관한 사항도 포함한 건강상태를 확인하여야 하며, 그 결과 감염병에 대한 병력이 있어도 특별한 경우를 제외하고는 서비스 제공을 거절하지 않아야 한다. 다만 감염병 병력이 있는 생활노인에 대해서는 감염대책 담당자가 다른 시설 종사자에게 감염병에 대한 지식, 수발 시 주의 사항 등에 대하여 주지시켜야 한다.

20. 소방시설(화재예방, 소방시설 설치,유지 및 안전관리에 관한 법률 참조)

① 소화설비와 경보설비를 갖추고 있으며 매월 점검함
  • 필수설비 : 소화기, 간이스프링클러, 자동화재탐지설비, 자동화재속보설비
  • 필수사항 : 일자, 점검내용, 점검자 서명
② 연1회 이상 소방시설에 대한 작동기능점검을 실시함
③ 비상구 및 유도등(항시 켜짐) 설치. 재난상황 발생에 대비한 피난안내도 부착.
* 비상구 및 계단 등에 물건이 적재되어 있는 경우 인정하지 않음.

《 **"화재예방, 소방시설 설치유지 및 안전관리에 관한 법률" 시행령 제15조 「별표 5」**》

구분	설치기준
스프링클러	바닥면적의 합계가 600㎡이상은 모든 층에 설치
간이스프링클러	면적에 관계없이 전체 노인복지시설 설치 의무화
자동화재탐지설비*	
자동화재속보설비**	

(1) * 화재 시 경보장비
(2) ** 화재 시 소방관서에 자동신고 장비

○ 출입문 자동열림장치 설치
 – 노인복지법 시행규칙 개정('15.6.2.공포·시행)으로 치매노인의 낙상을 방지하기 위하여 계단의 출입구에 출입문을 설치하고, 그 출입문에 잠금장치를 갖추되, 화재 등 비상시에 자동으로 열릴 수 있도록 하여야 함
 – 배회환자의 실종 등을 예방할 수 있도록 외부 출입구에 잠금장치를 갖추되, 화재 등 비상시에 자동으로 열릴 수 있도록 하여야 함

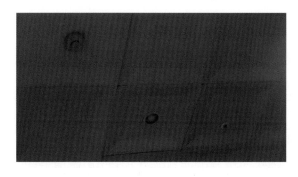

그림 6-18 스프링클러(우측)와 화재탐지설비(좌측)가 설치된 천장

열,연 감지기

정온식 스포트형감지기　차동식 스포트형감지기　광전식 스포트형감지기　차동식 스포트형감지기

이온화식 연기 감지기　광전식 연기 감지기　차동식 스포트형감지기　정온식 스포트형감지기

그림 6-19 다양한 형태의 자동화재탐지설비

그림 6-20 자동화재속보설비. 화재 감지시 자동으로 소방서로 음성, 데이터 등을 송수신하는 장치

그림 6-21 피난안내도. 화재시 대피방법, 소화기 사용방법, 현위치, 비상구 등의 표시가 되어야 한다(소방방재청. 다중이용업소 화재예방안전관리 가이드북, 2014).

21. 전기가스설비

① 한국전기안전공사, 한국가스안전공사 등에서 가스, 전기설비 안전점검 연 1회 이상
② 월 1회 이상 전기, 가스시설 점검
③ 가스(부탄가스), 라이터 등 가연·인화·발화·폭발성 물질을 제거함

22. 화재, 지진 등 재난상황 대비 훈련 실시

① 재난상황 대응방법 매뉴얼이 있으며, 수급자와 직원을 대상으로 재난상황 대응훈련을 반기별 1회 이상 실시
  • 필수사항 : 일자, 시간, 장소, 참가자 성명, 내용, 사진
② 화재, 지진 등 재난상황 대응방법을 직원이 숙지(대응방법, 담당역할, 소화설비, 경보설비 위치 숙지)
③ 화재, 지진 등 재난상황 발생 시 적절하게 대처(소화설비 작동방법 숙지)

23. 응급상황대응

① 응급의료기기 갖추고 있으며, 적정 관리
  • 응급의료기기: 산소통, 산소마스크(연결관(카테터) 포함), 흡인기, 설압자, 기도확보장치(Airway)
② 침실, 화장실, 목욕실에 응급상황 알림장치가 각각 1개 이상 설치되어 있으며 정상적으로 작동됨
③ 응급상황 대응방법을 직원이 숙지하고 발생 시 적절하게 대처

그림 6-23   응급벨을 눌렀을 때, 응급상황 알림장치가 정상적으로 작동되어야 한다.

그림 6-22   산소발생기, 연결관 (카테터)

24. 야간 수급자 안전

① 야간인력 배치 기준을 준수
② 야간근무지침을 마련하여 비치하고 있다. 신설
  • 야간근무지침 표준 참고(2020 노인보건복지 사업안내)
③ 야간근무자는 매일 수급자 상태를 확인하고 안전점검 실시하며, 안전점검 내용에 대해 숙지한다.
  • 야간점검일지: 일자, 점검시간, 수급자상태, 안전점검내용, 점검자

- 야간근무자가 매일 수급자 상태 및 안전점검을 실시하는지 관련 자료를 확인한다.
  - 야간점검은 해당 기관 직원이 수행한 것만 인정함
  - 야간시간 : 22:00 ~ 06:00 [근로기준법 제56조(연장·야간 및 휴일 근로)]
- 야간근무 시 안전점검 내용에 대해 직원이 숙지하고 있는지 면담하여 확인한다.
  - 안전점검 내용 : 수급자확인, 시설환경점검, 기타사항 등

구분	세부내용
수급자 확인	수급자 상태(응급상황 등), 침대난간 안전상태, 배회
시설안전 점검	출입구 잠금장치, 주방잠금장치, 창문개폐, 소화기구 및 비상구, 유도등 등
기타 사항	비상연락망, 대피경로, 마스터 키 등

노인복지법

시행규칙 제22조(노인의료복지시설의 시설기준 등) ②법 제35조의 규정에 의한 노인의료복지시설의 운영기준은 별표 5와 같다. 〈개정 2011.12.8.〉

[별표5] 노인의료복지시설의 운영기준〈개정 2016.8.31.〉
8. 사업의 실시
　바. 시설의 장은 다음의 기준에 따른 사업을 실시하여야 한다.
　　(다) 입소자에 대한 상시보호를 할 수 있도록 이에 적합한 직원의 근무체제를 갖추되, 특히 오후 10시부터 다음날 오전 6시까지의 야간시간대에는 입소자 보호 및 안전 유지를 위하여 별표 4 제6호에 따른 간호사, 간호조무사 또는 요양보호사 중 1명 이상의 인력을 배치하여야 한다. 시설의 규모 및 근무방식 등에 따른 세부적인 배치기준은 보건복지부장관이 정한다.

장기요양급여제공기준 및 급여비용 산정방법 등에 관한 고시

제60조(야간직원배치 가산) ① 노인요양시설의 야간직원배치 가산은 야간(22시부터 다음 날 6시)에 요양보호사 또는 간호(조무)사 1명 이상이 근무한 경우 다음 각 호 중 어느 하나의 방식에 따라 가산한다. 가산금액 산정방법은 제56조제1항을 준용한다.
　1. 야간(22시부터 다음날 6시)에 요양보호사 또는 간호(조무)사 1명 이상이 근무한 경우 : 기관당 0.9점의 가산점수 부여
　2. 다음 각목의 사항을 모두 충족하는 경우 : 야간직원 1인당 0.9점의 가산점수 부여
　　가. 야간근무 직원 1인당 입소자 20인 이하이어야 한다.
　　나. 주간(24시간 중 제1항의 야간을 제외한 시간)에 근무하는 요양보호사와 간호(조무)사 수의 합이 야간직원의 2배 이상이어야 한다. 다만, 입소자 20인 미만의 기관은 동수로 배치하여도 된다.
　② 노인요양공동생활가정의 야간직원배치 가산은 야간(22시부터 다음 날 6시)에 요양보호사 또는 간호(조무)사 1명 이상이 근무한 경우 기관당 0.9점의 가산점수를 부여하며, 가산금액 산정식은 제56조제1항을 준용한다.
　⑤ 장기요양기관의 장은 공단으로부터 지급받은 야간직원배치 가산금을 야간에 근무한 종사자에게 지급하여야 한다.

2020 노인보건복지 사업안내(보건복지부)

2. 노인요양
 2-5. 노인복지시설 인권보호 및 안전관리지침
  Ⅲ. 시설 안전관리지침
   7. 야간 대처 강화 및 야간 인력 배치
    ○ (야간 필수 인력배치) 화재 취약 시간대에 야간인력(요양보호사, 간호사, 간호조무사)을 배치하고, 야간근무 지침을 따르도록 함
- 노인복지법 시행규칙 개정(2016.8.31. 공포)으로 2017년부터는 야간시간대(오후 10시부터 다음 날 오전 6시까지)에 입소자 보호 및 안전유지를 위하여 간호사, 간호조무사 또는 요양보호사 중 1명 이상의 인력을 배치하여야 함
- 노인요양공동생활가정의 경우에도 야간인력을 1명 이상 배치하되, 그 특수성을 고려하여 숙직형태도 가능
- 야간에도 근로기준법 상 휴게시간을 준수하여야 함

◼ 야간 근무지침 표준 ◼
1. (목적) 본 지침은 야간근무자의 근무절차와 방법 등을 규정함으로써 야간 등 취약시간대에 시설 입소자(입원자) 및 종사자의 안전을 지키는 것을 목적으로 한다.
2. (적용) 본 지침은 다음의 범위에 적용된다.
  1) 인적범위 : 당직자에게 최우선 적용된다. 다만 당직자가 아니더라도 야간(22~06시)에 시설물의 안전 및 초동대처를 책임지는 종사자는 근무의 형태와 명칭, 인원수를 불문하고 이 지침의 적용을 받는다. (이하 당직자로 칭함)
  2) 기관범위 : 사회복지생활시설 및 요양병원, 정신병원
  3) 시간범위 : 야간(22~06시). 단, 시설내 야간교대근무 시간이 있는 경우 그에 따른다.
3. (근무준비) 당직자는 매일 18시까지 당일을 기준으로 야간 안전취약요인을 확인하고 비상시 대피방법 등을 준비하여야 한다. 준비사항은 다음과 같으며 기록으로써 유지한다.
  1) 당일 입소현황, 당일 층별 최단 대피경로 확인(와상환자, 거동불편자 등 취약환자 위주로 파악)
  2) 초동조치를 위한 소화기 위치 및 대피경로상 방해요인 제거
  3) 비상시 시설 내외 비상연락망(소방관서, 의료기관) 확인
  4) 당직업무 수행을 위한 지참물 : 마스터키 등
4. (준비확인) 당직자의 안전 준비사항은 다음 방식으로 확인한다.
  1) 확인자 : 시설장(부득이한 경우 최선임자 順)
  2) 보고자 : 당직자
  3) 확인방법 : 당직자는 준비상태를 기록한 문서와 함께 구두로써 이를 보고하고, 시설장은 질의응답 형태로 준비상태를 반드시 확인한다(크로스체킹). 이때 미흡한 부분에 대해서는 지적을 하여 보완토록 한다.
  4) 확인종결 : 확인자는 준비상태가 충분함을 확인하는 의미로 기록지에 서명하고, 2년간 보존한다.
5. (근무실시) 준비상태를 확인 종결 받은 당직자는 규정된 시간에 근무를 하고 시설의 순찰을 최소 2시간에 1번씩 실시한다(단 시설에 3시간 이내의 빈도로 별도 순찰 등 규정이 있는 경우 그에 따른다). 순찰시 특이사항은 당직일지에 기록한다.
6. (초동대처) 순찰 또는 신고 등으로 비상상황을 인지한 경우 입소자 등을 최단경로로 대피시키고, 비상연락망의 가동 및 가능한 범위에서 초기진화 등을 실시하여야 한다.
7. (당직점검) 당직 준비확인을 한 확인자는 불시에 당직상태를 점검할 수 있다.

[예시]

야 간 점 검 일 지								
						년 월 일 ~ 월 일		

구분	세부점검사항	점검사항						
	일자	/	/	/	/	/	/	/
	시간	:	:	:	:	:	:	:
전기가스	소화기구							
	냉난방기							
	전기스위치							
	가스잠금장치							
	콘센트							
시설전반	출입구 잠금장치							
	주방 잠금장치							
	창문 개폐							
	온도 및 습도							
	위해물질방치							
	비상구							
	유도등							
수급자 상태	침대난간							
	기타 안전사항							
	배회							
특이사항								
비고	조치사항							
	점검자 서명							
	양호 : ○ 보통 : △ 불량 : ×							

III. 수급자 권리보장

25. 수급자에게 급여이용 정보 제공, 급여선택권 보장

① 급여이용에 필요한 정보를 기관 내부에 게시
  • 운영규정 개요, 종사자 근무체계(직종별 직원배치 인력), 제공하는 장기요양급여 종류, 비급여 대상 및 항목별 비용, 시설의 규모, 설비, 보험증권사본, 최종 장기요양기관 평가결과, 급여제공직원 현황 (각 층마다 게시; 직종, 성명, 사진)
② 장기요양기관 정보를 노인장기요양보험 홈페이지에 게시, 정보 변경 시 지체없이 수정
③ 기관의 정보를 포함한 이용 안내서를 기관내부에 비치한다. 신설
  • 확인사항 : 기관 내부 게시 정보 및 기관의 특성, 우수사례

그림 6-24 시설의 소개를 내부에 게시함. 운영주체, 시설명, 급여종류, 규모, 입소정원, 시설, 설비, 종사자 현황, 비용 등을 소개함.

그림 6-25 각 층마다 직원 현황 게시; 직종, 성명, 사진

26. 수급자(보호자) 참여강화

① 모든 수급자 또는 보호자와의 상담을 분기별 1회 이상 실시
② 수급자 또는 보호자의 의견을 연 1회 이상 급여에 반영
③ 보호자와의 소통을 위해 반기별 1회 이상 노력
  • 소식지, SNS, 정기적 회의 등
④ 수급자(보호자) 상담을 위한 상담실 운영
  • 상담실 표찰, 타인의 방해 없이 상담이 가능한 구분된 전용공간

그림 6-26　소식지 제작을 통해 보호자와 소통한다(서천노인요양원).

그림 6-27　보호자 면담을 위한 상담실

27. 가족 및 지역사회 교류

① 가족(보호자)이나 지역주민이 참여하는 프로그램을 반기별 1회 이상 제공한다.
② 가족(보호자)이나 지역주민이 참여하는 프로그램을 연 1회 이상 제공한다.
③ 수급자가 지역사회에서 주최하는 행사에 연 1회 이상 참여한다.
우수: 평가기준 ①,③ 충족.
- 가족(보호자)이나 지역주민이 직접 내방하여 참여하는 프로그램을 정기적으로 운영하는지 확인한다.
  - 가족(보호자)·지역주민 참여 프로그램 : 생신잔치, 명절행사, 가족의 날 행사, 어버이날 행사, 연말연시 행사 등

28. 존엄성 및 사생활 보장

① 수급자 사생활 보호 위해 노력
- 침실에 이동식 칸막이 1개 이상, 또는 침대마다 커튼 설치
  *침실을 남실 및 여실로 각각 구분하여 사용
② 수급자 존엄성 배려하여 급여 제공
- 급여제공 시 존칭사용 및 수급자 존중
- 서비스 제공 전 수급자에게 서비스 내용 설명
③ 수급자의 욕구 및 상태에 따라 서비스를 받을 수 있도록 노력
- 개인의복 착용, 침실 출입구에 수급자 성명부착, 산책 또는 배회, 가족 및 지인의 자유로운 방문, 외출 및 외박, 종교활동의 자유 등
④ 개인정보 자료를 적정하게 관리
- 개인정보 보관함 잠금장치 등

● ②,③번 지표적용기간: 평가계획 공고월의 다음 달(2018년 2월)부터 확인.

그림 6-28 신체노출과 사생활 보호를 위해 침대마다 커튼을 설치함

그림 6-29 유니폼이 아닌 개인의 복을 입으신 수급자들

그림 6-30 침실 출입구에 수급자 성명 부착(거동 능력에 따라 화재 시 피난 유도 순위를 색으로 구분함. 거동 가능자 녹색, 거동 불가능자 빨강색)

그림 6-31 침실 출입구에 수급자 사진을 함께 게시하여 정확하게 수급자를 구분하도록 함

그림 6-32 가족 방문 시 간식 등을 함께 드실 수 있는 면회장소

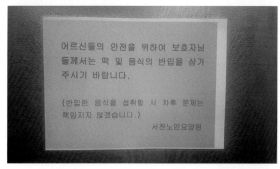

어르신들의 안전을 위하여 보호자님 들께서는 떡 및 음식의 반입을 삼가 주시기 바랍니다.

(반입한 음식을 섭취할 시 차후 문제는 책임지지 않겠습니다.)

서천노인요양원

그림 6-33

그림 6-34 건물 외부에 흡연실을 설치하여, 흡연을 원하는 자들을 배려함

---

29. 노인인권보호

① 노인인권보호지침을 모든 보호자(수급자)에게 제공하며, 노인학대에 관한 정보를 게시 및 수록함
② 모든 직원에게 노인 인권 및 학대예방교육을 분기별 1회 이상 실시한다.
  • 확인사항 : 교육일시, 강사, 교육내용, 교육방법, 참석자(서명)
③ 모든 수급자에게 노인 인권 및 학대예방교육을 분기별 1회 이상 실시한다.
  • 확인사항 : 교육일시, 강사, 교육내용, 교육방법, 참석자
④ 긴급하거나 어쩔 수 없는 경우로 일시적으로 수급자의 신체를 제한하거나 구속할 경우 그 사실을 가족 등에게 통지하고 자세히 기록한다.
  • 확인사항 : 수급자명, 수급자상태(제재사유), 제재일시, 제재자, 제재방법, 통지대상자, 통지일시, 통지방법
⑤ 노인학대를 예방하기 위해 반기 1회 이상 운영위원회 회의에 수급자 또는 보호자 대표를 1인 이상 참여시켜 수급자의 요구사항과 불만사항을 청취하고 조치함

그림 6-35 노인학대예방 관련 지침을 게시함.

IV. 급여제공 과정

30. 통합적 욕구사정

① 수급자의 종합적인 욕구사정을 연 1회 이상 실시함
○ 신규 수급자는 급여개시 전(입소당일 포함) 실시
○ 욕구사정 항목
  ① 신체상태 욕구사정 : 일상생활동작 수행능력 등
  ② 질병 욕구사정 : 과거병력, 현 진단명 등
  ③ 인지상태 욕구사정 : 정신상태, 감정 등
  ④ 의사소통 욕구사정 : 청취능력, 발음능력 등
  ⑤ 영양상태 욕구사정 : 체중, 음식섭취 패턴, 배설 양상 등
  ⑥ 가족 및 환경상태 : 가족상황, 거주환경, 수발부담 등
  ⑦ 주관적 욕구 : 수급자 또는 보호자가 호소하는 욕구
  ⑧ 자원이용 욕구 : 의료기관, 종교활동 등
  ⑨ 총평 : 종합소견을 말하며, 서술형 작성만 인정
② 낙상위험도 평가를 연 1회 이상 정기적으로 실시
  • 신규 수급자 : 급여개시 전(입소당일 포함)
③ 욕창위험도 평가를 연 1회 이상 정기적으로 실시
  • 신규 수급자 : 급여개시 전(입소당일 포함)
④ 인지기능 평가를 연 1회 이상 정기적으로 실시
  • 신규 수급자 : 급여개시 전(입소당일 포함)
  • 치매 약 복용 중인 수급자는 검사 대상에서 제외.

인지선별검사 (CIST)

Cognitive Impairment Screening Test

이름			성별			등록번호	
주민등록 생년월일	년	월	일 (양/음)	(만	세)	학력(교육년수)	( ) 년
실제 생년월일	년	월	일 (양/음)	(만	세)	검사장소	☐ 치매안심센터
검사일자	년	월	일	요일			☐ 대상자 집
검사자							☐ 기타:

"안녕하세요. 지금부터 _____님의 기억력과 사고능력을 살펴보기 위한 질문들을 드리겠습니다.
생각나는 대로 최선을 다해 답변해 주시면 됩니다."

지남력	**시간**	**1. 오늘 날짜를 말씀해주세요.**		
		(1) 올해는 몇 년도입니까?	0	1
		(2) 지금은 몇 월입니까?	0	1
		(3) 오늘은 며칠입니까?	0	1
		(4) 오늘은 무슨 요일입니까?	0	1
	장소	2. 지금 ___님이 계신 여기는 어디인가요? 이 장소가 어디인시 말씀해 주세요.	0	1
기억력	**기억등록**	3. 지금부터 외우셔야 하는 문장 하나를 불러드리겠습니다. 끝까지 잘 듣고 따라 해 보세요. **(1차 시행) 민수는 / 자전거를 타고 / 공원에 가서 / 11시부터 / 야구를 했다** 잘 하셨습니다. 제가 다시 한번 불러드리겠습니다. 이번에도 다시 여쭈어 볼테니 잘 듣고 따라 해 보세요. **(2차 시행) 민수는 / 자전거를 타고 / 공원에 가서 / 11시부터 / 야구를 했다** 제가 이 문장을 나중에 여쭤보겠습니다. 잘 기억하세요.	점수 없음 (단, 순서 상관없이 대상자가 말한 단어에 ○표)	
주의력	**숫자 바로 따라 말하기**	4. 제가 불러드리는 숫자를 그대로 따라 해 주세요. (대상자가 잘 이해하지 못하는 경우) 제가 1-2-3 하고 부르면, 똑같이 1-2-3 이렇게 말씀해 주세 요.		
		(1) 6 - 9 - 7 - 3	0	1
		(2) 5 - 7 - 2 - 8 - 4	0	1
	거꾸로 말하기	5. 제가 불러드리는 말을 끝에서부터 거꾸로 따라 해 주세요. (대상자가 잘 이해하지 못하는 경우) OOO님 (대상자 이름) 이름을 거꾸로 하면 OOO 이렇게 되지요? 마찬가지로 제가 부르는 말을 거꾸로 말씀해 주세요. **금수강산**	0	1
시공간 기능	**도형모사** (그림1)	6. (그림을 가리키며) 여기 점을 연결하여 그린 그림이 있습니다. 이 그림 과 똑같이 되도록 (아래 반응 공간을 가리키며) 같은 위치에 그려보세요. 점을 연결해서 그리시면 됩니다.	0 1 2	

▶ 인지선별검사(CIST) 계속

집행 기능	시각추론1 (그림2)	7. 여기 모양들이 정해진 순서로 나옵니다. 모양들을 보면서 어떤 순서로 나오는지 생각해 보세요. 자(도형을 왼쪽부터 하나씩 가리키며), 네모, 동그라미, 세모, 네모, 빈칸, 세모. 그렇다면 여기 빈칸에는 무엇이 들어가야 할까요?	0		1
	시각추론2 (그림3)	8. (맨 앞 그림을 가리키며) 여기 네 칸 중의 한 칸에 별이 하나 있습니다. (두 번째 그림을 가리키며) 별이 이렇게 다른 위치로 이동합니다. 어떤 식으로 이동하는지 잘 생각해 보십시오. (마지막 반응 칸을 가리키며) 여기서는 네 칸 중에 별이 어디에 위치하게 될까요?	0		1
	언어추론 (그림4)	9. 카드에 숫자와 계절이 하나씩 적혀 있습니다. '1-봄-2-여름~' 이렇게 연결되어 나갑니다. (화살 표시된 빈칸을 가리키며) 여기는 무엇이 들어갈 차례일까요?	0	1	2

기억력	기억회상 /재인	10. 제가 조금 전에 외우라고 불러드렸던 문장을 다시 한번 말씀해 주세요. [조금 전에 외우라고 불러드렸던 문장(한 문장의 이야기)을 말씀해 보세요.]		

기억회상(각 2점)	재인(기억회상 과제에서 회상하지 못한 항목만 시행. 각 1점)			
민수 [ ]	제가 아까 어떤 사람의 이름을 말했는데 누구일까요? 영수 [ ] 민수 [ ] 진수 [ ]	0	1	2
자전거 [ ]	무엇을 타고 갔습니까? 버스 [ ] 오토바이 [ ] 자전거 [ ]	0	1	2
공원 [ ]	어디에 갔습니까? 공원 [ ] 놀이터 [ ] 운동장 [ ]	0	1	2
11시 [ ]	몇 시부터 했습니까? 10시 [ ] 11시 [ ] 12시 [ ]	0	1	2
야구 [ ]	무엇을 했습니까? 농구 [ ] 축구 [ ] 야구 [ ]	0	1	2

언어 기능	이름대기 (그림5)	11. 여기 있는 이 그림의 이름을 말씀해 주세요. 이것은 무엇입니까?		
		(1) 칫솔 [대상자 반응:]	0	1
		(2) 그네 [대상자 반응:]	0	1
		(3) 주사위 [대상자 반응:]	0	1
	이해력	12. 제가 말씀드리는 대로 행동으로 그대로 보여주십시오. **박수를 두 번 치고, 주먹을 쥐세요.**	0	1

집행 기능	유창성	13. 지금부터 제가 그만이라고 말할 때까지 과일이나 채소를 최대한 많이 이야기해 주세요. 준비되셨지요? 자, 과일이나 채소 이름을 말씀해 주세요. 시작! [반응기록/제한 시간 1분] 0-8개: 0점 / 9-14개: 1점 / 15개 이상: 2점	_____개		
			0	1	2

결과요약표

인지영역	지남력	주의력	시공간기능	집행기능	기억력	언어기능	총 점
점수	/5	/3	/2	/6	/10	/4	/30

판정	□ 정상	□ 인지저하 의심

▶ 인지선별검사(CIST) 계속

[그림 1]

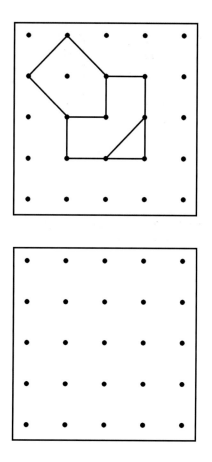

[그림 2]

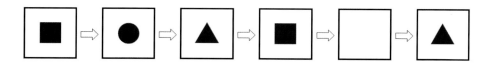

▶ 인지선별검사(CIST) 계속

[그림 3]

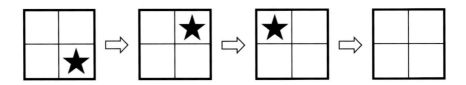

[그림 4]

[그림5]

▶ 인지선별검사(CIST) 끝

31. 급여제공계획 수립 및 제공

① 표준장기요양이용계획서, 욕구사정, 낙상위험, 욕창위험, 인지기능검사 등을 반영한 개별 급여제공계획을을 연 1회 이상 수립
- 확인사항 : 수급자명, 작성일자, 작성자, 장기요양 세부목표, 장기요양 필요내용, 세부제공내용, 횟수 또는 시간, 종합의견
② 급여제공계획에 대하여 수급자 또는 보호자의 확인서명을 받음
③ 급여제공계획에 따라 급여를 제공
④ 급여제공계획의 변경이 필요한 경우, 그 사유를 기록하고 변경된 급여제공계획에 따라 급여 제공
○ 기준 ①번의 표준장기요양이용계획서의 반영 및 신규수급자의 급여제공계획서 작성시기는 평가계획 공고월 다음달부터 적용한다. 단, 2019.1월 ~ 평가계획 공고월까지는 신규수급자는 입소일로부터 공휴일을 포함하여 30일 이내에 급여제공계획을 수립하였는지 확인한다.

[예시] Huhn의 낙상위험도 평가도구

수급자명 :

구분	4점	3점	2점	1점	점수
연령		>80	70-79	60-69	
정신상태	혼란스러움/ 방향감각장애		때때로 혼란스러움/ 방향감각장애		
배변	소변, 대변 실금	조절능력 있지만 도움필요		유치도뇨관 /인공항루	
낙상경험	이미 세 번 이상 넘어짐		이미 한 번 또는 두 번 넘어짐		
활동	전적으로 도움을 받음	자리에서 일어나 앉기 도움		자립/세면대, 화장실이용	
걸음걸이 및 균형	불규칙/불안정, 서 있을 때와 걸을 때 균형을 거의 유지하지 못함	일어서기/걸을 때 기립성 빈혈/ 혈액 순환문제	보행장애/ 보조도구나 도움으로 걷기		
지난 7일간 약복용이나 계 획된 약물	3개 또는 그 이상의 약 복용	두 가지 약 복용	한 가지 약 복용		
합계점수					

※ 척도(합계점수 해석)
• 4점 이하 : 낙상위험 낮음
• 5-10점 : 낙상위험 높음   • 11점 이상 : 낙상위험 아주 높음

년   월   일

(직종)   작성자 :   (서명)

[예시]

장기요양 급여계획				작성일	20 . .
				작성자	서명 또는 (인)
수급자성명		생년월일		급여종류	
장기요양인정 유효기간		장기요양등급		계약일자	
				계약기간	~
목 표					

구분	세부목표	급여내용	횟수/시간	제공자

위 급여계획에 대해 상세히 설명 들었음을 확인합니다.

20   .   .   .

확인자_____서명 또는 (인)

32. 급여제공 결과평가

① 개별 급여제공계획에 따른 급여제공 결과를 반기별 1회 평가하고 기록함
- 필수사항 : 일자, 총평 또는 종합소견, 작성자 서명

② 개별 급여제공계획에 따른 급여제공 결과를 연 1회 평가하고 기록함
- 필수사항 : 일자, 총평 또는 종합소견, 작성자 서명

③ 평가결과를 반영하여 개별 급여제공계획을 30일 이내 재작성함

33. 사례관리

① 사례회의를 주기적으로 실시
- 30인이상(월 1회), 10인이상 30인미만(분기 1회)

② 사례관리 결과를 30일 이내 급여에 반영

③ 전원이나 퇴소할 때 수급자와 급여 이용 종료 상담을 실시하고 연계기록지를 작성하여 제공

[예시]

사례관리 회의					○○○	시설장
일시			장소			
참석자						
수급자명		성별	□남 □여	생년월일	등급	
사례회의 선정이유 (문제점)						
회의내용						
회의결과						
붙임 참석자 서명부 1부. 끝.						

34. 수급자 청결서비스(세면, 구강, 몸단장, 목욕서비스 제공)

① 주 1회 이상 목욕급여 제공, 목욕 전,후 수급자의 상태를 관찰, 기록.
② 수급자의 상태, 욕구, 잔존능력 등을 고려하여 청결서비스를 제공하고, 수급자의 구강 및 신체 청결상태가 양호하다.
③ 청결서비스 제공을 위한 도구 및 시설환경을 위생적으로 관리한다.
   • 확인사항 : 손톱깎이, 세면도구, 양치도구, 목욕용품, 목욕실 위생상태 등

35. 식사제공

① 영양사가 작성한 1식3찬 이상의 식단표를 잘 보이는 곳에 게시, 식단표에 따라 보온상태로 음식을 제공함
○ 1식3찬은 밥, 국을 제외한 반찬을 의미함
○ 일품 요리를 제공하는 경우 3찬 제공 여부 확인하지 않음
② 수급자의 씹는 기능 및 소화기능 등을 고려하여 적절한 식사를 제공하고, 음식 섭취에 현저한 변화를 보이거나 문제가 있는 수급자에게 적절한 조치.
③ 수급자가 침대 외의 장소에서 식사를 하도록 지원.
④ 수급자의 기능 상태에 따라 상시 식수를 마실 수 있도록 식수대, 정수기, 개인용 물통 등이 마련되어 있음
○ 스스로 이동을 못하는 수급자도 식수를 마실 수 있도록 침실 내 개인용 물통을 제공하여야 함
⑤ 수급자의 잔존 능력을 고려하여 스스로 식사를 하도록 지원(기능 상태에 따른 식사 도구 활용, 식탁 높이 조절 등).

그림 6-36   1식3찬 이상의 식단표를 복도 게시판에 게시함.

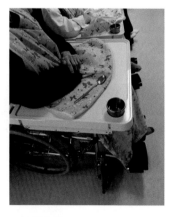

그림 6-37   기능상태가 저하된 수급자가 침대 밖으로 이동하여 식사하실 수 있도록 고안된 휠체어 식판. 안전한 컵 받침대가 있다.

36. 배설서비스 제공

① 배설관리가 필요한 수급자 파악
- 신규 수급자의 집중배설관찰기록표를 14일 이내에 작성(3일(연속 72시간)동안 매 시간 배설 상태를 기록)
- 모든 수급자 : 매일 배설상태 확인

② 배설관리가 필요한 수급자에게 적절한 조치
- 배설상태에 문제가 있는 수급자 조치
- 배설 확인 후 지체 없이 기저귀 교환
- 침실당 1개 이상 이동형 좌변기 또는 휴대용 배변기 구비 및 관리

③ 의사처방에 따라 유치도뇨관을 관리(교체시기, 청결상태, 소변주머니 위치)

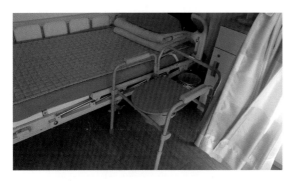

그림 6-37 침실당 1개 이상의 이동형 좌변기 또는 휴대용 배변기 구비

그림 6-38 유치도뇨관을 착용한 수급자

[예시]

집중배설관찰기록표							
일자 : 년 월 일			수급자명 :				
일반 ( ) / 기저귀 착용( ) / 장루(요루)( ) / 도뇨관삽입( ) / 기타( )							
시간	소변량		섭취량	배설여부		기저귀 또는 옷교환	작성자
	기저귀 착용	장루(요루)/ 도뇨관 삽입		소변	대변		
07:00	•	mL	예) 물한컵, 사과 1/2, 밥 1	V		V	
08:00	○	mL					
09:00	●	mL		V		V	
…	•	mL		V	V	V	
	○	mL					
	○	mL					
	○	mL					
	•	mL		V		V	
	○	mL					
	○	mL			V	V	
	•	mL		V		V	
	○	mL					
	○	mL					
05:00	•	mL		V		V	
06:00	○	mL					
07:00	•	mL		V		V	
• : 적음, ● : 많음, ○ : 없음							

37. 욕창발생 위험 수급자의 관리

① 욕창발생 위험이 있는 수급자에게 분기별 1회 이상 욕창위험도 평가
② 욕창발생 위험이 있는 수급자의 욕창발생 예방을 위해 노력
- 체위변경(스스로 체위변경 할 수 없는 수급자에게 2시간마다 실시), 욕창방지 보조도구 (욕창예방 매트리스, 쿠션, 방석 등) 제공
③ 욕창발생 고위험 수급자의 욕창발생 여부를 1일 1회 이상 관찰하고 기록.
○ 욕창발생 고위험 수급자 : Braden scale 12점 이하의 수급자(욕창발생 위험수급자 = 18점 이하)

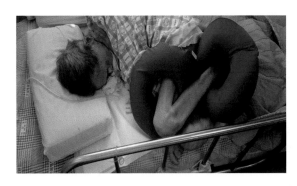

그림 6-39 쿠션을 이용한 욕창방지 대책

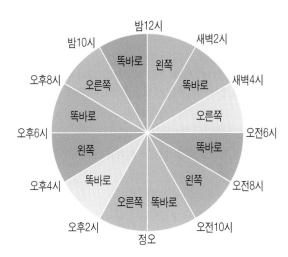

그림 6-40 체위변경을 위한 시간표

[예시] Braden scale 욕창위험도 평가도구

수급자명 :

구 분	척도	내 용	점수
감각 인지 정도	1. 감각 완전 제한됨 (완전히 못 느낌)	의식수준이 떨어지거나 진정/안정제 복용/투여 등으로 통증 자극에 반응이 없다(통증자극에 대해 신음하거나 주먹을 쥔다 거나 할 수 없음). 신체 대부분에서 통증을 느끼지 못한다.	
	2. 감각 매우 제한됨	통증 자극에만 반응(신음하거나 불안정한 양상으로 통증이 있 음을 나타냄) 또는 신체의 1/2 이상에 통증이나 불편감을 느 끼지 못한다.	
	3. 감각 약간 제한됨	말로 지시하면 반응하지만, 체위 변경을 해달라고 하거나 불편하 다고 항상 말할 수 있는 것은 아니다. 또는 사지에 통증이나 불편감을 느끼지 못한다.	
	4. 감각 손상 없음	말로 지시하면 반응을 보이며 통증이나 불편감을 느끼고 말로 표현할 수 있다.	
습기 여부	1. 항상 젖어있음	피부가 땀, 소변으로 항상 축축하다.	
	2. 자주 젖어있음	늘 축축한 것은 아니지만 자주 축축해져 8시간에 한번은 린넨 을 갈아주어야 한다.	
	3. 가끔 젖어있음	가끔 축축하다. 하루에 한번 정도 린넨 교환이 필요하다.	
	4. 거의 젖지 않음	피부는 보통 건조하며 린넨은 평상시대로만 교환해 주면 된다.	
활동 상태	1. 항상 침대에만 누워 있음	도움 없이는 몸은 물론 손, 발을 조금도 움직이지 못한다.	
	2. 의자에 앉아 있을 수 있음	걸을 수 없거나 걷는 능력이 상당히 제한되어 있다. 체중 부하 를 할 수 없어 의자나 휠체어로 이동 시 도움을 필요로 한다.	
	3. 가끔 걸을 수 있음	낮 동안에 도움을 받거나 도움 없이 매우 짧은 거리를 걸을 수 있다. 그러나 대부분의 시간은 침상이나 의자에서 보낸다.	
	4. 자주 걸을 수 있음	적어도 하루에 두 번 방밖을 걷고, 방안은 적어도 2시간 마다 걷는다.	
움직임	1. 완전히 못 움직임	도움 없이는 신체나 사지를 전혀 움직이지 못한다.	
	2. 매우 제한됨	신체나 사지의 체위를 가끔 조금 변경시킬 수 있지만 자주하거 나 많이 변경시키지 못한다.	
	3. 약간 제한됨	조금이기는 하지만 혼자서 신체나 사지의 체위를 자주 변경시 킨다.	
	4. 제한없음	도움 없이도 체위를 자주 변경시킨다.	
영양 상태	1. 매우 나쁨	제공된 음식의 1/3 이하를 섭취한다. 단백질(고기나 유제품)을 하루에 2회 섭취량 이하를 먹는다. 수분을 잘 섭취 안한다. 유동성 영양보충액도 섭취하지 않는 다. 또는 5일 이상 동안 금식상태이거나 유동식으로 유지한다.	

구 분	척도	내 용	점수
	2. 부족함	제공된 음식의 1/2를 먹는다. 단백질(고기나 유제품)은 하루에 약 3회 섭취량을 먹는다. 가끔 영양보충 식이를 섭취한다. 또는 유동식이나 위관영양을 적정량 미만으로 투여 받는다.	
	3. 적당함	식사의 반 이상을 먹는다. 단백질(고기나 유제품)을 하루에 4회 섭취량을 먹는다. 가끔 식사를 거부하지만 보통 영양보충식이는 섭취한다. 또는 위관영양이나 TPN으로 대부분의 영양요구량이 충족된다.	
	4. 양호함	대부분의 식사를 섭취하며 절대 거절하는 일이 없다. 단백질(고기나 유제품)을 하루에 4회 섭취량 이상을 먹으며 가끔 식간에도 먹는다. 영양보충 식이는 필요로 되지 않는다.	
마찰력과 응전력	1. 문제 있음	움직이는데 중정도 이상의 많은 도움을 필요로 한다. 린넨으로 끌어당기지 않고 완전히 들어 올리는 것은 불가능하다. 자주 침대나 의자에서 미끄러져 내려가 다시 제 위치로 옮기는데 많은 도움이 필요 된다. 관절구축이나 강직, 움직임 등으로 항상 마찰이 생긴다.	
	2. 잠정적으로 문제 있음	자유로이 움직이나 약간의 도움을 필요로 한다. 움직이는 동안 의자억제대나 린넨 또는 다른 장비에 의해 마찰이 생길 수 있다. 의자나 침대에서 대부분 좋은 체위를 유지하고 있지만 가끔은 미끄러져 내려온다.	
	3. 문제없음	침대나 의자에서 자유로이 움직이며 움직일 때 스스로 자신을 들어 올릴 수 있을 정도로 충분한 근력이 있다. 침대나 의자에 누워 있을 때 항상 좋은 체위를 유지한다.	
합계			

※ 해석: (Braden , 2001)
- 19-23 위험 없음
- 13-14 중간 정도의 위험 있음
- 9 이하 위험이 매우 높음
- 15-18 약간의 위험 있음
- 10-12 위험이 높음

년   월   일

(직종)   작성자   (인)

38. 욕창발생 수급자 관리

① 욕창이 있는 수급자에게 욕창방지 보조도구 제공, 욕창변화를 주 1회 이상 관리·기록
- 필수사항 : 수급자명, 부위, 크기, 일자, 처치내용

② 욕창이 있는 수급자는 최소 2시간(수면시간 포함)마다 체위변경

39. 적정한 간호 및 의료서비스

① 계약의사 또는 협약의료기관 의사가 기관을 방문하여 모든 수급자를 월 2회 이상 진찰하고 기록.
- 월 2회 이상 진료 확인
- 계약의사의 계약해지 및 재계약으로 인한 의료서비스 공백 기간은 1개월만 인정. 단, 지정된 계약의사가 1명이고, 계약의사 추천요청서 등으로 계약의사 추천과정에 있음을 증명해야 함.
- 정기적인 의료기관 방문으로 촉탁의 진료를 거부하는 경우, 관련 자료 확인

② 수급자에게 의료적 조치가 필요할 때 적절하게 조치하고 기록.
- 수급자에게 의료적 처치가 필요한 경우에 병원진료를 받도록 하거나 계약의사(협약의사)에게 연락하는 등의 조치를 취하였는지 관련 자료를 확인

40. 투약 및 약품관리

① 약품보관함에 잠금장치가 되어 있음

② 의약품의 유통기한 및 보관상태를 분기별 1회 이상 점검함
- 필수사항 : 점검일자, 의약품명, 효능, 유효기한, 점검자서명

③ 수급자별 투약 및 약품관리가 적정하게 이루어짐
- 필수사항 : 수급자명, 약품명, 약품효능, 횟수, 투약방법

④ 수급자의 투약에 관한 내용을 기록하고 관리함
- 필수사항 : 수급자명, 일자, 시간, 제공자

그림 6-41 안전한 약물 보관을 위해 잠금장치 설치(미래복지요양센터).

41. 기능회복훈련

① 신체기능 훈련, 기본동작 훈련, 일상생활동작 훈련을 실시함

○ (영역별 예시)

- 신체기능훈련 : 근력증강운동, 연하운동, 팔운동, 손가락운동, 조화운동, 지구력훈련 등
- 기본동작훈련 : 뒤집기, 일어나기, 앉아있기, 일어서기, 서있기, 균형, 이동, 휠체어조작 및 이동, 보행, 보장구 장착 등 지켜보기, 도움 제공 등
- 일상생활동작훈련 : 식사동작, 배설동작, 옷 갈아 입기동작, 목욕동작, 몸단장동작, 이동동작, 요리동작, 가사동작 등

* 지표적용기간: 평가일 관찰

그림 6-42　근력증강운동 중인 수급자

42. 물리(작업)치료 계획 수립, 급여 제공

① 물리(작업)치료에 대한 수급자 평가를 연 1회 이상 실시함
- 신규수급자: 급여개시 전(입소당일 포함) 실시

② 물리(작업)치료 계획을 연 1회 이상 수립함
- 신규수급자: 급여개시 전(입소당일 포함) 계획 수립
- 확인사항: 수급자명, 치료목표, 제공방법, 횟수, 작성자 서명

③ 물리(작업)치료 계획에 따라 물리(작업)치료를 실시함
- 확인사항: 수급자명, 일자, 시간, 제공내용, 작성자 서명

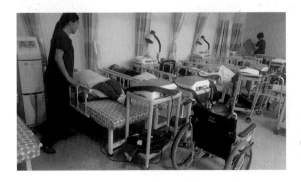

그림 6-43　물리치료사에 의한 물리치료

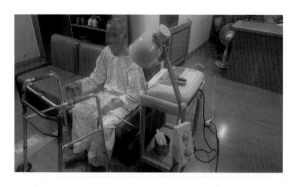

그림 6-44 물리치료실이 아닌 거실에서 물리치료 중인 수급자

43. 치매 등 수급자의 개별 특성을 고려한 서비스 제공

① 수급자 상태에 맞는 인지기능 프로그램 계획 수립
- 프로그램 계획 : 프로그램명, 목표, 대상자, 내용, 횟수
- 인지기능평가결과 등에 따라 그룹별로 분류하여 프로그램 제공하도록 계획

② 인지기능 프로그램 계획에 따라 주 3회 이상 실시
- 그룹별로 최소 주 1회 이상 실시

③ 인지기능 프로그램에 대한 수급자(보호자) 의견 수렴을 분기 1회 이상 실시하고, 그 내용을 연 1회 이상 반영

④ 정서적 안정감 및 시각적, 촉각적 자극을 주는 환경 조성
- 지나치게 밝은 색보다는 전체를 중간색으로 함
- 잔잔한 음악으로 불쾌한 소음 차단
- 과거 기억을 촉진하는 옛 물건(수급자 과거 사진, 좋아하는 소품 등)을 진열

그림 6-45 다양한 인지기능 프로그램. a. 원예요법 b. 미술요법

그림 6-46 좋아하는 개인 소품들이나 옛 물건은 과거 기억을 촉진하며, 심리적으로도 편안함을 준다.

44. 여가활동 서비스

① 수급자 상태에 맞는 여가프로그램 실시계획을 수립함
② 여가프로그램을 그룹별로 주1회 이상 실시
  • 확인사항 : 일자, 시간, 진행자, 참석자명, 내용
  • 1가지 프로그램을 여러 지표에 중복한 경우 인정하지 않음
③ 여가프로그램에 대한 수급자(보호자) 의견 수렴을 분기별 1회 이상 실시, 그 내용을 연 1회 이상 반영

그림 6-47 영화를 시청하고 있는 수급자들

V. 급여제공 결과

45. 입소 후 수급자의 등급이 유지, 호전됨

6개월 이상 급여를 제공받은 수급자의 등급이 유지·호전됨
• 등급 유지·호전율 산정
  가. '18.1월~'20.12월에 등급판정을 받은 자 중, 해당기관에서 등급판정 직전 우려을 포함하여 연속 6개월 이상 급여를 제공받은 자
  나. '가'에 해당되는 수급자 중 등급이 유지·호전된 수급자 수
  다. 등급유지·호전율 = (나/가)×100(소수점 첫째자리 반올림)
• 우수 : 등급 유지·호전율이 85%이상

46. 욕창 발생률, 치유율

① 욕창발생률 : 입소 후 욕창이 발생한 수급자가 3% 미만임
- 욕창 발생률 산정
  가. '17.12월 급여제공 수급자
* '17.12월 청구내역이 없는 경우 최종 청구내역이 있는 달의 급여제공 수급자로 함
  나. '가' 중 '16.1월~'17.12월 사이 입소 후 욕창이 발생한 수급자 수
  다. 욕창 발생률 = (나/가) × 100(소수점 첫째자리에서 반올림)

② 욕창치유율 : 입소 후 욕창이 완치된 수급자가 20% 이상임
- 욕창 치유율 산정
  가. '17.12월 급여제공 수급자 중 '16.1월~'17.12월 사이 욕창이 있는 수급자 수
* '17.12월 청구내역이 없는 경우 최종 청구내역이 있는 달의 급여제공 수급자로 함
  나. '가' 중 '17.12.31까지 욕창이 치유된 수급자 수
  다. 욕창 치유율 = (나/가) × 100(소수점 첫째자리에서 반올림)
  ※ 욕창 있는 수급자가 입소한 경우, 입소 6개월까지는 욕창 있어도 산정 제외
* '17.12월 급여제공 수급자 중 '16.1월~'17.12월 사이 욕창이 있는 수급자가 없으면 ②번 인정

47. 유치도뇨관 현황

① 유치도뇨관 삽입률 : 유치도뇨관을 삽입한 수급자가 3% 미만임
- 유치도뇨관 삽입률 산정
  가. '20.12월 급여제공 수급자
* '20.12월 청구내역이 없는 경우 최종 청구내역이 있는 달의 급여제공 수급자로 함
  나. '가' 중 '18.1월~'20.12월 사이 입소 후 유치도뇨관을 삽입한 수급자 수
  다. 유치도뇨관 삽입률 = (나/가) × 100(소수점 첫째자리에서 반올림)
② 유치도뇨관 제거율 : 입소 후 배뇨기능 호전으로 유치도뇨관을 제거한 비율이 20% 이상임
- 유치도뇨관 제거율 산정(입소 후 6개월 경과)
  가. '20.12월 급여제공 수급자 중 '18.1월~'20.12월 사이 유치도뇨관을 삽입하거나 계속 유지하고 있
    는 수급자 수
* '20.12월 청구내역이 없는 경우 최종 청구내역이 있는 달의 급여제공 수급자로 함
  나. '가' 중 '20.12.31까지 유치도뇨관을 제거한 수급자 수
  다. 유치도뇨관 제거율 = (나/가) × 100(소수점 첫째자리에서 반올림)
  ※ 유치도뇨관을 삽입한 수급자가 입소한 경우, 입소 6개월까지는 유치도뇨관이 있어도 산정 제외

48. 입소 후 수급자의 배설기능 상태가 유지, 호전됨 (우수: ①, ② 모두 85% 이상)

① 입소 후 수급자의 대변기능 유지·호전됨
  • 대변기능 유지·호전율 산정
    가. '20.12월 급여제공 수급자 중 해당기관에서 연속하여 6개월 이상 급여를 제공받은 수급자
  * '20.12월 청구내역이 없는 경우 최종 청구내역이 있는 달의 급여제공 수급자로 함
    나. '가' 중 '18.1월~'20.1월 사이 대변기능 상태가 유지·호전된 수급자 수
    다. 대변기능 호전율 = (나/가) × 100(소수점 첫째자리에서 반올림)
② 입소 후 수급자의 소변기능 유지·호전됨
  • 소변기능 유지·호전율 산정
    가. '20.12월 급여제공 수급자 중 해당기관에서 연속하여 6개월 이상 급여를 제공받은 수급자
  * '20.12월 청구내역이 없는 경우 최종 청구내역이 있는 달의 급여제공 수급자로 함
    나. '가' 중 '18.1월~'20.1월 사이 소변기능 상태가 유지·호전된 수급자 수
    다. 소변기능 호전율 = (나/가) × 100(소수점 첫째자리에서 반올림)

49. 보호자 만족도 조사 (전화 조사)

평가기간 중 수급자의 보호자에게 유선(전화)으로 질문하며, 공단의 별도 계획에 따라 실시.

평가기준	평가방법(유선)		
	만족	보통	불만
① 기관에서 정기적으로 상담을 실시하고, 귀하의 요구사항을 해결하기 위해 노력합니까?	2	1	0
② 직원이 예의를 갖추고 친절하게 서비스를 제공하며, 서비스제공 내용에 대해 안내합니까?	2	1	0
③ 기관에서 수급자의 인권을 존중하며 서비스를 제공하기 위해 노력합니까? 신설	2	1	0
④ 기관이 귀하에게 본인부담금 납부와 변경사항에 대하여 안내를 잘 합니까?	2	1	0
⑤ 기관에서 제공하는 서비스 내용에 대하여 만족하십니까?	2	1	0

척도	점수	채점기준
우수	3	평균 9점 이상 ~ 10점
양호	2.25	평균 7점 이상 ~ 9점 미만
보통	1.5	평균 6점 이상 ~ 7점 미만
미흡	0	평균 6점 미만
해당없음	제외	기관에 만족도 조사가 가능한 보호자가 없음

신설 50. 질향상 노력

[0.3점] ① 수급자의 서비스 만족도 향상을 위해 노력한다.

[0.3점] ② 직원의 직무 만족도 향상을 위해 노력한다. 신설

[0.2점] ③ 경영실태조사에 참여하여 관련 자료를 제출한다.

* 대상기관 : '18~20년 중 1회 이상 장기요양기관패널로 선정된 기관

[0.2점] ④ 청구상담봉사자로 위촉되어 활동한 실적이 있다.

참 · 고 · 문 · 헌

1.   노인장기요양보험법 시행규칙. 법제처 국가법령정보센터. [Internet]. 세종; [cited 2017 Aug 27]. Available from: http://www.law.go.kr/lsInfoP.do?lsiSeq=194121&efYd=20170603#AJAX.

2.   국민건강보험. 2021년도 장기요양기관 시설급여 평가매뉴얼-노인요양시설-. 국민건강보험공단:강원;2021.

3.   노인복지법. 법제처 국가법령정보센터. [Internet]. 세종; [cited 2017 Aug 16]. Available from: http://www.law.go.kr/lsInfoP.do?lsiSeq=188084&efYd=20170603#0000.

PART **2**

계약의사를 위한 지침

계약의사가 되기 위한 과정과 역할

KEYPOINT 🔓

이번에 저희 지역 요양원 계약의로 추천을 받았는데, 경험이 없어 막막합니다. 구체적으로 계약의사는 노인요양시설에서 어떠한 역할을 하게 되는지 궁금합니다.

의뢰받은 시설의 입소자들을 월 2회 방문하여야 하고, 의료적 처치가 필요한 자들을 선별하여 의료기관으로 의뢰하도록 요양원을 감독, 지도하는 것이 계약의의 주된 업무입니다. 그러나 의료법에 따르면 원칙적으로 의료기관(병원)이외의 장소에서 진료활동은 금지되므로, 요양원 입소자에 대한 처방, 처치 등은 병원에서 수행하여야 합니다.

❶ 노인의료복지시설에서의 의사의 역할

2013년 1월에 보건복지부에서는 노인의료복지시설 건강관리 가이드라인을 제작하였는데, 이 가이드라인에서 제시하는 계약의의 진료범주와 진료내용은 그림 7-1과 같다. 한편, 2016년 9월 6일에 [협약의료기관 및 계약의사 운영규정]이 개정되어, 지역별 '직업별 협회'(대한의사협회, 대한한의사협회, 대한치과의사협회) 주관의 계약의사 교육을 이수한 자에 한하여 지역별 '직역별 협회'에 계약의사로 등록이 된 후, 각 노인의료복지시설로부터 요청이 있는 경우에 계약의사를 추천하도록 되었다. 이러한 규정에 따라 계약의사는 입소자별로 월 2회 방문하게 되었고, 방문한 의사가 비용을 신청하면 국민건강보험공단에서 80%, 환자 측에서 20%를 직접 계약의사에게 지급하게 되었다.

한편 2019년부터는 기존의 '촉탁의사' 명칭을 '계약의사'로 바꾸었기에, 본 책에서도 기존에 '촉탁의사'로 칭하던 명칭을 모두 '계약의사'로 수정하였다.

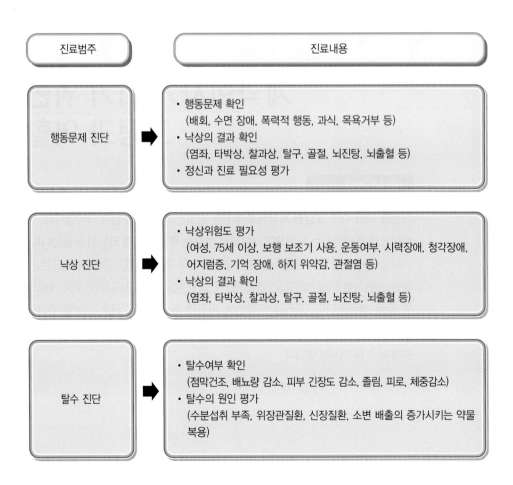

진료범주	진료내용
행동문제 진단	• 행동문제 확인 (배회, 수면 장애, 폭력적 행동, 과식, 목욕거부 등) • 낙상의 결과 확인 (염좌, 타박상, 찰과상, 탈구, 골절, 뇌진탕, 뇌출혈 등) • 정신과 진료 필요성 평가
낙상 진단	• 낙상위험도 평가 (여성, 75세 이상, 보행 보조기 사용, 운동여부, 시력장애, 청각장애, 어지럼증, 기억 장애, 하지 위약감, 관절염 등) • 낙상의 결과 확인 (염좌, 타박상, 찰과상, 탈구, 골절, 뇌진탕, 뇌출혈 등)
탈수 진단	• 탈수여부 확인 (점막건조, 배뇨량 감소, 피부 긴장도 감소, 졸림, 피로, 체중감소) • 탈수의 원인 평가 (수분섭취 부족, 위장관질환, 신장질환, 소변 배출의 증가시키는 약물 복용)

실금 진단

- 소변과 대변심금여부 확인
- 실금의 원인 평가
  (방광의 기능 장애, 요로 감염, 전립선 비대, 악성 종양 등)

영양상태 진단

- 예정치 않은 체중감소* 확인
  *최근 1개월 5%이상, 최근 6개월 10%이상 체중이 감량 시
- 의학적 원인파악
  (정신적 문제, 악성 종양, 위장관 질환, 갑상선 질환, 당뇨병 등)
- 약물로 인한 영양불균형 위험도 평가
- 저작능력 저하도 파악
  (고단백의 유동식 등 특별식이 필요성 등)

통증 진단

- 통증 부위, 양상, 시간, 기간, 악화 및 완화요인, 동반질환, 통증전이
  여부 확인
- 진통제 사용 필요성, 효과 평가
- 진통제 부작용 점검
  (심한 변비, 낙상, 무기력, 식욕부진 등)

피부 손상 진단

- 피부손상 확인
- 상처의 발병이나 치유에 직 · 간접으로 영향을 줄 수 있는 요소 탐색
  (의식상태, 식욕 및 영양상태, 수분공급 상태 등)

빈혈 진단

- 빈혈 위험요인 평가
  (혈변, 흑변, 혈뇨, 질출혈 등)
- 빈혈 원인 평가
  (철결핍성 빈혈, 미량원소 결핍, 실혈, 감염증, 악성종양, 간질환, 갑상
  선 질환)

약물 부작용 방지

- 약물부작용 징후 확인
  (반복되는 낙상, 착란 증가, 악화되는 행동장애, 식욕부진, 체중감소
  등)

그림 7-1 노인요양시설 계약의의 진료내역

그림 7-2   필자가 강사로 참여했던 제1차 경기도 의사협회 주최 계약의사 교육. 지역 의사회에서 주최하는 계약의사 교육을 이수해야 지역 요양시설 계약의사로 추천이 되며, 계약의활동비의 지급을 신청할 수 있다. 3시간 이상의 교육이 요구되며, 교육내용은 노인장기요양보험제도의 이해, 노인요양시설에서의 계약의사의 역할과 흔히 볼 수 있는 처치의 이해, 입소자들에게 흔한 질병의 이해 등으로 구성된다.

대한의사협회 회원의 경우, 교육 종료 약 2주 후에는 "KMA 교육센터"(**hppts://edu.kma.org**)에서 계약의사 교육 이수증을 발급받을 수 있다.

그림 7-3   KMA교육센터(https://edu.kma.org) 웹사이트에서 계약의사 교육 이수증을 발급한다.

협약의료기관 및 계약의사 운영규정

제1조 (목적) 이 규정은 「노인복지법 시행규칙」 별표 3 제1호 다목 및 별표 5 제1호 다목의 규정에 따라 노인주거복지시설 및 노인의료복지시설(이하 "시설"이라 한다)이 의료기관과 협약을 체결하거나 계약의사를 두는 경우 해당 협약의료기관의 의사 또는 계약의사(이하 "의사"라 한다)가 시설을 방문하는 횟수 등 운영에 관하여 필요한 사항을 정함을 목적으로 한다.

제2조 (협약체결) 시설의 장은 의료기관과 협약을 체결하는 경우, 붙임1의 서식을 참고하여 해당 의료기관과 협약을 체결하되, 협약 사항을 반드시 포함하여야 한다.

제3조 (계약의사 추천)
① 시설의 장은 계약의사를 두는 경우, 붙임2의 서식에 따라 시설 소재지를 관할하는 대한의사협회, 대한한의사협회, 대한치과의사협회(이하 '직역별 협회'라 한다.)의 지역의사회에 계약의사 추천을 요청하여야 한다. 이 경우 시설의 장은 특정 계약의사 추천을 요청할 수 있다.
② 제1항에 따른 요청을 받은 지역의사회에서는 전문성, 교육이수여부, 이동거리 등을 고려하여 붙임 3의 서식에 따라 추천하여야 한다.

제4조 (계약의사 지정)
① 시설의 장은 제3조에 따라 직역별 협회 지역의사회에서 추천한 자 중에서 계약의사를 지정하되, 복수 지정도 가능하다.
② 시설의 장은 계약의사를 지정한 경우, 시장·군수·구청장에게 신고하여야 하며, 사회복지시설정보시스템에 등록하고, 붙임4의 서식에 따라 직역별 협회 지역의사회에도 통보하여야 한다.
③ 지정된 계약의사의 임기는 1년으로 한다.

제5조 (계약의사 교육)
① 직역별 협회에서는 계약의사의 장기요양기관 및 입소노인에 대한 이해증진 및 효과적인 계약의사 활동을 위해 교육을 실시하고, 교육이수자 명부 등을 관리하여야 한다.
② 직역별 협회는 제1항에 따른 교육이수자 명부를 분기마다 보건복지부에 통보하여야 한다.

제6조 (의사의 입소자 방문횟수) 의사는 시설을 방문하여 입소자 별로 월2회 이상 진찰 등을 실시하여야 한다.

제7조 (의사 활동) ① 의사는 입소노인의 행동문제, 낙상, 탈수, 실금, 영양상태, 통증, 피부손상, 빈혈, 약물 부작용 등 입소자 건강상태를 확인하고 건강상태가 악화된 입소자에 대하여 적절한 조치를 하여야 한다.
② 의사는 필요한 경우 간호지시 및 투약처방을 할 수 있으며, 그 이행여부를 확인할 수 있다.
③ 의사는 의료기관으로의 전원이 필요한 경우 전원을 권유하여야 한다.

제8조 (입소자에 대한 의사의 기록지 작성·보관)
① 의사는 입소자의 건강상태확인 후 붙임5의 포괄평가기록지를 작성하여야 한다. 포괄평가기록지는 시설에 보관한다.
② 원외처방한 입소자에 대해서는 의료법 시행규칙 제14조 제1항 제1호에 따른 진료기록부에 기록하고 그 원본을 의료기관에 10년간 보관하여야 한다.

제9조 (간호사 등의 입소자에 대한 건강수준 평가 등) 시설의 장은 시설의 간호(조무)사로 하여금 입소자의 시설 입소 시 붙임6의 양식에 따라 입소자마다 건강수준 및 간호기록을 작성·보관하게 하여 시설을 방문하는 의사가 이를 활용하도록 하여야 한다.

제10조 (입소자에 대한 간호사 등의 건강관리기록부 작성·보관) 시설의 장은 시설의 간호(조무)사로 하여금 붙임7의 서식에 따른 건강관리기록부에 입소자의 혈압·맥박·호흡·체온 등 건강상태를 매일 체크·기록하게 하여야 하며, 의사가 시설을 방문하였을 때에 건강관리기록을 보고 적절한 조치나 지도를 할 수 있도록 하여야 한다.

제11조 (응급이송시스템 구축) 시설의 장은 입소자의 건강상태 악화 등 응급상황에 대처하기 위하여 협약의료기관 등과 협의하여 응급이송시스템을 갖추어야 한다.

제12조 (활동비용) 계약의사 활동에 따른 비용은 장기요양급여 제공기준 및 급여비용 산정방법 등에 관한 고시에 따른다.

제13조 (시행일) 이 규정은 2016년 9월 6일부터 시행한다.

제14조 (경과규정) 이 규정 시행당시 계약의사를 두고 있는 시설은 이 규정에 따른 추천 및 지정절차를 2016년 12월 31일까지 이행하여야 한다.

제15조 (준용규정) 제3조 내지 제5조의 규정은 노인주거복지시설의 경우 준용하지 아니한다.

【붙임1】

<table>
<tr><td colspan="6" align="center">협 약 서</td></tr>
<tr><td rowspan="3">시설</td><td>시설명</td><td colspan="4"></td></tr>
<tr><td>주소(연락처)</td><td colspan="4"></td></tr>
<tr><td>시설장(대표)</td><td></td><td>생년월일</td><td colspan="2">–</td></tr>
<tr><td rowspan="4">의료
기관</td><td>기관명</td><td></td><td>의료기관 종별</td><td colspan="2"></td></tr>
<tr><td>주소(연락처)</td><td colspan="4"></td></tr>
<tr><td>기관장(대표)</td><td></td><td>생년월일</td><td colspan="2">–</td></tr>
<tr><td>협약(진료)과목</td><td colspan="4"></td></tr>
<tr><td colspan="2" align="center">협약기간</td><td></td><td>회차당 진료인원</td><td></td><td>명</td></tr>
</table>

협약 내용

제1조 (목적) 본 협약은 " "과 " "간의 상호 협력을 통하여 시설 입소자들의 의료서비스에 대한 적절한 조치를 취하도록 하여 입소자의 건강증진에 기여함을 목적으로 한다.

제2조 (협약사항) " "과 " "은 다음 각호의 사항을 상호 지원할 것을 협약한다.

　1. 협약의료기관의 의사는 월 2회 이상 시설을 방문하여 시설의 간호(조무)사의 협조를 받아 입소자의 건강상태를 평가하고, 적절한 조치 또는 권고를 한다.

　2. 시설의 간호(조무)사는 매일 입소자의 건강상태를 파악하고, 건강관리기록부를 작성하여 보관하여야 한다. 건강기록부에는 입소자의 건강상태에 따라 복용약물, 체중, 혈압, 체온, 혈당 등 입소자에게 필요한 건강정보를 기록하여 방문의사가 입소자의 건강상태를 평가하는데 도움이 되도록 하여야 한다.

　3. 시설에서 응급환자가 발생하였을 경우 협약의료기관 등으로 즉시 후송하고 협약의료기관은 진료 후 필요한 경우 입원치료를 하거나 후송하도록 한다.

　4. "협약의료기관"은 입소자의 건강상태에 대해 상시적으로 의료상담을 실시한다.

제3조 (협약사항의 추가) 협약기간 중이라도 상호협의에 의해 협약내용을 추가할 수 있다.

제4조 (비밀의 보장) 양 기관은 상호 의뢰한 환자에 대한 일체의 정보 및 협의사항에 대해서는 비밀을 보장하여야 한다.

※ 본 협약은 상대방의 동의 없이 당사자의 일방이 이를 해지할 수 없음. 다만, 상대기관에 대한 명예훼손 등 불이익을 초래한 경우는 일방의 결정에 의하여 협약을 취소할 수 있으며, 계약기간이 만료된 경우에도 특별한 사정이 없는 한 상호 협의하여 협약기간을 갱신한 것으로 본다.

위 협약조건을 지키기 위하여 본 협약서를 작성하고 서명 날인함

년　월　일

시 설 장 성 명　　(인)　　의료기관장 성 명　　(인)

【붙임2】

계약의사 추천요청서

- ○ ○ ○ 지역의사회장 귀하
- 기관현황
  - » 시설의 명칭(기관기호) :
  - » 시설 유형 :
  - » 입소정원 및 현원 :
  - » 소재지 및 연락처 :

- 추천요청
  당해 시설에 계약의사를 지정하기 위하여 추천을 의뢰 하오니 추천하여 주시기 바랍니다.

○ 참고
1. 추천을 요청하는 의사
  (희망하는 계약의사가 있는 경우, 성명, 소속 의료기관 및 연락처를 기재)
2. 지역의사회를 통해 추천받은 후보자를 지정하지 않거나 재추천을 요구하는 경우 그 사유(100자 이내)

년   월   일

시설장(대표자)   (인)

【붙임3】

계약의사 추천서

- ○ ○ ○ 시설장 귀하

- 추천 대상자

순번	소속 의료기관명 (기호)	성명 (면허번호)	전공과목	교육이수 여부	계약의사 연락처	비고

1. 위와 같이 추천합니다.
2. 귀 기관에서 위 추천 대상자 중 계약의사를 지정한 경우, 그 결과를 우리 회로 회신하여 주시기 바랍니다.

년   월   일

○○   지역의사회장   (직인)

【붙임4】

계약의사 지정통보서

- 기관현황
  - » 시설의 명칭(기관기호) :
  - » 시설 유형 :
  - » 입소정원 및 현원 :
  - » 소재지 및 연락처 :

- 계약의사 지정서

소속 의료기관명(기호)	성명(면허번호)	위촉(활동)기간	비고
		~	

위와 같이 계약의사를 지정하였기에 그 결과를 통보합니다.

년   월   일

시설장(대표자)   (인)

등 록 번 호 :		포괄평가 기록지
이 름 :		(초진 입소자에 대해 작성)
성 별 / 나 이 :		

[입소자 포괄적 평가]

주 소	
생 년 월 일	
평 가 일 시	20 년 월 일 시 분

A. 진단명(기존 질병)
입소 이유 (   )

고혈압 ( )	당뇨 ( )	골관절염 ( )	골다공증 ( )
뇌졸중 ( )	관상동맥질환 ( )	심부전 ( )	부정맥 ( )
COPD ( )	암 ( )	치매 ( )	파킨슨병 ( )
백내장 ( )	갑상선↑↓ ( )	기타 ( )	

B. 과거력
  1) 주요수술: 2) 급성기 병동 입원: 3) 알레르기 :

C. Life Style
  1) 운동   2) 수면   3) 교육정도   4) 음주   5) 흡연   6) 식이

D. Medical & Functional
Ht/Wt : cm/   kg   BP: /   mmHgPR :   / min
Vision :   Hearing :   ADL :   IADL :
Incontinence :   Constipation :   Nutrition :
Mobility (timed "up and go" test) :
환자보행상태 (보행가능, 보조기사용 보행가능, 보행불가능, 와상상태)

E. Neuropsychiatric
GDS-SF(우울)   점   K-MMSE :   점   BPSD:
Mental status :   _ oriented   _disoriented   _not alert

F. Medication (복용하고 있는 약물 등) ※ 약품명 기재

고혈압제 ( )	이뇨제 ( )	당뇨약 ( )
항우울제 ( )	안정제 ( )	진통제 ( )
항히스타민제 ( )	혈관확장제 ( )	혈관수축제 ( )
마약류 ( )	한약 ( )	기타 ( )

G. Advance directive (사전치료지시) :
DNR (   ), 입원 거부 (   ), 영양관 공급 거부 (   )

H. Problem List :

(Acvtive)   (Inactive)

1.   1.

2.   2.

3.   3.

4.   4.

I. Management Plan

일자	주요 관리 사항	관리 사항 완수 여부	불이행 이유

참고사항
■ Initial Lab. & X-ray (If necessary)

〈Essential〉

CBC :   ESR :

UA

Stool   T.P./Alb :

FBS

BUN/Cr   Uric Acid :

T.Bilirubin

AST/ALT   ALP :

T.Chol

TSH/T4

EKG

Chest PA :

L-S Spine, Knee :

작성일자 : 20   년   월   일   의사 :   (서 명)

요양기관 방문 기록지

요양기관명: 서천노인요양원
계약의사 성명: 가혁   (서명)   [3층]

방문일: 2016년 08월 17일	총 진료 인원: 24 명 (남자: 18명, 여자: 6명)	병원 전원이 필요한 인원:
병원 진료가 필요한 입소자/이유		대상자 없음: ☐
성명:	이유:	
성명:	이유:	
성명:	이유:	
성명:	이유:	
성명:	이유:	

진료 과정 기록 : 해당 없음

입소자 성명	주요 지시 사항	지시사항 완수 여부	지시사항 불이행 이유
	우측엄지발톱 병원진료 할 것	인천은혜병원에서 조갑절제술	

그림 7-4 계약의사가 작성하는 요양기관 방문 기록지 (지시사항이 잘 이행되었는지 기록)

참 · 고 · 문 · 헌

1. OECD. Long-term care: Growing sector, multifaceted systems. In: OECD. HelpWanted? Providing and Paying for Long-term Care. Paris: OECD;2011. p.37-60.

2. Fried LP, Walston J. Frailty and failure to thrive. In: Hazzard WR, Blass JP,Ettinger WH, et al, eds. Principles of Geriatric Medicine and Gerontology. 5thed. New York: McGraw-Hill; 2003, p. 1487-502.

3. Roubenoff R, Parise H, Payette HA,Abad LW, D'Agostino R, Jacques PF, et al. Cytokines, insulin-like growth factor 1,sarcopenia, and mortality in very old community-dwelling men and women:The Framingham Heart Study. Am J Med 2003;115:429-435.

4. Lee KS, Park CH. Frailty. In: Cho JK, Michel JP, editors. Textbook of Geriatric Medicine International. Seoul: Argos; 2010. p. 331-338.

5. Jung JY, Kim JS, Choi HJ, Lee GY, Park TJ. Factors associated with ADL and IADL from theThird Korea National Health and Nutrition Examination Survey (KNHANES III).Korean J Fam Med 2005;2009:598-609.

6. Korean Association of Geriatric Hospitals. Available from: http://www.kagh.co.kr.

7. Kim MY. Doctors' role in long-term care facilities. Korean J Fam Pract 2014;4:S282-S285.

8. 통계포털[Internet]. 세종:보건복지부[cited 2014 Sep 9]. Available from:http://stat.mw.go.kr/front/index.jsp.

9. 2013년도 시설급여 평가매뉴얼(안)[Internet]. 서울: 국민건강보험공단; c2011[cited 2014 Sep 9]. Available from: http://www.longtermcare.or.kr/portal/ny/jsp/p/d/03/nypd_publicDatalst_R.jsp?bltBdCd=1101&act=VIEW&boardId=50363

10. 노인의료복지시설 입소자에 대한 건강관리 가이드라인[Internet]. 세종:보건복지부[cited 2014 Sep 9].

Available from:http://www.mw.go.kr/front_new/gm/sgm0601vw.jsp?PAR_MENU_ID=13&MENU_ID=13040201&page=10&CONT_SEQ=293276.

11. 보건복지부 요양보험운영과. 노인장기요양기관 건강관리 내실화 방안-계약의 등 제도개선-. 세종:보건복지부;2014.

12. 보건복지부,경희대학교 산학협력단.계약의 업무지침 내실화 및 교육교재 개발, 2014.

13. 대한의사협회. 노인요양시설 촉탁의사 교육 표준교재. 서울: 대한의사협회, 2016.

Chapter 8

계약의사제도 관련 Q&A
(계약의사비용 청구방법 포함)

KEYPOINT 🔒

저는 그 동안 지인이 운영하고 있는 요양원에서 계약의사 역할을 하고 있습니다. 이번에 새로 교육을 받아야 등록이 가능하다고 하는데, 계약의사 관련 제도에 대해 알고 싶습니다.

등록을 하시지 않으면 국민건강보험공단으로부터 계약의 급여를 받으실 수 없습니다. 협약의료기관 및 계약의사 운영규정을 숙지하시기 바랍니다.

❶ 입소시설

1) 총괄

Q1 계약의사란 무엇인가요?

계약의사는 노인복지법에 따라 의사가 상주하지 않는 노인요양시설 등을 주기적으로 방문하여 입소자의 건강상태를 확인하고 필요한 건강관리 등을 제공하는 의사를 의미합니다.

Q2 노인요양시설(이하'시설) 내 의료서비스가 어떻게 강화되나요?

지금까지는 계약의사를 교육하거나 서비스의 질을 관리하는 시스템에 없어 시설장의 인맥에 따른 선택(계약) 등 형식적 운영에 그치고 있다는 지적을 받아왔습니다.

특히, 노인요양공동생활가정은 계약의사 배치 기준이 없었으며, 치과의사는 계약의사로 활동할 수 없었고, 낮은 계약의사 급여수준과 인센티브 부족으로 적정 의료서비스 질을 기대하거나 유인하기 어려웠습니다.

따라서 시설 내 의료서비스 강화를 위하여 계약의사 지정-등록-교육-급여 등 계약의사 관리체계를 개선하고, 노인요양공동생활가정(9인 이하)에도 계약의사를 배치하면 지원을 받을 수 있고 치과의사도 계약의사로서 활동이 가능하도록 하였습니다.

아울러, 계약의사 활동비용을 현실화 할 수 있도록 비용산정 및 지급체계를 개선하였습니다.

2) 계약의사 지정 및 등록

Q3 시설에서 계약의사를 지정하는 방법이 바뀌나요?

지금까지는 시설장이 임의로 위촉하였으나, 앞으로 계약의사는 지역 의사회 추천을 받아 지정하여야 합니다.

계약의사 지정 절차는, ①시설장이 직역별(의사, 한의사, 치과의사) 지역 의사회에 계약의사 추천 요청 ②지역의사회가 계약의사를 복수로 추천, ③복수로 추천받은 계약의사 중에서 시설장이 선택하여 지정하게 됩니다.

Q4 지역의사회로 추천을 요청하는 방법을 알려주세요.

입소시설이 소재하는 지역을 관할하는 각 직역별 지역의사회로 '계약의사 추천요청서'를 송부하시면 됩니다.

이 경우 지역의사회는 당해 시설과의 이동거리, 전문성, 교육이수 여부 등을 검토하여 14일 이내에 노인요양시설 등의 장에게 복수의 계약의사 후보자를 추천하는 '계약의사 추천서'를 통보하게 됩니다 (추천요청서 및 추천서, 지정통보서 서식은 협약의료기관 및 계약의사 운영규정 서식을 참고하시기 바랍니다).

Q5 시설의 계약의사 선임권이 제한되는 것 아닌가요?

지역의사회가 복수로 추천한 계약의사 중에서 시설장이 선택하며 복수 지정도 가능합니다.

계약의사를 복수로 추천 받을 수 있으며, 복수로 선택하여 지정하는 것도 허용되기 때문에 시설장의 선택·지정권이 보장됩니다.

Q6 우리 시설에는 이미 활동중인 계약의사가 계시는데요?

시설장은 지역의사회에 특정의사(기존 위촉된 계약의사 포함)를 추천해달라고 요청할 수 있으며, 2016.12월 말까지 지역의사회의 추천에 따른 계약의사 지정절차를 완료해야 합니다. 기존에 활동 중인 계약의사라고 하더라도 지역의사회의 추천을 거쳐 지정을 받은 경우에만 신설된 활동비용 청구가 가능합니다.

Q7 계약의사 지정 내용을 시군구에 등록하여야 하나요?

계약의사 지정시에는 관련 정보(성명, 전화번호(면허번호), 소속병원명, 전공과목, 교육이수여부 등)를 '사회복지시설 정보시스템'을 이용하여 관할 시군구에 7일 이내에 등록하여야 하며, 지정 계약의사의 지정취소 등 변경사항이 발생한 경우에도 신고하여야 합니다.

또한, 계약의사를 추천한 지역의사회에도 7일 이내에 지정 결과를 통보해야 합니다.

Q8 다른 지역 의료기관에 소속된 의사를 계약의사로 지정하고 싶은데요.

입소시설이 소재하는 지역을 관할하는 각 지역의사회로 '계약의사 추천요청서'를 송부할 때 시설에서 원하는 의사를 요청할 수 있습니다.

이 경우 타 지역 의사의 추천을 의뢰 받은 지역의사회는 각 직역별 협회의 '노인요양시설 계약의사 추천 등을 위한 규정'에 따라 계약의사가 등록된 타지역 의사회와 논의하여 해당 계약의사를 추천할 수 있습니다.

Q9 우리 시설이 있는 지역에는 지역의사회가 없는데 어디로 신청하나요?

'노인요양시설 계약의사 추천 등을 위한 규정'에 따르면 지역의사회가 없는 경우 공동협의체를 구성하게 하고 있으며, 이와 관련하여서는 각 직역협회(대한의사협회, 대한한의사협회, 대한치과의사협회) 또는 공단 운영센터에 문의하시면 안내를 받으실 수 있습니다.

Q10 계약의사의 임기는 어떻게 되나요?

지역의사회의 추천 및 등록 절차를 거쳐 해당 시설과 협약을 맺은 계약의사의 임기는 1년입니다. 1년 후 평가를 거쳐 재지정 신청 절차를 통해 해당 계약의사와 협약을 연장할지 결정하게 됩니다.

Q11 시설에서 계약의사를 지정하지 않고 협약의료기관만을 연계해서 운영하는 경우 불이익이 있나요?

계약의사 제도개선은 입소자에 대한 시설내 의료서비스 질 향상을 목표로 하고 있습니다.

따라서, 계약의사 제도개선의 취지상 시설에서는 개정요건에 적합하도록 계약의사를 지정하는 것이 원칙입니다. 시설에서 계약의사를 지정하지 않고 협약의료기관만을 연계해서 운영하는 경우 급여비용 감산 등은 없으나, 협약의료기관의 의사는 활동비용을 공단으로 청구할 수 없습니다.

참고로, 노인장기요양보험 홈페이지의 시설 기관정보에 계약의사 지정 현황을 공개하여 수급자가 시설 선택에 참고하도록 할 예정입니다.

3) 계약의사 교육 및 활동

Q12 계약의사에 대한 별도 교육이 있나요?

계약의사 활동 교육의 내용은, 장기요양보험 및 요양시설 이해, 입소노인의 건강평가 및 관리, 계약의사 역할 등이 포함될 예정입니다. 직역(의사 · 한의사 · 치과의사)별 중앙회 또는 지역의사회에서 교육을 진행하며 최소 3시간 이상으로 교육을 진행합니다.

Q13 계약의사가 시설에 방문 시, 시설에서 준비해야 하는 것은?

계약의사의 방문을 위하여 시설에서는 입소자를 준비시키고, 입소자별로 당해 시설의 계약의사 관련 서비스를 지원해야 합니다.

간호사실 등 별도의 공간을 활용하여 가급적 회진이 아닌 외래진찰 환경을 조성하여 체계적으로 진행하면 좋으나, 시설 구조의 특성상 별도 공간 마련이 어려우면 반드시 마련할 필요는 없습니다.

Q14 노인요양공동생활가정에서도 계약의사 배치가 의무사항인가요?

노인요양공동생활가정의 경우 계약의사 배치가 의무사항은 아니지만, 계약의사가 활동한 경우 계약의사에게 활동비용이 지급됩니다.

Q15 계약의사 제도 개선에 따른 효과는 어떻게 평가하나요?

계약의사 제도가 전반적으로 개선됨에 따라 계약의사 운영에 대한 시설 모니터링 등 정기적인 사후 관리를 실시할 계획입니다. 서비스 질 관리를 위한 모니터링 방식, 주기 등 추가 안내 예정입니다.

4) 계약의사 활동비용 청구 및 지급

Q16 계약의사 활동비용 지급이 어떻게 달라지나요?

기존에는 장기요양급여 입소시설 수가에 계약의사 활동비용이 포함되어 있어, 시설에서 계약의사에게 지급하는 비용을 자율적으로 결정하였습니다.

2016년 9월부터는 개정 규정에 따라 입소시설에서 계약의사를 지정한 경우 공단에서 계약의사가 소속된 의료기관으로 활동비용(진찰비용, 방문비용)을 직접 지급하므로 시설에서 별도의 비용을 지급할 필요가 없습니다.

시설 내 계약의사 활동은 시설에서 제공되는 장기요양서비스의 한 부분이므로 시설급여비용과 동일한 본인부담율(0~20%)*이 적용됩니다. 계약의사 방문비용은 공단에서 전액 부담합니다.

*본인부담율: 일반 20%, 의료급여 및 경감: 10%, 기초수급권자: 없음

다만, 2016년 12월까지의 본인부담금은 시설에서 부담하며, 2017년 1월부터는 수급자에게 본인부담금이 부과됩니다. 계약의사 진찰활동에 따른 이용자 본인일부부담금은 시설에서 계약의사가 소속된 의료기관의 계좌로 지급합니다.

Q17 계약의사 제도 개선에 따라 시설급여 비용이 삭감되나요?

2016년 12월 31일까지는 현재 적용중인 시설급여 비용의 조정은 없습니다.

다만, 2017년부터는 수가모형에서 계약의사 비용이 일부 조정될 예정이므로, 시설급여비용이 조정될 수 있습니다.

Q18 계약의사 급여비용이 발생하는 것에 대해서 급여계약통보서를 공단으로 통보해야 하나요? 의료급여수급권자는 입소이용의뢰서를 발급받아야 하나요?

계약의사 활동에 따른 비용청구는 사전예측이 가능한 사항이 아니므로 공단으로 급여계약통보서를 제출할 필요가 없으며 지자체의 입소이용의뢰서에 명시할 필요가 없습니다.

Q19 계약의사에게 지급되는 비용 항목 및 비용은?

계약의사 활동 비용은 진찰인원당 진찰비* 및 방문비를 지급하게 됩니다.

*건강보험의 의원급 수가 준용

계약의사 1인은 1일당 수급자 50명까지 진찰비용을 산정할 수 있으며, 수급자 1인의 진찰비용은 월 2회까지 산정할 수 있습니다.

또한, 방문비용을 지급합니다. 방문비용은 해당 장기요양기관에서 활동하는 계약의사의 수를 불문하고 장기요양기관 당 월 2회까지 산정할 수 있습니다.(다만, 수급자가 50인을 초과하는 장기요양기관의 경우에는 월3회까지 산정가능)

해당 장기요양기관에서 활동하는 계약의사가 3인 이상인 경우에는 활동한 계약의사마다 월 1회씩의 방문비용을 산정할 수 있으며,

방문비용은 계약의사가 활동하는 기관의 수를 불문하고 계약의사 당 최대 월 2회까지 산정할 수 있습니다(다만, 수급자가 50인을 초과하는 장기요양기관에서 1인의 계약의사가 활동할 경우에는 월 3회까지 산정가능).

계약의사 수	장기요양기관의 수급자가 50인 이하	장기요양기관 수급자가 50인 초과
1인	계약의사 1인당 월2회	계약의사 1인당 월3회
2인	계약의사 1인당 월1회	계약의사 2인에게 총 월3회* *2인기준으로, 1인당 총 3회 아님
3인이상	계약의사 1인당 월1회	

한편, 원외처방전 발급 비용 등 기존에 건강보험으로 청구했던 부분은 변동사항이 없습니다.

Q20 수급자가 부담하는 본인일부부담금은 누구에게 지급하나요?

계약의사 활동에 대한 이용자 본인일부부담금은 시설이 계약의사가 소속된 의료기관의 계좌로 입금합니다.

다만, 2016년 12월까지의 본인부담금은 시설에서 부담하며, 2017년 1월부터는 수급자에게 본인부담금이 부과됩니다. 한편, 시설에서는 수급자가 입소하는 경우 계약의사 활동에 대한 급여비용 및 횟수, 2017년부터 본인일부부담금이 부과됨을 안내하여야 합니다.

Q21 시설 內 수급자가 부담하는 계약의사 비용도 있나요?

시설 내 계약의사 활동은 시설에서 제공되는 장기요양서비스의 한 부분이므로 시설급여비용과 동일한 본인부담율(0~20%)이 적용됩니다. 수급자는 활동비용의 최대 20%를 부담하게 되며 나머지는 공단에서 부담합니다.

다만, 계약의사 방문비용은 공단에서 전액 부담합니다.

한편 장기요양수급자가 아닌 입소어르신은 입소 시 별도의 계약에 따라 계약의사 서비스를 받을 수 있으며, 이 경우 계약의사 비용의 100%를 본인이 부담하셔야 합니다.

Q22 계약의사가 청구할 수 있는 인원은 어떻게 되나요?

계약의사 활동의 내실을 기하고자 일일 50명의 한도 내에서 진찰비용을 청구할 수 있습니다.

예를 들어, A시설을 오전에 방문하여 60명을 대상으로 활동하고 B시설을 오후에 방문하여 20명을 대상으로 활동한다 하더라도 하루 동안 50명만 청구가 가능합니다. 또한, 계약의 1인당 월 150명, 한 의료기관당 월 300명까지 진찰비용을 청구할 수 있습니다.

Q23 수급자당 급여비용을 청구할 수 있는 계약의사 활동의 횟수 제한이 있나요?

수급자별로 의사, 치과의사, 한의사를 모두 포함하여 계약의사의 활동은 월 2회까지 진찰비용을 지급합니다.

예를 들어, 수급자가 한 달 동안 의사 2회, 치과의사 1회의 활동서비스를 받은 경우 비용은 2회에 대하여만 공단에서 지급하므로, 시설에서는 미리 계획하여, 수급자가 2회 진찰을 받도록 관리하여야 합니다.

Q24 계약의사 비용의 심사, 지급통보, 지급 절차는?

의료기관에서는 계약의사 활동 익월부터 3년 이내의 기간 동안 계약의사 급여비용을 공단으로 청구할 수 있습니다. 계약의사 비용 청구는 계약의사 비용 청구서 및 청구내역을 작성하여 요양기관정보마당(http://medi.nhis.or.kr)에서 청구하시면 됩니다(기존의 방문간호지시서 발급비용 청구와 동일한 방법입니다).

공단은 계약의사 비용 청구에 대하여 지급요건(중복 청구, 지급대상자 자격 유무, 기관의 청구 오류) 등을 심사하게 되며, 청구를 받은 날로부터 30일 이내에 계약의사 비용 심사통보 후 해당 의료기관에게 지급하게 됩니다.

다만, 심사 결과 미지급 사유에 해당하여 반송된 건은 다시 보완하여 청구하여야 합니다.

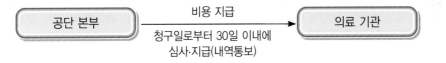

Q25 계약의사 초진과 재진 진찰료의 구분기준은 무엇인가요?

요양시설 내에서 계약의사가 수급자를 최초로 진찰한 경우와 그 외의 경우로 구분합니다. 최초 진찰의 경우에는 초진비용, 그 외에는 재진비용으로 산정합니다. 예를 들어, 수급자가 시설을 퇴소하였다가 동일한 시설로 입소하는 경우에도 초진비용을 인정하지 아니합니다.

Q.26 하루에 시설을 두 번 방문하면 방문비용을 두 번 산정할 수 있나요?

계약의사는 제도의 취지를 고려할 때, 가급적 정기적으로 매월 2회 시설을 방문하여야 합니다. 계약의사 방문비용은 다음의 산정방식에 따르며, 아래의 상한요건에 해당할 경우 산정횟수가 제한됩니다.

기관방문에 대하여 계약의사에게 방문비용을 지급합니다. 방문비용은 해당 장기요양기관에서 활동하는 계약의사의 수를 불문하고 장기요양기관당 월2회까지 산정할 수 있습니다(다만, 수급자가 50인을 초과하는 장기요양기관의 경우에는 월3회까지 산정가능).

해당 장기요양기관에서 활동하는 계약의사가 3인 이상인 경우에는 활동한 계약의사마다 월 1회씩의 방문비용을 산정할 수 있으며,

방문비용은 계약의사가 활동하는 기관의 수를 불문하고 계약의사당 최대 월 2회까지 산정할 수 있습니다(다만, 수급자가 50인을 초과하는 장기요양기관에서 1인의 계약의사가 활동할 경우에는 월 3회까지 산정가능).

계약의사 수	장기요양기관의 수급자가 50인 이하	장기요양기관 수급자가 50인 초과
1인	계약의사 1인당 월2회	계약의사 1인당 월3회
2인	계약의사 1인당 월1회	계약의사 2인에게 총 월3회* *2인기준으로, 1인당 총 3회 아님
3인 이상	계약의사 1인당 월1회	계약의사 1인당 월1회

Q.27 계약의사가 시설을 방문했으나 급여비용 청구건수가 없는 경우에도 방문비용을 청구할 수 있나요?

계약의사에게 지급하는 방문비용은 미리 계획된 계약의사의 활동을 지원하기 위한 급여비용이므로 진찰 및 청구가 없는 날은 청구할 수 없습니다.

Q.28 계약의사 제도개선에 대하여 2016.9월~2016.12월까지 경과규정이 있다고 하는데 기존 계약의사는 이 기간 동안 급여비용을 청구할 수 있나요?

경과규정은 계약의사 지정에 대한 것으로 계약의사 활동비용의 청구는 제도개선에 따른 계약의사 지정절차가 완료된 이후 가능합니다.

예를 들어, 제도시행 전 시설에서 이미 계약의사로 활동 중인 경우라 하더라도 개정된 규정에 따른 지정절차를 받지 않는 경우에는 진찰비용과 방문비용을 청구할 수 없습니다. 기존에 활동중인 계약의사가 개정절차에 따른 계약의사 지정을 받지 않으면 공단으로 활동비용을 청구할 수 없습니다.

Q.29 협약의료기관 소속의사도 계약의사 급여비용을 청구할 수 있나요?

협약의료기관 소속 의사가 계약의사 급여비용을 청구하기 위해서는 지역의사회를 통한 계약의사 추천을 통해 당해 시설의 계약의사로 등록이 되어야 합니다. 지정이 완료된 계약의사는 협약의료기관을 통해 비용청구가 가능합니다.

Q.30 시설과 계약의사가 근무하는 의료기관이 동일 법인인 경우에도 계약의사 급여비용과 방문비용이 산정가능한가요?

동일 법인 소속이라 하더라도 계약의사 진찰비용과 방문비용은 산정이 가능합니다.

Q31 계약의사가 야간이나 주말에 활동한 경우 가산할 수 있나요?

　계약의사의 활동은 시설과 계약의사간의 사전 협의에 따른 계획에 의해 이루어지는 활동으로 야간이나 주말에 이루어졌다고 하더라도 급여비용 가산의 대상이 아닙니다. 가급적 어르신이 진찰 받기 용이한 시간을 활용하시기 바랍니다.

Q32 계약의사 진찰을 수급자(보호자)가 원하지 않는 경우 또는 수급자가 정기적으로 진료받는 다른 병원의 진료를 희망할 때 이용방법은?

　본인 및 보호자가 원하지 않는다면 계약의사와 상의하여 계약의사 활동서비스를 받지 않을 수 있으며, 수급자가 다른 병원의 진료를 받기를 원한다면 종전대로 외출을 통해 외래진료를 받을 수 있습니다.

❷ 의료기관

1) 총괄

Q1 계약의사란 무엇인가요?

계약의사는 노인복지법에 따라 의사가 상주하지 않는 노인요양시설 등의 입소자를 대상으로 협약을 체결한 후 주기적인 방문활동 등을 통하여 입소자의 건강상태를 확인하고 필요한 건강관리 등을 제공하는 의사입니다.

Q2 노인요양시설(이하'시설') 내 의료서비스가 어떻게 강화되나요?

기존에는 장기요양급여 시설 수가에 계약의사 활동비용(70인 시설인 경우 약196만원)이 포함되어 있어, 시설에서 계약의사에게 지급하는 비용을 자율적으로 결정하였습니다.

이에, 계약의사 본인이 직접 활동비용을 청구할 수 없었고, 일부 시설에서는 계약의사의 활동비용 지급을 기피하는 사례가 발생하는 등 문제점이 발생하였습니다.

이와 같은 문제점을 해소하기 위하여 계약의사가 시설 입소수급자의 건강상태를 점검하여 필요한 의료적 조치를 한 경우 진찰인원별 활동비용을 계약의사(의료기관)가 직접 공단에 청구하여 지급받을 수 있도록 개선하였습니다.

2) 계약의사 교육, 지정 및 등록

Q3 계약의사 교육은 어디에서 받나요? 시간과 비용은 어떻게 되나요?

직역(의사 · 한의사 · 치과의사)별 중앙회 또는 지역의사회에서 교육을 진행하며 최소 3시간 이상으로 교육을 진행합니다. 교육일정 및 비용, 보수교육 인정 여부 등 자세한 내용은 해당 협회로 문의하시기 바랍니다.

Q4 내가 근무하는 지역이 아닌 곳에서 계약의사 활동을 할 수 있나요?

지역의사회의 추천을 받으면 가능합니다. 계약의사 활동을 위한 등록은 의료기관이 위치한 지역의사회로 하는 것이 원칙이므로, 상세한 사항은 해당 지역의사회로 문의하시기 바랍니다.

Q5 계약의사 교육은 매년 받아야 하나요?

계약의사 등록을 위해서는 1회의 교육을 이수하면 됩니다. 다만, 추후 추가적인 보수교육 등이 있을 수 있으므로 해당 의사회로 문의하시기 바랍니다.

Q6 보건소나 보건지소에 근무하는 공중보건의도 계약의사로 지정받을 수 있나요?

공중보건의가 계약의사 교육을 이수하고 지역의사회, 한의사회, 치과의사회의 추천을 받아 지정받는다면 계약의사로 활동 가능합니다.

Q7 의원급 의료기관에 소속된 의사만 계약의사 활동이 가능한가요?

계약의사 추천과 관련하여 병원급에 대한 제한은 없습니다. 지역협의체 운영시 비회원, 다른 지역의사, 병의원 등에 대한 차별을 두지 않도록 협회별 계약의사 관련 교육시 안내하였습니다. 다만, 계약의사 진찰비용은 건강 보험의 의원급 수가를 준용하였습니다.

3) 비용청구 및 지급

Q8 계약의사에게 지급되는 비용은 어떻게 되나요?

계약의사 활동 비용은 진찰인원당 진찰비* 및 방문비를 지급하게 됩니다. * 건강보험의 의원급 수가 준용

계약의사 1인은 1일당 수급자 50명까지 진찰비용을 산정할 수 있으며, 수급자 1인의 진찰비용은 월2회까지 산정할 수 있습니다.

또한 방문비용을 지급합니다. 방문비용은 해당 장기요양기관에서 활동하는 계약의사의 수를 불문하고 장기요양기관 당 월2회까지 산정할 수 있습니다(다만, 수급자가 50인을 초과하는 장기요양기관의 경우에는 월3회까지 산정가능).

해당 장기요양기관에서 활동하는 계약의사가 3인 이상인 경우에는 활동한 계약의사마다 월1회씩의 방문비용을 산정할 수 있으며,

방문비용은 계약의사가 활동하는 기관의 수를 불문하고 계약의사 당 최대 월2회까지 산정할 수 있습니다(다만, 수급자가 50인을 초과하는 장기요양기관에서 1인의 계약의사가 활동할 경우에는 월3회까지 산정가능).

계약의사 수	장기요양기관의 수급자가 50인 이하	장기요양기관 수급자가 50인 초과
1인	계약의사 1인당 월2회	계약의사 1인당 월3회
2인	계약의사 1인당 월1회	계약의사 2인에게 총 월3회* *2인기준으로, 1인당 총 3회 아님
3인이상	계약의사 1인당 월1회	

한편, 원외처방전 발급 비용 등 기존에 건강보험으로 청구했던 부분은 변동사항이 없습니다.

Q9 시설 內 수급자가 부담하는 계약의사 비용도 있나요?

시설 내 계약의사 진찰활동은 시설에서 제공되는 장기요양서비스의 한 부분이므로 시설급여비용과 동일한 본인부담율(0~20%)이 적용됩니다. 수급자는 초진·재진 활동비용의 최대 20%를 부담하게 되며 나머지는 공단에서 부담합니다. 다만, 계약의사 방문비용은 공단에서 전액 부담합니다.

한편, 장기요양수급자가 아닌 입소어르신의 경우에는 입소 시 별도의 계약에 따라 계약의사 서비스를 받을 수 있으며, 계약의사 진찰 비용의 100%를 본인이 부담하셔야 합니다.

Q10 계약의사 진료 비용은 어떻게 청구하나요?

의료기관에서 공단에 급여비용을 청구하면, 공단은 이를 심사하여 계약의사 소속 의료기관에 지급합니다. 계약의사 비용의 청구는 계약의사 비용 청구서 및 청구내역을 작성하여 요양기관정보마당(http://medi.nhis.or.kr)에서 청구하시면 됩니다(기존의 방문간호지시서 발급비용 청구와 동일한 방법입니다).

Q11 계약의사가 청구할 수 있는 인원은 어떻게 되나요?

계약의사 진찰의 내실을 기하고자 일일 50명의 한도 내에서 진찰비용을 청구할 수 있습니다.

예를 들어, A시설을 오전에 방문하여 60명을 진찰하고 B시설을 오후에 방문하여 20명을 진찰한다 하더라도 하루 동안 50명까지 계약의사 진찰비용 청구가 가능합니다.

Q12 수급자당 급여비용을 청구할 수 있는 계약의사 진찰 횟수가 제한되나요?

입소시설 수급자별로 한 달에 의사, 치과의사, 한의사를 모두 포함하여 계약의사의 진찰은 2회까지 비용을 지급합니다.

예를 들어 수급자가 한달 동안 의사의 진찰을 2회, 치과의사의 진찰을 1회 받은 경우 비용은 2회에 대하여만 지급합니다.

따라서 시설에서도 미리 계획하여 수급자가 2회 진찰을 받도록 사전에 시설과 방문일정 등을 논의하여야 합니다.

Q13 계약의사 비용의 심사, 지급통보, 지급 절차는?

의료기관에서는 계약의사 활동 익월부터 3년 이내의 기간 동안 계약의사 급여비용을 공단으로 청구할 수 있습니다.

공단은 계약의사 비용 청구에 대하여 지급요건(중복 청구, 지급대상자 자격 유무, 기관의 청구 오류) 등을 심사하게 되며, 청구를 받은 날로부터 30일 이내에 계약의사 비용 심사통보 후 계약의사 소속 의료기관에 지급합니다.

다만, 심사 결과 미지급 사유에 해당하여 반송된 건은 다시 보완하여 청구하여야 합니다.

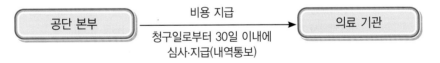

Q14 하루에 시설을 두 번 방문하면 방문비용을 두 번 산정할 수 있나요?

계약의사는 제도의 취지를 고려할 때, 가급적 정기적으로 매월 2회 시설을 방문하여야 합니다. 계약의사 방문비용은 다음의 산정방식에 따르며, 아래의 상한요건에 해당할 경우 산정횟수가 제한됩니다.

기관방문에 대하여 계약의사에게 방문비용을 지급합니다. 방문비용은 해당 장기요양기관에서 활동하는 계약의사의 수를 불문하고 장기요양기관 당 월2회까지 산정할 수 있습니다(다만, 수급자가 50인을 초과하는 장기요양기관의 경우에는 월3회까지 산정가능).

해당 장기요양기관에서 활동하는 계약의사가 3인 이상인 경우에는 활동한 계약의사마다 월 1회씩의 방문비용을 산정할 수 있으며,

방문비용은 계약의사가 활동하는 기관의 수를 불문하고 계약의사 당 최대 월 2회까지 산정할 수 있습니다(다만, 수급자가 50인을 초과하는 장기요양기관에서 1인의 계약의사가 활동할 경우에는 월 3회까지 산정가능).

계약의사 수	장기요양기관의 수급자가 50인 이하	장기요양기관 수급자가 50인 초과
1인	계약의사 1인당 월2회	계약의사 1인당 월3회
2인	계약의사 1인당 월1회	계약의사 2인에게 총 월3회* *2인기준으로, 1인당 총 3회 아님
3인 이상	계약의사 1인당 월1회	계약의사 1인당 월1회

Q15 제가 계약의사로 가는 시설에는 계약의사가 세 명입니다. 방문비용은 어떻게 산정하나요?

요양시설에 계약의사가 세 명 이상인 경우에는 방문비용은 계약의사당 월1회 산정 가능하므로 세 명 모두 1회씩 산정 가능합니다.

Q16 계약의사 초진과 재진 진찰료의 구분기준은 무엇인가요?

요양시설 내에서 계약의사가 수급자를 최초로 진찰한 경우와 그 외의 경우로 구분합니다. 최초 진찰의 경우에는 초진비용, 그 외에는 재진비용으로 산정합니다. 예를 들어, 수급자가 시설을 퇴소하였다가 동일한 시설로 입소하는 경우에도 초진 활동비용을 인정하지 아니합니다.

Q17 계약의사가 시설을 방문했으나 급여비용 청구건수가 없는 경우에도 방문비용을 청구할 수 있나요?

계약의사에게 지급하는 방문비용은 미리 계획된 계약의사의 활동을 지원하기 위한 급여비용이므로 진찰 및 청구가 없는 날은 청구할 수 없습니다.

Q18 계약의사 제도개선에 대하여 2016.9월~2016.12월까지 경과규정이 있다고 하는데 기존 계약의사는 이 기간 동안 급여비용을 청구할 수 있나요?

경과규정은 계약의사 지정에 대한 것으로 계약의사 활동비용의 청구는 제도개선에 따른 계약의사 지정절차가 완료된 이후에 가능합니다.

예를 들어, 제도시행 전 시설에서 이미 계약의사로 활동 중인 경우라 하더라도 개정된 규정에 따른 지정절차를 받지 않은 경우에는 활동비용과 방문비용을 청구할 수 없습니다. 기존에 활동중인 계약의사가 개정절차에 따른 계약의사 지정을 받지 않으면 공단으로 활동비용을 청구할 수 없습니다.

Q19 협약의료기관 소속의사도 계약의사 급여비용을 청구할 수 있나요?

협약의료기관 소속 의사가 계약의사 급여비용을 청구하기 위해서는 지역의사회를 통한 계약의사 추천을 통해 당해 시설의 계약의사로 등록이 되어야 합니다. 지정이 된 계약의사는 협약의료기관을 통해 비용청구가 가능합니다.

Q20 시설과 계약의사가 근무하는 의료기관이 동일 법인인 경우에도 계약의사 급여비용과 방문비용이 산정가능한가요?

동일 법인 소속이라 하더라도 계약의사 진찰비용과 방문비용은 산정이 가능합니다.

Q21 계약의사가 야간이나 주말에 진료한 경우 가산할 수 있나요?

계약의사의 활동은 시설과 계약의사간의 사전 협의에 따른 계획에 의해 이루어지므로 야간이나 주말에 이루어졌다 하더라도 급여비용 가산의 대상이 아닙니다. 가급적 어르신이 진찰 받기 용이한 시간을 활용하시기 바랍니다.

Q22 수급자가 부담하는 본인일부부담금은 누가 지급하나요?

시설 내 계약의사 활동은 시설에서 제공되는 장기요양서비스의 한 부분이므로 시설급여비용과 동일한 본인부담율(0~20%)이 적용됩니다. 수급자는 진찰비용의 최대 20%를 부담하게 되며 나머지는 공단에서 부담합니다.

다만, 2016년 12월까지의 본인부담금은 시설에서 부담하며, 2017년 1월부터는 수급자에게 본인부담금이 부과됩니다. 계약의사 진찰활동에 따른 이용자 본인일부부담금은 시설에서 계약의사가 소속된 의료기관의 계좌로 지급합니다.

또한, 계약의사 방문비용은 공단에서 전액 부담합니다.

■ 계약의사가 처방한 처방전을 요양원 직원이 대리수령하기 위한 절차

1) 계약의사의 의료기관에서 발행된 처방전을 받는 절차

계약의사가 요양원에서 입소자를 진찰한 후 처방전을 발행하기 위해서는 계약의사가 소속 의료기관으로 당일 복귀하여 의료기관에서 처방을 하여 처방전을 발급하게 되는데, 이렇게 발급된 처방전을 요양원 직원이 입소자나 보호자 대신 대리수령할 수 있다. 다만 다음과 같은 '처방전 대리수령 신청서'를 의료기관에 제출하여야 하며, 대리수령자의 신분증(사본), 요양원 재직증명서, 입소자의 신분증(사본)을 의료기관에 제시하여야 한다.

■ 의료법 시행규칙 [별지 제8호의2서식] 〈신설 2020. 2. 28.〉

처방전 대리수령 신청서

대리수령자	성명		연락처	
	생년월일		환자와의 관계	
	주소			
환자	성명		연락처	
	생년월일			
	주소			
대리 수령 사유				

「의료법」 제17조의2제2항 및 같은 법 시행규칙 제11조의2제1항에 따라 위와 같이 처방전 대리수령을 신청합니다.

년   월   일

환자 또는 대리수령자   (서명 또는 인)

유 의 사 항
1. 환자 또는 대리수령자가 아닌 사람이 처방전을 수령하는 등 「의료법」 제17조의2제2항을 위반하여 처방전을 수령하는 경우 같은 법 제90조에 따라 500만원 이하의 벌금에 처해질 수 있습니다. 2. 신청인은 다음 각 목의 서류를 함께 제시해야 합니다. 　가. 대리수령자의 신분증 또는 그 사본 　나. 환자와의 관계를 증명할 수 있는 다음의 구분에 따른 서류 　　1) 환자의 직계존속·비속, 직계비속의 배우자, 배우자, 배우자의 직계존속, 형제자매: 가족관계증명서, 주민등록표 등본 등 친족관계임을 확인할 수 있는 서류 　　2) 「노인복지법」 제34조에 따른 노인의료복지시설에서 근무하는 사람: 노인의료복지시설에서 발급한 재직증명서 　다. 환자의 신분증 또는 그 사본. 다만, 「주민등록법」 제24조제1항에 따른 주민등록증이 발급되지 않은 만 17세 미만의 환자는 제외합니다.

2) 요양원 직원은 입소자의 대리처방이 가능하다(초진은 불가능).

다음의 의료법 제17조의2(처방전)에 의해 요양원 직원(요양보호사, 간호직원 등 포함)도 요양원 입소자의 대리처방이 가능함(이 경우, 계약의사 여부는 무관).

의료법 제17조의2(처방전)

① 의료업에 종사하고 직접 진찰한 의사, 치과의사 또는 한의사가 아니면 처방전[의사나 치과의사가 「전자서명법」에 따른 전자서명이 기재된 전자문서 형태로 작성한 처방전(이하 "전자처방전"이라 한다)을 포함한다. 이하 같다]을 작성하여 환자에게 교부하거나 발송(전자처방전에 한정한다. 이하 이 조에서 같다)하지 못하며, 의사, 치과의사 또는 한의사에게 직접 진찰을 받은 환자가 아니면 누구든지 그 의사, 치과의사 또는 한의사가 작성한 처방전을 수령하지 못한다.

② 제1항에도 불구하고 의사, 치과의사 또는 한의사는 다음 각 호의 어느 하나에 해당하는 경우로서 해당 환자 및 의약품에 대한 안전성을 인정하는 경우에는 환자의 직계존속·비속, 배우자 및 배우자의 직계존속, 형제자매 또는 「노인복지법」 제34조에 따른 노인의료복지시설에서 근무하는 사람 등 대통령령으로 정하는 사람(이하 이 조에서 "대리수령자"라 한다)에게 처방전을 교부하거나 발송할 수 있으며 대리수령자는 환자를 대리하여 그 처방전을 수령할 수 있다.

1. 환자의 의식이 없는 경우

2. 환자의 거동이 현저히 곤란하고 동일한 상병(傷病)에 대하여 장기간 동일한 처방이 이루어지는 경우

③ 처방전의 발급 방법·절차 등에 필요한 사항은 보건복지부령으로 정한다.

[본조신설 2019. 8. 27.]

보건복지부령
의료법 시행규칙 제11조의2(처방전의 대리수령 방법)

① 법 제17조의2제2항에 따른 대리수령자(이하 "대리수령자"라 한다)가 처방전을 수령하려는 때에는 의사, 치과의사 또는 한의사에게 별지 제8호의2서식의 처방전 대리수령 신청서를 제출해야 한다. 이 경우 다음 각 호의 서류를 함께 제시해야 한다.

1. 대리수령자의 신분증(주민등록증, 여권, 운전면허증, 그 밖에 공공기관에서 발행한 본인임을 확인할 수 있는 신분증을 말한다. 이하 같다) 또는 그 사본

2. 환자와의 관계를 증명할 수 있는 다음 각 목의 구분에 따른 서류
   가. 영 제10조의2제1호부터 제3호까지의 규정에 해당하는 사람: 가족관계증명서, 주민등록표 등본 등 친족관계임을 확인할 수 있는 서류
   나. 영 제10조의2제4호에 해당하는 사람: 「노인복지법」 제34조에 따른 노인의료복지시설에서 발급한 재직증명서

3. 환자의 신분증 또는 그 사본. 다만, 「주민등록법」 제24조제1항에 따른 주민등록증이 발급되지 않은 만 17세 미만의 환자는 제외한다.

② 의사, 치과의사 또는 한의사는 제1항에 따라 제출받은 처방전 대리수령 신청서를 제출받은 날부터 1년간 보관해야 한다.

[본조신설 2020. 2. 28.]

❸ 계약의 제도 개선 관련 Q&A(추가)

1) 계약의사 지정·등록·활동

Q1 지역의사회 추천을 받고 계약의 지정이 되었습니다. 계약의가 소속된 의료기관에서 공단에 정보를 등록해야 하나요?

아닙니다. 계약의를 지정한 요양시설(노인요양공동생활가정 포함)에서 사회복지시설정보시스템에 해당 계약의 정보를 등록하면 시군구 승인을 받아 공단으로 자료가 연계됩니다. 따라서, 계약의는 별도로 정보를 등록할 필요가 없습니다.

Q2 요양시설입니다. 계약의를 새로 지정했는데 어떤 정보를 등록해야 하나요?

사회복지시설정보시스템에 지정한 계약의 이름, 전화번호, 면허번호, 소속 요양기관기호, 요양기관명, 전공과목, 계약의 교육이수 여부, 지역의사회 추천여부, 시설의 지정일자, 계약기간 등 총 16개 항목을 등록하고 시군구의 승인을 받아야 합니다. 이때, 의사면허증, 지역의사회 추천서, 계약의사와 시설간 계약서, 계약의사 교육이수증을 함께 첨부해야 합니다. 인력변경신고와 관련한 문의사항은 사회보장정보원(02-3273-4133)으로 하시기 바랍니다.

Q3 시설에서 계약의를 지정하여 계약을 체결할 때 계약 당사자는 계약의사인가요? 의료기관의 대표자인가요?

시설에서는 지역의사회에서 추천한 계약의사에 대하여 지정을 하므로 계약당사자는 계약의사가 됩니다. 그러나, 계약의사는 의료기관 소속이어야 하며, 활동비용 청구도 계약의 소속 의료기관에서 가능하므로 계약의로 활동을 희망하는 의사는 소속 의료기관장의 승인을 받아야 합니다.

Q4 계약의사가 시설을 방문하여 노인장기요양 의사소견서 발급을 할 수 있나요?

네, 계약의사가 의사, 한의사인 경우 발급이 가능합니다. 노인장기요양보험법 시행규칙[별지 제2호 서식] 의사소견서는 발급비용에 진찰료가 함께 산정되어 있으므로 의사소견서 비용을 청구한 날에는 해당 수급자의 계약의 진찰비용을 청구할 수 없습니다. 또한, 시설을 방문하여 의사소견서 발급만 한 경우(의사소견서 이외에 진찰비용 청구가 없음)에는 해당 일에 방문비용도 산정할 수 없습니다.

예를 들어, 계약의사가 시설을 방문하여 수급자 10명을 진찰하고 그 중 1명에게 의사소견서를 발급하였다면 수급자 9명의 진찰비용과 1명의 의사소견서 발급비용 및 방문비용(월 2회의 범위 내)산정이 가능합니다.

그러나, 시설을 방문하여 수급자 1명의 의사소견서만 발급하였다면 해당일의 계약의사 진찰비용과 방문비용 모두 산정할 수 없으며 의사소견서 발급비용만 산정할 수 있습니다.

Q5 계약의사 진찰 후 진찰기록은 어떻게 작성하나요?

「협약의료기관 및 계약의사 운영규정」에 있는 '포괄평가 기록지'를 작성하여야 합니다. 포괄평가 기록지는 수급자를 처음 진찰할 때 전 영역을 작성하고, 이후 진찰 시마다 'management plan'을 추가로 작성하면 됩니다. 포괄평가 기록지는 시설에 보관하며, 원외처방전을 발급한 경우에는 의료법 시행규칙 제14조제1항제1호에 따른 진료기록부에 기록하고 원본은 의료기관에 10년간 보관하여야 합니다.

Q6 저는 장기요양등급판정위원회 위원입니다. 계약의로 활동하고 싶은데 가능한가요?

네, 가능합니다. 장기요양등급판정위원회 위원인 의사도 계약의 교육을 이수한 후 지역의사회의 추천을 받아 시설로부터 지정을 받았다면 계약의사로 활동이 가능합니다.

2) 활동비용 청구·지급

Q1 계약의 활동비용 청구는 언제부터 가능한가요?

계약의 진찰일의 익월 11일부터 청구가 가능합니다. 계약의 방문비용 산정에 요양시설의 현원 정보가 필요하여 시설급여기관의 청구가 끝난 매월 11일에서 말일까지 활동비용을 청구할 수 있습니다. 예를 들어, 2016.10월 계약의 활동비용은 2016.11.11일부터 청구가 가능합니다.

Q2 요양시설에서 공단으로 계약의사 활동비용 청구를 직접 할 수 있나요?

청구할 수 없습니다. 계약의사 활동비용은 계약의사가 소속된 의료기관에서 공단에 해야합니다.

Q3 요양시설에서 계속 계약의 활동을 했는데 지정 절차가 지연되어 10월에 지정을 받았습니다. 9월 계약의 활동에 대해서 비용을 청구할 수 있나요?

아니요, 청구할 수 없습니다. 계약의 활동에 대한 비용 청구는 지역의사회의 추천을 거쳐 요양시설의 지정을 받아 계약을 체결한 날 이후부터 가능합니다.

Q4 계약의사 활동비용 청구 방법이 궁금합니다.

요양기관 정보마당(medi.nhis.or.kr) 공지사항에 계약의 활동비용 청구방법 동영상이 게시되어 있으므로 상세한 절차를 확인할 수 있습니다. 계약의 활동비용은 수급자별 진찰비용을 먼저 작성한 후 진찰일을 선택하여 방문비용을 청구해야 합니다.

Q5 계약의 활동비용을 청구할 수 있는 기준일은 언제인가요?

계약의 활동비용은 지역의사회의 추천을 받아 시설의 지정을 받은 이후 실제 서비스를 제공한 날부터 청구할 수 있습니다. 공단에서 비용 지급 시에는 ①지역의사회 추천일 ②시설의 지정일 ③계약일을 고려합니다. 활동비용 지급 기준일 예시는 아래와 같습니다.

〈활동비용 지급 기준일 예시〉

	지역의사회 추천일	시설 지정일	계약기간	급여인정시작일
1	2016.11.10	2016.11.20	2016.11.20. ~ 2017.11.19	2016.11.20.
2	2016.11.10	2016.11.20	2016.12.1. ~ 2017.11.30	2016.12.1.
3	2016.11.10	2016.11.20	2016.11.1. ~ 2017.10.31	2016.11.20.
4	2016.11.10	2016.11.1	2016.11.1. ~ 2017.10.30	2016.11.10.
5	2016.11.10	2016.11.1	2016.12.1. ~2017.11.30	2016.12.1.

3) 방문비용

Q1 '수급자가 50인을 초과하는 장기요양기관'은 방문비용을 월3회까지 산정할 수 있다고 했는데 이 때 '50인' 은 정원 기준인가요? 현원기준인가요?

방문비용 산정에서 '50인'은 요양시설의 현원기준으로 요양시설의 수가가감산을 위한 현원산정기 준을 동일하게 적용합니다. 예를 들어, 정원을 60인으로 신고한 시설의 현원이 10명이라면 10명을 기 준으로 방문비용 산정 횟수가 결정되므로 방문비용은 장기요양기관당 월2회, 계약의사당 월2회까지만 산정할 수 있습니다.

Q2 수급자가 50인을 초과하는 장기요양기관의 계약의가 2인일 때 방문비용 3회는 어떻게 지급이 되나요?

장기요양기관에서 시설급여비용을 청구할 때 '종사자 근무현황 신고서' 란에 방문비용을 2회 지급 받을 계약의를 표시하고 공단에서는 신고된 바에 따라서 방문비용을 지급합니다.

Q3 수급자가 50인을 초과하는 장기요양기관에서 1인의 계약의가 지정된 경우에는 월3회까지 방문비용 산정 이 가능한데 계약의사의 수는 시설에 등록된 계약의 기준인가요? 아니면 해당 월에 실제로 시설을 방문한 계약의 기준인가요?

수급자가 50인을 초과하는 장기요양기관에서 계약의사 1인은 요양시설에 계약으로 등록되어 있는 계약의가 기준입니다. 예를 들어, 50인 초과 요양시설에 계약의가 3명이 등록되어 있는데, 해당 월에 1 명의 계약의만 방문을 하였다고 하더라도, 해당 계약의는 3회의 방문비용을 산정할 수 없으며 월1회의 방문비용만 산정이 가능합니다.

Q4 계약의로 수급자가 50인을 초과하는 요양시설과 50인 이하 시설에 활동 중입니다. 50인 초과 시설에는 계 약의가 저를 포함하여 2명이고 50인 미만 시설은 저 혼자입니다. 방문비용은 몇 회 산정이 가능한가요?

방문비용은 계약의가 활동하는 기관의 수를 막론하고 월 최대 2회까지 산정이 가능하므로, 해당 계 약의사의 방문비용은 월2회에 한하여 산정할 수 있습니다.

Q5 계약의로 수급자가 50인을 초과하는 요양시설과 50인이하 시설에 활동 중입니다. 두 시설 모두 저 혼자 계 약의로 지정되어 활동하고 있습니다. 방문비용은 몇 회 산정이 가능한가요?

수급자가 50인을 초과하는 장기요양기관에서 1인의 계약의가 활동하는 경우에는 월3회까지 산정할 수 있으므로 해당 계약의사의 방문비용은 월3회 산정할 수 있습니다.

4) 진찰비용

Q1 수급자가 원하여 월2회를 초과해서 계약의 진찰을 받고자 합니다. 수급자가 진찰비용 전액을 부담해야 하 나요?

아니요. 수급자에게 진찰비용 전액을 받을 수 없습니다. 계약의 진찰은 상시적인 건강관리를 목적 으로 하므로 월2회를 초과하여 진찰이 필요한 경우에는 의료기관을 방문하도록 하여야 합니다. 따라 서, 요양시설에서는 수급자가 월2회를 초과하여 계약의 진찰을 받지 않도록 관리하여야 합니다.

Q.2 2016년 9월 6일 이전에 계약의 활동을 하던 요양시설에서 9.6일 이후 지역의사회의 추천을 거쳐 지정을 새로 받았습니다. 초진비용 산정이 가능한가요?

네, 가능합니다. 다만, 기존에 진찰했던 수급자라고 하더라도 9.6일 이후 최초 진찰일부터 「협약의료기관 및 계약의사 운영규정」에 따른 '포괄평가 기록지'를 모두 작성하여야 합니다.

❹ 그림으로 설명하는 계약의사비용 청구방법

▦ 계약의 활동비용 청구

☞ 국민건강보험공단(**www.nhis.or.kr**) → 요양기관 → 요양기관정보마당(**https://medicare.nhis.or.kr**)

→ 공인인증서 로그인 → 노인장기 → 계약의 활동비

▦ 계약의 협약 장기요양기관 조회

- 급여제공월 선택 후 조회 시 계약된 장기요양기관 정보 확인
- 계약의가 여러 명일 경우 계약의 성명을 입력 후 조회
- * 항목에 자료 누락이나 오류가 있는 경우 청구 불가 ⇨ 협약 장기요양기관에 문의하여 수정

▦ 계약의 청구 목록

- 급여제공월 입력, 조회 ⇨ 청구서 목록 확인
- 청구유형, 처리상태, 지급예정일, 청구구분 별 조회 가능
- 보완청구 : 처리상태가 불능건에 대해서 보완청구를 클릭하면 명세서 입력화면으로 이동하여 급여제공월, 청구구분, 대상자 보여주고 수정토록 함.
- 청구서재생성 : 처리상태가 반려건에 대하여 청구서재생성 버튼을 클릭하면 계약의 진찰(방문)비용 청구 화면으로 이동하고 맨 밑의 청구서재생성 버튼을 누르면 명세서 입력화면으로 이동하며 청구했던 대상자가 보임.
- 청구취소 : 청구서 전송을 한 날을 포함하여 2일까지 취소 가능하며, 취소작업 후 청구서재생성 버튼을 클릭하면 명세서 입력화면으로 이동, 저장했던 대상자 보임.
- 자진신고 : 청구서 전송을 한 날을 포함하여 10일까지 자진신고 가능하며, 대상자별로 자진신고 함.
- 자진신고내역 : 자진신고 후 처리한 대상자를 확인할 수 있음.

촉탁의 청구 목록

* 급여제공월 ∨	2017 ∨ 년	01 ∨ 월 ~	2017 ∨ 년	08 ∨	접수번호	
청구유형 전체 ∨	처리상태 전체 ∨	청구구분 전체 ∨	🔍 조회			

※ 청구취소나 청구착오자신신고시 해당 목록을 클릭한후 상단 버튼을 눌러주세요.

Total 0(1/1 page)   보완청구 청구서재생성 청구취소 자진신고 자진신고내역

순번	청구유형	급여 제공월	접수번호	청구 구분	수급자 구분	청구일자 지급예정일	명세 불능	청구액	처리상태	바로가기
					자료가 존재하지 않습니다.					

▦ 계약의 진찰비용 청구명세서 입력(계약의 활동비 청구 절차)

☞ 계약의 진찰비용 청구명세서 입력 – 명세서내역 – 명세서상세내역

- 급여제공월, 청구구분(원청구, 추가청구, 보완청구) 선택 – 명세서
  내역의 신규 버튼

  * 해당 급여제공월을 처음 청구할 때에는 원청구 선택

  * 조회 : 입력되어있는 명세서 조회

  * 장기요양기관 및 면허번호 별로 조회 가능함.

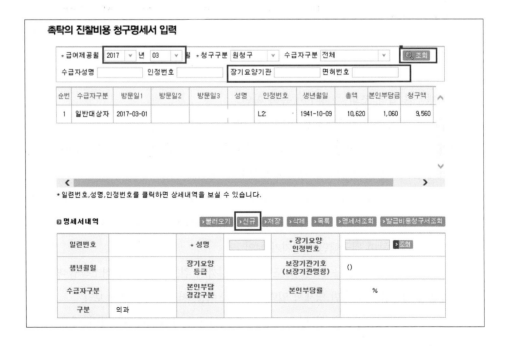

▦ 계약의 진찰비용 청구명세서 입력(계약의 활동비 청구 절차)

☞ 계약의 진찰비용 청구명세서 입력 – 명세서내역 – 명세서상세내역

신규버튼 클릭 시 원청구 대상자 확인 팝업 ⇨ 장기요양기관 선택 후 청구할 대상자를 일괄 선택하여 대상자확인 버튼 클릭

　　* 2개 이상의 인정유효기간이 조회될 경우 장기요양기관에 방문한 날이 속한 인정유효 기간 선택

* 명세서 분리 기준 – 수급자 구분(자격) 변경, 감경구분(본인부담률)변경, 보장기관 변경, 등급 변경, 인정유효기간 변경

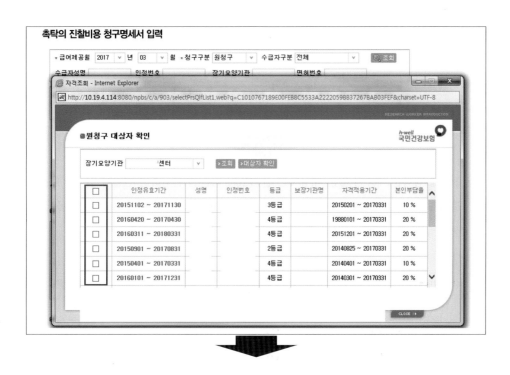

• 선택한 대상자가 전체가 화면 윗부분에 보이고 대상자 한 명씩 클릭하여 입력

　　* 저장이 되면 처리상태가 '처리', 저장되지 않았을 경우는 '미처리'로 보여짐.

　　* 미처리가 있는 상태에서 다시 조회를 하거나 다른 화면으로 이동하였다가 다시 입력화 면으로 올 경우 처리한 대상자만 보임(다시 신규버튼 클릭하여 대상자를 선택 – 저장되어 있는 대상자는 존재한다는 팝업이 뜸)

- 전월에 입력한 내용이 있는 대상자는 불러오기 버튼을 클릭하면 전월에 입력한 내용을 불러와서 상세내역에 보임(방문일자 공란 – 전월 대상자 중 초진으로 청구한 경우 수가도 공란).
  * 방문일자 및 수정할 내용만 수정 후 저장

• 대상자를 클릭하여 달력표시를 클릭한 후 방문일을 선택한다.

• 면허조회를 클릭한 후 계약의를 선택한다.

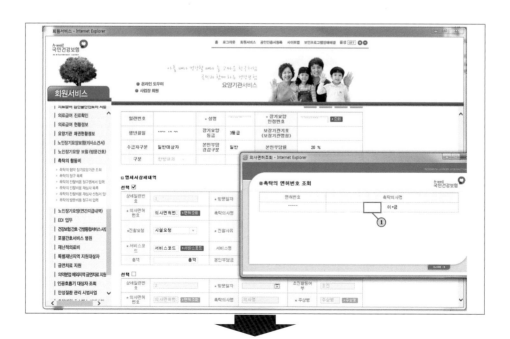

- 주상병 클릭 후 하위상병을 클릭한다(주상병에 한 글자이상을 입력하여 조회하면 상병명이 조회됨).
  * 주상병 클릭 전 주상병 코드를 입력하면 자동으로 코드와 코드명이 입력됨.
  * 즐겨찾기 기능 추가 : 자주 쓰는 주상병일 경우 상병명 옆에 즐겨찾기를 클릭하면 즐겨찾기탭에 추가

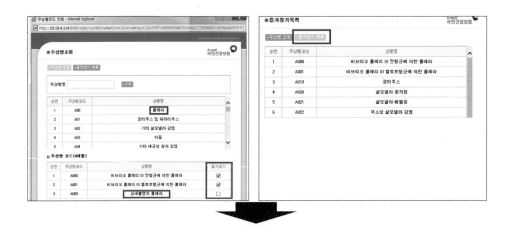

- 진찰사유를 클릭한 후 진찰사유 선택, 하위의 해당하는 진찰사유 코드를 선택한다.

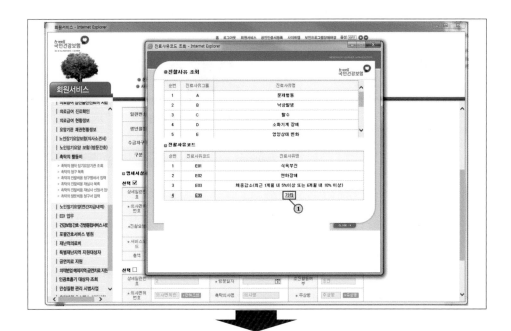

- 진찰내용을 클릭한 후 진찰내용 선택, 하위의 해당하는 진찰내용 코드를 선택한다.

- 서비스코드를 클릭하여 초진, 재진을 선택한다. - 모든 입력이 완료되면 저장버튼을 누른다.

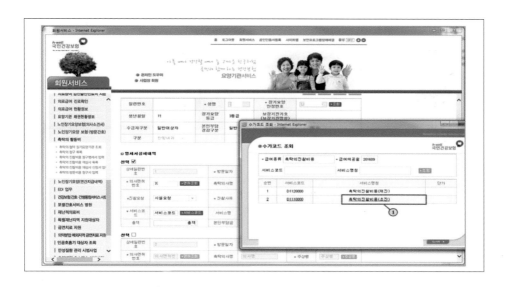

▦ 계약의 진찰비용 청구명세서 입력(계약의 활동비 청구 절차)

　☞ 계약의 진찰비용 청구명세서 입력 – 명세서내역 – 명세서상세내역

- 진찰비용 명세서 추가 입력 시 선택에 체크 ⇨ 명세서 상세내용 입력
- 명세서내역 저장

▦ 계약의 진찰비용 청구명세서 입력(계약의 활동비 청구 절차)

☞ 계약의 진찰비용 청구명세서 입력 – 명세서내역 - 명세서상세내역

- 청구할 모든 대상자의 청구명세서 입력 및 저장
- 목록에 있는 대상자 클릭 ⇨ 발급비용청구서조회 클릭

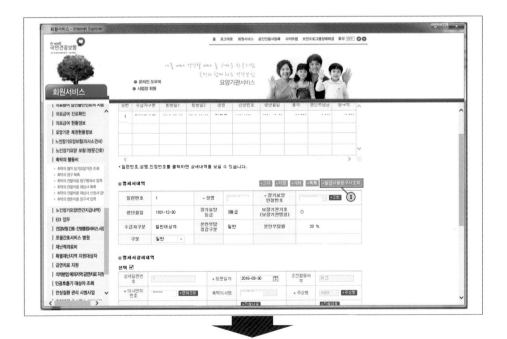

- 전화번호, 이메일 주소, 작성인 입력(청구인 = 대표자) ⇨ 청구서 생성 클릭
- 청구서 생성 ⇨ 청구서 전송 (청구서 생성 이후 버튼 생성)

  * 청구서 생성 이후 자료 변경 시 청구서생성 취소 버튼 클릭하여 자료 수정 가능함.

- 기존 명세서출력 버튼을 명세서조회 버튼으로 대체하여 클릭 시 팝업으로 청구한 대상
  자 리스트를 보여줌(면허번호, 장기요양기관으로 조회 가능하며, 엑셀다운로드 가능함).

☞ 계약의 방문비용 청구서 입력 – 계약의 방문비용 청구

- 급여제공월, 청구구분(원청구, 추가청구, 보완청구) 입력 및 조회

- 방문비 내역에서 신규 클릭 ➡ 계약의 방문 목록 조회 (신규버튼 클릭해야 활성화됨)

- 계약의 방문 목록 조회에서 방문비를 청구할 내역 선택 ➡ 저장

- 방문비 추가 입력 시 신규 버튼 눌러서 작성

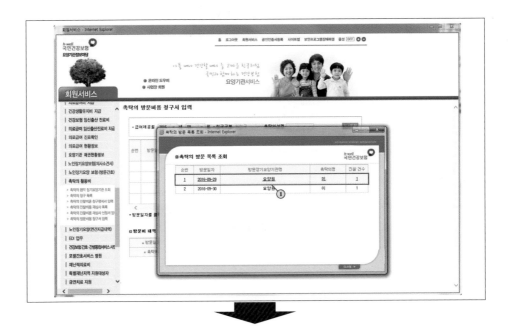

• 발급비용청구서조회 버튼 클릭 ⇨ 계약의 방문비용 청구서 작성화면

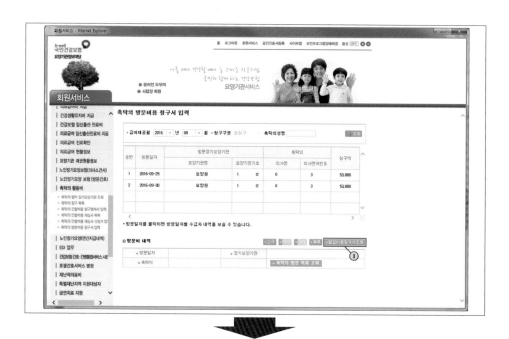

☞ 계약의 방문비용 청구서 입력 – 계약의 방문비용 청구

• 전화번호, 이메일 주소, 작성인 입력 ⇨ 청구서 생성 버튼 클릭

• 청구서 생성 ⇨ 청구서 전송 (청구서 생성 이후 버튼 생성)

 * 청구서 생성 이후 자료 변경 시 청구서생성 취소 버튼 클릭하여 자료 수정 가능함

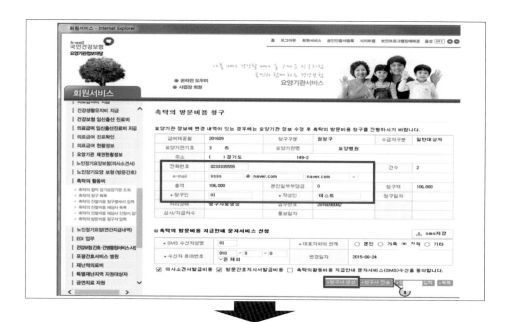

▦ 계약의 진찰(방문)비용 보완청구

- 계약의 목록에서 보완청구 할 접수번호 클릭하면 보완청구 활성화되면 클릭

▦ 계약의 진찰비용 추가청구

☞ 계약의 진찰비용 청구명세서 입력

- 추가청구 대상자 확인(원청구내역) ⇨ 장기요양기관 조회 후 추가청구 대상자 선택(추가청구는 재진에서 초진으로 청구할 경우만 해당됨).

• 원청구내역조회에서 원청구 접수번호 명세서 일련번호 클릭 후 수가코드 조회를 눌러 초진으로 변경하면 자동으로 초진과 재진의 차액 금액 확인 ⇨ 저장 ⇨ 청구서 생성 및 전송

참 · 고 · 문 · 헌

1. 케어포. 촉탁의제도 개선 관련 Q&A. [Internet]. 서울; [cited 2017 Aug 20]. Available from: https://www.carefor.co.kr/cs/download.php?csfmgno=135.

2. 요양심사실. 장기요양급여비용 청구: 촉탁의 활동비. 강원:노인장기요양보험공단;2017.

노인의 특성에 대한 이해

KEYPOINT 🔒

■ 84세 남자 입소자

당뇨병으로 경구 혈당 강하제 투여 중이던 혈관성 치매 입소자. 1주 전 입소 직전 시행한 혈액검사에서 이상 소견 없었고 의사소통 가능했으며 Vital Sign은 stable 했고 특별한 증상 호소는 없었으며 혈당 조절도 잘 되던 환자였음. 어제 오전에 갑자기 호흡 곤란(깊은 숨) 동반한 의식장애(혼수) 발생하면서 전신에 청색증의 소견을 보여 시행한 혈당 검사 결과 glucose=26 mg/dL이었음. 응급의료센터로 이송하여 포도당 용액 정맥 주사하며 관찰하기로 함. 그러나 저혈당은 잘 교정되지 않았고, 소변이 나오지 않아서 도뇨관을 삽입했더니 "콜라색의 소변"이 관찰 됨. 응급검사에서 AST/ALT가 각각 3,000 IU 이상이었고, T-bilirubin은 1.7 mg/dL였음. 전격성간염(Fulminant Hepatitis) 진단 하에 lactulose 복용 등의 처치를 시행하였으나 환자는 당일 밤에 병원에서 사망하였음.

➡ 황달, 발열, 복통 등의 전형적인 증상을 보이지 않아 진단이 늦어진 전격성 간염.

❶ 노인이 되면 어떤 문제들이 흔히 생기는가?

1) 신체적 항상성 유지가 어렵다.

즉, 젊은이들은 주위의 환경이나 신체의 자극에 대하여 빠른 적응 변화를 하지만, 노인은 그 변화에 대하여 적응하지 못하거나 적응하는 데 훨씬 많은 시간을 보내게 된다.

2) 감각기능 약화

여러 감각기관의 기능 약화에 따라 일상생활에서 쉽게 다칠 수가 있고, 많은 불편을 겪게 되어 잘 움직이지 않게 된다.

A. 시각의 변화

  a. 40세 이후 노화로 인한 시각 변화

  b. 눈의 모양 변화

    −수정체 색소가 엷어지고 지방 축적

    −수정체 주위에 회색 링(Arcus Senilis)

  c. 눈 주위 근육 약화(Senile ptosis ; 노인성 안검 하수)

  d. 눈물 생산 감소

  e. 눈 구조의 변화; 동공이 작아져 망막 도달 빛이 50% 감소

  f. 렌즈의 원근조절력 저하 · 노인성 원시

B. 청각의 변화

  a. 노화에 따른 청각 변화

    −청력 감퇴

    −귀지가 두껍게 쌓여서 고착화

  b. 노인성 난청

    −노인들에게서 흔히 볼 수 있는 청각장애

    −달팽이관의 형태조직학적인 변성: 가장 흔함

    −청각검사 결과보다 본인이 생활에서 불편해하는 정도가 관심의 대상!!

  c. 청력 장애에 대한 중재

    −귀지에 의한 난청: 액체를 몇 방울 귀에 넣고 귀지를 긁어냄

    −노인성 난청: 보청기 삽입

    −청각장애 노인과의 대화법

→ 말을 천천히 한다.

→ 얼굴을 마주보고 이야기한다.

→ 낮은 목소리로 말한다(고음 불가).

→ 조용한 곳에서 대화한다.

→ 필기도구를 이용하여 이해를 돕는다.

청각장애의 신호들

• 노인이 목청을 높여서 이야기
• 다른 사람들이 노인에게 큰소리로 이야기
• 노인이 타인이 이야기한 것을 반복해서 이야기 하라고 함
• 노인이 말수가 적어지고 어떤 일에 참여하는 횟수가 적어지고 다른 사람들이 하는 일에 무관심, 무시하는 경향
• 타인들이 이야기하는 것에 대해 의구심

---

3) 영양 부족

입맛이 없고, 치아를 비롯한 소화기관의 기능 약화에 따라 영양 상태가 부실하거나 변비로 고생하는 경우가 많다.

4) 면역기능 약화

작은 감염에도 질병이 진행되어 생명이 위험하게 되는 경우가 많다.

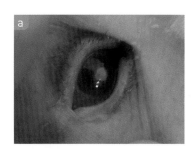

그림 5-17 면역력저하로 인한 진균각막궤양

(a)각막에 보이는 하얀 물질은 진균(곰팡이)이다. (b)진균 치료 후에 각막에 궤양이 생겼다.

5) 뇌기능 약화

지적인 능력이 감소하고, 정신적으로 불안정하다.

6) 요로계 문제

요로계의 조직 변화나 기능 약화로 성기능 장애나 실금 등으로 고생하는 경우가 많다.

7) 불면증

수면 생리의 변화로 깊은 잠을 들기 어렵고, 신체나 생활환경의 변화로 인하여 불면증에 시달리는 경우가 많다.

8) 의원증(醫源症; iatrogenesis)

의학적인 약물 투여나 처치로 말미암아 오히려 이전에 없던 병들을 새로이 발생시킬 수 있다.

9) 약물 과용

여러 가지 질병이 복합적으로 발생하여 여러 의료기관을 이용하는 경우가 많고, 약을 중복, 과다 복용하는 경우가 많다.

10) 사회적 지지기반 약화

여러 사회, 문화적인 여건에 따라 고립되거나 빈곤 속에 살고 있어 질병을 제대로 관리하지 못하고, 방치되고 있는 경우가 많다.

❷ 노인환자들의 임상적 특성

1) 질병의 증상이 없거나 비전형적이어서 진단이 어려운 경우가 많다.

증상이 없거나 모호하여 노인 환자에게서는 진단이 어렵고 늦어져서 병을 진단받았을 때에는 이미 병이 상당히 진행되어 있는 경우가 많다.

2) 동시에 여러 질병을 가지고 있다.

노인 환자가 한 가지 질병을 가지고 있을 때에는, 다른 질병이 함께 있을 수 있다는 것을 전제로 다른 질환의 유무를 청장년에서보다 더욱 광범위하고 자세하게 확인하여야 한다.

3) 의식 장애가 많다.

신경정신계의 노화, 항상성 부조화로 인한 탈수 가능성의 증가로 의식 및 정신질환이 많다. 노인에서 우울증은 보통 생각하는 것보다 훨씬 많으며, 우울증이 신체 불편 증상 및 육체적인 병의 시작으로까지 이어지고 있는 경우가 많다.

4) 개인차가 크다.

오랜 세월을 지내오는 동안 겪었던 여러 병력, 생활력 등에 의해 증상 발현의 주관적, 객관적 발현 강도가 다르다. 이는 병력청취, 진단, 효과 판정에도 직접적으로 영향을 미친다.

❸ 노인 환자에서의 비전형적인 증상들

1) 갑상선 기능 항진증
  a. 전형적인 안구 소견과 갑상선 종대가 없는 경우가 많다.
  b. 체중감소, 심계항진, 피부소견, 진전, 심방세동 등의 증상도 흔하지 않다.
  c. 초조해 보이고 안절부절 못하는 양상보다는 그저 처져 있는 경우가 많다.

2) 갑상선 기능 저하증
  a. 체중이 증가하기 보다는 오히려 감소
  b. 인지기능 장애, 심부전, 변비가 흔히 나타남.

3) 패혈증(sepsis)
  a. 열이 나지 않는 경우가 많으며 전신 쇠약, 설명되지 않는 정신 상태와 같은 비특이적 증상으로 나타나기도 한다.

4) 요로 감염
  a. 열이 없을 수 있으며, 배뇨곤란, 빈뇨, 긴박뇨와 같은 증상이 없는 반면 현기증, 의식착란(confusion), 식욕부진, 피로, 쇠약감이 요로 감염의 증상으로 나타날 수 있다.

5) 뇌수막염
  a. 뇌막자극 증상이 없는 경우도 있으며, 두통이나 경부 경직 없이 발열과 정신상태 변화가 올 수 있다.

6) 폐렴

    a. 피로감, 식욕 부진, 의식착란으로 발현할 수 있다.

    b. 빈맥과 빠른 호흡은 흔하지만 발열은 없을 수 있다.

    c. 화농성 가래가 없는 기침이 특징적이며, 폐결핵이 병발되어 있을 때에는 다른 양상의 증상.

7) 급성 충수돌기염

    a. 우하복부에 국한된 통증보다는 복부 전체에 걸친 통증. 이때에도 우하복부의 압통은 충수돌기염을 의심할 수 있는 초기 증상이 된다.

8) 간, 담도계 질환

    a. 황달, 발열, 복통 없이 비특이적인 정신적 변화나 신체 증상(피로감, 의식착란, 이동능력 감소)이 주 증상으로 나타날 수 있으며, 간기능의 이상 소견만이 유일한 담도계 질환의 징후일 수 있다.

9) 소화성 궤양

    a. NSAIDs(비스테로이드성 소염진통제)를 복용하고 있는 노인에서는 통증을 못 느낄 수도 있다.

    b. 식욕부진만이 증상으로 나타나기도 한다.

    c. 위장관 출혈 시에도 통증이 없는 경우가 많다.

10) 심근경색

    a. 전형적인 흉통보다 호흡곤란, 실신, 쇠약감, 구토, 의식 착란이 나타나는 경우도 있다.

11) 심부전

    a. 호흡곤란 보다는 의식착란, 초조(agitation), 식욕 부진, 불면증, 쇠약감

    b. 치매 노인에서는 심부전에 의한 증상인 기좌호흡(orthopnea) 때문에 밤에 불편하고 초조해지며, 증상이 심해질 수 있다.

12) 우울증

    a. 초기 증상으로 모든 일에 과민해지는 양상을 보이기도 함.

    b. 우울증의 주요 증상이 인지 기능 장애로 나타나는 경우 치매로 오진할 수 있는데, 이

를 가성치매(**pseudodementia**)라고 한다.

❹ 사회, 경제, 문화적인 특성

개인의 사회, 경제, 문화적인 환경에 따라 증상의 발현이 다르고, 비용이 많이 드는 정확한 진단에 의한 치료보다 현재의 증상이나 기능의 개선을 선호하는 경우도 많다. 진료 방침의 결정에 환자 본인보다 배우자, 성인 자녀, 친척, 다른 친분이 깊은 친구들의 의견이 반영되는 경우가 많다.

참 · 고 · 문 · 헌

1. Adelman R, Greene MG, Ory MG. Communication between older patients and their physicians. Clin Geriatr Med 2000;16:1-24.

2. 대한노인병학회. 노인병학. 개정판. 서울: 의학출판사;2005.

3. 대한임상노인의학회. 임상노인의학. 서울: 한우리; 2003.

4. Kane RL, Ouslander JG, Abrass IB. Essential of Clinical Geriatrics, 5thed.NY:McGraw-Hillcompanies;2004.

5. 박영임, 노인의 주요 건강문제와 간호중재(I), In: 보건복지가족부. 2009년 맞춤형 방문 건강관리사업 전담인력 교육. 서울: 보건복지가족부; 2009. p. 387-415.

6. 김희자, 노인의 주요 건강문제와 간호중재(II), In: 보건복지가족부. 2009년 맞춤형 방문 건강관리사업 전담인력 교육. 서울: 보건복지가족부; 2009. p. 416-429.

7. Adelman R, Greene MG, Charon R. Issues in physician-elderly patient interaction. Ageing Soc 1991;11:127-148.

8. 장학철. 근감소증-노인증후군과의 관계는? 노인병 2010;14(suppl.1):87-89.

노인증후군은 요양시설 입소자들에게서 흔한 문제이다.

KEYPOINT 🔒

■ 91세 여성. 치매로 요양원에 입소하신 분으로, 배회가 주된 증상이었음. 평소에 요실금 증상이 있어 야간에도 수면 장애가 있고 침대 밖으로 나와 화장실을 가시는 일이 많으셨음. 요실금에 대해 에나폰 10 mg 투여, 수면 장애에 대해 zolpidem 5 mg 복용 중이었음. 약물 복용 이후로 입 마름으로 물을 자주 찾고, 어지럼증 호소하시면서 비틀거리는 일이 잦았음. 어지럼증에 대한 병원 진료 후 처방받은 lorazepam(아티반)을 투여했는데, 그 이후 가끔 엉뚱한 소리를 하고 매우 산만해짐(섬망). 수면 시간에는 낙상이 우려되어 보호자 동의 후 허리 억제대로 환자를 보호하고 있으나, 10일 전 새벽 4시 경에 환자 스스로 억제대 사이로 빠져 나와 화장실을 가시다가 엉덩방아 찧으심(낙상). 병원 진료 결과 좌측 대퇴골의 골절로 밝혀졌으나 보호자 분들이 수술을 원하지 않으셔서 다시 요양원 입소 후 침상 안정 중이었음. 골절에 의한 심한 통증으로 마약성 진통제가 들어가면서 식욕이 떨어지고 밥을 잘 안 먹게 되었으며 기운이 없어 보였음(노쇠). 3일 전부터는 미골부위에 1x1(cm) 크기의 욕창이 발생함. 요실금이 욕창을 악화시킨다고 판단되어 병원 진료 후 도뇨관을 삽입함.

➡ 노인증후군 : 다제약물, 치매, 요실금, 수면 장애, 어지럼증, 섬망, 낙상, 욕창, 노쇠

➡ 좋지 않은 임상 결과 : 입 마름, 억제대 사용, 대퇴골절, 골절에 의한 통증, 도뇨관 삽입

노인들이 흔히 하는 증상 표현들

• 피로하다.	• 입이 마른다.	• 소변이 자주 마렵다.
• 식욕이 떨어졌다.	• 기침을 한다.	• 소변이 붉게 나온다.
• 체중이 줄었다.	• 가래가 끓는다.	• 부부관계 시 아프다.
• 자주 넘어진다.	• 숨이 차다.	• 무릎이 아프다.
• 잠이 안 온다.	• 가슴이 아프다.	• 허리가 아프다.
• 머리가 아프다.	• 몸이 붓는다.	• 팔다리가 뻣뻣하다.
• 기억력이 떨어졌다.	• 잘 삼키지 못한다.	• 관절이 부었다.
• 기분이 우울하다.	• 변비가 있다.	• 밤에 돌아 다닌다.
• 걷기가 힘들다.	• 설사를 한다.	• 재정적 문제
• 눈이 아프다.	• 대변을 지린다.	• 집안 돌보기
• 귀가 잘 안 들린다.	• 대변에 피가 나온다.	• 말을 제대로 못한다.
• 어지럽다.	• 소변을 못 가린다.	• 배우자와 사별
• 이가 아프다.	• 소변 보기가 힘들다.	• 도와주는 가족이 부족

❶ 노인의학의 주된 원칙 : 노화에 따른 모든 기관의 항상성(homeostasis) 저하 = HOMEOSTENOSIS

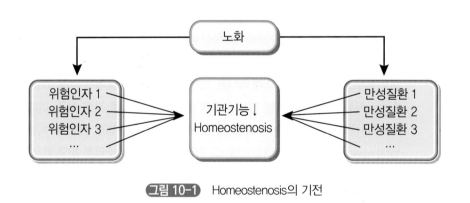

그림 10-1 Homeostenosis의 기전

❷ 노인증후군의 정의?

> **노인에서 흔하며 별개의 질병 범주에 속하지 않는 임상적 상태**

1) 섬망, 낙상, 노쇠, 어지럼증, 실신, 요실금 처럼 허약한 노인에게서 흔히 생기는 문제들

❸ 노인증후군의 공통된 특징들

1) 노쇠한 노인들에게서 많이 생긴다.

2) 삶의 질과 기능에 막대한 영향을 준다.

3) 여러 원인들이 여러 장기에 영향을 주어 발생한다.

4) 주된 증상은 특정한 병적 상태로 설명되지 않는 경우가 많다.

5) 어떤 경우는 서로 연관성 없이 떨어져 있는 두 기관에 동시에 관여하기도 한다(예 요로 감염이 섬망을 유발함).

6) 노인증후군끼리 많은 위험인자들을 공유한다.

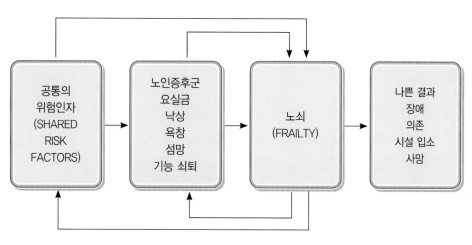

그림 10-2 Unifying Conceptual Model

❹ 노인증후군의 종류

1) 미국의 ECWG (**Education Committee Writing Group**)에서 필수 교육 내용으로 권고하는 13가지의 흔한 노인증후군들(**Geriatric giants**)

   a. 치매

   b. 부적절한 처방

   c. 요실금

   d. 우울증

   e. 섬망

   f. 의인성 문제

   g. 낙상

   h. 골다공증

   i. 감각 변화(청각, 시각 포함)

   j. 생명력 감퇴(**failure to thrive**)

   k. 거동과 보행장애

   l. 욕창

   m. 수면장애

참 · 고 · 문 · 헌

1. 조항석. 노인장기요양에서 노인요양병원의 역할. 노인병 2009;13(Suppl.1):25-34.

2. Olde Rikkert MGM, Rigaud AS, van Hoeyweghen RJ, de Graaf J. Geriatric syndromes: medical misnomer or progress in geriatrics? Neth J Med 2003;61:83-7.

3. Inouye SK, Studenski S, Tinetti ME, Kuchel GA. Geriatric syndromes: clinical, research, and policy implications of a core geriatric concept. J Am Geriatr Soc 2007;55:780-91.

4. 유형준. 노인증후군이란? 노인병 2010;14(suppl.1):81-86.

11

노인포괄평가(CGA)란?

■ **노인포괄평가(CGA)가 왜 필요한가요?**

➡ 노인은 젊은이에 비해 복잡하고 다양한 문제를 가지고 있으며 임상 증상도 비전형적인 경우가 많아서 전통적인 임상검사만으로는 올바른 노인환자 평가가 곤란한 경우가 많습니다. 따라서 노인을 주로 대하는 의료인은 CGA의 개념을 바탕으로 신체적 문제 뿐만 아니라 정신적, 심리적, 사회적, 영적 문제까지 다루어야 하며 이는 노인병의사가 갖추어야 할 가장 기본적으로 가치있는 덕목 중 하나입니다.

　　다양하고 복잡한 문제를 가지며 종종 전형적이지 않은 증상들을 동반하는 노인 환자들을 평가할 때에는 병력 청취, 신체 검진, 검사실 검사 등을 통해 특정 질환을 추정하는 고전적인 환자 평가보다는 신체적, 정신적, 사회적인 측면까지 동시에 폭넓게 파악하는 노인포괄평가(CGA; Comprehensive Geriatric Assessment)가 효율적이며 환자들의 예후에도 좋은 영향을 끼친다. 그런데 개별적인 환자의 상태나 진료 환경에 따라 CGA 항목의 종류나 수준은 차별화되어야 한다.

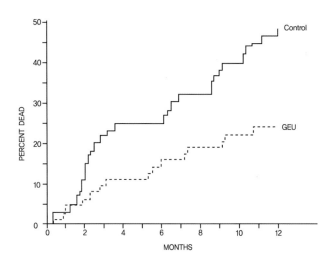

그림 11-1   Geriatric Evaluation Unit (GEU)에 입원한 노인환자들의 사망률이 낮았다는 연구 결과. 즉, CGA의 유용성을 보여주는 연구이다(출처: N Engl J Med. 1984;27:1664-70).

그림 11-2   노인환자가 호소하는 증상의 숨겨진 이면을 CGA를 통해 찾아낼 수 있다. 즉, 환자가 호소하는 증상만 듣지 말고, 의료인 스스로 포괄적인 평가를 하여 찾아내야 한다. 그것이 노인병의사의 자질을 판가름하는 기준이다.

❶ DEEP-IN 암기법을 이용한 간단한 CGA

노인의 기능평가 항목을 'DEEP-IN'의 머리글자로 요약해 보면 기억하기 좋다. DEEP-IN에 해당되는 노인에게 흔한 문제들 각각에 대해 다양한 선별 도구를 이용하여 평가하면 효율적으로 노인을 사정하게 된다. 노인 환자를 보기 전 머리 속으로 DEEP-IN을 떠올려 포괄적으로 깊이 있게(**IN DEPTH!**) 평가하자.

표 11-1 DEEP IN 노인기능평가

D	Delirium, Dementia, Depression, Drugs
E	Eyes (vision impairment)
E	Ears (hearing impairment)
P	Physical performance, Pain, Ph(F)alls, Ph(F)unction
I	Incontinence
N	Nutrition

1. 섬망(Delirium)

1) 섬망의 원인

약물 부작용, 전해질 이상, 각종 장기(간, 폐, 심장, 신장)의 질환, 감염(폐렴, 담낭염, 요로감염), 저산소증, 영양 실조, 분변잠복(대변이 장에 쌓임), 통증 등이 있다.

2) SQUID (**Single QUestion to Identify Delirium**)

영국노인병학회(**British Geriatrics Society**)에서 권고한 간단한 섬망 선별도구로서, 다음과 같은 단 하나의 질문으로 섬망을 선별하는 방법이다.

섬망의 선별을 위한 SQUID 질문법

- '홍길동 어르신이 최근에 평소보다 혼란스러운 상태인가요?' 라고 가족(혹은 간병인)에게 질문하기

출처: Sands MB et al. Palliat Med. 2010 Sep;24(6):561-5.

2. 치매(Dementia)

1) 미니인지테스트(Mini-Cog test)

시계 그리기와 세 개의 항목 회상으로 구성되어 있다. 즉, 3개의 단어를 불러주고 기억하게 한 후 '시계 그리기'를 실시하고 그 후에 기억하게 했던 단어들을 회상하게 한다. 시계 그리기는 종이에 원을 그려준 후 시계처럼 1에서 12까지 적어보라고 한 후 시간(예: 11시 10분)을 시침과 분침으로 표시하게 한다.

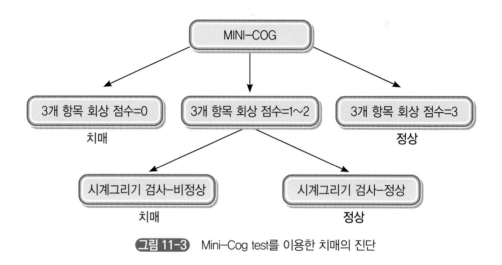

그림 11-3   Mini-Cog test를 이용한 치매의 진단

3. 우울증(Depression)

노인 우울평가 도구는 연령 증가에 의해 나타나는 증상과 노인성 우울증에 의해 나타나는 증상을 잘 구별할 수 있고 노인들이 보다 쉽게 할 수 있도록 단순화('예' 혹은 '아니오'로 대답하기)시켜야 한다.

1) 간단한 질문

"어르신은 흔히 슬프거나 울적한 기분이 듭니까?"의 한 문장으로 선별검사를 할 수도 있다.

2) 노인우울척도-단축형(GDSSF-K)

15개의 문항으로 구성. 5점 이상이면 우울증 의심(본 책 21장. 표 21-1 참조).

4. 약물(Drugs)

5가지 이상의 약물을 복용 중인 노인은 낙상의 위험이 증가한다. 특히 항정신병약, 항우울제, 항고혈압제 등과 작용시간이 긴 벤조다이아제핀 등이 낙상의 중요한 원인이다.

5. 청력(Ears)

1) 손가락 비비기 검사(Finger rub test)

환자의 눈을 감게 한 후 다음의 그림과 같이 검사자가 양 팔을 벌린 후 손가락 비비기를 하여 들리는 쪽의 손을 들도록 한다. 이 단계에서 실패하면 검사자는 팔을 90도 각도로 굽힌 후 반복한다. 만일 양 팔을 벌린 상태에서 성공하면 2점, 90도로 굽힌 상태에서 성공하면 1점, 굽힌 상태에서도 실패하면 0점을 준다.

그림 11-4   손가락 비비기 검사(CALFRAST-STRONG 70 vs 35).

2) 속삭임 검사(Whisper test)

　－환자의 눈을 감게 한 후 30-45 cm 전방에서 1초 간격으로 4개의 숫자를 속삭였을 때 2
　개 미만으로 맞춘다면 청력장애가 있을 가능성이 높다.

6. 시력(Eyes)

1) 간단한 질문

"시력 때문에 운전하거나 TV를 보거나 혹은 다른 일상활동을 하는데 어려움을 겪습니까?"

2) 신문 읽기

신문의 헤드라인과 본문문장 한 줄을 읽어보게 하여 두 가지 모두 읽어내면 정상, 헤드라인만 읽고 본문을 못 읽으면 중등도 시력장애, 두 가지 모두 못 읽으면 심한 시력장애가 있다고 판단하면 된다.

7. 낙상(Ph[f]alls)

1) 낙상 경험 질문

"지난 1년간 넘어지면서 땅이나 의자나 계단에 부딪힌 적이 있나요?"

2) 자리에서 일어나는 능력(대퇴사두근 근력)

팔걸이 없는 의자에서 팔짱 끼고 5회 일어서게 하는 것으로 평가할 수 있다.

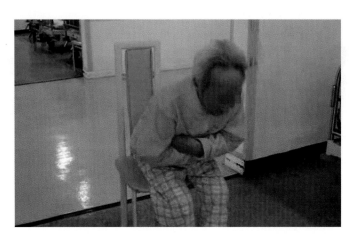

그림 11-5   대퇴사두근 근력 조사 : 무릎에 손을 짚지 않게 하기 위하여 팔장을 끼게 한 후 시행

3) 보행(TUGT)

의자에서 일어나서 3미터 떨어진 곳까지 걸어갔다가 돌아와 다시 자리에 앉도록 하는 것. 20초 이상이면 낙상의 위험이 증가한다.

8. 실금(Incontinence)

"지난 1년 동안, 소변이 새어 나와 옷을 젖게 한 적이 있습니까?" 라고 질문한다.

9. 영양(Nutrition)

"과거 6개월 동안 노력하지 않았는데도 5kg 이상 체중감소가 있었습니까?" 혹은 "지금 입고 있는 옷이 평소보다 느슨해졌습니까?"

⑪ 노인요양시설 CGA 도구(필자의 제안)

노인요양시설 입소자들의 주된 상병명은 치매, 뇌졸중, 파킨슨병 등의 만성 퇴행성 질환들로서, 대부분 신체적, 정신적으로 취약한 상태이다. 이러한 점을 고려하여 다음과 같은 원칙으로 우리나라 노인요양시설에 적합한 CGA 도구를 제안한다.

　□ 캐나다 노인요양시설에서 이미 사용 중이며 유용성이 입증된 도구인 LTC-CGA Tool을 우리나라 상황에 맞추어 개선.

　□ 대부분의 문항은 주치의의 소견에 따라 간단히 유/무 여부를 체크.

　□ 노쇠한 인지기능 저하자들이 많으므로 IADL(도구적 일상생활수행능력)은 삭제.

　□ LTC-CGA Tool에 있는 Family Stress 항목은 삭제.

표 11-2 우리나라 노인요양시설형 노인포괄평가(CGA) 도구 제안

평가일: 20(　)년 (　)월 (　)일　환자이름:　　등록번호:

1) 인지기능	2) 감각 기능	3) 구강 상태	4) 사지 근력	5) 족부 상태
□ 정상 □ 섬망 □ 치매 □ 망상 □ 혼수	시력 □ 정상 □ 장애 청력 □ 정상 □ 장애	□ 정상 □ 틀니 □ 치아 (　)개 □ 구강 건조 □ 구강 궤양	□ 정상 □ 약화 상지: 우/좌/근/원 하지: 우/좌/근/원	□ 정상 □ 감각저하 □ 동맥압 약함 □ 피부 궤양 □ 무좀(　　)
6) 노쇠(K-FRAIL)	7) 욕창	8) 예방접종	9) 현병력	10) 지참약물[개]
□ 지난한달피로[ ] □ 10계단 오름X[ ] □ 300 m 걷기X[ ] □ *질병 5개 이상[ ] □ 5%/1년 체중↓[ ]	□ 정상 □ 부위(　　　) □ 욕창(　)단계 □ 넓이(　)×(　)cm	□ 독감 □ 폐렴구균 □ Td(파상풍) □ 대상포진	1. 2. 3. 4. 5. 6. 7. 8. 9. 10.	1. 2. 3. 4. 5. 6. 7. 8. 9. 10.
11)말기질환	12)응급상황	13)주 보호자		
□ 말기암 □ 비암성 말기질환	□ DNR □ CPR □ 후송을 원하는 병원 (　　　　　)	□ 배우자 □ [ ]째 아들 □ [ ]째 딸 □ 기타:____		

* 고혈압, 당뇨병, 암, 만성 폐 질환, 심근 경색, 심부전, 협심증, 천식, 관절염, 뇌경색, 신장 질환

1. 노인요양시설형 노인포괄평가(CGA) 도구 해설

13가지 평가항목 별 평가방법과 판정 도구 혹은 기준은 다음과 같다.

1) 인지기능

섬망, 치매, 망상, 혼수 여부를 체크. 환자의 인지기능이 저하되어 있다면 우선 최근에 시작된 문제인지를 파악하여 섬망을 선별하고, 섬망이 아니라고 판단되면 환자평가표의 MMSE 점수 등을 고려하여 치매 여부를 판단한다. 이미 치매 판정을 받았다면 치매에 표시한다.

    a. 섬망 – 일시적이거나 급성적인 정신적 혼돈상태일 때 의심하며, CAM **(Confusion Assessment Method)**으로 평가

    b. 치매 – 치매의 과거력이 있거나[MMSE 26점 이하면서 CDR 1 이상 or GDS 3 이상]

    c. 망상 – 최근 1개월간 현실과는 동떨어진 생각으로 그 사람의 교육정도나 환경에 부합되지 않고 이성과 논리적인 방법으로 교정되지 않는 현상이 1회 이상 발생. 치매에서 발생하는 망상은 정신분열병**(조현병)**에서 발생하는 것과는 달리 정교하지 않고 구체적이지 못하며 내용이 자주 바뀌는 특징을 보인다. 흔히 나타나는 망상으로는 남이 자신의 물건을 훔쳐간다고 말하거나, 배우자가 바람을 피운다고 말하거나, 가족들이 자기를 버리고 갔다고 말함 등이 있음.

    d. 혼수 – 본 도구에서 "혼수"란 "혼수(coma)", "반혼수(semicoma)", "지속적인 식물인간 상태**(vegetative state)**"로 정의한다. 이 때, coma나 semicoma는 큰 소리나 밝은 빛 자극 등에는 반응하지 않고 통증자극에만 반응하는 정도이고, 식물인간 상태는 대뇌기능이 상실되어 감각반응이나 운동반응 모두 나타나지 않는 경우이다.

2) 감각 기능

    a. 시력 장애 – 소형 Snellen Eye Chart를 약 35 cm에서 보여주고 50% 이하.

    b. 청력 장애 – 손가락 비비기 검사에서 이상.

3) 구강 상태

틀니 착용 여부, 치아 개수, 구강 건조, 구강 궤양 여부 등을 파악한다.

4) 사지근력

상, 하지를 근위부, 원위부, 좌,우로 나누어 약화된 부위를 표시한다. 이 때 근력평가법에 따라 Grade4**(약한 힘에 저항하여 관절의 움직임이 가능)** 이하면 "약화"에 표시.

5) 족부 상태

감각저하, 동맥압 약화(좌,우 비교), 피부 궤양, 무좀(발톱무좀, 발무좀) 등의 여부를 표시한다. 족부 검사는 특히 당뇨병 환자에서는 필수이다.

6) 노쇠 점수

악력계가 필요 없는 노쇠평가 도구인 K-FRAIL 도구(정희원 등)를 사용하며, 5가지 항목 중 3가지 이상에 표시되면 노쇠로 판단한다.

K-FRAIL 설문지 (출처: 정희원 등. Korean J Intern Med, 2016)

- Fatigue(피로) : 지난 한 달 동안 피곤하다고 느낀 적이 있습니까?
- 1=항상 그렇다 2=거의 대부분 그렇다 3=종종 그렇다 4=가끔씩 그렇다 5=전혀 그렇지 않다 ⇒ 1, 2 로 답변하면 점수는 1점, 이외에는 0점
- Resistance(저항) : 도움이 없이 혼자서 쉬지 않고 10개의 계단을 오르는데 힘이 듭니까? ⇒ 예=1점, 아니오=0점
- Ambulation(이동) : 도움이 없이 300미터를 혼자서 이동하는데 힘이 듭니까? ⇒ 예=1점, 아니오=0점
- Illness(지병) : 의사에게 다음 질병이 있다고 들은 적이 있습니까? (고혈압, 당뇨병, 암, 만성 폐 질환, 심근 경색, 심 부전, 협심증, 천식, 관절염, 뇌경색, 신장 질환) ⇒ 0-4개는 0점, 5-11개는 1점
- Loss of weight(체중 감소) : 현재와 1년 전의 체중은 몇 kg 이었습니까? ⇒ 1년 간 5% 이상 감소한 경우에 1점, 5% 미만 감소한 경우에 0점.

---

7) 욕창

욕창 1단계(손으로 꾹 눌러도 하얗게 변하지 않는 홍반) 이상이면 표시한다. 욕창이 있다면 가장 큰 병변의 부위, 단계, 넓이를 기록하고, 2개 이상의 욕창이 있다면 전체 욕창의 묘사를 의무 기록에 추가한다.

8) 예방접종

독감(최근 1년 이내), 폐렴구균, Td, 대상포진 예방접종 맞았다면 표시한다.

9) 현 병력

현재 앓고 있는 병력을 모두 기입한다.

10) 지참약물

복용 중인 모든 약물을 기입한다. 본 CGA 도구에는 10개까지만 기록하고, 11개 이상의 지참약물이라면 개수만 표시하고 따로 의무기록 등에 표시하도록 한다.

11) 말기질환 여부

말기질환의 정의는 보통 6개월 미만의 여명이 예상되는 상태를 의미하지만 정확히 여명을 예측하기란 쉽지 않고, 일반적으로는 환자를 주로 관찰한 의사의 소견에 따른다. 말기질환은 암성 말기질환과 비암성 말기질환으로 분류하는데, 비암성 말기질환의 종류로는 말기치매, 말기심장질환, 말기 HIV질환(AIDS), 말기 간질환, 말기 폐질환, 말기 신장질환, 뇌졸중과 혼수상태, 전신쇠약, 루게릭병 등이 있다.

12) 심폐소생술

DNR (Do Not Resuscitate)과 CPR 중에서 선택한다. 특히 DNR에 표시하기 전에는 반드시 환자나 보호자와 상담하고 적절한 동의서를 확보해야 한다.

13) 주 보호자

환자의 건강 문제에 대하여 주로 상담할 대리인을 파악하여 표시한다. 간호사에게는 주된 보호자 외에 1인의 대리인을 더 선정하도록 하고 두 명 모두의 거주지와 연락처를 확보하도록 한다.

2. 간편형 CGA 도구

질 높은 노인 평가를 위해서는 3~6개월 주기의 반복적인 CGA가 필요하다. 그러나 계약의사의 시설 방문활동 중 CGA는 입소자 첫 진찰 시에만 인정이 되므로, 현실적으로는 반복적 CGA가 이루어지지 않고 있다. 그럼에도 불구하고 CGA를 하고자 하는 의료진을 위해 매우 간단하고 직관적인 CGA 도구가 현실적으로 필요하다. 본 도구는 기존의 10-Item Geriatric Impairment Inventory 항목에 노인요양시설에서 감별이 필요한 섬망의 선별과 통증 평가를 추가한 총 13가지 문제(남, 녀 각각 12가지)들을 최소한의 질문으로 선별한 후 문제가 있는 환자에게는 추가적인 조치를 취하는 방식으로 조사 항목을 구성하였다.

표 11-3 간편형 CGA 도구 ("망치 2-1-0 남녀 우물 술통 청소")

평가일: 20( )년 ( )월 ( )일   환자이름: 등록번호:

문제 항목	질문	Y	N	실패(N) 시 추가 조치
섬망	□ SQUID [최근 정신이 혼란스러움?]	□	□	Y ☞ CAM, 최근 아님 ☞ 치매 질문
치매	□ 년, □ 계절, □ 요일, □ 도시, □ 장소?	□	□	☞ MMSE + GDS (or CDR)
이동(낙상)	□ 혼자 물건 사러 가실 수 있는지?	□	□	☞ TUGT, K-FRAIL
일상생활	□ 혼자 일상생활이 가능한지?	□	□	☞ 환자평가표 D항목
영양상태	□ 최근 6개월 사이 4.5kg 체중 변화?	□	□	☞ 삼킴장애, 구강(이) 상태, MNA
[남]전립선	□ 소변 볼 때 힘든지?	□	□	☞ PSA, IPSS or 비뇨기과
[녀]요실금	□ 최근 1년 사이 소변 실수?	□	□	☞ DRIP
우울	□ 자주 우울하거나 슬픈지?	□	□	☞ GDS-15
약물	□ 약물 몇 가지 복용중?	□	□	7가지 이상 ☞ 필수적이지 않은 약물 정리
술	□ 술 때문에 문제 생긴 적 있는지?	□	□	☞ CAGE
통증	□ 아픈 데 있는지?	□	□	☞ FACES or NRS
청력	□ 손가락 비비기 [2, 1, 0]에서 1점 이하	□	□	☞ 이비인후과
[소]시력	□ Snellen eye chart 50% 이하?	□	□	☞ 안과

CAM: Confusion Assessment Method / TUGT: Timed Up & Go Test - 의자에서 일어나서 3 m 걸어 돌아와 다시 의자에 앉기 / K-FRAIL: Fatigue(피로한가요?), Resistance(10계단 오를 수 없나요?), Aerobic(300 m 걸을 수 없나요?), Illness(고혈압, 당뇨병, 암, 만성 폐 질환, 심근 경색, 심 부전, 협심증, 천식, 관절염, 뇌경색, 신장 질환 중 5가지 이상 질병?), Loss of weight(1년에 5% 이상?) / IPSS: International Prostate Symptom Score / DRIP: Delirium, Drug, Retention of feces, Restricted mobility, Infection, Polyuria, Psychogenic / CAGE: Cut-down(끊으려고 노력?), Annoyed(술 때문에 비난받은 적?) Guilty(죄책감?), Eye-Opener(아침에 눈뜨면 술생각?)

그림 11-6 "망치 2-1-0. 남녀 우물 술통 청소"

참 · 고 · 문 · 헌

1. 노용균. 노인 정신기능 평가. 가정의학회지 2004;25:S625-634.

2. 문호성. 노인기능평가. 가정의학회지 2004;25:S605-610.

3. 원장원, 노용균, 김수영, 조비룡, 이영수. 한국형 일상생활지표(K-ADL)의 타당도 및 신뢰도. 노인병 2002;6:98-106.

4. 원장원, 노용균, 선우덕, 이영수. 한국형 도구적 일상생활활동 측정도구의 타당도 및 신뢰도. 노인병 2002;6:273-280.

5. 정선영, 권인순, 조비룡, 윤종률, 노용균, 이은주, 원장원, 최윤호, 선우덕, 박병주. 한국형 외래용 포괄적 노인평가도구의 신뢰도 및 타당도. 노인병 2006;10:67-76.

6. Lachs MS et al. A simple procedure for general screening for functional disability in elderly patients. Am College of Physicians 1990;112:699-706.

7. Lee JY, Lee DW, Cho SJ, Na DL, Jeon HJ, Kim SK, et al. Brief screening for mild cognitive impairment in elderly outpatient clinic: validation of the Korean version of the Montreal Cognitive Assessment. J Geriatr Psychiatry Neurol. 2008;21:104-10.

8. Reuben DB. Principles of geriatric assessment. In: Hazzard WR et al. Principles of geriatric medicine and gerontology. 4th ed. New York: McGraw-Hill; 1999; p. 467-481.

9. Sherman FT. Functional assessment. Geriatrics 2001;56:36-40.

10. Rubenstein LZ, Josephson KR, Wieland GD, English PA, Sayre JA, Kane RL. Effectiveness of a geriatric evaluation unit. A randomized clinical trial. N Engl J Med. 1984;27:1664-70.

11. 가혁, 원장원. 의사, 간호사를 위한 노인요양병원 진료지침서 3판. 서울:군자출판사;2016.

12. 의료정책연구소. 요양병원의 운영현황 및 실태조사에 관한 연구. 서울:대한의사협회 의료정책연구소;2015.

13. Marshal EG, Clarke BS, Varatharasan N, Andrew MK. A Long-Term Care Comprehensive Geriatric Assessment (LTC-CGA) Tool: Improving Care for Frail Older Adults? Can Geriatr J. 2015;18:2-10.

14. Morley JE, Vellas B, Abellan van Kan G, Anker SD, Bauer JM, et al. Frailty consensus: a call to action. J Am Med Dir Assoc. 2013;14:392-397.

15. Old JL, Swagerty D. 대한노인요양협회(역). 노인요양병원 완화의료 임상지침서. 서울:메디마크; 2014.

노인 약물처방 시 주의사항

KEYPOINT 🔓

■ 7일 전 요양원에 입소한 72세 남성. 계약의사 방문 2일 전부터 삼킴 장애로 식사량이 줄고 졸린 상태가 지속되다가 어제 오전에는 깨워도 안 일어나고 세게 꼬집어야 눈 찡그리는 정도의 의식변화를 보였다고 함. 5년 전에 뇌경색이 있었고 대학병원 신경과, 소화기내과 등에서 약물처방을 받아오고 있었음. 어제 병원을 방문하여 경비위관 삽입 후 튜브를 통해 경관급식 시행 중이며, 드시던 약의 복용은 중단한 상태임. 계약의사 방문 당시에 입소자의 의식은 명료해졌고 의사소통도 가능해짐. 보호자는 드시던 약을 다시 드셔도 되겠느냐고 질문하셨다고 함.

➡ 보호자가 가져온 약물 리스트는 다음과 같았다.

〈아침약〉 Astrix 100 mg, Tenormin 50 mg, Lexapro 15 mg, Xanax 0.25 mg, Neuromed 800 mg

〈저녁약〉 Mucosta 100 mg, Gasmotin 1T, Phazyme 1T

〈취침 전〉 Seroquel 25 mg, Zolpid 10 mg 2T, Xanax 0.5 mg, Neuromed 800 mg

> 적은 용량으로 시작하고, 천천히 늘리세요
> START LOW & GO SLOW

❶ 노인에서의(예방 가능한) **주요 약물 부작용들**(ADEs : Adverse Drug Events)

: 우울증, 변비, 낙상, 거동 장애, 혼돈(섬망), 대퇴골절

❷ 노인에게서 문제가 되는 약물 처방(다약제처방)

1) 다약제의 처방(보통 5종 이상)
2) 임상 적응증 이외의 약물 투여 - 불필요 혹은 부적절 처방(**Beers Criteria**)

❸ 노인에서 다약제처방에 의한 부작용이 빈번한 원인

1) 만성 복합질환
2) 노화 관련 생리 변화(약동학, 약력학, 신체구성 변화)
3) 비처방약물, 대체 요법제 겸용

❹ 노인에서 부작용이 흔한 약물(미국에서의 조사 결과)

항정신병약물(**23%**) 〉 항생제(**20%**) 〉 항우울제(**13%**) 〉 안정제(**13%**) 〉 항응고제(**9%**) 〉 항경련제(**9%**) 〉 심혈관 약제(**6%**) 〉 혈당강하제(**5%**) 〉 비마약성 진통제(**4%**) 〉 마약성 진통제(**2%**) 〉 파킨슨병약(**2%**) 〉 위장관약(**2%**)

❺ 다약제처방의 결과

1) 약물복용 순응도 저하(정작 필요한 약물의 복용을 안하게 됨) : 50%
2) 부적절한 처방과 약물-질환, 약물-약물 상호작용 증가
3) 약물 유해 반응, 병원 방문 횟수 증가, 입원, 손상, 기능 저하, 사망까지도 초래
4) 노인증후군 증가

❻ 노인에서 신중히 투여해야 하는 약물 리스트

1) Beers Criteria

   a. Beers 등에 의해 1991년에 개발됨

   b. 노인의학, 약물역학 등 관련 분야의 전문가 집단에서의 수정된 델파이기법 이용

   c. 2019년 Beers Criteria 주요 내용 요약

     *PIM = 잠재적 부적절 약물

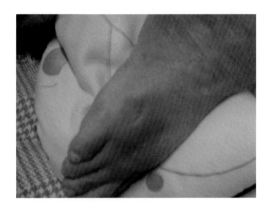

그림 12-1 칼슘채널억제제인 암로디핀 투여 1주일 후에 발생한 발의 부종

표 12-1 잠재적 부적절 약물(PIM) [권고등급: 피할 것]

구분	노인부적절 약물	근거	대체약물
항콜린성 약물 :1세대 항히스타민제	Chlorpheniramine, Dimenhydrinate, Diphenhydramine, Hydroxyzine(유시락스, 아디팜)	항콜린 부작용; 혼돈, 입마름, 변비...	intranasal steroid, intranasal NS, 2세대 항히스타민제
심혈관계 : peripheral 알파-1 차단제	Doxazosin(카두라), Terazosin	기립성 저혈압 위험	심혈관계 : peripheral 알파-1 차단제
Digoxin (심방세동/심부전 초기치료제로서)		1st line으로 비추천. 신장제거율 감소로 독성 작용. 0.125 mg/d 이하로.D	
Amiodarone		sinus rhythm 유지에는 효과적이나, 심방세동에서 다른 항부정맥제에 비해 독성 증가; 1st line으로 금기. 심부전이나 심한 좌심실비대 동반 시 사용 가능.	
Megestrol		노인에서 혈정 생성/사망 위험 증가	

Long-acting sulfonylureas	Glibenclamide, Glimepride	노인에서 심각한 저혈당 지속 위험 높음	Short-acting SU; glipizide (다이그린), gliclazide, Metformin
위장관계 약물	Metoclopramide	EPS 유발, 노쇠노인에서 위험성 증가; 위마비 치료 목적 이외 금기	
	PPI	C.Difficile 감염, 골밀도 감소, 골절위험 8주 초과사용 금기 예외; 경구 steroid, 만성 NSAIDs 사용 시, Erosive esophagitis, Barrett's esophagitis, H2-blocker 실패	
진통제	Meperidine	섬망 등의 신경독성	Tramadol, 몰핀, 옥시코돈, 아세트아미노펜
	SAIDs; 아세클로페낙, 이부프로펜, 케토프로펜, 나프록센, 피록시캄...	고위험군(75세 이상, 스테로이드, 항응고제/항혈전제 병용)에서 장출혈, 궤양 위험. PPI나 misoprostol 병용은 위험을 감소시키거나 없애지는 못함.	Celecoxib 등의 COX-2 selective NSAIDs

표 12-2   약물-질병, 약물-증상 상호작용 [권고등급: 피할 것]

구분	노인부적절 약물	근거	대체약물
심혈관계(Cardiovascular)			
심부전	Non-DHP CCP, Pioglitazone, Cilostazol, NSAIDs, COX-2 inhibitor	체액저류 촉진 심부전 악화	
실신	AChEIs (도네페질, 리바스티그민, 갈란타민)	서맥위험 증가	
	알파-1 차단제 (doxazosin, prazosin, terazosin), 항정신병약	기립성 저혈압 위험	
중추신경계(Central Nervous System)			
섬망	Glibenclamide, Glimepride	섬망 유발 및 악화	특히 항정신병약은 뇌졸중, 사망률 증가시킴. → 행동심리증상 치료를 위해서는 비약물 치료가 실패/불가능하고 자기/타인에게 위험이 되는 경우에만 사용할 것.
치매, 인지기능저하	항콜린성약물, 항정신병약, H2-수용체 차단제, 벤조디아제핀, 졸피뎀	중추신경계 부작용 증가	

낙상,골절 이력	항전간제 (anticonvulsants), 벤조디아제핀, 졸피뎀, 항정신병약, 오피오이드, TCAs, SSRIs, SNRI	Ataxia, psychomotor function 저하로 실신 및 낙상 유발	• New-onset epilepsy: Lamotrigine, levetiracetam & Ca/vitD +/- bisphosphonate • 신경통증: 가바펜틴, 외용제 • 우울증: Buspirone • 섬망, BPSD: 필요 시 최단기간 저용량 Risperidone or Quetiapine
신장			
CKD 4단계 이상	NSAIDs (non-COX, COX selective)	AKI, 신기능 악화 위험	통증: 아세트아미노펜, 외용제(topical capsaicin, lidocaine patch)

표 12-3   약물–약물 상호작용

약물	약물	근거	권고사항
오피오이드	벤조디아제핀	Overdose 위험 증가	병용 금기
오피오이드	가바펜틴, 프레가발린	호흡부전, 사망 등 sedation 관련 위험 증가	병용 금기 Gabapentinoid 사용 시 오피오이드 감량
CNS-active한 다음의 약물을 3가지 이상 병용 → 항우울제, 항정신병약, 항전간제, 벤조디아제핀, 졸피뎀, 오피오이드		낙상 및 골절 위험 증가	최소한으로 사용 3가지 이상 병용 금기
페니토인	TMP/SMX(박트림)	페니토인 독성 증가	병용 금기
테오필린	Ciprofloxacin	테오필린 독성 증가	병용 금기

2) 노인에서의 부적절한 약물투여 관련 우리나라 연구 결과

  a. 대상 : 전국의 65세 이상 노인

  b. 기간 : 2005년~2006년 상반기(1년 6개월)

  c. 처방 순위:

    Diazepam(**40.62%**) 〉 Amitriptyline(**9.64%**) 〉 Ketorolac(**2.55%**) 〉

    Alprazolam(**1.73%**) 〉 Lorazepam(**0.52%**) 〉 Triazolam(**0.34%**) 〉

    Flurazepam(**0.33%**) 〉 Chlordiazepoxide(**0.28%**) 〉 Piroxicam(**0.27%**) 〉

    Naproxen(**0.18%**) 〉 Indomethacin(**0.19%**) 〉 Oxaprozin(**0.03%**)

3) STOPP-START criteria

  a. 미국의 Beers criteria에 부족함을 느낀(유럽에서 사용하지 않는 약물들이 많은 점 등) 유럽 지역 노인의학자들에 의해 개발됨.

    *STOPP: Screening Tool of Older Person's Prescriptions

    *START: Screening Tool to Alert doctors to Right Treatment

  b. 노인환자에게 부적절하게 처방되는 약물(**PIM; Potentially Inappropriate Medicaion**) 뿐만 아니라 처방되어야 함에도 불구하고 처방되고 있지 않은 약물(**PPO; Potentially Prescribing Omissions**)까지 포함한 기준. 예를 들어 심방세동 환자에게 와파린이나 아스피린을 사용하지 않고 있으면 PPO에 체크한다.

❼ 우리나라 노인요양시설의 처방 실태

본 저자는 2013년에 우리나라 4개의 요양원, 일본 30개의 노인병원, 대만 4개의 요양원 입소자 총 521명을 대상으로 그들이 복용하고 있는 약물들이 STOPP-START 기준을 적용했을 때 얼마나 적절히 처방되고 있는지를 조사하였고, 다음과 같은 결과를 얻었다.

  a. 3개국 모두 만성 변비 환자에게서 칼슘채널억제제(혈압약)을 사용하는 경우가 두드러졌다. 이는 노인요양시설 입소자들에게 만성 변비가 많으므로, 만성변비 환자에게 혈압약을 처방할 때에 신중해야 함을 시사한다.

  b. 3개국 모두 특별한 적응증이 없는 경우에 아스피린을 처방하고 있는 경우가 두드러졌다. 특히 고령의 환자들에게서는 출혈의 부작용이 치명적일 수 있으므로 불필요한 아스피린 처방은 최소화해야 한다.

  c. 3개국 모두 PPO, 즉 적응증이 됨에도 불구하고 처방하고 있지 않은 약물들이 많았는데, 장기요양환경에 있는 노인환자들에게는 젊은 환자들에 비해 비교적 덜 적극적인 약

물처방이 이루어지고 있음을 암시한다. 그 중에서 우리나라 요양원 입소 노인들의 약물복용 특정 중 하나는 우울증과 골다공증 약의 처방 비율이 다른 나라에 비해 현저히 낮았는데, 아마도 항우울제 처방과 골다공증 처방 시의 엄격한 보험 기준이 하나의 원인이 될 것으로 짐작된다. 특히 우리나라는 노인 자살율이 세계 1위 수준이므로 항우울제 처방의 기준은 완화되어야 할 것이다.

그림 12-2　2013년 세계노년학–노인의학 연합(IAGG) 학술대회에서 한국–일본–대만–인도네시아 각 국의 노인약물 처방실태를 비교연구 발표한 심포지움. 필자는 한국–일본–대만의 노인병원–요양원에서의 처방 실태를 발표함.

❽ 약물 부작용 검색 방법

식품의약품안전처 웹사이트의 온라인의약도서관(웹사이트 주소: **http://drug.mfds.go.kr/html/index.jsp**)

그림 12-3　식품의약품안전처 온라인의약도서관 웹사이트 주소와 화면

❾ 노인 약물처방 시 권고 사항들

1) 새로운 약물을 처방하기 전, 자세한 병력과 약물 리스트 및 부작용의 과거력을 조사한다; 처방, 비처방 약물 포함

2) 임상 적응증을 판단해서 필요 약물을 추가한다. 위험-이득 고려 + 비약물적요법 고려 ⇒ Beers Criteria나 STOPP-START가 가이드라인이 될 수 있다.

3) 환자의 신장과 간 기능 상태 파악 후, 약물의 약동학적 특징과 약력학적 특성, 부작용을 고려하여 처방한다.

4) 최초 용량은 가능한 한 적은 용량으로 시작한다(일반용법의 **1/4-1/2** 부터 시작).

5) 약물-질환, 약물-약물 상호 작용을 고려한다.

6) 환자와 보호자에게 약물의 필요성, 부작용, 가격, 적응증, 증상 호전 등을 교육한다. ⇒ 순응도 증가

7) 보조 도구(약물 복용 통, 약물 복용 달력, 큰 글씨로 적은 봉투)가 도움이 된다.

8) 필요한 약만 처방한다.

9) 하루 1회, 혹은 2회로 복용 방법을 단순화한다.

10) 주기적으로 남은 약물을 확인한다.

참 · 고 · 문 · 헌

1. 권인순. 노인 약물 처방의 원칙. 노인병 2010;14(Suppl. 1):173-174.

2. 유준현. 노인 환자의 약물요법. In: 대한노인병학회. 노인병학. 개정판. 서울: 의학출판사; 2005. p. 154-160.

3. 박병주. 노인에서 주의가 필요한 처방 약물. 노인병 2009;13(Suppl. 1):265-270.

4. Fick DM, Cooper JW, Wade WE, Waller JL, Maclean JR, Beers MH. Updating the Beers Criteria for Potentially Inappropriate Medication Use in Older Adults; Results of a US Consensus Panel of Experts. Arch Intern Med 2003;163:2716-2724.

5. 식품의약품안전처. 온라인의약도서관 [Internet]. 식품의약품안전처; [cited 2017 Aug 19]. Available from: http://drug.mfds.go.kr/html/index.jsp.

6. 이은주. 임상에서 흔히 볼 수 있는 약물 부작용(증례). 노인병 2010;14(Suppl. 1):177-180.

노인장기요양보험
의사소견서 작성요령

KEYPOINT 🔓

■ 63세 여성이 노인장기요양보험 의사소견서 신청을 위해 큰 며느님과 함께 병원 외래에 내원함. 일상생활에는 큰 지장이 없으나 장, 단기기억력이 떨어져 있고 남편을 의심하는 증상을 보이고 있다고 한다. 이 환자에게 필요한 서류는 무엇인가?

➡ 65세 미만 신청자이므로 노인성질병이 표시된 의사소견서가 필요합니다.

❶ 노인장기요양보험 의사소견서는 왜 필요한가?

보험 대상자 선정을 위한 등급 판정의 객관성, 전문성, 정확성을 확보하고자 하는 것이 가장 중요한 이유가 된다. 따라서 노인장기요양보험의 요양급여를 받고자 하는 자는 먼저 국민건강보험공단에 장기요양신청서를 제출할 때 의사 또는 한의사가 발급하는 의사소견서를 첨부하여야 하는데(노인장기요양보험법 13조 1항), 다만 거동이 현저하게 불편하거나 도서 및 벽지 지역에 거주하여 의료기관을 방문하기 어려운 자 등은 의사소견서를 제출하지 않을 수 있다(노인장기요양보험법 13조 2항).

아직은 의사나 한의사가 별도의 교육을 받지 않아도 의사소견서를 발부할 수 있으며(치매특별등급[5등급] 의사소견서는 교육 필요), 의사소견서 대신 최근에 발급받은 입원확인서, 진단서 또는 현재 다니는 병원의 주치의 소견서 등으로 대체가 가능하지 않고, 반드시 "노인장기요양보험법 시행규칙" 별지 제2호 서식에 따라 의사 또는 한의사가 발급한 것만 유효하다. 계약의사도 시설의 입소자를 관찰 후 해당 의료기관에서 의사소견서를 발부할 수 있다.

❷ 의사소견서 발급의뢰서

■ 노인장기요양보험법 시행규칙[별지 제3호서식] 〈개정 2014.6.30〉

의사소견서 발급의뢰서			
발급번호		보완서류 제출 필요	[ ] 예 [ ] 아니오
※ 보완서류: 국민건강보험공단에서 치매환자로서 장기요양 5등급이 예상되는 사람에 대한 치매진단에 관련된 사항의 보완을 요청하는 서류로, 보건복지부장관이 정하는 양식			
발급대상자			생년월일
주 소			
본인일부 부담금	[ ] 일반(20%) [ ] 의료급여 수급권자(10%) [ ] 저소득층·생계곤란자 경감대상자(10%) [ ] 국민기초생활보장 수급권자(면제)		

「노인장기요양보험법 시행규칙」 제2조에 따라 위와 같이 의사소견서 발급을 의뢰합니다.
                                         년   월   일
 	
                       국민건강보험공단이사장 [직인]			

그림 13-1   의사소견서 발급의뢰서(Adapted from 국민건강보험공단)

❸ 의사소견서 발급을 위한 인터넷 접속

노인장기요양보험 의사소견서는 환자나 보호자에게 문서로 건네주지 말고 국민건강보험 공단 인터넷 홈페이지에 접속하여 직접 입력하는 것이 원칙이다. 다음과 같은 순서를 따른다.

1) http://medi.nhis.or.kr에 접속한다.
2) 공인인증서를 통해 요양기관 회원 로그인을 한다.
3) 화면 중 노인장기요양보험 메뉴의 "의사소견서 등록"을 클릭한다.

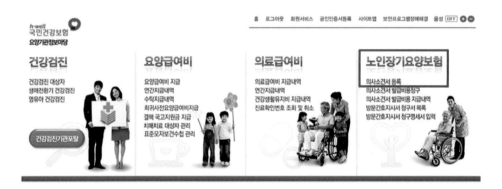

그림 13-2 노인장기요양보험 의사소견서 등록을 위한 인터넷접속 시 보이는 화면.

4) 의사소견서 작성 : 다음의 순서대로 입력한다.
　□신청인의 성명, 주민등록번호, 발급관리 번호 또는 포털번호 입력
　□상병에 대한 의견, 심신상태에 대한 의견, 의료처치 및 필요항목

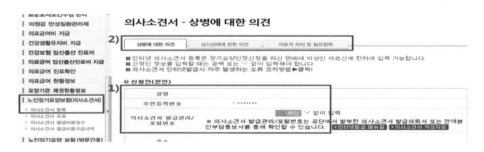

그림 13-3 우선 환자의 성명, 주민등록번호 앞자리, 의사소견서 발급관리/포털번호의 입력이 필요하다.

5) 의사소견서 공단 제출(전송)

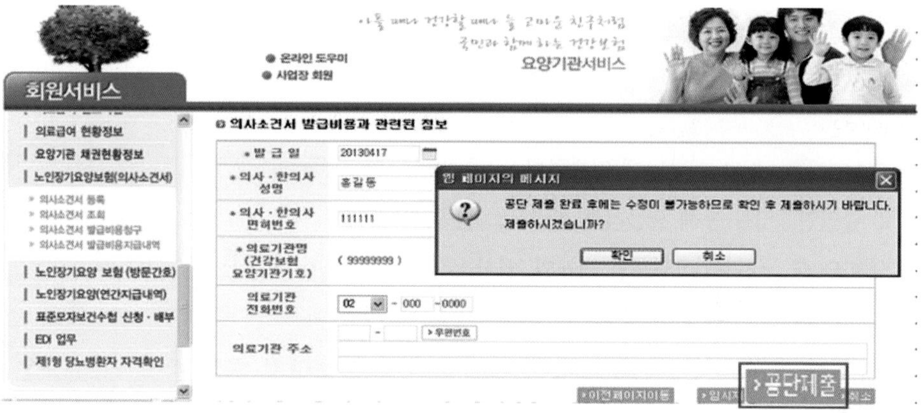

그림 13-4 의사소견서 공단 제출 화면. 반드시 "확인"을 누른 후에는 수정이 불가능하다.

❹ 의사소견서 발급비용 청구방법

1) http://medi.nhis.or.kr 접속 → 공인인증서 통한 요양기관 회원 로그인

2) 노인장기요양보험 메뉴의 "의사소견서 발급비용청구" 클릭

3) 대상자 구분(일반대상자/의료급여수급권자), 발급년월 선택

4) ① 의사소견서 등록내역 입력 (인터넷발급 대상자는 자동발췌)

　② 청구내역직접입력 (서면발급한 경우 수급자 정보 직접입력)

　　→ 확인(자격점검) → 저장(전송)

5) "의사소견서 발급비용지급내역"에서 청구서 접수 및 지급내용 확인 가능

❺ 의사소견서 양식(노인장기요양보험법 시행규칙 별지 제2호 서식)

2008년부터 사용 중인 이 서식은 2021년 이후 개정될 예정이다(개정안은 후반부 참조).

■ 노인장기요양보험법 시행규칙[별지 제2호서식] 〈개정 2013.6.10., 2014.6.30.〉

의 사 소 견 서

※ 색상이 어두운 란은 담당의사가 적지 않습니다.					(제1쪽 앞면)
접수번호		접수일		유효기간	발급일부터 30일

※ 담당의사는 소견서 내용을 빠짐없이 작성하여 주시기 바랍니다.

신청인(본인)	성 명	주민등록번호 (세)
	주 소	(전화번호)

발급 구분	[ ] 65세 이상자 [ ] 65세 미만자

※ 65세 미만자에 한하여 기입하며, 해당하는 질병에 v표를 합니다.

구분	질병명	질병코드
한국표준질병· 사인분류	가. 알츠하이머병에서의 치매	[ ] F00
	나. 혈관성 치매	[ ] F01
	다. 달리 분류된 기타 질환에서의 치매	[ ] F02
	라. 상세불명의 치매	[ ] F03
	마. 알츠하이머병	[ ] G30
	바. 지주막하출혈	[ ] I60
	사. 뇌내출혈	[ ] I61
	아. 기타 비외상성 두개내 출혈	[ ] I62
	자. 뇌경색증	[ ] I63
	차. 출혈 또는 경색증으로 명시되지 않은 뇌졸중	[ ] I64
	카. 대뇌경색증을 유발하지 않은 뇌전동맥의 폐쇄 및 협착	[ ] I65
	타. 뇌경색증을 유발하지 않은 대뇌동맥의 폐쇄 및 협착	[ ] I66
	파. 기타 뇌혈관질환	[ ] I67
	하. 달리 분류된 질환에서의 뇌혈관장애	[ ] I68
	거. 뇌혈관질환의 후유증	[ ] I69
	너. 파킨슨병	[ ] G20
	더. 이차성 파킨슨증	[ ] G21
	러. 달리 분류된 질환에서의 파킨슨증	[ ] G22
	머. 기저핵의 기타 퇴행성 질환	[ ] G23
	버. 중풍후유증(中風後遺症)	[ ] U23.4
	서. 진전(振顫)	[ ] U23.6

※ 1) 65세 미만자 중 상기 질병에 해당하는 경우에만 장기요양인정 신청자격이 인정됩니다.
　 * 신청인이 다른 진단서 등에 의해 노인성 질병임을 이미 진단받아 장기요양인정 신청자격을 인정받은 경우에는 위
　　 진단표를 작성하지 않을 수 있습니다.
　 2) 65세 미만자 중 상기 질병에 해당하는 경우에는 뒷면의 사항을 빠짐없이 작성하여 주시고, 상기 질병에 해당하지
　　 않는 경우에는 뒷면의 사항을 작성하지 아니합니다.
　 3) 상기 질병에 해당하지 않는 경우에는 진찰료 등 실비는 공단이 부담하지 아니하고 전액 신청인(본인)이 부담하여야
　　 하며, 상기 질병에 해당하는 경우에도 진찰료 외에 진단에 드는 검사비용 등은 신청인(본인)이 부담하여야 합니다.
　 4) 노인성 질병의 진단은 위 진단표 이외의 진단서 등으로도 할 수 있습니다.

210mm×297mm[백상지 80g/㎡(재활용품)]

그림 13-5 노인장기요양보험 의사소견서의 첫페이지(Adapted from 보건복지가족부)

❻ 장애의 직접적인 원인이 되는 상병에 대한 의견

(제1쪽 뒷면)

1. 장애의 직접적인 원인이 되는 상병에 대한 의견

가. 기능장애 원인 진단명 및 발병 연월일

1) _____ 발병 연월일(년   월   일경)
2) _____ 발병 연월일(년   월   일경)
3) _____ 발병 연월일(년   월   일경)

나. 상기 질환에 대한 현재 치료내용

다. 향후 상태의 변동가능성

[ ] 호전 가능 [ ] 현 상태 유지 [ ] 악화 가능 [ ] 알 수 없음
• 판단 이유:

2. 심신상태에 관한 의견

가. 신체상태

1) 근 력

구분	좌측	우측
상지	(5 4) (3 2) (1 0)	(5 4) (3 2) (1 0)
하지	(5 4) (3 2) (1 0)	(5 4) (3 2) (1 0)

2) 관절운동 범위

상지	[ ] 정상	제한 (어깨관절 [ ]좌 [ ]우, 팔꿈치관절 [ ]좌 [ ]우, 손목·손가락관절 [ ]좌 [ ]우)
하지	[ ] 정상	제한 (고관절 [ ]좌 [ ]우, 무릎관절 [ ]좌 [ ]우, 발목관절 [ ]좌 [ ]우)
관절의 통증	[ ] 없음 [ ] 있음 (부위:)	
요양서비스 제공 시 관절 움직임을 제한할 필요가 있는지 여부	[ ] 없음 [ ] 있음	
	제한 이유:	
사지결손	[ ] 없음 [ ] 있음 (부위:)	

3) 운동상태

보행	[ ] 가능	[ ] 부분적 가능	[ ] 불가능
실조* 또는 운동이상(진전 등)	[ ] 없음	[ ] 있음	[ ] 평가할 수 없음
서동증**	[ ] 없음	[ ] 있음	[ ] 평가할 수 없음
요양서비스 제공 시 보행을 제한할 필요가 있는지 여부	[ ] 없음	[ ] 있음	
	제한 이유:		

* 신체 움직임의 부조화 여부

** 신체 동작의 속도가 비정상적으로 느리거나 육체 및 정신적 반응이 둔한 것

나. 정신상태

1) 인지기능

의사소통 능력	[ ] 정상	[ ] 부분적 가능	[ ] 불가능
단기 기억력	[ ] 정상	[ ] 경미한 장애	[ ] 심한 장애
장기 기억력	[ ] 정상	[ ] 경미한 장애	[ ] 심한 장애
장소 지남력***	[ ] 정상	[ ] 경미한 장애	[ ] 심한 장애
판단력	[ ] 정상	[ ] 경미한 장애	[ ] 심한 장애

*** 장소에 대해 올바르게 인식하는 능력

2) 문제행동 유무

[ ] 없음				
[ ] 있음	[ ] 망상	[ ] 환각	[ ] 수면장애	[ ] 서성거리며 안절부절 못함
	[ ] 길을 잃음	[ ] 공격적, 파괴적 행동	[ ] 밖으로 나가려 함	[ ] 돈/물건 등 감추기
	[ ] 부적절한 옷 입기	[ ] 불결한 행동	[ ] 거부증	[ ] 우울 기분
	[ ] 그 밖의 특이 증상 :			

다. 일상생활 자립도

장애노인	[ ] 정상	[ ] 생활자립	[ ] 준 와상상태	[ ] 완전 와상상태
치매노인	[ ] 자립	[ ] 불완전자립	[ ] 부분의존	[ ] 완전의존

3. 의료적 처치 필요항목

기관지 절개	[ ] 없음	[ ] 있음	도뇨관	[ ] 없음	[ ] 있음
욕창	[ ] 없음	[ ] 있음	장루	[ ] 없음	[ ] 있음
경관 영양	[ ] 없음	[ ] 있음	당뇨발 및 그에 준하는 피부질환	[ ] 없음	[ ] 있음
암성 통증 및 그에 준하는 통증	[ ] 없음	[ ] 있음	기타(　　　)	[ ] 없음	[ ] 있음
비고					

※ 해당 항목의 중증도 등을 상세하게 기록하여 주시기 바랍니다.

　　예시) • 통증: 부위, 통증조절방법, 원인

　　　　　• 욕창·피부질환: 부위, 경과 등

210mm×297mm[백상지 80g/㎡(재활용품)]

4. 치료 및 장기요양에 관한 의견

가. 향후 발생가능성이 높은 의학적 문제

[ ] 넘어짐·골절	[ ] 심폐기능 악화	[ ] 욕창
[ ] 흡인성 폐렴	[ ] 탈수·영양장애	[ ]기타( )

나. 가장 적절한 장기요양서비스 (특히 필요성이 높은 것에 체크하여 주시기 바랍니다)

[ ] 방문요양 (기능장애로 일상생활이 어려워 장기요양을 위해 요양보호인력의 방문보호가 필요함)
[ ] 방문목욕 (거동이 어려운 상태로 신체위생을 위한 목욕이 필요함)
[ ] 방문간호 (보다 전문적인 간호인력의 정기적인 모니터링과 처치가 필요함)
[ ] 주간 또는 야간보호 (혼자 두면 상태가 악화되거나 문제가 발생할 수 있으므로 주·야간보호가 필요함)
[ ] 단기보호 (1~3개월 정도의 간호관리 및 장기요양이 필요함)
[ ] 복지용구 (일상생활과 재활을 위한 복지용구가 필요함)
[ ] 시설서비스 (요양시설 등 입소가 필요함)

다. 의학적 치료의 필요성 여부

[ ] 장기요양서비스 이전에 의학적 치료가 필요함
[ ] 장기요양서비스와 의학적 치료가 병행되어야 함
[ ] 의학적 치료가 반드시 필요하지는 않음 (판단이유 :   )

5. 그 밖의 특기사항

※ 장기요양인정서 및 표준장기요양이용계획서 작성시 필요한 의학적 의견 등을 적고, 또한 전문의 등에게 별도로 의견을 요청한 경우에는 그 내용 및 결과도 적습니다.

※ 국민건강보험공단에서 치매환자로서 장기요양 5등급이 예상되는 사람에 대한 치매진단에 관련된 사항의 보완을 요청할 때에는, 의사 또는 한의사는 보건복지부장관이 정하는 양식으로 작성하여 주시기 바랍니다.

6. 의사소견서 발급비용과 관련된 정보

발 급 일: 년   월   일

의사·한의사 성명: (서명 또는 인)

의사·한의사 면허번호: 제   호

의료기관명(건강보험요양기관기호):   (직인)

의료기관 주소: 전화번호:

210mm×297mm[백상지 80g/㎡(재활용품)]

❼ 치매특별등급(5등급) 대상자에 대해 의사가 발부하는 서류

2014년 7월 1일부터는 기존의 3등급 체계가 5등급으로 확대되었는데, 특히 장기요양 인정 점수 45점 이상 51점 미만이면서 노인성 치매 진단을 받은 자들은 5등급으로 인정되어 재가 서비스나 필요에 따라 시설 입소가 가능하게 되었다. 이에 따라 장기요양 5등급이 예상되는 신청자에 대해서는 건보공단에서는 다음과 같이 "보완서류 제출 필요" 항목 "[   ] 예"에 "v"표 시된 의사소견서 발급의뢰서를 발부한다. 이러한 신청자들에게는 인지기능검사 소견(MMSE, GDS 또는 CDR) 등 치매진단과 관련된 최소한의 근거를 서식에 마련하고 기재해야 한다. 한편, 이러한 치매특별등급 관련 의사소견서를 발부하기 위해서는 보건복지부에서 승인한 '치매특별등급 의사소견서 교육'을 이수해야만 한다. 한편 2018년부터는 6등급으로 확대되면서 경증치매에 해당되는 '인지지원등급'이 생긴다. 이에 대한 의사소견서 발급 체계는 추후 발표될 예정이다.

■ 노인장기요양보험법 시행규칙[별지 제3호서식] 〈개정 2014. . .〉

의사소견서 발급의뢰서			
발급번호		보완서류 제출 필요	[v] 예 [ ] 아니오
※ 보완서류: 국민건강보험공단에서 치매환자로서 장기요양 5등급이 예상되는 사람에 대한 치매진단에 관련된 사항의 보완을 요청하는 서류로, 보건복지부장관이 정하는 양식			
발급대상자			생년월일

그림 13-6 장기요양 5등급이 예상되는 신청자의 의사소견서 발급의뢰서 상단.

❽ 의사소견서 개정안 양식

국민건강보험공단에서는 2020년에 새로운 의사소견서 개발 연구를 추진하여 다음과 같은 개정안 양식을 개발하였다. 2021년 이후에 이를 반영한 새로운 의사소견서 서식이 도입될 것으로 예상된다.

의사소견서 (개정안)

※ 색상이 어두운 란은 담당 의사가 적지 않습니다.

접수번호		접수일		처리 기간	

※ 담당 의사는 소견서 내용에 빠짐없이 작성하여 주시기 바랍니다.

신청인 (본인)	성 명		주민등록번호	(세)
	주 소		(전화번호	)
발급 구분	□ 65세 이상자 □ 65세 미만자 (※ 65세 미만자는 해당 질병에 따른 자격 여부 확인 필수)			

※ 65세 미만자인 경우 아래의 질환군에 해당하는 질병 보유자만 장기요양 신청이 가능합니다.
　이에 해당하는 경우에는 이후의 사항을 빠짐없이 작성하여 주시고,
　아래 질환군 보유자에 해당하지 않는 경우에는 이후 사항을 작성하지 않습니다.

질병명 및 질병코드	해당 여부
1) 뇌혈관질환 (뇌출혈, 뇌경색): I60,I61,I62,I63,I64,I65,I66,I67,I68,I69, *U23.4* 　(사고에 의한 외상성 뇌출혈(S06)은 노인성 질환에 해당되지 않음)	□ 예 □ 아니오
2) 치매 (알츠하이머병, 혈관성치매, 기타 치매): F00,F01,F02,F03,G30,G31	□ 예 □ 아니오
3) 파킨슨병 : G20,G21,G22, *R25.1*	□ 예 □ 아니오
4) 기타 퇴행성 신경계 질환 : G23	□ 예 □ 아니오

작성 의사 및 진료내역	전문과목	□신경과　　□내과　　　　□가정의학과　　□정신건강의학과 □외과　　　□정형외과　　□신경외과　　　□재활의학과 □산부인과　□마취통증의학과　□흉부외과　　□비뇨의학과 □일반의　□기타 (　　　　　　　)
	대상자 진료 기간	□초진
		□재진　　□3개월 이내 진료　□3~6개월 진료 □6개월 이상 진료 □소견서 작성 전 최종 진료일 (　년　월　일)
	소견서 작성 시 진료 형태	□외래진료　□입원진료(병동)　□방문진료 (보호자 대리진료는 작성 불가)
	소견서 활용 동의	장기요양계획 작성 등의 활용에 □동의함　□동의하지 않음

※ 장기요양 의사소견서 작성의 유의사항
장기요양보호를 신청하게 되는 이유는 일상생활 기능의 장애 때문이며, 그 직접적인 원인 질환은 주로 다음과 같은 만성 퇴행성 질환입니다. 즉, 합병증이 없는 단순한 고혈압, 당뇨병 등은 기능장애 직접 원인 질환이 될 수 없습니다.
따라서 이후 소견서 작성은 아래 질환 등과 같이 기능장애를 일으킨 가장 중요하고 직접적인 원인 질환을 중심으로 작성해 주시기를 바랍니다.
▶ 기능장애 유발 주요 원인 질환 : 뇌출혈, 뇌경색, 치매, 파킨슨병, 골절 후유증, 심부전, 만성 폐 질환, 당뇨병 합병증, 만성 관절질환, 신부전, 말기 암, 시각 및 청각 장애, 만성 배뇨장애(요실금), 노쇠 등

1. 신청인의 질병 상태에 대한 의견

가. 보유 질환 중 기능장애 발생의 직접적인 원인이 된 진단명 및 발병 연월일

　　1) _____ 발병 연월일(　년　 월　 일경)
　　1-1) (직접질환이 더 있는 경우 기록해 주십시오)　　 발병 연월일(　년　 월　 일경)

나. 기능장애의 직접 원인 이외 지속 관리가 필요한 주요 동반 질환

　　2) _____ 발병 연월일(　년　 월　 일경)
　　3) _____ 발병 연월일(　년　 월　 일경)
　　4) _____ 발병 연월일(　년　 월　 일경)
　　5) 기타 동반 질환명 _____

다. 질환에 대한 치료내용 및 현재 투여 약물 목록

　　1) 최근 1년 이내 입원 내역 (□ 있음 □ 없음)
　　　　□ 최종 입원 (　년 월 일경) ~ 퇴원 (　년 월 일경)
　　　　□ 입원 이유 (주 증상 또는 퇴원 시 진단명) _____
　　2) 현재 투여 약물 목록(상품명 또는 성분명 모두 가능) (※지난 3개월 이상 및 향후 지속 투여 필요한
　　　　필수 약제에 한함: (예) 고혈압, 당뇨병, 항지질, 항혈전, 치매, 파킨슨병 등의 지속 치료)

　　　　_____　　_____　　_____
　　　　_____　　_____　　_____
　　　　_____　　_____　　_____

라. 상기 기능장애 유발 질환의 질병 안정성

　　□ 안정 (지난 3개월 내 큰 변화 없음) □ 불안정 (지난 3개월 내 개선/악화 변화 있음) □ 알 수 없음

마. 향후 6개월 이내 주요 기능장애의 회복 가능성 (적극적 의료서비스 적용 필요성)

　　□ 의료 제공으로 기능회복 가능　　　□ 의료 제공해도 기능회복 어려움　　　□ 알 수 없음

바. 지난 3개월 이내 발생했거나 향후 발생 가능성 높은 의학적 문제 (향후 요양보호에서 예방 노력 필요
　　사항)

　　□ 낙상/골절　　□ 요실금　　□ 욕창　　□ 흡인성 폐렴　　□ 탈수/영양장애
　　□ 심폐기능 저하(호흡곤란 등)　　□ 정신증상(섬망, 망상 등)　　□ 기타 (　　　　　　)

사. 전염성 질환 여부 (요양시설 입소 시 감염관리 대상여부 확인)

□ 없음	
□ 있음	□ 활동성 결핵　□ 바이러스성 간염　□ 후천성면역결핍증 □ 옴　　□ 다약제내성균 (균 종류:　　　) □ 기타 (　　　　)
□ 알 수 없음	

아. 질병 치료와 장기요양보호에 대한 의견 (※ 의료와 요양의 우선순위에 대한 판단)

　　□ (의료 〉요양) 의학적 치료가 완료되지 않고 증상이 불안정하여 질병 관리가 더 중요
　　□ (의료 = 요양) 질병은 안정상태이므로 정기적인 질병 관리와 함께 장기요양 서비스 병행
　　□ (의료 〈 요양) 질병 관리는 안정 및 완료된 상태로 기능 보호를 위한 장기요양 서비스가 더 중요

자. 사전연명의료의향서 기존 작성 여부　　□ 예 (최종 작성일자: 　년 월 일경) □ 아니오

2. 신청인의 신체 및 정신상태에 관한 의견

가. 신체 상태
 1) 보행 능력 및 근력
  가) 보행 보조기구 사용 여부 □ 아니오 □ 예 (□ 지팡이 □ 보행차 □ 휠체어)
  나) 10계단 올라가기 능력 (□ 혼자 가능 □ 부축하여 가능 □ 불가능)
  다) 의자에서 일어나 3미터 걷고 돌아와 앉기 (□ 10초 이하 □ 11~20초 □ 21~30초 □ 30초 초
   과 □ 수행 불가능)
  라) 하지근력(5회 의자에서 일어서기 시간) (□ 15초 미만 □ 15–30초 이상 □ 30초 초과
   □ 수행 불가능)
  마) 상지기능(머리뒤로 양손 깍지끼기) □ 가능 □ 불가능 (□ 좌측불가능 □ 우측불가능 □ 양
   측불가능)
  바) 운동실조 및 서동증(신체 움직임의 부조화 및 느림) □ 없음 □ 있음
 2) 영양상태 및 식사행위
  가) 현재의 키와 체중 □ 키 (   )cm □ 체중 (   )kg □ 측정 불가능
  나) 체중감소 여부 □ 예 (최근 6개월에 3 kg 이상 감소) □ 아니오
  다) 식사행위(음식을 차려 주었을 때) □ 혼자 가능 □ 일부 도와주면 가능 □ 혼자 불가능
  라) 영양방법 □ 정상 식사 □ 유동식 □ 비위관 □ 위로 □ 기타
  마) 연하곤란 □ 없음 □ 있음

나. 정신상태
 1) 인지기능
  가) 치매 진단 여부
   □ 있음 (진단 일자: 년 월 일경) □ 인지 저하 의심되나 진단받은 적 없음 □ 없음
  나) 치매 약물치료 여부 □ 예 □ 아니오
  다) 최근 6개월 이내 인지기능 선별검사 결과 (□ 기존 검사 결과 있음 □ 당일 시행 □ 검사 안 함)
   □ 선별검사 시행 일자 (년 월)
   □ MMSE (점/30점)
   □ GDS (Global Deterioration Scale) ( ) 또는 CDR (Clinical Dementia Rating ( )
   □ 기타 인지기능 검사 결과 (   )
 2) 우울증
  가) 우울증 진단 여부
   □ 있음 (진단일자: 년 월 일경) □ 우울증 의심되나 진단받은 적 없음   □ 없음
  나) 우울증 약물치료 여부 □ 예   □ 아니오
  다) 최근 6개월 이내 우울증 선별검사 결과 (□ 기존 검사 결과 있음 □ 당일 시행 □ 검사 안 함)
   □ 선별검사 시행 일자 (년 월)
   □ PHQ-9 (Patient Health Questionnaire)(점/27점)
    또는 GDS-15 (Geriatric Depression Scale-short form)(점/15점)
   □ 기타 우울증 검사 결과 (   )
 3) 인지기능 장애에 의한 행동 심리증상 유무

□ 없음			
□ 있음	□ 망상	□ 환각	□ 밤낮 바뀜	□ 배회
	□ 길을 잃음	□ 공격적, 파괴적 행동	□ 섬망	□ 돈/물건 등 감추기
	□ 부적절한 옷 입기	□ 불결한 행동	□ 거부 및 저항	□ 무감동/무기력
	□ 그 밖의 특이 증상:			

3. 신체 · 정신적 자립생활 가능성 (요양보호 제공의 강도 평가)	
신체기능	☐ 정상 생활 가능 ☐ 실내생활 독립(도움 없이 외출은 어려움) ☐ 실내생활 일부 도움 필요 ☐ 실내생활 많은 도움 필요 ☐ 준와상 또는 와상상태
인지기능	☐ 정상 생활 가능 ☐ 가끔 관찰 및 도움 필요 ☐ 자주 관찰 및 도움 필요 ☐ 매일 관찰 및 도움 필요 ☐ 현저한 정신증상 또는 준와상 및 와상상태

4. 특별한 의료처치 및 건강관리 필요 항목 (방문간호 또는 방문 의료 요구사항)			
다중질환 및 복약 관리	☐ 없음 ☐ 있음	관절 및 근력 재활 운동	☐ 없음 ☐ 있음
정기 모니터링 (혈압, 혈당, 심박동, 산소포화도 등)	☐ 없음 ☐ 있음	요실금 및 배뇨 관리 (기저귀 등)	☐ 없음 ☐ 있음
경관영양	☐ 없음 ☐ 있음	욕창(2단계 이상)	☐ 없음 ☐ 있음
인슐린 주사요법	☐ 없음 ☐ 있음	네뷸라이저 치료 (호흡곤란 치료)	☐ 없음 ☐ 있음
인공루 (장루, 방광루 등)	☐ 없음 ☐ 있음	도뇨관	☐ 없음 ☐ 있음
기관지 절개	☐ 없음 ☐ 있음	당뇨발 및 그에 준하는 피부질환	☐ 없음 ☐ 있음
암성통증 및 그에 준하는 통증	☐ 없음 ☐ 있음	투석(복막, 혈액)	☐ 없음 ☐ 있음
기타 필요한 처치 (			)

5. 그 밖의 특기사항
※ 지속적 질병 관리와 표준장기요양이용계획서 작성 시 필요한 의학적 의견 등을 적어주십시오. 신청자의 등급판정과 요양 서비스 제공계획에 참고할 수 있도록 특별히 주의해야 할 증상이나 정기적으로 관리해야 할 내용(특별한 식이, 주의 의약품, 의사 진료 필요 주기 등)이 포함되고, 또한 타 전문의 등에게 별도로 의견을 요청한 경우는 그 내용 및 결과도 적을 수 있습니다.

6. 의사소견서 발급 비용과 관련된 정보
발 급 일: 년   월   일 의사 성명: (서명 또는 인) 의사 면허번호: 제   호 의료기관명(건강보험요양기관 기호):   전화번호: 의료기관 주소:

참 · 고 · 문 · 헌

1. 국민건강보험공단. 2015년 등급판정위원회 전문화 교육. 서울: 국민건강보험공단; 2015.

2. 보건복지부, 국민건강보험공단. 노인장기요양보험 급여이용 안내. 서울: 국민건강보험공단; 2015.

3. 국민건강보험 건강보험연구원. 노인장기요양보험 의사소견서 실효성 제고 방안 연구. 강원: 국민건강보험공단; 2020.

사망진단서(시체검안서)
작성요령

KEYPOINT 🔒

■ 2일 전 계약의로서 시설 방문 시에 호흡곤란으로 흡입제를 처방했던 입소자
가 있다. 보호자는 병원 진료를 원하지 않고 시설에서는 DNR을 확인하였다. 오
늘 오전에 위 환자는 사망하였고, 보호자는 계약의사 병원 외래 방문하여 사망진
단서를 요청한다.

➡ 최종적으로 환자를 본 시점이 48시간 이내였다면 사망진단서 발급이 가능합니다.

시설 입소자들은 대부분 고령의 말기질환자들이므로 입소 도중 예상치 못하게 사망하기도 하며, 환자 혹은 가족의 의견에 따라 상태가 좋아지지 않더라도 연명치료나 의료기관으로의 전원을 원치 않는 경우가 많다. 따라서 시설을 주기적으로 방문하게 되는 계약의사가 사망 환자를 가장 마지막으로 관찰한 의사가 되는 경우가 많으므로, 간혹 계약의사가 사망진단서를 발급할 수도 있게 된다.

1) 사망진단서는 왜 정확히 써야 할까?

  a. 사망진단서는 환자의 사망 사실에 대한 의사의 공식적인 증명이다.

  b. 사망 신고와 매장, 화장 신고 등 법률적 절차를 밟는 과정에 사망진단서가 사용된다.

  c. 사망진단서의 사망원인은 사망 통계를 작성하는 데 사용된다.

■ 의료법 시행규칙 [별지 제6호서식] 〈개정 2015.12.23.〉

사망진단서(시체검안서)

※ [ ]에는 해당되는 곳에 "✔"표시를 합니다.

등록번호			연번호		원본 대조필인	
① 성 명					② 성 별	[ ]남 [ ]여
③ 주민등록번호		–	④ 실제 생년월일	년 월 일	⑤ 직업	
⑥ 등록 기준지						
⑦ 주 소						
⑧ 발병일시		년 월 일 시 분(24시간제에 따름)				
⑨ 사 망 일 시		년 월 일 시 분(24시간제에 따름)				
⑩ 사 망 장 소	주소					
	장소	[ ] 주택 [ ]의료기관 [ ] 사회복지시설(양로원, 고아원 등) [ ] 공공시설(학교, 운동장 등) [ ] 도로 [ ] 상업·서비스시설(상점, 호텔 등) [ ] 산업장 [ ] 농장(논밭, 축사, 양식장 등) [ ] 병원 이송 중 사망 [ ] 기타( )				
⑪ 사망의 원인 ※(나)(다)(라)에는 (가)와 직접 의학적 인과관계가 명확한 것 만을 적습니다.	(가)	직접 사인			발병부터 사망까지의 기간	
	(나)	(가)의 원인				
	(다)	(나)의 원인				
	(라)	(다)의 원인				
	(가)부터 (라)까지와 관계없는 그 밖의 신체상황					
	수술의사의 주요소견				수술 연월일	년 월 일
	해부의사의 주요소견					
⑫ 사망의 종류	[ ] 병사 [ ] 외인사 [ ] 기타 및 불상					
⑬ 외인사 사항	사고 종류	[ ] 운수(교통) [ ] 중독 [ ] 추락 [ ] 익사 [ ] 화재 [ ] 기타( )		의도성 여부	[ ]비의도적사고 [ ]자살 [ ]타살 [ ]미상	
	사고발생일시	년 월 일 시 분(24시간제에 따름)				
	사고 발생 장소	주소				
		장소	[ ] 주택 [ ]의료기관 [ ] 사회복지시설(양로원, 고아원 등) [ ] 공공시설(학교, 운동장 등) [ ] 도로 [ ] 상업·서비스시설(상점, 호텔 등) [ ] 산업장 [ ] 농장(논밭, 축사, 양식장 등) [ ] 기타( )			

「의료법」 제17조 및 같은 법 시행규칙 제10조에 따라 위와 같이 진단(검안)합니다.

년   월   일

의료기관 명칭 :

　　주소 :

의사, 치과의사, 한의사 면허번호 제   호

성 명: (서명 또는 인)

유 의 사 항
사망신고는 1개월 이내에 관할 구청·시청 또는 읍·면·동사무소에 신고하여야 하며, 지연 신고 및 미신고 시 과태료가 부과됩니다.

그림 14-1 사망진단서

2) 사망진단서 작성 원칙

    a. '사망의 원인'은 한 칸에 하나씩 기입

       −(가) 직접사인: 직접적으로 사망에 이르게 한 질병이나 손상을 기입

       −(가)의 원인은 (나)칸에, (나)의 원인은 (다)칸에, (다)의 원인은 (라)칸에 기입

    b. '발병부터 사망까지의 기간'은 년, 월, 일, 시, 분 단위로 기록

       −사인의 발병 시기를 알고 있다면 발병 시기를, 모른다면 진단 시기를 기입

    c. '(가)내지 (라)와 관계 없는 기타의 신체 상황'은 간접적인 영향을 준 주요 질병이나 상황을 기입

       예 직접사인이 '뇌출혈'인 경우, 기타의 신체 상황에 '위암 수술력' 기입

    d. 여러 사인이 경합하는 경우 의학적 인과관계 순으로 기입

       −가장 치명적인 질병이나 손상의 인과관계를 고려하여 산정

    e. 불명확한 진단명이나 사망에 수반되는 증세는 진단명으로 기록하지 않는다.

       −노환(노쇠, 고령), 심장정지, 호흡정지, 심폐정지, 심장마비 등은 사망에 수반된 현상(증상 및 징후)으로서 포괄적인 신체 상황은 기입하지 않음. 그러나 다음의 그림에서 보는 바와 같이 우리나라에서 발행된 사망진단서의 진단명이 '증상 및 징후'로 표시되는 빈도가 2004년 현재 인구 10만 명당 97명에 이르며, 다른 OECD 국가들에 비해 매우 높은 편이다.

    ◉ 의료법상 "진단서 등": 진단서, 검안서, 증명서, 처방전

<u>의료법 제17조(진단서 등)</u>

① 의료업에 종사하고 직접 진찰하거나 검안(檢案)한 의사, 치과의사, 한의사가 아니면 진단서·검안서·증명서 또는 처방전을 작성하여 환자(환자가 사망한 경우에는 배우자, 직계존비속 또는 배우자의 직계존속을 말한다) 또는 「형사소송법」제222조 제1항에 따라 검시(檢屍)를 하는 지방검찰청검사(검안서에 한한다)에게 교부하거나 발송(전자처방전에 한한다)하지 못한다. 다만, 진료 중이던 환자가 <u>최종 진료 시부터 48시간 이내에 사망한 경우</u>에는 <u>다시 진료하지 아니하더라도</u> 진단서나 증명서를 내줄 수 있으며, 환자 또는 사망자를 직접 진찰하거나 검안한 의사·치과의사 또는 한의사가 <u>부득이한 사유로</u> 진단서·검안서 또는 증명서를 내줄 수 없으면 같은 의료기관에 종사하는 다른 의사·치과의사 또는 한의사가 환자의 진료기록부 등에 따라 내줄 수 있다.(개정 2009.1.30.)

② 의료업에 종사하는 의사·한의사가 아니면 출생·사망 증명서를 내주지 못한다. 다만, 직접 조산한 의사·한의사 또는 조산사가 부득이한 사유로 증명서를 내줄 수 없으면 같은 의료기관에 종사하는 다른 의사·한의사가 진료기록부 등에 따라 증명서를 내줄 수 있다.

③ 의사·치과의사 또는 한의사는 자신이 진찰하거나 검안한 자에 대한 진단서·검안서 또는 증명서 교부를 요구받은 때에는 <u>정당한 사유 없이 거부하지 못한다.</u>

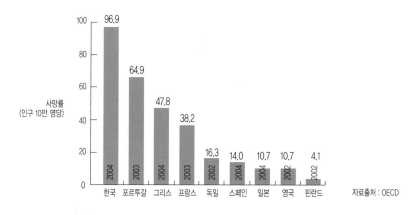

그림 14-2 증상 및 징후로 표시된 사인의 국가별 빈도

3) 사례별 사망진단서 작성의 예

a. 뇌경색 환자가 흡인성폐렴으로 사망한 경우

72세 여자가 5년 전 뇌경색으로 인한 오른쪽 편마비가 있던 중 5일 전 객담 배출이 어려워 호흡곤란을 호소하며 내원하였다. 검사 결과 흡인성폐렴으로 진단되어 항생제 치료 등을 하였으나 오늘 사망하였다.

사망의 종류		❶ 병사		
		② 외인사	㉮ 교통사고 ㉯ 불의의 중독 ㉰ 불의의 추락	
			㉱ 불의의 익사 ㉲ 자살 ㉳ 타살 ㉴ 기타 사고사	
		③ 기타 및 불상		

(가)	직접사인	흡인성 폐렴	발병부터 사망까지의 기간	5일
(나)	㈎의 원인(중간선행사인)	오른쪽 편마비		5년
(다)	㈏의 원인(선행사인)	뇌경색		5년
(라)	㈐의 원인			
㈎내지 ㈑와 관계없는 기타의 신체상황				

그림 14-3 뇌혈관질환은 발병 후 후유증이 나타나는 경우가 많아 중간단계의 질병이나 손상이 뇌혈관질환의 후유증으로 인한 것인지를 판단할 수 있도록 '기간'을 기재해야 한다.

b. 당뇨병 환자가 뇌출혈로 사망한 경우

56세 남자가 이틀 전 의식이 혼탁한 상태로 대학병원 응급실로 이송되어, 검사 결과 뇌출혈로 확인되었다. 환자는 10년 동안 당뇨병(II형)을 앓아 왔으며, 4년 전부터는 2차성 고혈압으로 진행되어 있던 중이었다. 보호자는 경제적인 이유 등으로 대학병원에서의 더 이상의 치료를 거부하고 본 병원에 입원하여 있던 중 입원 치료 2일 만에 사망하였다. 이 환자는 3개월 전 조기 위암 진단을 받고 위절제술을 받은 상태이다.

사망의 종류	❶ 병사		
	② 외인사	㉮ 교통사고 ㉯ 불의의 중독 ㉰ 불의의 추락	
		㉱ 불의의 익사 ㉲ 자살 ㉳ 타살 ㉴ 기타 사고사	
	③ 기타 및 불상		

(가)	직접사인	뇌출혈	발병부터 사망까지의 기간	2일
(나)	㉮의 원인(중간선행사인)	이차성 고혈압		4년
(다)	㉯의 원인(선행사인)	II형 당뇨병		10년
(라)	㉰의 원인			
㉮내지 ㉰와 관계없는 기타의 신체상황		위암-위절제술 받은 상태		

그림 14-4 당뇨병은 유형(I형 또는 II형)과 합병증을 구체적으로 기입한다. 사인과 직접적인 관계가 없는 위암은 '기타의 신체 상황'에 기입한다.

c. 폐암이 간으로 전이되어 간성혼수로 사망한 경우

63세 남자로 40년 동안 흡연을 하였고, 약 6개월 전 기침과 호흡곤란 등의 증상이 지속되던 중 급격한 체중 감소가 있어 대학병원에서 검사 결과 비소세포폐암을 진단받고 입원치료 중 약 1개월 전에 암이 간으로 전이되었음을 진단받고 더 이상의 의학적 치료 포기 후 요양원에 입소하였다. 금일 갑자기 혼수상태로 되어 보호자 참관 하에 1시간 만에 사망하였다.

사망의 종류	❶ 병사		
	② 외인사	㉮ 교통사고 ㉯ 불의의 중독 ㉰ 불의의 추락	
		㉱ 불의의 익사 ㉲ 자살 ㉳ 타살 ㉴ 기타 사고사	
	③ 기타 및 불상		

(가)	직접사인	간성혼수	발병부터 사망까지의 기간	1시간
(나)	㉮의 원인(중간선행사인)	간으로 전이된 폐암		1개월
(다)	㉯의 원인(선행사인)	비소세포암		6개월
(라)	㉰의 원인			
㉮내지 ㉰와 관계없는 기타의 신체상황				

그림 14-5 암은 최초 발병 부위, 전이된 부위를 명확히 기입한다.
예) '전이성 암'이라는 표현보다는 '폐에서 전이가 된 간암', '폐로 전이가 된 간암', 또는 '원발성 폐암', '속발성 폐암' 등 구체적으로 기입한다.

d. 만성 B형 간염 환자가 식도정맥류출혈로 사망한 경우

20년 전 B형 간염 보균자로 진단받고 5년 전에는 간경화로 진단 받은 48세 남자가 요양

치료를 위해 3개월 전에 입원하였다. 간경화 병기는 Child C로 '말기 질환'이었다. 5일 전부터 복통과 구토, 황달 등의 증상이 심해지고 금일 다량의 피를 토하였으나 보호자들은 타병원으로의 전원을 원하지 않았다. 위장관출혈은 멈추지 않고 심실빈맥이 지속되다가 금일 사망하였다.

사망의 종류	❶ 병사 ② 외인사 ㉮ 교통사고 ㉯ 불의의 중독 ㉰ 불의의 추락 ㉱ 불의의 익사 ㉲ 자살 ㉳ 타살 ㉴ 기타 사고사 ③ 기타 및 불상			
(가)	직접사인	식도정맥류출혈	발병부터 사망까지의 기간	5일
(나)	㈎의 원인(중간선행사인)	간경화		5년
(다)	㈏의 원인(선행사인)	만성B형간염		20년
(라)	㈐의 원인			
㈎내지 ㈑와 관계없는 기타의 신체상황				

그림 14-6 식도정맥류 출혈로 인해 발생하는 증상 및 징후(혈액량감소성쇼크, 저산소상뇌손상, 다장기부전증 등)는 진단서에 기입하지 않음

e. 골다공증 환자가 병적골절로 사망한 경우

78세의 여자로 몇 년 전 골다공증을 진단받았다. 1개월 전 일어나다가 갑자기 주저앉아 대퇴부골절이 발생하였으나 수술은 하지 않은 상태로 요양원에 입소하였으나 금일 사망하였다.

사망의 종류	❶ 병사 ② 외인사 ㉮ 교통사고 ㉯ 불의의 중독 ㉰ 불의의 추락 ㉱ 불의의 익사 ㉲ 자살 ㉳ 타살 ㉴ 기타 사고사 ③ 기타 및 불상			
(가)	직접사인	대퇴부골절	발병부터 사망까지의 기간	1개월
(나)	㈎의 원인(중간선행사인)	골다공증		수년
(다)	㈏의 원인(선행사인)			
(라)	㈐의 원인			
㈎내지 ㈑와 관계없는 기타의 신체상황				

그림 14-7 골다공증에 의한 병적골절이라면 골다공증을 선행사인으로 기재하여 '외인사'로 판단되지 않도록 작성한다. 대퇴부골절의 합병증인 폐색전증도 '(가)직접사인'으로 고려한다.

f. 만성폐쇄성폐질환(COPD) 환자가 폐렴을 앓은 후 패혈증으로 사망한 경우

4년 전부터 만성폐쇄성폐질환을 앓고 있던 72세 환자가 5일 전 오후 3시경 급성호흡곤란을 일으켜 엑스레이 검사 결과 폐렴이 확인되었다. 4일 전부터 혼수 상태에서 혈압이 떨어지고 고열이 지속되어 패혈증으로 중환자실에서 치료 중 금일 사망하였다.

사망의 종류	❶ 병사		
	② 외인사	㉮ 교통사고 ㉯ 불의의 중독 ㉰ 불의의 추락	
		㉱ 불의의 익사 ㉲ 자살 ㉳ 타살 ㉴ 기타 사고사	
	③ 기타 및 불상		

(가)	직접사인	패혈증	발병부터 사망까지의 기간	4일
(나)	㉮의 원인(중간선행사인)	폐렴		5일
(다)	㉯의 원인(선행사인)	만성폐쇄성폐질환		4년
(라)	㉰의 원인			
㉮내지 ㉱와 관계없는 기타의 신체상황				

그림 14-8   COPD와 같은 약자는 진단서에 사용하지 않는다.

참·고·문·헌

1.   대한의사협회, 통계청. 사망진단서는 환자와 유족을 위한 의사의 마지막 배려입니다. 2008.

PART

3

노인요양시설에서 흔한
질병과 증상들의 관리 방법

노인요양시설에서의
고혈압 관리

KEYPOINT 🔒

■ 3년 째 요양원에 입소 중이신 86세 여성. 입원 당시에 고혈압 병력이 있다고 하였으나 입원 후에 체크한 혈압은 125/85(mmHg) 정도여서 혈압약은 처방하고 있지 않았다. 그런데, 약 1개월 전부터 평균 혈압이 145/90(mmHg) 정도로 체크되고 있다. 그리고, 간혹 혈압이 160/110(mmHg) 정도로 갑자기 오르기도 하여 담당 간호조무사는 걱정이 많다.

➡ 이 분은 혈압약을 바로 드셔야 할까? 갑자기 올라가는 혈압을 바로 떨어뜨려야 할까?

❶ 노인 혈압의 특징

동맥은 연령이 증가하면 탄성 섬유의 퇴화 변성과 콜라겐의 축적에 의해 경직도가 증가하며, 고혈압은 이러한 동맥의 퇴화 변성을 가속화 시킨다. 이러한 동맥 경직도의 증가로 인해 노인성 고혈압에서는 수축기 혈압은 증가하는 반면, 이완기 혈압은 55세 이후 점차 감소하게 되어 결국 맥압(수축기혈압과 이완기혈압의 차이)의 급격한 상승이 일어난다. 따라서 과거부터 노인성 고혈압은 "고립성 수축기 고혈압(Isolated Systolic Hypertension, ISH)"으로 표현되어 사용되어 왔다. 노인 혈압의 특징들을 나열하면 다음과 같다.

a. 고립성 수축기 고혈압(ISH)을 보이는 경우가 많다.
b. 기립성 저혈압이 잘 발생한다.
c. 고혈압 이외에도 다른 동반된 심혈관 위험 인자들이나 질환들이 많다.
d. 수면 중에도 혈압의 하강이 잘 일어나지 않는(non-dipper) 경우가 많다.
e. 가성 고혈압(pseudohypertension) 혹은 백의고혈압(white coat hypertension) 및 식후 저혈압이 잘 일어난다.
f. 심장에 대한 부담이 증가되어 있어 심부전이 발생하기 쉽다.
g. 고혈압 환자에서 치매가 더 많이 발생한다.
h. 기립성 저혈압이 잘 발생한다.

기립성 저혈압

- Supine → Standing : 수축기 20 mmHg, 혹은 이완기 10 mmgHg 이상 감소
- 증상: 똑바로 서기 힘들고 어지럽고 실신을 하기도 한다.
- 당뇨 환자에서 많이 발생
- 70세 이상에서 7%가 발생
- 나이 보정한 사망률(age-adjusted mortality): 64% 증가(낙상, 골절 연관)
- 50세 이상에서는 혈압 측정 시 누워서 재고, 일어서서 잰다.

그림 15-1 노인의 혈압을 잴 때에는 누워서 한 번(左), 서서 한 번(右) 잰다.

❷ 노인 혈압의 목표

a. 2017년 미국심장학회(AHA)에서는 나이와 무관하게 고혈압의 기준을 기존 140/90 mmHg 에서 130/80 mmHg로 낮추었다. 그러나, 이는 시설에 입소하지 않은 비교적 건강한 노인 들에 대한 기준이고, 치매 등 여러 질병을 가지거나 시설에 입소한 노인들은 제외된 결과 임을 알아야 한다.

b. 수축기 혈압을 130 mmHg 미만으로 조절하기 위해 2개 이상의 항고혈압제가 필요한 경우가 많으며, 그럼에도 불구하고 치료 목표에 도달하기 어려운 경우가 많다.

c. 약물 치료는 동반된 다른 위험인자들, 표적장기 손상 여부 및 동반 질환들을 고려하여 시행함.

❸ 급격한 혈압 상승 상황(Hypertensive Crisis) 시 대처법

a. 고혈압성 응급(Hypertensive Emergency)

　―심각한 혈압 상승(>180/120 mmHg) + 표적장기 손상이 임박 혹은 진행

　―표적장기손상: 고혈압 성 뇌장애(hypertensive encephalopathy), 뇌출혈, 심근경색, 폐부 종을 동반한 급성 좌심실부전, 불안정성 협심증, dissecting aortic dissection 등과 같 은 위험한 상황. 즉, 편마비나 급작스러운 호흡곤란, 가슴통증 등의 증상 동반

　▶▶▶ 즉시 병원으로 옮겨야 한다!

b. 고혈압성 긴급(**Hypertensive Urgency**)

－심각한 혈압 상승만 있고 표적장기 손상이 진행되지 않을 때

－대부분 약을 안 먹거나 제대로 치료하고 있지 않는 경우

－예 심각한 두통, 호흡 곤란, 코피, 심각한 불안증 동반

▶▶▶ 빠른 혈압조절이 이득이 된다는 증거는 없다.

"아달라트(속효성 니페디핀)" 설하 투여는 위험!

칼슘길항제인 속효성 니페디핀은 현재까지도 병원에 입원한 환자들의 혈압이 갑자기 상승했을 때 종종 처방되고 있는 것이 사실이다. 그러나 니페디핀의 설하(sublingual) 투여는 미국 식약청(FDA)에서도 승인하고 있지 않을 정도로(특히 노인에서는) 위험성이 있음을 반드시 알아야 한다. 이 약의 처방이 환자에게 이득이 됨을 증명한 연구도 없고, 오히려 절대로 이 약을 쓰지 말아야 한다는 근거들은 많이 있다.

갑자기 혈압이 상승하는 고혈압성 응급(Hypertensive emergency)의 상황에서는 첫 1시간 이내에 혈압을 20%~25% 정도 떨어뜨리는 것이 목표이다. 그러나 혈압을 너무 빨리, 너무 많이 떨어뜨리면 오히려 표적장기(신장, 뇌, 심장) 손상을 가져올 수 있다. 특히 뇌혈관의 혈류 감소를 일으킴으로써 허혈 부위의 "자가조절(autoregulation) 기능"을 저해하여 뇌 허혈을 유발할 수 있다.

설하로 투여된 니페디핀은 "말초혈관의 확장"을 통해 혈압을 낮추는데, 그 결과 혈압을 너무 많이 떨어뜨리고, reflex tachycardia 및 몇몇 vascular beds의 steal phenomenon을 유발한다. 이미 이 치료가 대뇌 허혈증상이나 뇌 경색, 심근 경색, 사망 등의 심각한 결과를 초래했다는 많은 연구 결과들이 있다(자칫 의료 소송감!!). 미국 식약청에서는 이러한 자료들을 근거로 하여 이미 1995년에 고혈압성 응급 시의 니페디핀 설하 투여를 금지하게 되었다.

따라서 특히 노인에서는 절대적으로 금기되어야 할 약물이다!!!

혈압약 복용자에서 다른 약 병합 투여 시 주의할 점!

• 해열제 : 혈관 이완 작용으로 혈압을 떨어뜨리므로 해열제 복용시에는 혈압약을 2/3 정도로 줄여서 복용한다.

• 기침약 : 혈압을 올리고 심박수를 높이는 작용이 있으므로 고혈압 환자는 원칙적으로 사용하지 않아야 한다.

• 위장약 : 혈압을 높이는 나트륨이 함유되어 있다. 위장장애 시 너무 많은 약의 복용으로 혈압이 상승하거나 심장이 너무 빨리 뛰는 일이 없도록 주의할 것

❹ **노인에서도 엄격하게 혈압을 조절해야 할까?** (미국의학협회 논문 소개)

1) 노인요양시설 입소중인 80세 이상 노인에서는 엄격한 혈압 조절이 오히려 사망률을 높였다.

- PARTAGE (Predictive Values of Blood Pressure and Arterial Stiffness in Institutionalized Very Aged Population)
- 대상: 요양원 거주 중인 80세 이상(평균 87.6세)의 프랑스, 이탈리아 노인 1,127명
- 참여 조건: 1가지 이상의 혈압약 복용, 수축기혈압 140 mmHg 미만
- 추적 기간: 2007년부터 2년 관찰
- 4그룹으로 나눔 (수축기혈압 130 mmHg과 혈압약 2가지 이상 복용 여부에 따라)
- 결과: [수축기혈압 130 mmHg 미만 + 혈압약 2가지 이상 복용]군의 사망률이 가장 높았다!
- 연구의 한계: 관찰연구(observational study)

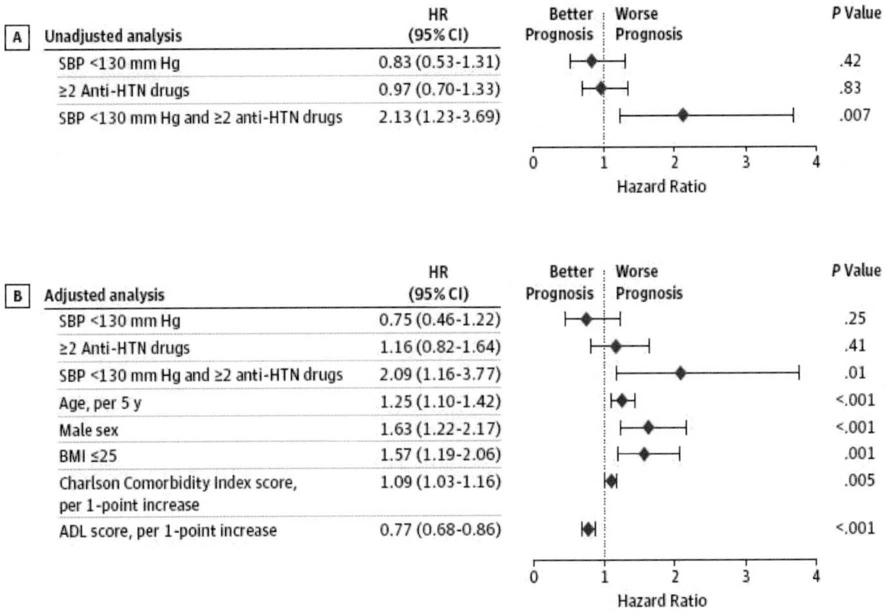

A Unadjusted analysis	HR (95% CI)	Better Prognosis / Worse Prognosis	P Value
SBP <130 mm Hg	0.83 (0.53-1.31)		.42
≥2 Anti-HTN drugs	0.97 (0.70-1.33)		.83
SBP <130 mm Hg and ≥2 anti-HTN drugs	2.13 (1.23-3.69)		.007

Hazard Ratio

B Adjusted analysis	HR (95% CI)	Better Prognosis / Worse Prognosis	P Value
SBP <130 mm Hg	0.75 (0.46-1.22)		.25
≥2 Anti-HTN drugs	1.16 (0.82-1.64)		.41
SBP <130 mm Hg and ≥2 anti-HTN drugs	2.09 (1.16-3.77)		.01
Age, per 5 y	1.25 (1.10-1.42)		<.001
Male sex	1.63 (1.22-2.17)		<.001
BMI ≤25	1.57 (1.19-2.06)		.001
Charlson Comorbidity Index score, per 1-point increase	1.09 (1.03-1.16)		.005
ADL score, per 1-point increase	0.77 (0.68-0.86)		<.001

Hazard Ratio

그림 15-2 수축기혈압과 고혈압약제 수, 그 외 상태에 따른 전체 사망원인율에 대한 위험도 (HR: Hazard Ratio)

2) 75세 이상의 건강한 노인에서는 엄격한 혈압 조절이 심혈관질환을 줄였다.

a. SPRINT study : 2010년 10월~2015년 8월까지 시행한 부작위(RCT) 연구

b. 수축기혈압 목표를 120 mmHg로 설정한 그룹(1317명)이 140 mmHg로 설정한 그룹 (1319명)에 비해 주요 심혈관계질환과 사망이 적었다.

c. 그러나 본 연구 참여자들은 당뇨병, 치매 등이 없는 비교적 건강한 노인들이어서 이 결과를 노인요양시설 입소자들에게 그대로 적용하기에는 무리가 있다.

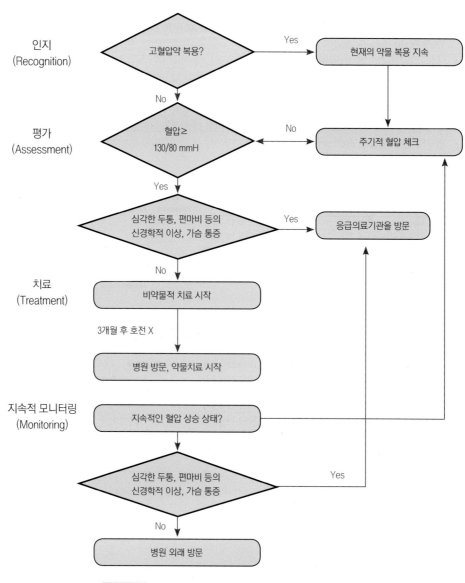

그림 15-3 노인요양시설에서의 고혈압 대처 알고리즘

참 · 고 · 문 · 헌

1. 김계훈. 노인 고혈압의 특성과 치료. 노인병 2010;14(suppl.1):37-40.

2. 김석연. 노인 심장질환은 다른가? 노인병 2010;14(suppl.1):189-202.

3. Use of Sublingual Nifedipine in Hypertensive Urgency/Emergency [Internet]. NY: Medscape; c1994-2010 [cited 2010 Jul 10]. Available from: http://www.medscape.com/viewarticle/444263.

4. Chobanian AV, Bakris GL, Black HR, Cushman WC, Green LA, Izzo JL Jr, et al.; National Heart, Lung,

and Blood Institute Joint National Committee on Prevention, Detection, Evaluation, and Treatment of High Blood Pressure; National High Blood Pressure Education Program Coordinating Committee. The Seventh Report of the Joint National Committee on Prevention, Detection, Evaluation, and Treatment of High Blood Pressure: the JNC 7 report. JAMA 2003;289:2560-72.

5. 김의수, 진영수. 건강, 삶의 질을 바꾼다 - 고혈압. 서울: 국민건강보험공단; 2000.

6. Benetos A, Labat C, Rossignol P, Fay R, Rolland Y, Valbusa F et al. Treatment With Multiple Blood Pressure Medications, Achieved Blood Pressure, and Mortality in Older Nursing Home Residents. JAMA Intern Med. 175:989-95,2015.

7. Williamson JD, Supiano MA, Applegate WB, Berlowitz DR, Campbell RC, Chertow GM et al. Intensive vs Standard Blood Pressure Control and Cardiovascular Disease Outcomes in Adults Aged ≥75 Years: A Randomized Clinical Trial. JAMA. 28;315:2673-82,2016.

8. Whelton PK, Carey RM, Aronow WS, Casey DE Jr, Collins KJ, Dennison Himmelfarb C, et al. 2017 ACC/AHA/AAPA/ABC/ACPM/AGS/APhA/ASH/ASPC/NMA/PCNA Guideline for the Prevention, Detection, Evaluation, and Management of High Blood Pressure in Adults: A Report of the American College of Cardiology/American Heart Association Task Force on Clinical Practice Guidelines. J Am Coll Cardiol. 2017 Nov 7. pii: S0735-1097(17)41519-1.

노인요양시설 입소자가
열이 날 때 어떻게 할까?

KEYPOINT 🔓

- 76세 여성, 유방암 진단 받았으나 수술 안 하고 계심.

3개월 전 입소 이후, 3~4일에 한번 씩 고열이 났다가 정상 체온으로 돌아오는 발열 호소가 많다. 병원을 방문하여 X-ray를 찍어도 이상은 없다고 한다. 어떻게 해야 하나?

➡ 발열의 이유 : 암에 의한 재발열로 추정됨.

➡ 계획 : 발열 시에 타이레놀 경구 복용

❶ 발열(Fever)의 정의

1) 구강 온도: AM 6시 37.2도, PM 4시 37.7도 이상

  −24시간 정상 체온 변화는 0.5도(열성 질환 회복 시 최대 **1.0도**까지 가능)

2) 직장 온도 = 구강 온도 + 0.4도

❷ 감염 질환에서 열은 왜 날까?

1) 좋은 점: 생체의 방어기전

  −몇몇 세균의 성장을 억제

  −림프구의 세포 살해능 증진

2) 나쁜 점: 환자에게는 부담이 된다

  −체온이 1도 상승하면, 산소소비량은 13% 증가

  −열량 소비 및 수분의 증발이 증가 : 신체 장기에 부담

  −근육의 대사를 촉진시킴(근육 소모)

  −체중의 감소

  −뇌의 지적 활동 지장

❸ 발열의 종류 : 발열의 양상에 따라 원인 추측하기

1) 간헐열(**intermittent, hectic, septic fever**)

  −체온 변화 폭 〉1.4도

  −24시간 동안 적어도 한 번은 정상 체온

  −불규칙한 해열제 투여, 화농성 농양, miliary Tb, 세균혈증(**bacteremia**) 동반된 급성신
   우신염, 말라리아

2) 지속열, 계류열(**sustained, continuous fever**)

  −체온변화 거의 없이(< **0.3도**) 지속적으로 상승

  −장티푸스, 브루셀라증, Streptococcal pneumonia, 중추성 열이 동반된 혼수 환자

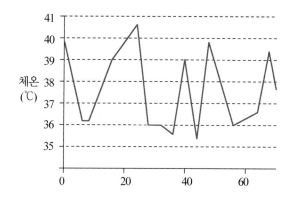

그림 16-1 간헐열

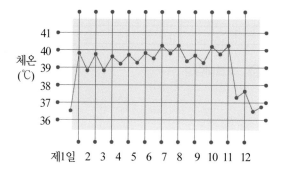

그림 16-2 지속열

3) 오르내림열(**remittent fever**)

　―체온 변화가 간헐열보다 적으나(**0.4~1.3도**), 정상 회복이 안됨.

　―바이러스성 폐렴, 마이코플라스마 폐렴, 4일열 말라리아

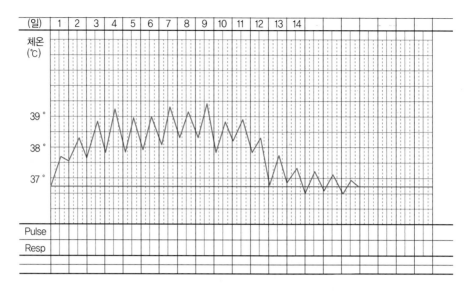

그림 16-3   오르내림열

4) 재발열(relapsing fever)

　－발열과 정상 체온이 주기적으로 번갈아 발생

　－임파종(Lymphoma), 서교열(rat-bite fever)

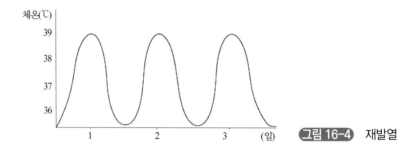

그림 16-4   재발열

❹ 열이 날 때 어떻게 대응할까?

1) 감기와 같은 감염병에서 열이 나는 것은 몸이 병균과 싸우는 과정이므로 좋은 것이다.

2) 그러나, 발열이 지속되고 노인을 힘들게 한다면 해열제를 쓰고 원인을 찾기 위해 병원 방문을 한다.

3) 열이 날 때 그 원인이 감염질환 외에도 암, 탈수 등 다양하다.

4) 병원 방문 기준

　　a. 탈수로 인해 신체적으로 늘어지거나 의식이 흐려짐

　　b. 해열제 투여에도 지속되는 발열

　　c. 혈압이 평소보다 떨어질 때

　　d. 식사를 하지 못할 때

참 · 고 · 문 · 헌

1. 조주연. 흔한 감염성 질환의 증상. In: 대한가정의학회. 가정의학 교과서 임상편. 서울: 계축문화사; 2002. P. 3-7.

2. Al-Eidan FA, McElnay JC, Scott MG, Kearney MP, Troughton KE, Jenkins J. Sequential antimicrobial therapy: treatment of severe lower respiratory tract infections in children. J Antimicrob Chemother 1999;44:709-715.

3. 김성민. 노인에서 항생제 사용. 노인병 2010;14(Suppl.1):143-146.

Chapter **17**

노인요양시설에서 당뇨병 및
저혈당 환자 관리

KEYPOINT 🔒

■ 89세 여성. 당뇨병 치료를 위해 현재 [NPH 인슐린 24단위 아침 1회 주사 + 다이아벡스(metformin) 500 mg 하루 2회 경구복용] 중임. 평상시 공복혈당은 80-90 mg/dL, 식후혈당은 140-150 mg/dL 정도로 잘 조절되고 있었고 1개월 전에 시행한 당화혈색소(HbA1c) 결과는 5.8% 이었다. 오늘 오전 이 분이 식사를 못 하시고 의식이 흐려져서 혈당을 재 보니 36 mg/dL여서 오렌지 쥬스를 드시게 하니 의식이 회복되었다.

➡ 이 분에게 현재와 같은 엄격한 혈당 관리가 득이 될까요, 독이 될까요?

❶ 노인 당뇨병 관리의 목표

a. 혈당치의 큰 변동이나 저혈당 발생을 막는 것이 우선!

b. 합병증 발생을 예방하거나 지연

c. 노인의 건강한 전신 상태와 독립적인 생활 유지

❷ 식사 요법

a. 수십 년 간의 식사 습관을 하루 아침에 바꾸거나, 불이행을 질책한다고 해서 쉽게 고쳐지지 않음

b. 정규적(定規的)인 식사를 강조하는 것이 중요

c. 노인은 미각, 후각의 변화, 소화기능 저하, 침샘기능 감퇴, 치아 상태 불량 등으로 처방된 식사요법을 시행하기가 곤란할 때가 많다.

d. 채소류, 섬유소 - 노인에서는 오히려 미량영양소 결핍, 복부 팽만, 복통 유발

❸ 운동 요법

a. 대부분의 기존 연구 결과들이 청장년층 대상이어서, 노인에서는 신중할 것

b. 정서적 요소를 고려하여 운동 전후 철저한 평가를 전제로 권고

c. 운동 중의 저혈당을 대비—당분 휴대, 당뇨임을 알리는 증명서 휴대

d. 손 떨림, 관절염 등—운동에도 문제

❹ 당뇨병 약물의 복용 원칙

처음은 적은 용량, 1~2주 간격으로 증량

경구 약물 복용의 적응증

- 인슐린 주사의 완강한 거부
- 70세 이후 발병하고 350 mg/dL 미만
- 50-70세, 제 2형 당뇨병이면서 [시력 불량, 거동 불능, 알코올 의존] 등의 문제 동반 시

❺ 당뇨병 약물의 종류별 특성들

〈인슐린 분비 촉진제〉

　a. 아마릴, 다이그린, 다오닐 등─Sulfonylurea 계통 : 식전 10-30분에 복용

　　─주의 및 금기 : s-Cr 〉 2.0 mg/dL, 설파제 과민자

　　─부작용: 저혈당이 흔함, 체중 증가

　b. 노보넘, 파스틱 - Meglitinide 계통 : 식전 10-30분에 복용

　　─약효가 매우 빠르다.

　　─식사를 거르면 같이 거름

　　─부작용: 저혈당, 체중 증가

〈인슐린 감수성 촉진제〉

　단독 복용 시 저혈당이 거의 없다.

　a. 메트포르민(다이아벡스, 글루코파지) - 바이구아나이드 계통 : 식사 직후에 복용

　　─급성 질환이 발생하면 중단

　　─비타민 B12와 엽산의 흡수 장애 발생 가능

　　─주의 및 금기: 혈청 크레아티닌 (s-Cr) 〉 1.4 mg/dL, 간기능 이상, 알코올 중독, 80세 이상, 심부전

　　─부작용: 일시적 설사, 구역, 금속 맛

　b. 아반디아, 액토스 - Thiazolidinedione (TZD) 계통 : 식사와 무관하게 복용

　　─노인 심부전 유발, 골밀도 감소 등의 위험

〈장에서 탄수화물 흡수를 지연〉

　a. 베이슨, 글루코바이─α-glucosidase inhibitor 계통: 식사도중 혹은 식전 바로 복용

　　─식후혈당 높을 때 복용

　　─주의 및 금기: s-Cr 〉 2.0 mg/dL, 장 폐색, 간경변

　　─부작용: 복부팽만, 방귀, 복통 및 설사(시간 지나면 괜찮아짐)

〈DDP-4 억제제〉

  a. 자누비아—1일 1회 투여. 인슐린 분비를 증가시키고 인슐린 작용을 증가시킨다. 90% 이상이 신장을 통해 배설되므로 신부전 환자에서는 감량(25~50mg/d)

❻ 인슐린 주사요법

  a. 처음 인슐린 시작 시

   —가능한 한 간단히 투여(아침에 한번 NPH 10~15단위로 시작 - 2, 3일 간격으로 4단위 이내씩 조절).

   —보통 경구약 1T는 인슐린 10단위와 비슷한 효과

   —적정용량 : 공복혈당(FBS) 기준으로

    » 〈 140 mg/dL → No Insulin

    » 140~200 mg/dL → 하루 0.3~0.4단위/kg (60 kg인 노인은 하루 20 단위 정도)

    » 〉 200 mg/dL → 0.5~1.2단위/kg (하루 40단위 이상 쓰게 되면 아침:저녁 2~3 : 1로 분할주사)

  b. 엄격한 당 조절(다회 주사나 다량 주사)

   조절 동기가 강하고 거동이 가능하고 의식이 맑아서 독립적으로 자기 관리를 하고 다른 병발 질환이 없는 노인에서만 적합

  c. 인슐린 작용 시간

   —초속효성 인슐린(: 인슐린 리스프로(lispro), 인슐린 아스파르트(aspart), 인슐린 글루리신(glulisine) 등): 15분 이내 효과, 3~4시간 지속. 따라서 식사 직후나 직전에 투여, 식후 혈당을 조절하는데 용이.

   —속효성 인슐린(RI) : 초속효성 인슐린이 나오기 전까지 식후 혈당을 조절하기 위해 사용하던 인슐린. 투여 30분~1시간 후 효과, 2~4시간 지속

   —중간형 인슐린(NPH) : 1~3시간 후 효과, 12~16시간 지속, 투여 6~8시간에 최고 효과.

   —지속형 인슐린(란투스) : 작용 시간이 24시간, 저혈당도 드물다.

  d. 인슐린 주사 부위

   인슐린을 혈액 내로 천천히 흡수시키기 위해 피하 주사가 원칙이다. 즉 피하 조직이 충분한 곳에 주사하며, 배꼽으로부터 5 cm 반경을 제외한 복부 전체, 상완부, 대퇴부의 앞쪽, 엉덩이 등에 주사한다. 또한 지방 조직의 증식 및 괴사를 예방하기 위하여 매일 인슐린의 주사 부위는 달라져야 한다. 이를 위하여 인슐린 투여자는 주사 부위 그림을 항

상 주변에 비치하여 매일 주사하는 부위를 표시하여 가능하면 한 부위에 여러 번의 주사를 하지 않도록 해야 한다.

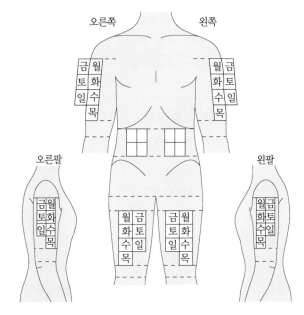

그림 17-1 요일별로 인슐린 주사 부위를 달리 하기 위한 그림

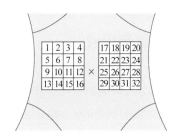

그림 17-2 복부에도 1–2 cm 간격으로 32곳에 임의로 주사 부위를 만든다.

❼ 병합요법(경구약물 + 인슐린)

Metformin(글루코파지) + 인슐린

a. Metformin이 인슐린 감수성을 높여주므로 이론적으로도 합리적

b. 인슐린 투여량이 25~50% 감소

c. 환자의 체중 증가도 적다.

❽ 노인 당뇨병 혈당조절 목표

    a. 노인에서는 목표가 아직 확립되지 않음.

    b. 혈당치 자체보다 혈당의 불안정이 더 문제

    c. 노인은 자율신경계의 부조화, 영양 부실, 알코올 의존성, 여러 약물의 복용, 신장과 간 기능 약화, 미세혈관합병증 발병 등의 이유들로 인해 저혈당이 더 자주, 더 심하게 발생

    d. 노인에서는 증상이 없는 저혈당도 잘 발생

    e. 증상을 없애는 수준까지 혈당치를 내리고, 저혈당의 발생을 절대적으로 피하는 것이 중요!

- 세계보건기구에서 제시한 FBS 100 mg/dL, PP2 140-160 mg/dL 기준은 노인에게는 너무 엄격하다.
- 대개 하루 중 혈당치가 200 mg/dL를 넘지 않고, 공복 시 140 mg/dL를 넘지 않는 것이 적절
- 노인에서의 실제적 권고 정도는 다음과 같다(한림의대 유형준 교수의 권고사항).

> 미세혈관 합병증이 없으면 FBS 115 mg/dL, PP2 180 mg/dL로 권고,
> 이미 신증이나 망막병증 같은 미세혈관 합병증 있으면 FBS 140 mg/dL, PP2 200~220 mg/dL

❾ 요양원 입소환자의 혈당조절 목표는?

1) 당뇨병 앓는 요양시설 입소 대상자의 당화혈색소(HbA1c) 목표

    요양원 입소 수준의 대상자 367명(아시아인 65% 포함)을 2년간 추적 조사한 결과, 당화혈색소가 8.0~8.9%인 군이 7.0~7.9%인 군보다 기능쇠퇴나 사망 확률이 유의하게 낮았다. 즉, 요양원 입소자 의 당뇨병은 느슨하게 조절하는 것이 생존률을 높일 수 있다는 결과이다.

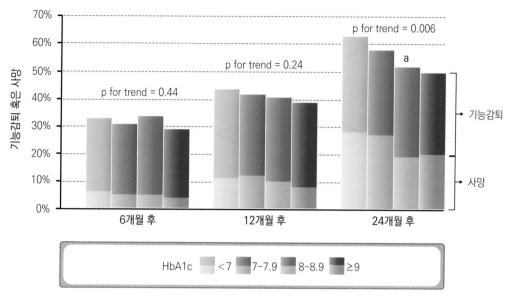

그림 17-3 당화혈색소(HbA1c)에 따른 기능 쇠퇴 혹은 사망률.
[a]P =.03 for difference between reference group (HbA1c 7.0-7.9%) and HbA1c 8.0-8.9%. All other comparisons with reference group (HbA1c 7.0-7.9%), P > .05.

2) 주요 기관에서 제시하는 당화혈색소(HbA1c) 목표

아래의 표는 몇몇 기관에서 제시하는 당화혈색소 목표인데, 표에서 보다시피 나이와, 노쇠 여부, 기대 여명 등에 따라 달라진다. 특히 미국당뇨병학회(ADA)에서는 제한된 기대 여명, 혈관합병 증, 심각한 동반 질환, 인지장애, 기능적 의존상태에 해당되는 '특별한 경우'에 8%~8.5%를 목표로 한다. 따라서, 이러한 특성을 가진 요양원 환자라면 8%~8.5% 정도를 당화혈색소 목표로 삼을 수 있겠다.

표 17-1 주요 기관에서 제시한 당화혈색소(HbA1c) 목표

	미국당뇨병학회 (ADA)	미국노인병학회 (AGS)	미국 국방부 보훈처 (DVA DoD)		
당화혈색소 HbA1c(%)	< 7.5: 65세이상	< 7 : 기능이 좋음		기대 여명(년)	동반 질환
			< 7	> 15	경미
	< 8~8.5: 심한 저혈당 또는 특별한 경우*	8 : 노쇠 혹은 기대 여명 < 5년	8	5~15	중간
			9	< 5	중증
공복	90~130	*특별한 경우?			
식후	< 180	: 제한된 기대 여명, 혈관합병증, 심각한 동반 질환, 인지장애,			
취침 전	110~150	기능적 의존상태			

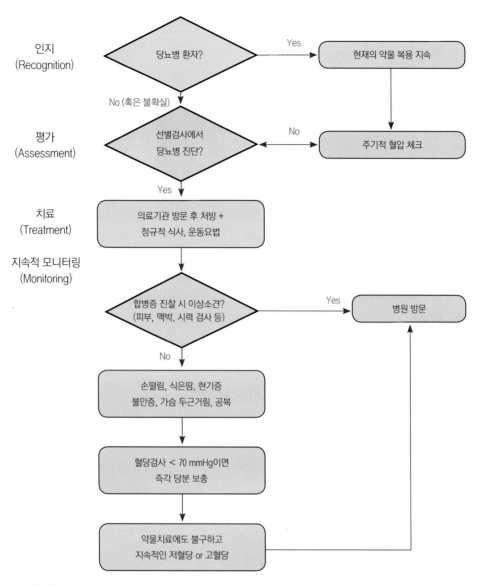

그림 17-4 노인요양시설에서의 당뇨병 대처 알고리즘 (가톨릭관동대학교 국제성모병원 가정의학과 황희진 제작)

참·고·문·헌

1. 유형준. 노인 당뇨병 환자 관리. In: 고려대학교병원 가정의학과. 의료의 중심, 주치의. 핵심 진료능력의 강화. 2판. 서울: 고려대학교병원 가정의학과; 2010. p. 3-8

2. 유형준. 노인성 질환. In: McPhee SJ, Papadakis MA. 오늘의 진단 및 치료 I,II (역저). 서울: 두담; 2010. p. 60-76

3. 대한당뇨병학회. 단계별 당뇨병 관리. 서울: 대한당뇨병학회; 2003.

4. 김유리. 인슐린을 이용한 혈당조절법. 당뇨병 2003;27(Suppl.5):67-76.

5. Bernal-Mizrachi E, Bernal-Mizrachi C. Diabetes mellitus and related disorders. In: Dept. of Medicine, Washington University School of Medicine. The Washington Manual of Medical Therapeutics. 32nd edition. Philadelphia: Lippincott Williams & Wilkins; 2007. p. 600-623.

18

노인요양시설에서 퇴행성 관절염 환자 관리

KEYPOINT 🔒

■ 85세 여성. 155 m에 75 kg이다. 만성적인 양쪽 무릎 통증으로 약물치료 받고 계시지만 큰 호전이 없다. 최근에는 병원에서 관절주사까지 맞아보셨으나 역시 만족할만한 진통 효과가 없었다. 현재 드시고 계시는 진통제는 아세트아미노펜과 NSAID계 약물을 병합하여 복용 중이다.

➡ 이 분에게 어떤 조언을 드려야 할까?

❶ 노인에서의 골관절염의 분포

1) 동양인 : 무릎 골관절염이 많다.

2) 65세 이상에서 68%

❷ 관절통의 특징

1) 깊숙한 부위의 동통(관절을 사용하면 악화, 휴식하면 완화)

2) 이른 아침에 뻣뻣해짐

3) 관절 운동범위 감소

4) 염발음(관절 움직일 때 뼈와 뼈가 비벼지는 느낌)

5) 국소적 압통과 뼈나 연부조직의 종창

6) 골관절염이 반드시 악화되는 것은 아니다. 어떤 환자는 좋아지기도 함.

❸ 무릎 골관절염

1) 서있거나 걸을 때, 계단을 오를 때 통증

2) 관절 주의가 커져 있고 누르면 아프다.

3) 무릎의 안쪽 관절 경계를 따라 아픈 경우가 많고 무릎의 아래, 위로 통증이 잘 뻗친다.

❹ 골관절염의 치료

1) 치료 원칙

　－통증 경감　　　　－운동성 유지

　－장애의 최소화　　　－약물 부작용 최소화

2) 비약물적 치료

　－환자교육: 격려, 안심, 운동 교육, 관절 부하 감소시키는 방법

　－체중 조절

　－물리치료: ROM exercise, 대퇴사두근 강화운동, 열치료, 보조기구

　－운동치료: 빠른 도보, 실내자전거, 수영

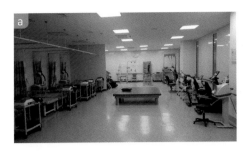

그림 18-1 물리치료실 : 온열치료와 ROM exercise, 운동치료 가능
(a)요양원 물리치료실 전경, (b)요양원 물리치료실에 설치된 무릎관절 강화용 실내자전거

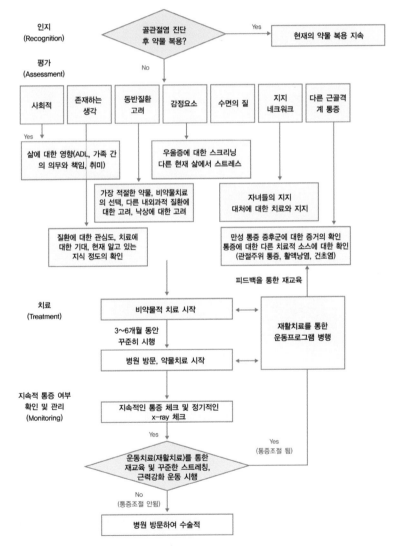

그림 18-2 노인요양시설에서의 골관절염의 평가 및 치료 알고리즘(서울아산병원 재활의학과 김대열 제작)

참 · 고 · 문 · 헌

1. 김현숙. 골 관절염의 모범처방. 노인병 2009;13(suppl.1):55-64.

2. 이철우 역. 근골격계 통증치료의 주사요법. 서울: 신흥메드싸이언스; 2004.

3. 보건복지부,경희대학교 산학협력단.계약의 업무지침 내실화 및 교육교재 개발, 2014.

노인요양시설에서 흔히 보는 피부질환들

■ 오전 라운딩을 도는데, 한 침실에 있는 입소자 두 분과 요양보호사 한 분이 심한 가려움증을 호소하고 계심. 자세히 보니 주로 양 손가락 사이에 빨간 반점이 보임.

➡ 옴의 가능성을 의심한다면, 같은 침실에 있는 노인 환자들에게 즉각 취할 조치는?

노인요양시설 입소 노인들은 대부분 노쇠한 상태이고 면역력 저하 등의 이유로 인해 다양한 피부 질환이 발생할 수 있다. 특히 옴(scabies) 등의 전염성 피부질환은 주로 요양보호사나 간호인력의 손을 통해 다른 환자에게도 전파될 우려가 높으므로 조금이라도 의심이 되면 빨리 조치를 취하는 것이 매우 중요하다. 이 장에서는 기본적인 피부병변 용어와, 상황 별 의심되는 피부질환들을 실제 사례를 통해 소개하고자 한다.

❶ 국소 피부병변의 부위별 호발 질환

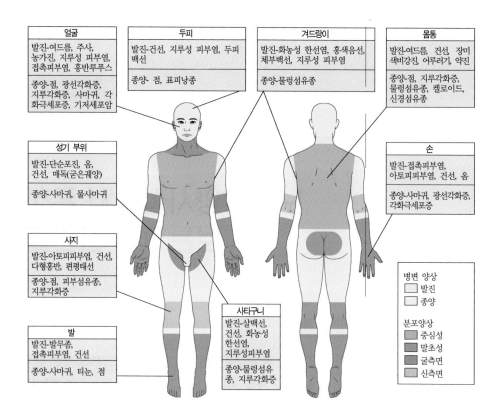

얼굴

발진-여드름, 주사, 농가진, 지루성 피부염, 접촉피부염, 홍반루푸스

종양-점, 광선각화증, 지루각화증, 사마귀, 각화극세포증, 기저세포암

두피

발진-건선, 지루성 피부염, 두피백선

종양- 점, 표피낭종

겨드랑이

발진-화농성 한선염, 홍색음선, 체부백선, 지루성 피부염

종양-물렁섬유종

몸통

발진-여드름, 건선, 장미색비강진 어루러기, 약진

종양-점, 지루각화증, 물렁섬유종, 켈로이드, 신경섬유종

성기 부위

발진-단순포진, 옴, 건선, 매독(굳은궤양)

종양-사마귀, 물사마귀

손

발진-접촉피부염, 아토피피부염, 건선, 옴

종양-사마귀, 광선각화증, 각화극세포증

사지

발진-아토피피부염, 건선, 다형홍반, 편평태선

종양-점, 피부섬유종, 지루각화증

발

발진-발무좀, 접촉피부염, 건선

종양-사마귀, 티눈, 점

사타구니

발진-살백선, 건선, 화농성 한선염, 지루성피부염

종양-물렁섬유종, 지루각화증

병변 양상
- 발진
- 종양

분포양상
- 중심성
- 말초성
- 굴측면
- 신측면

그림 19-1 부위별 호발 피부질환

❷ 노인에서 흔한 피부질환들의 특성과 대처법

표 19-1 노인에서 흔한 피부질환들

습진	건성 습진, 기저귀 피부염, 지루성 피부염, 화폐상 습진, 접촉성, 정맥성	양성종양	지루각화증(검버섯), 물렁섬유종, 노인성 혈관종
다른 발진들	건선, 약물 발진, 열성 홍반	광손상	광노화, 광선각화증
감염	간찰진, 대상 포진, 칸디다증, 족부 백선, 손발톱 진균증, 옴, 모낭염	전암병변	상피 내 편평세포암종
피부혈관 질환	주사(Rosacea), 노인성 자반, 하지 궤양, 압창, 모세혈관확장	암	기저세포암, 편평세포암, 악성 흑자 흑색종
수포성 질환	수포성 유천포창	기타	노인성 가려움증, 땀띠(한진), 노인성 흑자 (Senile Lentigo)

1) 건성 습진(**xerotic eczema**)

   a. 피부 표면의 지방성분 감소와 연관된 습진

   b. 표재성 균열과 미세한 인설

   c. 건조하고 차가운 공기에 노출 시 발생

   d. 주로 하지의 정강이 부위(**pretibial region**)에 분포

   e. 대처법: 가습기, 목욕 횟수 줄이고 순한 비누 사용, 뜨겁지 않은 물로 샤워. 목욕 후에는 피부보습제나 오일 바름. 증상이 심하면 병원 진료

그림 19-2 78세 여성. 정강이에 발생한 건성 습진

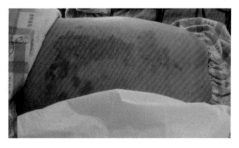
그림 19-3 진균 감염이 동반된 기저귀 피부염

2) 기저귀 피부염(**Diaper dermatitis**)

    a. 피부가 대소변에 오래 접촉함으로써 피부가 짓물러져 나타나는 자극성 피부염

    b. 윤기 나는 홍반이 기저귀 접촉부위에서 발견

    c. 예방법: 기저귀를 자주 갈아주어 접촉부위가 습하지 않도록 한다.

3) 지루성 피부염(**Seborrheic dermatitis**) / 비듬(**dandruff**)

    a. 피지선의 활동이 증가된 부위에 발생

    b. 피부가 붉게 변하며 인설(**scale**)이 동반

    c. 파킨슨병, 간질, 척수공동증 등에서 호발 : 신경전달 물질의 대사 혹은 자율신경계 이상 과 연관

 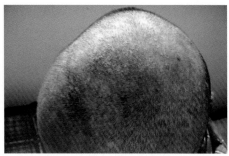

그림 19-4　66세 남성. 파킨슨병 환자의 지루성 피부염

그림 19-5　비듬. 두피 세척을 위해 머리를 짧게 자성 피부염

4) 화폐상 습진(**Nummular eczema**)

    a. 비교적 경계가 분명한 원형~동전 모양의 아급성 혹은 만성의 염증성 피부 질환

    b. 원인 : 아토피, 세균, 감염, 금속 알레르기, 곤충 교상, 유전적 요인

    c. 노인의 건조한 피부에 많이 발생하며 특히 겨울에 많이 발생

    d. 악화 요인 : 정서적 긴장, 음주, 장기간 목욕, 자극, 의복(모직물) 등

    e. 대처법

      －목욕은 미지근한 물에 짧게

      －국소적 스테로이드 연고를 처방받으면 밤새 밀폐요법이 효과적이다.

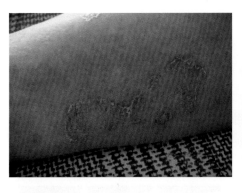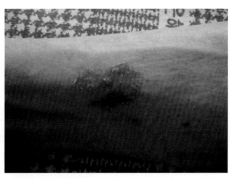

그림 19-6 82세 여성의 다리에 다발성으로 발생한 화폐상 습진

5) 건선(**Psoriasis**)

    a. 만성적, 비감염성의 염증성 질환으로 경계가 분명한 홍반성 판 위로 은백색 인설

    b. 대처법 : 병원 치료

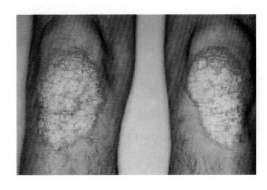

그림 19-7 무릎에 생긴 전형적 인설을 동반한 판상 건선

Adapted from 이민걸, 노효진 역

6) 약진(**Drug eruption**) : 약물에 의한 피부질환.

표 19-2 약진이 발생하는 시기

1시간	2~3시간	4~6시간	12시간	24시간	3~5일	1~2주	3주	4~5주
I형 알레르기(두드러기)								
	아스피린 불내성							
	고정약진					Stevens-Johnson 증후군		
		파종형 홍반구진형(기감작)						
								Drug-induced hypersensitivity synd.

a. 발진성 약진(홍역상 발진, 파종성 홍반구진) : 가장 흔함

   −약물 투여 6~15일 경에 많이 발생

   −가려움증 호소

   −대칭적

   −희미한 핑크색 반점으로 시작 ⇨ 밝은 적색의 구진성 반으로 진행

   −머리와 팔에서 시작하여 먼저 없어짐 ⇨ 체간과 다리의 병변은 이후에 발생

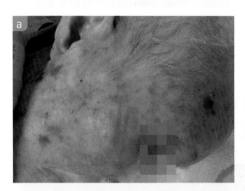
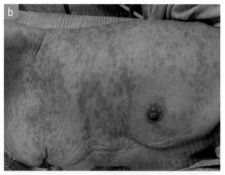
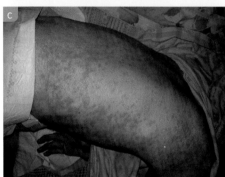

그림 19-8 Isoniazid에 의한 발진성 약진 (before)?. 91세 여성으로, 3주 전부터 결핵약 (isoniazide 200 mg/d 등) 복용 중이었음.
(a) 얼굴에 먼저 핑크색 반점 시작, (b) 얼굴에 반점 생긴 다음 날 배와 가슴에도 마치 홍역반 점과 같은 양상의 발진 생김. (c) 등에도 같은 양상의 발진. 가려움증 동반.

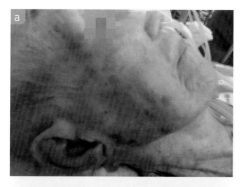

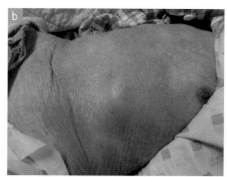

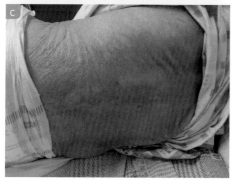

그림 19-9   발진성 약진(after). Isoniazid 복용 중단 3일 후의 모습. 가려움증은 조금 남아있으나 피부병변은 크게 호전됨.
(a) 얼굴 홍반 사라짐
(b) 배와 가슴의 홍반 사라짐
(c) 등의 홍반 사라짐

b. 두드러기양 약진

  ─담마진 형태의 병변

  ─일과성의 국한된 부종성 병변

  ─전신의 발적과 홍조

  ─안면부종, 입술부종과 같은 맥관부종이 나타날 수 있다.

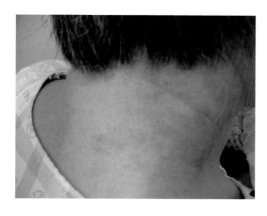

그림 19-10   두드러기양 약진. NSAID제 복용한 63세 여성.

c. 고정약진

－약제를 투여할 때마다 동일한 부위에서 반복 발생.

－약물 복용 1~12시간 사이에 발생.

－구강, 성기부, 손가락, 외상을 받기 쉬운 부위에 호발.

 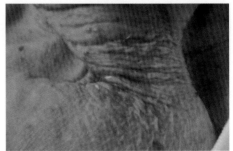

그림 19-11   간찰진 좌측 유방 밑의 접히는 부위   **그림 19-12**   간찰진. 목이 접히는 부위

7) 간찰진(Intertrigo)

  a. 두 피부면이 겹치는 부위에 발생하는 표층 염증성 피부염

  b. 마찰, 열, 습윤(노인의 요실금), 침연(짓무름), 공기순환의 결핍 등에 의함

  c. 감염에 의해 악화

  d. 대처법 : 통풍 시키기, 국소항생제 연고, 항진균제 연고

8) 대상포진(Herpes Zoster)

  a. 신경 내부에 젊은 시절 감염되었던 수두바이러스가 숨어 있다가, 사람이 피곤해지거나
     면역력이 감소하면 증상이 나타남

  b. 피부 지각신경 분포에 따라 예리한 통증을 수반한 띠 모양

  c. 사람의 몸을 좌,우로 나누었을 때 한 쪽에만 생김.

  d. 물집 형태(수포성)의 발진

  e. 대처법 : 발진이 생긴 지 72시간 내에 치료가 시작되어야 하므로, 즉시 병원 치료.

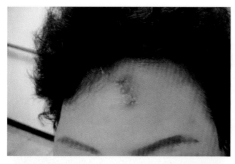

그림 19-13 대상포진 발병 5일 후 : 수포가 터지기 시작

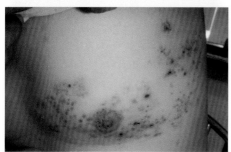

그림 19-14 대상포진 발병 2주 후

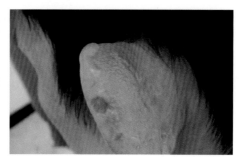

그림 19-15 귀에 생긴 대상포진

⊙ 필자의 대상포진 경험담 (2015년 2월)

위치: 우측 옆구리를 따라 수포 생김	당시 개인적으로 적어둔 메모
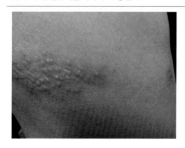	[150218] 마치 근육통처럼 배 둘레! 우측 반만 손 끝이 스쳐도 아픔. 최근 여행, 교과서 교열하느라 수면이 부족했음 [150220] 진통제(트라마돌) 먹고 통증은 많이 호전되었으나, 몽롱, 졸림, 기운 없음, 숨가쁨, 손 떨림 등의 약물 부작용 발생. [150222] 어제보다 훨씬 아프다. VAS 7 수두바이러스들이 감각신경을 침범하는 것이 느껴짐(???) 옷에 닿으면 아파서 집에서는 윗옷을 탈의하고 있어야 함 튀는 물에만 닿아도 아픔!

9) 체부 백선(**Tinea corporis**)

　a. 팔, 다리나 몸통(서혜부, 손, 발 제외)에 발생

　b. 특징적 소견 : 인설, 구진, 소수포 등으로 구성된 약간 융기된 가장자리와 인설이 동반된 색소반 또는 정상 피부 색깔의 중앙부

　c. 치료 : 단일 병변은 바르는 약. 광범위한 경우는 경구약.

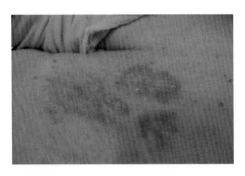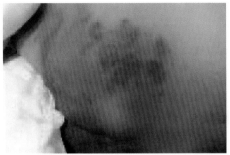

그림 19-16   체부 백선. (a) 등에 생긴 체부 백선, (b)기저귀로 덮인 엉덩이에 생긴 체부 백선

10) 완선(Tinea cruris)

    a. 서혜부, 회음부, 대퇴부 내측, 치골부

    b. 치료 : 2~4주간 하루 2회 항균제 도포. 반응 없으면 경구제 2~4주간 복용

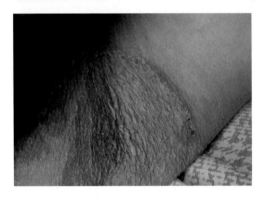

그림 19-17   완선 : 대퇴부 내측

11) 어루러기(Tinea versicolor)

    a. 주로 몸통에 색소침착으로 나타나는 진균 감염

12) 손발톱 무좀(조갑진균증; onychomycosis)

    a. 발톱의 감염은 손톱의 7배

    b. 치료 기간 : 6주(손톱), 12주(발톱)

그림 19-18

가슴에 생긴 어루러기

Adapted from 이민걸, 노효진 역

그림 19-19

손톱에 생긴 조갑진균증

: 매니큐어를 바를 수 없게 됨

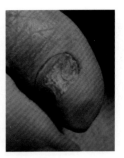

그림 19-20

발톱에 생긴 조갑진균증

13) 옴(Scabies)

a. 옴진드기가 주로 밤에 각질층 내에 수도(burrow)를 만들고 이 때 소화액과 같은 분비물이 알레르기 반응을 유발하여 가려움증이 나타남.

b. "수도(burrow)" : 먼지나 때 같은 것이 터널 상부에 끼어서 주위 피부보다 어두운 색. 주로 손가락 사이, 손목 굴측, 남자의 성기에서 주로 발견. 발등, 발바닥, 둔부, 액와부 등에서도 발견됨.

c. 치료약

─린단 로션 : 취침 전 몸 전체에 바르고 8시간 후 닦아냄. 1주 후 재도포

─유락신 연고 : 2일간 연속적으로 도포, 5일 내에 재도포

그림 19-21 옴진드기에 의한 수도(burrow)

Adapted from 이민걸, 노효진 역

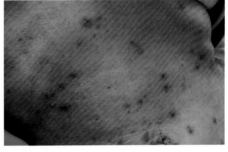

그림 19-22 옴진드기 감염에 의한 다수의 찰과상

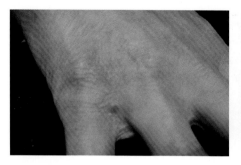

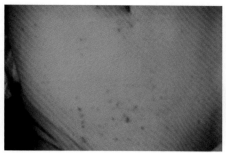

그림 19-23 옴의 초기 소견   **그림 19-24** 하복부에 발생한 옴 발진

14) 모낭염(Folliculitis)

    a. 모낭 주위에 주로 포도상구균의 침범에 의해 발병

    b. 임상 양상 : 표재 또는 심재성의 농포성 결절들

    d. 치료: 항생제 치료

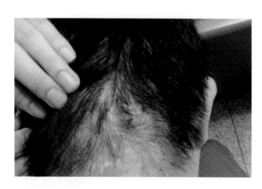

그림 19-25 모낭염 : 가려워서 긁었더니 염증 악화됨

15) 주사(Rosacea)

    a. 안면홍조와 홍반, 모세혈관확장증, 여드름과 닮은 염증성 구진농포성 발진 등을 포함한 총체적인 증상을 특징으로 하는 질환

    b. 분포 : 안면의 중심부인 이마, 코, 양측 볼, 턱에 침범

    c. 주사는 자연 치유되지 않으며 치료를 받지 않을 경우 점진적으로 심해짐.

    d. 대처법

      —악화 요인(뜨거운 음식, 술, 햇빛, 고열, 스트레스, 한기, 운동)을 피함.

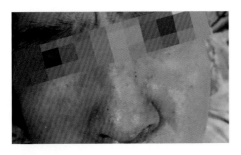 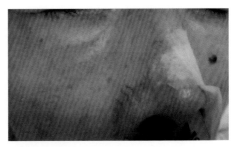

그림 19-26   주사 : 코와 양측 볼에 모세혈관 확장증   그림 19-27   코 주위의 1단계 주사

16) 노인성 자반(Senile purpura)

a. 노화, 장기간의 자외선 노출, 강력한 부신피질 호르몬제(스테로이드) 등의 도포에 의해 반상의 출혈이 생기는 질환. 혈관을 지지하는 교원질과 탄력섬유의 변성에 의해 혈관벽이 약해지고 파열되어 발생. 쿠싱증후군 환자에게 나타날 수도 있다.

b. 분포 : 손등, 팔에 경계가 뚜렷하며 다양한 크기와 모양의 반상 출혈성 병변

c. 대처법 : 원인 요소를 파악하고 피함(과도한 자극, 자외선 노출 및 스테로이드 도포 금지). 특히, 마치 신체적 폭력을 의심받을 수 있으므로, 보호자에게 적절한 설명이 필요.

그림 19-28   팔에 생긴 노인성 자반

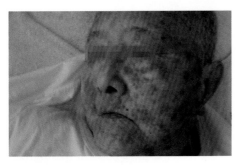 

그림 19-29   장기간의 스테로이드 복용 후 생긴 얼굴의 발진   그림 19-30   스테로이드 중단 24일 후 호전된 모습

17) 수포성 유천포창(Bullous pemphigold)

a. 피부 및 점막에서 표피하 수포를 형성하는 만성 수포성 질환임.

b. 대개 60세 이상의 노인에서 호발

c. 치료

　－스테로이드 투여 후 점차 감량

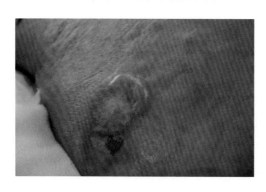

그림 19-31 엉덩이에 생긴 수포성 유천포창(아래 쪽 수포는 침대와의 마찰에 의해 터졌음)

18) 지루 각화증(Seborrheic keratosis) = 검버섯

a. 비침윤적인 각질형성세포의 과증식성 병변

b. 분포 : 얼굴, 어깨, 가슴 등에 호발

c. 중년 및 장년층의 나이에서 흔함.

d. 다발성 지루 각화증 : 에스트로겐 치료, 이미 존재하는 염증성 피부병, 내부의 악성 질환 등과 연관

e. 악성흑색종과의 감별점 : 경계(margin)가 부드럽다.

f. 대처법 : 양성질환이지만, 미용 목적으로 냉동 요법이나 화학적 박피술을 시도할 수 있음.

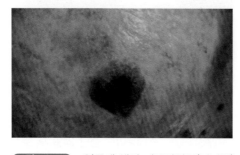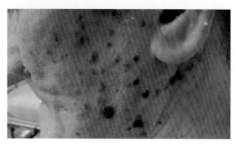

그림 19-32 얼굴에 생긴 지루각화증(검버섯)

19) 쥐젖 = 물렁섬유종 = 연성섬유종(Soft fibroma, skin tag, acrochordon)

a. 모양 : 침두대(0.1~0.5 cm) 또는 대두대(1 cm 이상) 크기의 부드러운 섬유상피성 용종으로, 대부분 유경성(pedunculated)의 형태를 보임.

b. 원인 : 불명이나 당뇨병, 임신, 비만증 등과 연관 있으며 중년 이후의 여성에게 호발. 결장 용종과의 연관성도 제기됨.

c. 증상 : 대부분 무증상이나 가끔 소양증 호소. 드물게 병변의 줄기 부위가 꼬여서 통증, 홍반, 괴사 등이 생길 수 있다.

d. 분포 : 단독 또는 여러 개의 피부색~담갈색의 병변이 목의 양측, 액와부, 체간의 상부에 호발

e. 치료 : 병원에서 시술

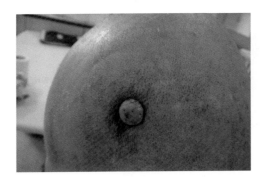

그림 19-33 두피에 생긴 1.5 cm 크기의 쥐젖

20) 광선각화증(Actinic keratosis)=노인성 각화증(Senile keratosis)

a. 장기간 햇빛을 쬐어 발생하는 양성의 각화성 종양으로서 편평세포암으로 이행할 수 있는 암 전구증

b. 분포 : 노출 부위인 얼굴, 귀, 머리, 팔, 손등 등

c. 위험인자 : 젊었을 때 흰 피부를 가진 사람, 농부, 어부

d. 임상 양상 : 살색~핑크색의 편평하거나 약간 융기된 경계를 보이는 인설성 병변. 만져보면 거칠고 마치 사포와 같은 느낌

e. 예방 : 과도한 햇빛 노출 삼가, 모자, 양산, 일광차단제 도포

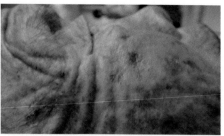

그림 19-34　광선각화증. 핑크색의 융기된 인설성 병변. 거친 느낌(최근까지 농사 짓던 2인의 노인 얼굴)

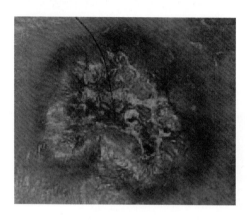

그림 19-35　기저세포암 : 전형적인 진주빛 경계, 중심성 가피
Adapted from 이민걸, 노효진 역

21) 기저세포암(**Basal cell carcinoma**)

 a. 가장 흔한 피부의 악성 종양

 b. 주로 머리나 목에 발생, 특히 얼굴의 중앙 상부에 가장 호발

 c. 종류 : 결절궤양성(가장 흔함), 색소성, 경화성, 표재성, 섬유상피종

 d. 대처법 : 병원 방문 후 수술적 치료, 방사선 치료, 약물 요법

22) 악성 흑색종(**Malignant melanoma**)

 a. 멜라닌세포에서 유래하며, 자외선 노출과의 연관성이 높다.

 b. 악성화의 징후 : 비대칭성, 불규칙한 경계, 색조의 다양함, 크기 증가, 통증, 출혈, 가피

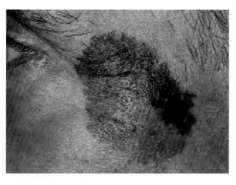

그림 19-36 악성 흑색점 흑색종 : 불규칙한
경계 및 색깔

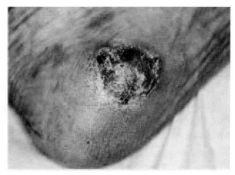

그림 19-37 악성 흑색종 : 말단 흑자성 병변
Adapted from 이민걸, 노효진 역

23) 땀띠(한진; **Miliaria**)

  a. 땀이 표피 밖으로 배출되는 과정에서 땀관, 땀구멍의 특정 부위가 막혀서 증상 발생.
    고온 다습한 환경(여름 장마철)에서 잘 생긴다.

  b. 수정형 땀띠(**Miliaria crystalline**)

    —이슬 모양의 작고 투명한 수포가 발생하며 증상 없고 수시간 내에 저절로 터져 소실
    됨.

    —장기간 침대 생활을 하는 환자에게 잘 생긴다.

  c. 대처법

    —시원한 환경 유지

    —수정형 땀띠는 자연 소실되나 홍색 땀띠는 소양증, 농포를 약물 치료

그림 19-38 여름에 생긴 수정형 땀띠
(2010년 7월 26일 촬영)

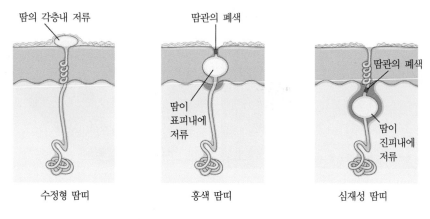

수정형 땀띠   홍색 땀띠   심재성 땀띠

그림 19-39 땀띠의 발생기전

24) 노인성 흑자(Senile Lentigo)

a. 멜라닌 세포의 증식에 의한 5~10 mm 크기의 갈색~검은색의 색소성 반점

b. 장기간의 햇빛 노출과 연관 있으며 50대 이후에 잘 생김.

c. 호발 부위 : 둥근 갈색의 반점이 얼굴과 손에 잘 생김.

d. 대처법 : 모자, 일광차단제를 사용하여 과다한 태양노출을 피한다.

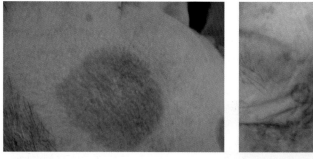 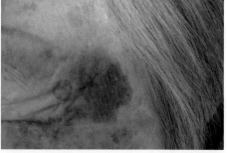

그림 19-40   노인성 흑자. 둥근 갈색의 반점이 얼굴에 생김(우측 사진의 경우는 경계가 불규칙하여 악성 흑색종과의 감별이 필요)

25) 박탈 피부염(Exfoliative dermatitis) = 홍피증(Erythroderma) = 홍색 비강진

a. 특징적 증상 : 전신에 홍반이 동반되며 낙설이 특징

b. 원인

－선행 피부 질환 : 건선, 지루성 피부염, 접촉 피부염, 아토피 피부염, 약물 알레르기

－약물 : 설파제, Allopurinol, 말라리아약, Penicillin, Captopril, Carbamazepine, INH

－선행 질환 : 호즈킨병, 균상 식육종, Sezary 증후군, 백혈병

c. 주관적 증상 : 고열, 림프선병증, 무력감, 오한, 심부전

d. 임상 양상

−40세 이상의 남자에게 흔하다.

−약물에 의한 병변은 약물 복용 수 주 후에 나타난다.

−초기부터 홍반, 인설이 시작되는 경우와 습진 또는 발진형의 발진이 나타난 후에 전신 으로 진행하면서 인설이 나타나는 경우가 있다.

−점막을 침범하지는 않는다.

e. 대처법

−탈수 방지

−보습제 및 soothing baths 시행

−체온 유지 및 2차 감염 예방

−약물에 의한 병변은 원인 약제를 제거하면 2~3주 후에 회복이 가능하다.

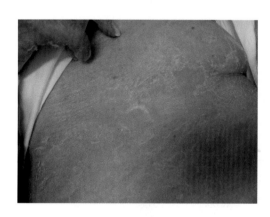

그림 19-41 박탈성 피부염. 뇌졸중 후 경련 때문에 Carbamazepine을 꾸준히 복용 중이던 71세 여성에서 홍반과 낙설을 동반한 피부 병변이 발생하였고, 수일 후 고열 발생

26) 우정 문신 (tattoo)

a. 일제시대에서 6.25 전쟁 당시 10대-20대 여성들 사이에 유행한 팔뚝 문신으로서 위안 부 차출, 사할린 강제 이주, 피난 등의 일을 겪으면서 나타난 유행으로 추정된다.

b. 일반적으로는 친구들 인원 수만큼의 점을 표시하는 방식으로 문신을 새김. 지역에 따 라 자기를 뺀 나머지 인원 수를 새긴 곳도 있음

c. 주로 먹물을 묻힌 실을 바늘에 꿰어 새김

그림 19-42 우정 문신. "나중에 우리가 어디에 있게 되든, 우리 우정을 잊지 말자!"

참 · 고 · 문 · 헌

1. 이민걸 노효진 역. 한눈에 보는 피부과학. 4판. 서울: 군자출판사; 2010.

2. 안성구, 장경훈, 송중원, 천승현. 한국인의 Common Skin Disease. 2판. 서울: 닥터스북; 2009.

3. 정종영, 하창민. 피부질환의 일차진료 제 1권. 개정판. 서울: 엠디월드; 2006.

20

노인요양시설에서의
호흡곤란 환자 관리

KEYPOINT 🔒

- 85세 남성. 3년 전 노인요양시설 입소 전까지 하루 2갑씩 흡연하시던 분으로서, COPD(만성폐쇄성폐질환) 진단을 받고 병원으로부터 경구약과 기관지확장제 투여 중이었는데, 최근에는 조금만 걸어도 호흡곤란을 호소한다.

➡ 병원 방문 필요함

➡ 산소 공급은 어느 정도로 할 것인가?

❶ 호흡곤란

1) 가벼운 운동에서 호흡곤란: 약 50%의 폐 기능 소실

2) 안정 시에도 호흡곤란: 약 30% 미만의 폐 기능만 남음

3) 호흡곤란의 정도 파악

—VASD (visual analogue scale for dyspnea) : "숨찬 정도가 0점에서 10점까지 중에 몇 점 정도인가요?"

—미국 흉부학회(ATS; American Thoracic Society)에서 제시한 판정법(표 21-1)

표 20-1   ATS Dyspnea Grade

중증도	Grade	임상증상
정상	0	힘든 운동 외에는 호흡곤란을 느끼지 않음
경도	1	경사진 길을 올라가거나 평지에서 빨리 걸을 때 호흡곤란
중등도	2	호흡곤란으로 동년배보다 늦게 걷거나, 걸을 때 중간에 멈추고 숨을 쉬어야 함
중증	3	평지를 30 m 정도 걸으면 호흡곤란
최중증	4	호흡곤란으로 집 밖에 나가지 못하며, 옷을 입거나 벗을 때에도 호흡곤란

❷ 만성폐질환(COPD)에서 호흡곤란을 일으키는 기전

1) 호흡 시의 일의 양 증가로 인한 노력의 증가

2) 저산소혈증, 고이산화탄소혈증

3) 기도(airway)의 가역적이고 역동적인 폐쇄

❸ 노인요양시설에서의 호흡곤란 대처

1) 안정 시 치료

a. 금연

b. 병원에서 처방받은 치료제로 흡입치료(기관지확장제, 스테로이드)

안정시 COPD 치료 원칙

1. 가능한 한 경구약제보다는 흡입약제를 권한다.
2. 제1기(경증) : 필요시에만 속효성 기관지확장제(흡입제)를 사용하며, 흡입제를 사용할 수 없는 경우에는 서방형 theophylline의 정규처방을 고려한다.
3. 제2기(중등도) ~ 제4기(고도중증) : 지속성 기관지확장제의 규칙적인 투여를 한다. 반복적인 악화를 나타내는 환자에게는 흡입용 스테로이드제 정규 치료를 추가한다.
4. 항생제를 예방적으로 투여하는 것은 급성 악화의 빈도를 감소시키는데 도움이 되지 않는다.

2) 만성폐질환(COPD) 치료의 개괄

a. 금연은 유일하게 COPD의 폐 기능 저하 속도를 줄일 수 있는 치료

b. 장기적 산소 공급

─진행된 COPD 환자의 생존율을 높임.

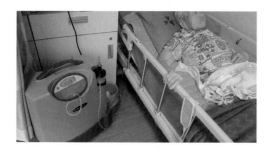

그림 20-1 장기적 산소요법을 시행 중인 입소자.

3) 언제 병원으로 옮겨야 할까?

COPD가 악화된 환자의 입원 적응증

- 급작스러운 안정 시 호흡곤란 발생과 같은 증상 중증도의 뚜렷한 증가
- 중증의 기저 COPD
- 새로운 신체적 징후의 시작(즉, 청색증, 말초 부종)
- 심각한 동반 질환
- 고령

그림 20-2 폐활량을 늘려주는 활동프로그램(서천노인요양원)

참·고·문·헌

1. 장윤수. 지속적인 호흡곤란의 원인과 관리. In; 연세대학교 의과대학 내과. 제 10회 연세대학교 의과대학 내과 연수강좌. 서울: 연세대학교 의과대학 내과; 2009. p. 55-64.

2. 박순규. 만성폐쇄성폐질환. In: 대한노인병학회. 노인병학 개정판. 서울: 의학출판사; 2005. P. 859-874.

3. Pauwels RA, Buist AS, Calverley PM, Jenkins CR, Hurd SS; GOLD Scientific Committee. Global strategy for the diagnosis, management, and prevention of chronic obstructive pulmonary disease. NHLBI/WHO Global Initiative for Chronic Obstructive Lung Disease (GOLD) Workshop summary. Am J Respir Crit Care Med 2001;163:1256-76.

Chapter 21

우울증 : 우울하거나 무기력한 입소자를 어떻게 대할 것인가?

KEYPOINT 🔒

■ 치매약과 파킨슨병약을 복용 중인 72세 여성. 늘 울상인 얼굴에 두통, 속 쓰림, 소화불량, 아랫배가 살살 아프다, 어지럽다, 죽고 싶다는 등의 말씀을 하심 (증상은 매일 조금씩 달라짐). 우울 증상의 조절을 위해 항우울제와 항불안제를 복용하고 있으나 여러 가지 신체 증상 및 우울 증상은 호전되는 기미가 보이지 않음. 어떠한 대책이 있을까?

➡ BATHE 테크닉을 통한 심리적 지지를 시도한다.

➡ 파킨슨병 자체 혹은 파킨스병의 치료제가 우울증의 원인일 수도 있다.

➡ 우울증에 의한 치매 증상인 "가성치매(pseudodementia)"의 가능성도 있다.

❶ 노인요양시설에는 우울한 입소자가 많다.

노년기 주요 우울증의 유병률은 1%로서 젊은 성인에 비해 낮지만, 가벼운 증상까지 포함하면 우울 증상은 노인의 약 27%에서 나타난다. 특히 요양 시설에 입소 중인 노인이나, 내과 및 신경과적인 신체 질환으로 치료 받는 노인의 경우에는 약 25% 정도가 우울증에 이환되어 있을 정도로 높은 유병률을 보인다.

❷ 노인 우울증의 2가지 종류

1) 조발성 우울증: 청장년 시절부터 가지고 있던 우울 장애가 노년기에 재발하는 경우
2) 만발성 우울증: 노년기에 첫 우울 증상을 보임. 가면성 우울(masked depression), 즉 겉으로만 괜찮아 보이는 경우가 많다.

❸ 우울증 병력청취의 방법

1) 우울의 기간, 우울증 과거력, 가족력, 우울증 치료 반응, 약물이나 알코올 남용 병력, 자살사고나 시도, 신체적 기능 상실 정도 등에 대해 질문.
2) 가족을 포함하여 질문한다.
3) 우울증의 비언어적 증거: 항상 슬픈 기분, 풀이 죽은 눈, 느린 말투, 눈가의 주름, 눈물을 많이 흘림
4) 자살의도 질문 : "가끔 더 이상 살 가치가 없다고 생각하나요?"와 같이 자살 시도와 구체적인 계획에 대해 묻는 것이 오히려 보통은 환자를 안심시킨다.

❹ 간단한 우울증 선별법

1) 다음과 같은 2가지 질문에 대해 모두 '예'라고 대답했을 때 민감도(실제로 우울증인 환자를 우울증이라고 선별하는 확률) 97%, 특이도(실제로 우울증이 아닌 환자를 우울증이 아니라고 선별하는 확률) 67%.

첫 번째 질문	두 번째 질문
지난 한달 간, 기분이 처지거나, 우울하거나, 희망이 없어 괴로운 적이 자주 있으셨나요?	지난 한달 간, 하시는 일에 흥미나 재미가 없어 괴로운 적이 자주 있으셨나요?

출처: Arroll et al. BMJ 2003;327:1144-6

❺ 노인 우울증의 진단 방법

1) 15문항으로 이루어진 GDSSF-K(한국판 노인우울척도-단축형)가 널리 이용된다.

표 21-1　한국판 노인우울척도-단축형(GDSSF-K)

다음을 잘 읽고 요즈음 자신에게 적합하다고 느끼는 답을 표시하십시오

(진한 바탕 : 1점씩 더함).

항목	내 용	예	아니오
1	당신은 평소 자신의 생활에 만족하십니까?		
2	당신은 활동과 흥미가 많이 저하되었습니까?		
3	당신은 앞날에 대해서 희망적입니까?		
4	당신은 대부분의 시간을 맑은 정신으로 지냅니까?		
5	당신은 대부분의 시간이 행복하다고 느낍니까?		
6	당신은 지금 살아있다는 것이 아름답다고 생각합니까?		
7	당신은 가끔 낙담하고 우울하다고 느낍니까?		
8	당신은 지금 자신의 인생이 매우 가치가 없다고 느낍니까?		
9	당신은 인생이 매우 흥미롭다고 느낍니까?		
10	당신은 활력이 충만하다고 느낍니까?		
11	당신은 자주 사소한 일에 마음의 동요를 느낍니까?		
12	당신은 자주 울고 싶다고 느낍니까?		
13	당신은 아침에 일어나는 것이 즐겁습니까?		
14	당신은 결정을 내리는 것이 수월합니까?		
15	당신의 마음은 이전처럼 편안합니까?		

0점~5점이면 정상, 6점~10점이면 경증 우울, 11점~15점이면 중증 우울　　Adapted from 기백석

❻ 노인 우울증의 특징

1) 우울감이나 슬픔 등을 직접적으로 표현하는 경우가 적다.

2) 체중감소가 흔하다.

3) 다양한 신체 증상(두통, 소화장애 등) 호소가 많다(건강염려증).

4) 수면장애, 불안증상, 초조감이 젊은이의 우울증에서보다 더 흔하다.

5) 주관적인 기억 손실이 많다. 특히 젊은 노인(65-75세)에서는 우울한 기분과 주관적 기억 소실 사이에 연관성이 많다.

6) 신경학적 증상이 동반되는 경우가 많다.

7) 인지기능 저하처럼 보이기도 한다(가성치매: 우울증 호전과 더불어 인지기능이 좋아짐).

   ▷ 실제로 치매가 동반되기도 하므로 가성치매와 치매의 구별이 중요!

8) 이전에 보였던 비정상적인 성격이 강화되거나, 늦은 나이에 알코올에 의존하기도 한다.

9) 7-30% 정도는 만성적인 경과를 거친다.

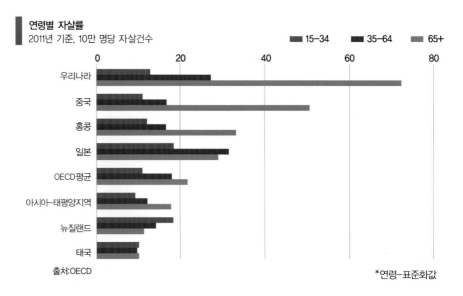

그림 21-1   아시아 주요국가와 OECD의 2011년 연령대별 자살률(인구 10만 명당). 특히 65세 이상 노인의 자살률은 우리나라가 단연 1위이다. 또한 필자가 조사해 본 결과 우리나라 노인들이 일본, 대만에 비해 항우울제 처방을 덜하는 성향을 보였는데, 이러한 점도 고려되어야 하겠다.

❼ 노인 우울증을 유발하거나 감별할 상황들

1) 사별(애도반응): 노년기에는 배우자와의 사별이 발생하므로 반드시 감별해야 한다. 배우자를 잃은 사람들의 약 10~20%가 사별한 후 첫 1년간 우울증상을 보이며 사별 2년 이후에는 14%에서 주요 우울증이 발병한다고 한다.

2) 양극성장애(Bipolar disorder): 환자가 이전에 임상적인 조증(들뜨고 민감한 감정, 꼬리를 무는 생각들, 사람 간이나 이성 간의 부적절한 판단, 돈을 헤프게 쓰기, 과도한 에너지)을 경험하였는가가 중요하다.

3) 갑상선기능저하증: 무감동, 에너지의 감소

4) 심근경색

5) 치매

6) 뇌혈관질환

7) 파킨슨병

❽ 우울증을 유발하는 약물들

표 21-2　우울증 유발 약물들

항고혈압약물	Reserpine Methyldopa Propranolol Clonidine Hydralazine Guanethidine	심혈관계약물	Digitalis 이뇨제 리도카인
		혈당강하제	인슐린, 경구혈당강하제
진통제	마약계통 : morphine, codeine, 　meperidine, pentazocine, 　propoxyphene 비마약계통 : indomethacin	정신 약물	안정제 : Barbiturates, 　benzodiazepine, Meprobamate 항정신병약 : CPZ(chlorpromazine), 　haloperidol, thiothixene 수면제 : chloral hydrate, fluraz- epam
파킨슨약	Levodopa	스테로이드	코티코스테로이드, 에스트로겐
항생제	Sulfonamides Isoniazid	기타	Cimetidine, 암페타민, 코카인, 환각제, 암 치료제, 알코올

❾ BATHE 테크닉을 이용한 정신, 심리적 지지

누구나 쉽게 접근할 수 있는 방법으로, 경한 우울증이나 적응장애 환자는 이것만으로 좋아지기도 한다.

표 21-3 BATHE 테크닉

B	ackground	"어떻게 지내십니까", "그 이후로 어떻게 됐나요?" ➪ 환자의 일상에 무슨 일이 일어났는지 접근. 이 질문에 대해 환자가 "별일 없어요"라고 하더라도 다음 질문으로 넘어가는 것이 좋다.
A	ffect	"그 때 기분이 어떠셨어요?" ➪ 환자들이 그들의 느낌을 나타낼 때, '미친', '슬픈', '실망한', '좌절한', '죄스러운' 등의 적나라한 수식어를 사용하도록 격려한다.
T	rouble	"가장 힘든 점이 무엇이죠?" ➪ 환자가 상황의 의미에 접근하는 것을 돕는 질문. BATHE 질문 중에 가장 중요! 이 질문에 대해 환자들은 "아!"라는 반응을 보이고 지금까지 인식하지 못한 무언가를 깨닫게 된다.
H	andling	"그래서 어떻게 하셨어요?", "어떻게 하실 수 있었죠?" ➪ 이미 가지고 있으나 인지하지 못한 대답에 접근하게 해준다. 환자가 전에는 고려하지 못한 해결책에 도달할 수 있는 힘을 줄 수 있다.
E	mpathy	"참 힘드셨겠네요!" ➪ 이해와 공감을 표현하는 말로 BATHE의 끝을 맺는 것이 중요.

참 · 고 · 문 · 헌

1. 한명일. 노인 우울증의 치료. 노인병 2009;13(Suppl.1);247-250.

2. 정인과. 한국형 노인우울검사(Korean Form of Geriatric Depression Scale : KGDS) 표준화에 대한 예비연구. 신경정신의학 1998;143:340-351.

3. 기백석. 한국판 노인 우울 척도 단축형의 표준화 예비연구. 신경정신의학 1996;35:298-307.

4. 신정호. 기분장애. In: 민성길. 최신정신의학. 제3판. 서울: 일조각; 1997. p. 199-221.

5. 황환식. 노년기 우울증. In:대한가정의학회. 2015년 대한가정의학회 춘계학술대회 노인의학 Core Review. 서울:대한가정의학회;2016.p.37-44.

6. Marian RS, Joseph AL III. Starting with the BATHE technique. In: The fifteen minutes hour: Therapeutic talk in primary care. Radcliffe Publishing Ltd. 2008. p.61-78.

수면장애 : 잠을 못 이루는
입소자를 어떻게 대할 것인가?

KEYPOINT 🔒

■ 왜 노인요양시설의 입소자들 중에는 수면장애가 많을까요?

➡ 원래 노인들이 수면장애가 많기도 하지만, 야간 배회 등의 증상이
시설에 입소하게 된 주된 이유인 경우가 많기도 합니다.

❶ 왜 노인은 잠이 없을까?

1) 생체리듬을 관장하는 뇌의 부위가 노화에 따라 손상되면서 수면 리듬(circardian rhythm)에 변화.

⇨ 밤에 깊은 잠을 못 자고 자주 깨거나 낮에 조는 현상 발생.

2) 생체리듬 변화로 인해 멜라토닌 분비의 최고점이 젊은 성인에 비해 일찍 나타남

⇨ 밤에 일찍 자고 아침에 일찍 깬다.

3) 야간 수면 시 잠드는 데 시간이 많이 걸리고 수면효율(자려고 누운 시간 중 실제 잔 시간)이 감소

⇨ 잠이 들고 나서 REM수면이 나오는 데까지 걸리는 시간이 줄어들고, 아침에 일찍 깸.

❷ 수면장애의 원인들

1) 정신생리적 불면증

  −전체 불면증의 25% 이상

  −스트레스와 같은 요인 ⇨ 불면증 ⇨ 불면증에 대한 걱정 ⇨ 교감신경계 자극 ⇨ 불면증...악순환.

2) 정신과적 질환이나 스트레스

  −우울증이 대표적

  −치매환자를 돌보는 보호자의 상당수가 수면제를 복용

3) 수면무호흡증

  −코골이와 함께 나타나는 경우가 흔함

  −무호흡 반복: 매일 밤 수면 중에 최소 40회 이상, 10초 이상 지속

  −수면무호흡증 환자가 수면제나 안정제로 치료받으면 호흡이 억제되어 위험

4) 주기적 사지운동증

  −나이가 들면서 증가하며, 노인의 1/3 이상에서 있다는 보고도 있다.

  −밤에는 깨어나고 낮에는 졸리다.

  −수면 중 약 30초마다 주로 하지의 근육을 수축.

  −수면무호흡증과 동시에 나타나기도 함.

5) 하지불안증후군

  −휴식 중, 혹은 자려고 할 때 나타나거나 악화되고 움직임에 의해 호전되는 다리 이상

감각

　─이상감각: '피부 안쪽이 가려운', '피부 밑으로 벌레가 기어다니는 것 같은', '바늘이나 뾰족한 것으로 찌르는 것 같은' 느낌.

　─빈혈, 신장질환, 신경계질환과 연관있고, 나이가 들면서 증가.

　─흔히 주기적사지운동증과 동반.

　─야간수면다원검사 필요

6) 치매

　─치매 환자의 수면 리듬은 뒤집혀 있다.

　─낮에 자고 밤에 깨어서 돌아다닌다.

　─같은 병실의 치매환자가 시끄럽게 굴어서 잠을 못 자기도 한다.

7) 약물 및 금단증상에 의한 불면증

　─카페인, 메틸페니데이트, 암페타민, 베타차단제, 이뇨제, 교감신경계 항진작용이 있는 약물, 기관지 확장제, 일부 파킨슨병 약물, 일부 항우울제

　─수면제 장기간 복용 시 생긴 내성

　─수면제, 진정제를 장기간 사용하다가 갑자기 끊으며 생기는 반동성 불면 증상

8) 신체질환

　─관절염 ⇨ 통증 ⇨ 불면증

　─기침, 호흡곤란, 위식도역류 ⇨ 불면증

　─신체질환으로 복용하는 약물 ⇨ 불면증

　─전립선 이상, 수면무호흡증 ⇨ 불면증

❸ 노인요양시설 입소자들에게서 수면장애가 많은 이유?

1) 원래 노인이 되면 수면장애가 많다.

2) 시설 입소자 중에는 치매, 섬망 환자가 많다.

3) 요실금이나 전립선비대 등으로 인해 야간에 화장실을 가는 경우가 많다.

4) 같은 병실에 치매 환자들이 많다.

5) 특히 입소 초기에는 낯선 환경에서 잠을 못 이루는 경우가 많다.

6) 하루 중 대부분을 침상에서 보내므로 수면-각성 리듬이 와해된다.

7) 다인이 함께 생활하는 시설의 특성상, 야간에 소음과 빛에 노출되는 경우가 많다.

❹ 수면장애 노인에 대한 비약물적 치료법

1) 정상수면 기준을 너무 높게 잡지 말 것("자주 깨고, 아침에 일찍 깨는 것은 정상 노화입니다")

2) 낮잠을 피한다.

3) 취침 전에 소변을 보도록 하여, 취침 도중 깨지 않도록 한다.

4) 침실의 소음과 지나친 빛을 통제하며, 적절한 온도를 유지(야간에 은은한 조명은 켜둔다).

5) 늦은 오후나 이른 저녁에 보행을 하고 햇빛을 많이 쫴도록 한다.

6) 통증이나 가려움증이 있다면 치료한다.

7) 잠을 억지로 자게 하거나 억지로 깨우지 않는다(억지로 하면 불안감이 생김).

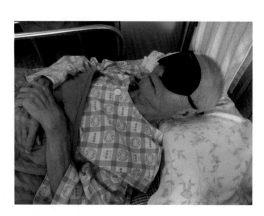

그림 22-1 수면안대가 있어야 잠을 이루는 입소자. 요양원 입소 어르신들은 야간에 간헐적으로 소음이나 빛에 노출이 되므로, 선호도에 따라 귀마개나 수면안대 착용이 수면유지에 큰 도움이 되기도 한다.

참·고·문·헌

1. 최현림. 노인에서의 불면증. In:대한가정의학회. 2015년 대한가정의학회 추계학술대회 노인의학 Core Review. 서울: 대한가정의학회; 2015. p.72-79.

2. 윤인영. 수면장애. In:대한노인병학회. 노인병학. 서울: 대한노인병학회; 2015. p.189-193.

3. 와시미 유키히코. 치매간호: 당신의 환자가 치매(인지장애)라면 어떻게 하겠습니까? 서울: 군자출판사; 2015.

PART 4

간호인력과
요양보호사를 위한 지침

입소자 간호체크와
보호자 안내문

KEYPOINT 🔓

- **새로운 입소자와 보호자에게 반드시 알릴 주의 사항은?**
➡ 낙상, 골절, 욕창, 보호대, 질식, 돌연사 등의 가능성에 대해 입소 초기에 안
  내합니다.

❶ 입소자를 직접 보고 얻는 정보들

1) 활력징후(**Vital Sign**), 의식 상태, 체중, 키 확인

2) 환자에게 이미 유치되어 있는 경비위관(**L-tube**), 도뇨관, T-tube 등을 파악

　─마지막으로 교환한 날짜를 파악(모르면 전에 있던 곳에 연락하여 알아낼 것)

3) 피부 상태(욕창, 화상, 붉은 반점, 수포 등) 확인

4) 위험한 물건(칼, 가위 등) 소지 여부 확인: 자해, 타인 상해 등의 위험 있음

5) 고가(高價)의 소지품(틀니, 보청기, 안경 등) 확인 및 분실 방지 계획 마련

6) 지남력 수준 파악(**MMSE** 결과 참고)

❷ 보호자로부터 얻는 정보들

1) 입소하게 된 주된 이유, 현재 투여 중인 약물 등을 확인

2) 입소자의 상태가 안 좋아졌을 때 가장 먼저 연락을 취할 1인의 보호자(주로 아들, 딸, 며느리, 배우자 등)의 연락처를 확보하고, 가능하면 두 번째 보호자의 연락처도 확보

3) 환자의 과거력(특히 낙상 및 골절)

4) 입소 전에 마지막으로 식사한 시간, 소, 대변을 본 시간을 확인

5) 행동심리증상(배회, 섬망, 공격성 등) 시에 환자를 진정시킬 수 있는 보호자만의 방법(**Know-how**)이 있는지를 확인

　예 장남의 말만 신뢰했던 인지 장애 환자가 약물 복용이나 주사 등의 케어에 저항하는 경우 ─ "장남이 사준 보약입니다".

6) ADL(일상생활 수행능력)의 정도를 질문(입원 전 주된 간호를 했던 자에게 문의)

7) 환자의 수면 패턴 확인

8) 배변 패턴 확인(스스로 보는지, 변실금, 요실금, 기저귀 사용 여부 등)

9) 약물 등에 대한 알레르기 과거력 파악

10) 환자평가표 작성 시에 필요한 사항들(학력, **ADL**, 욕창, 낙상의 과거력[구체적인 날짜] 등)

11) 환자의 취미 활동 등 평소의 생활 패턴

❸ 보호자에게 설명해야 할 사항들

1) 공격적 성향이나 섬망(혼돈 상태) 등의 증상이 있는 입소자의 경우, 시설에서 조절되지
   않으면 약물치료를 위해 병원으로 전원할 수 있음

2) 간병인(공동 간병인)과의 관계에 대한 설명

   a. 절대로 간병인에게 '촌지' 등을 주지 말 것

   b. 간병인과의 개인적인 접촉은 금함.

3) 공용 침실 사용에 따른 불편한 점들 : 입소자의 수면 패턴에 영향을 줄 수 있고, 반대
   로 환자의 불면증이나 섬망 증상 등이 다른 이들에게 영향을 줄 수 있음.

❹ 입소자 초기 간호평가도구 및 안내문 사례

다음에 제시하는 간호평가 도구를 이용하여 입소자의 특성과 일상생활능력, 낙상위험도
를 파악하고, 안내문을 활용하여 입소자와 보호자에게 시설 생활을 간편히 안내할 수 있다.

면 담 일 자 :
성 명 :
나이 / 성별 :
담 당 자 :

입소자 간호력

보호자 ☎ ①
　　　　 ②
　　　　 ③

● 소지품
　　□ 보청기 □ 의치 □ 공기침대 □ 도기
　　• 기타 :

• 학 력 :
• 종 교 :
• 가 족 :

● 주 호소 및 병력

● Cath. 삽입상태(교환날짜) : □ 경비위관 _____　　　□ 도뇨관 _____
　　　　　　　　　　　　　　□ 기관지관_____ □ 기타 _____
● 과거력 :　　　　　　　　□ 당뇨병 _____ □ 고혈압 _____ □ 결핵 _____
　　　　□ 기타 _____ □ 낙상 _____ □ 욕창 _____

● 입원시 상태
•위장계 : □ 오심 □ 구토 □ 복부팽만
•호흡계 : □ 기침 □ 객담 □ 호흡곤란
•피부상태 : □ 상처 _____ □ 흉터 _____ □ 기타 _____
•지남력 : □ 장소 □ 시간 □ 사람 □ 혼수
•의식정도 : □ 정상 □ 졸린상태 □ 질문에만 반응 □ 통증에 반응 □ 반응 없음
•식이상태 : □ 일반식 □ 연식(죽) □ 유동식(캔) □ 당뇨식
•기타 :

● 과민증 : 알레르기 □ 없음　　□ 있음
● 수면패턴 : □ 불면증　　•기타 :
● 배변특성/양상 : •대변 :　　　　• 소변 :

ADL	혼자 가능	약간 도움	전적인 도움
식 사			
옷입기			
거 동			
목 욕			

그림 23-1 초기 간호평가 시에 활용하면 입소자의 특성을 파악할 수 있다.

등록번호 :
이름 :
나이 :   성별 :
방번호 :   침대위치 :

일상생활수행능력

1. 목욕 – 욕조 내 목욕 또는 샤워하기

   ① 혼자서 할 수 있다 ( )   ② 약간의 도움이 필요하다 ( )   ③ 많은 도움이 필요하다 ( )

2. 옷입기 – 옷장이나 서랍장에서 옷을 꺼내서 입기

   ① 혼자서 할 수 있다 ( )   ② 약간의 도움이 필요하다 ( )   ③ 많은 도움이 필요하다 ( )

3. 용변보기 – 화장실에 가서 용변보고 뒤를 닦고 옷을 추스르기

   ① 혼자서 할 수 있다 ( )   ② 약간의 도움이 필요하다 ( )   ③ 많은 도움이 필요하다 ( )

4. 거 동 – 잠자리에 눕고 일어나고 의자에 앉고 일어나기

   ① 혼자서 할 수 있다 ( )   ② 약간의 도움이 필요하다 ( )   ③ 많은 도움이 필요하다 ( )

5. 대소변가리기

   ① 혼자서 할 수 있다 ( )   ② 약간의 도움이 필요하다 ( )   ③ 많은 도움이 필요하다 ( )

6. 식사하기

   ① 혼자서 할 수 있다 ( )   ② 약간의 도움이 필요하다 ( )   ③ 많은 도움이 필요하다 ( )

정보제공자 _____ 담당간호사_____

그림 23-2 입소자의 기본적 일상생활수행능력(ADL) 평가지

노인의 낙상위험 사정도구

호실 :　　　　　　환자명 :　　　　　성별/나이 :　　　　　　　진단명 :

분류	낙상 위험 요인 사정	점수	날짜		
			/	/	/
나이	60세 미만	0			
	60~69세	1			
	70~79세	2			
	80세 이상	3			
낙상 과거력	없음	0			
	지난 1년 이내 낙상	1			
	지난 1~5개월 이내 낙상	2			
	지난 4주 이내 낙상	3			
활동수준	와상상태	0			
	1명 이상의 많은 도움으로 휠체어 이동 가능 (지속적인 sitting 유지 어려움)	1			
	1명의 약간의 도움으로 휠체어 이동이 가능 (static standing이 가능)	5			
	보조기나 한 사람의 도움으로 보행 가능	8			
지남력 상태	지남력 있음*3 (사람, 장소, 시간)	0			
	평가하기 어려움(uncheckable)	2			
	지남력 있음*2 (사람, 장소)	4			
	지남력 있음*1 (사람)	6			
	지남력 없음	8			
의사소통	정상	0			
	청력장애	1			
	언어장애	2			
	청력과 언어장애	3			
위험요인	수면장애, 배뇨장애, 설사, 시력장애, 어지러움, 우울, 흥분, 불안				
	없음	0			
	1~2개	1			
	3개	2			
	4개 이상	3			
관련질환	뇌졸중, 고혈압이나 저혈압, 치매, 파킨슨질환, 골다공증, 신장장애, 근골격계질환(관절염포함), 발작장애				
	없음	0			
	1~2개	1			
	3~4개	2			
	5개 이상	3			
약물	A: 고혈압제, 이뇨제, 강심제 B: 최면진정제, 항우울제, 항불안제, 항정신병치료제, 항파킨슨제제, 항전간제				
	A: 0개　　B: 0~2개	0			
	A: 1~3개　　B: 0~2개	1			
	A: 0개　　B: 3~6개	2			
	A: 1~3개　　B: 3~6개	3			
합 계					
서 명					

고위험군: 15점 이상　개인간병고려: 20점 이상　Developed by Mi-Hwa Park

그림 23-3　낙상위험 사정도구(보바스기념병원 낙상도구)

보호자 안내문 : 입소 후 발생 위험이 있는 문제들

- 낙상
  - 야간문제행동, 과잉행동장애가 있을 시 낙상이 발생할 수 있습니다.
  - 균형감각과 판단력의 저하로 인한 불안정한 보행이 낙상의 요인이 될 수 있습니다.

- 골절
  - 노령 또는 질병으로 인해 뼈와 근육의 약화가 초래되어 골절이 발생할 수 있습니다.
  ⇨ 주치의의 판단 하에 예방적 약물 치료를 합니다.

- 욕창
  - 오랜 침상생활과 신체기능 저하로 욕창이 발생할 수 있습니다.
  ⇨ 체위변경으로 욕창을 예방하고, 지속적인 관찰로 욕창을 조기에 발견하여 적극적인 치료를 수행합니다.

- 신체억제대
  - 낙상과 골절을 예방하거나, 치료적인 목적으로 신체억제대를 적용할 수 있습니다.
  ⇨ 가능하면 자유롭게 다녀야 보행능력이나 일상생활동작이 유지될 수 있습니다.

- 질식, 사레
  - 삼키는 기능의 저하(치매, 뇌졸중 등의 질병으로 인해) 시에 음식물이 기도로 넘어가서 질식이나 폐렴이 발생할 수 있고, 갑작스러운 사망의 원인이 될 수 있습니다.
  ⇨ 특히 떡이나 음료수 등.

- 돌연사
  - 나이가 가장 중요한 요인으로 어르신들은 많은 질환을 가지고 있기 때문에 대처할 수 없는 상황이 발생할 수 있습니다.
  ⇨ 순간적(1분 이내)인 상황이므로 대처하기가 어렵습니다.

          20 년   월   일. 간호사 :   보호자 :

그림 23-4 입소 후 노인 입소자에게 발생 할 수 있는 각종 문제들에 대한 안내문

참 · 고 · 문 · 헌

1. 인천은혜병원 간호부. 간호업무지침서. 인천: 인천은혜병원; 2001.

Chapter

24

간호팀 라운딩 시에 꼭
확인해야 할 것들

KEYPOINT 🔓

"그들의 말 한마디, 한마디에 귀를 기울여야 합니다.
농담처럼 내뱉은 한마디가 치매의 진행을 반영하는
중요한 단서가 될 수도 있습니다."

– 김은숙 간호사 –

요양시설에는 기본적인 일상생활조차도 의존적인 분들이 많으므로 간호업무의 핵심은 역시 입소자들의 기본적인 일상생활이 잘 이루어지고 있는지 여부를 확인하는 것이다. 또한 정서적인 지지를 통해 노인들이 편안함을 느낄 수 있도록 도와주는 일도 매우 중요하다.

❶ 정규 라운딩 시에 확인할 사항들

1) 공통적으로 체크할 사항

  a. V/S 체크
  - 혈압이 떨어졌을 때
    - −의식 저하 확인
    - −여러 장기에 혈류 저하가 발생할 수 있으므로 산소포화도와 소변량도 체크한다.
  - 열이 날 때
    - −탈수에 의한 소변량 저하는 없는지
    - −의식 확인
    - −요로감염, 폐렴의 가능성을 의심(그러나, 노인에서는 젊은이처럼 고열이 없는 경우가 흔함)
  - 요로 감염의 증거들
    - −소변줄이 막혔거나 색깔이 탁하지 않은지?
    - −급성 신우신염(APN) : 옆구리 통증이 없는지? (옆구리[콩팥]를 두드려 보아서 한 쪽 옆구리만 특히 아파하면 의심), 특히 야간에 고열(spiking fever)
  - 폐렴의 증거들 : 가래/기침이 많아졌는가?

  b. 피부 상태는 항상 확인
  - −노인은 살짝 잡거나 부딪혀도 쉽게 멍이 들거나 피부가 벗겨진다.
  - −피부에 멍이 들면 아스피린, 와파린 등 혈액응고 억제제의 투여 여부도 확인한다.
  - −특히 와상 환자의 경우는 발등 동맥(dorsalis pedis)의 맥박이 잘 뛰는지를 자주 확인하고, 발 끝의 청색증 등 색깔의 변화를 확인하여 폐색성동맥경화증(ASO)을 놓치지 않도록 한다.

그림 24-1 발등동맥(Dorsalis Pedis) 맥박을 확인하기

그림 24-2 우측 발이 차갑고 색의 변화가 있다(ASO)

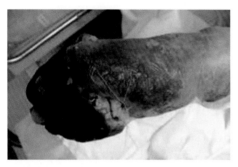

그림 24-3 ASO에 의한 발가락 괴사(Necrosis)

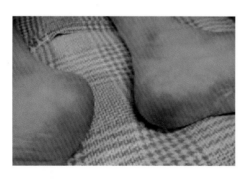
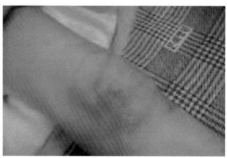

그림 24-4 양측 발뒤꿈치 및 좌측 무릎의 색 변화(청색증)와 국소적 저체온증

    c. 눈의 간호

      ─이물질, 통증 여부, 색은 어떤지, 동공 반사 확인

    d. 구강 간호

      ─입안과 입술의 염증, 상처, 통증 여부, 건조한지

    e. 식사는 잘 하셨는지(잘 먹기)

      ─음식물을 씹고 삼키는 데에 문제가 없는지

　　　　-흡인(aspiration) 여부, 식사량, 식사 태도(통째로 삼키듯 먹지 않는지)

　　　　-보호자로부터 받은 간식을 숨겨놓지는 않는지

　　　　-보호자가 가져온 간식은 한꺼번에 먹지 말고 나누어 먹을 수 있도록 관리

　　　　-식사 보조가 필요하지는 않은지

　　f. 배변, 배뇨 상태 이상 있는 환자(잘 싸기)

　　　　-양상(묽은 변), 주기, 양, 출혈 여부, 색깔 등

　　g. 잠은 잘 주무셨는지(잘 자기)

　　h. 환자의 기분 살피기

　　　　-대화나 표정을 통해 파악하고 필요하면 정서적 지지를 해줌

　　i. 이상 행동을 보이지는 않는지

　　j. 위생 상태 살피기

　　　　-손, 발톱(무좀, ingrowing nail), 머리카락(비듬, 지루성 피부염 등), 회음부(질 분비물, 간찰진)

2) 의사 소통이 어려운 환자

　　a. 언어보다는 피부 접촉을 통해 환자의 상태를 파악

　　　　-열감을 느껴보기

　　　　-신음 소리를 낼 때에 통증 느낄 만한 부위를 촉진

3) 기저귀, 기스모 착용 환자

　　a. 기저귀 발진 등의 피부 변화

　　b. 너무 타이트하게 채워져 있지는 않은지

4) 경비위관(L-tube) 유치 환자

　　a. 꼬여 있는지, 이물질이 있는지, 막혀 있는지, 팁이 입으로 나와 있지는 않은지

　　b. 처음 삽입되었던 길이가 맞는지

　　c. 오심, 구토가 있는지

5) 도뇨관(Foley catheter) 유치 환자

　　a. 아랫배를 아파하거나 안절부절 못하는 경우 도뇨관이 막혔는지 확인

　　b. 도뇨관이 꼬이거나 막혔는지, 새지는 않는지

　　c. 소변 주머니에 찬 소변의 양이 넘치지는 않는지

　　d. 소변 주머니가 환자의 방광보다 높은 곳에 위치하여 역류하고 있지는 않은지

e. 혈뇨 등 소변 색깔.

6) 기관지관(T-tube) 유치 환자

a. 막히지 않았는지

b. 지저분하지는 않은지

c. 피가 나오지는 않는지

d. 잘 고정되어 있는지

e. 내관은 매일 세척해 줌

7) 욕창 환자 혹은 욕창 예방중인 환자

a. 체위 변경이 잘 이루어지고 있는지

b. 공기 침대 사용 중인 환자

 −제대로 바람이 들어가 있는지

 −너무 바람이 많이 들어가서 side rail 높이와 별 차이가 없다면 '낙상'의 위험이 있다!!

c. 쿠션 역할을 하는 베개, 방석 등이 제자리에 유지되고 있는지

d. 등 간호(back care)

 −혈액 순환을 촉진하고 긴장을 완화시켜 편안함을 제공

 −큰 수건을 밑에 깔고 따뜻한 물수건으로 등을 닦은 후 물기를 잘 말린다. 필요 시 알코올 솜 등으로 등을 문질러서 건조시킨다.

 −로션을 손에 충분히 바른 후 등 맛사지를 한다.

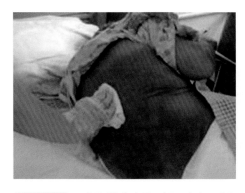

그림 24-5 외상 환자의 등 간호 장면 : 따뜻한 물수건으로 등 닦기

그림 24-6 근육 강직 환자의 손가락 압창 및 손가락 사이의 간찰진 예방을 위한 패드.

8) 근육 강직이 있는 환자

   a. 수동적인 관절 운동을 실시하여 이전 운동범위에 비해 변화가 있는지를 체크

   b. 근육 강직으로 주먹을 쥐고 있는 환자들에게는 그림과 같은 패드를 대어서 압창 및 간
      찰진 등을 예방한다.

표 24-1 의식 수준을 나타내는 용어들의 정의

의 식 수 준	내 용
각성(Alert)	환자의 의식 내용에 상관없이 환자가 깨어있는 상태
기면(Drowsy)	환자가 자는 듯 보이나 깨우면 곧 각성 상태로 돌아오는 상태
혼돈(Stupor)	환자를 깨워도 온전한 정신상태로 돌아오지 않고 부분적인 반응만 보이는 상태
혼수(Coma)	환자에게 아무리 강한 자극을 주어도 반응이 없는 상태

Cf) 섬망(Delirium) : 환자가 제 정신이 아닌 상태에서 횡설수설하거나 하는 흥분 상태를 말한다.

❷ 야간 라운딩 시 확인 사항

1) 수면을 취하고 있는 자는 손으로 만져 보아 열감이 있는지 확인

2) 야간에 전등을 끄지 않으면 밤, 낮을 구분하지 못하는 환자가 있으므로 수면 시에는
   끄고, 라운딩 시에만 침상 머리맡에 있는 보조등을 켜서 입소자의 상태를 확인

3) 반대로 최근에 섬망의 증상이 발생한 자의 경우는 야간에도 은은한 보조등을 켜두는
   것이 좋다.

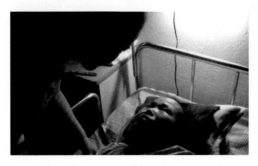

그림 24-7 야간 라운딩 시 머리맡의 보
조등을 켜고 입소자의 상태를 확인하는 모
습

❸ 라운딩 이후 시간의 케어

1) 식사 관리

    a. 흡인(**Aspiration**), 혹은 사레가 잘 발생하는 환자의 경우는 간호(조무)사가 직접 식사 보조를 한다.

    b. 흡인이 자주 발생하는 환자들은 그 이유를 먼저 파악해 본다.

2) 입소자의 취미 생활 및 감정 상태 돌봄(정서적 지지)

    a. 책 읽기, 그림 그리기, 산책 등…

    b. 특히 우울 증상이 있는 분들은 그들과 대화하는 것 자체가 증상을 완화시킬 수 있다.

    c. 불안하거나 공격적인 분들의 경우에도 그러한 원인을 알아보려는 노력이 필요

3) 불면증 환자

    a. 수면에 방해가 되는 요인은 무엇인지 파악한다(주변의 시끄러운 환자 등).

    b. 낮에 햇빛을 오래 쐬게 한다(멜라토닌 분비).

    c. 휠체어에 태우거나 기립 상태 유지하는 등, 낮에 주무시지 않도록 유도한다.

4) 기타 일반 업무

    a. 상처관리 등

참 · 고 · 문 · 헌

1. 인천은혜병원 간호부. 간호업무지침서. 인천: 인천은혜병원; 2001.

노인요양시설에서의
간호기록 작성요령

KEYPOINT 🔓

"보고, 듣고, 말하는 그대로를 기록해야 합니다.
좋은 간호 기록이란 진단을 적는 것이 아니라
증상을 적는 것입니다."

– 정수연 간호사 –

간호기록지는 간단, 명료한 문체로 명확한 사실에 근거하여 기록되어야 하며 존칭어의 사용은 피한다. 그런데 요양시설의 경우는 입소자들의 특성상 의사표현 능력이 부족한 경우가 많으므로 직접적인 표현보다는 얼굴 표정이나 신음소리 등 비언어적인 의사소통에 의거하여 기록을 해야만 하는 경우가 많다. 또한 기록 전에 담당 요양보호사로부터 입소자의 상태 변화나 특이 사항에 관한 정보를 얻으면 도움이 된다.

본 장에서는 노인요양시설에서 간호기록지에 반드시 기록되어야 할 내용들을 정리해 보고, 간호기록의 근거로 제시할 수 있는 여러 가지 보조적 서식들을 소개하고자 한다.

❶ TPR chart (임상관찰기록지)

1) V/S : 혈압 저하, 고열, 호흡 곤란 등이 있는 환자는 정해진 간격보다 자주 기록
2) 소변량이 줄어든 환자의 경우는 I/O를 매일 기록

❷ 병원 검사 결과 기록

1) 병원 진료 후 다양한 임상검사 결과가 나오면 기록
2) 방사선 검사 판독 결과가 있다면 기록
3) 인지 기능 검사: MMSE, CDR, GDS 검사를 했으면 그 점수를 각각 기록

❸ 식사

1) 식사 방법 : 수저질 가능 여부, 일반식, 연식(죽), 경비위관, PEG
2) 음식을 삼키기 어려운지, 자주 사레 걸리는지 여부
3) 체중 감소(체중을 새로 측정했다면 그 수치를 기록)

❹ 배설 기능

1) 요실금, 변실금 여부 기록
2) 변기 사용, 기저귀, 유치 도뇨관, 방광 훈련 프로그램 여부 및 결과 기록
 예) 배뇨 훈련으로 1일 3~4회 성공

5 수면 상태

1) 야간 불면증 : 그냥 눈만 뜨고 있는지, 혹은 뒤척이거나 소리를 지르는지
2) 낮에 졸려 하는지

6 일상생활수행능력(ADL; activities of daily living)

1) 목욕, 옷입기, 용변보기, 거동, 대소변가리기, 식사하기 등의 능력을 기록
2) 보행 가능한 환자 : 걸음걸이, 방향, 속도, 보조기구 사용 여부 등 기록

7 물리치료, 작업치료 시행 여부 및 종류

1) 무슨 이유로 시행 중인지
2) 효과는 어떠한지, 환자가 만족스러워 하는지

8 건강 문제 관련

1) 낙상, 탈수, 구토, 발열 등
2) 통증이 있다면 통증의 강도 및 빈도를 기록
　－노인에서는 얼굴통증평가척도(**Faces Pain Scale**)를 이용한 평가가 유용하다.

그림 25-1 통증 평가 도구인 얼굴통증평가척도(Faces Pain scale)

❾ 치매로 인한 행동심리증상의 발현 유무 및 빈도

1) 평상시와 다른 이야기를 하거나 행동을 보이는지를 유심히 살핀 후 기록
2) 섬망, 망상, 환각, 초조, 공격성, 불안, 우울, 푸념, 무감동 등

❿ 비언어적 표현에 대해서도 관찰한 그대로를 기록

⒠ "직원과 눈을 마주치지 않는다", "이마를 찌푸리고 있다"

⓫ 간호업무 수행 후 기록

1) 처방받은 진통제나 안정제 투여 후 약물 효과 유무에 관해 기록
2) 욕창 예방 행위 : 체위 변경, 등 간호, 공기 침대 등
3) 구강 간호
4) 회음부 간호

⓬ 욕창 상태

1) 주 1회 꼴로 변화 양상을 자세히 기록한다.
2) 위치, 개수, grade, size, 깊이, 진행 정도, 분비물, 출혈 여부 등을 기록한다.

- 1단계: 피부 발적만 있음.
- 2단계: 피부가 벗겨지거나 수포 형성
- 3단계: 피부 전층 소실 혹은 피하층 노출, 깊은 분화구 형성
- 4단계: 근육이나 뼈 노출

⓭ 협약의료기관 및 계약의사 운영규정에 따른 간호기록지

협약의료기관 및 계약의사 운영규정 제9조

제9조 (간호사 등의 입소자에 대한 건강수준 평가 등) 시설의 장은 시설의 간호(조무)사로 하여금 입소자의 시설 입소 시 붙임 6의 양식에 따라 입소자마다 건강수준 및 간호기록을 작성·보관하게 하여 시설을 방문하는 의사가 이를 활용하도록 하여야 한다.

【붙임6】

입소자 건강 수준 평가 및 간호기록

Unit No :	Date : 20 / / (입소일자: 20 / /)
Name :	Sex / Age :

활력증상	BP : mmHg				P : /min
	R : /min				BT : ℃
체중	kg	체중변화	증 / 감 kg	결혼상태	☐ 미혼 ☐ 기혼 ☐ 사별 ☐ 기타
신장	cm	직업/학력:		종교	☐ 천주교 ☐ 기독교 ☐ 불교 ☐ 기타
건강행위	☐ 술(양/종류) ☐ 담배(양/흡연력) ☐ 수면습관 ☐ 운동습관				
현 병력					
과거력	☐ 당뇨 ☐ 고혈압 ☐ 결핵 ☐ 간염 ☐ 뇌졸중 ☐ 치매 ☐ 관절염 ☐ 암: 부위 ☐ 기타				
최근 투약 상태					
알레르기 유무					
환자정보	의식상태	☐ 명료 ☐ 졸림 ☐ 질문에만 반응 ☐ 통증에만 반응 ☐ 통증에도 반응 없음			
	정서상태	☐ 안정 ☐ 불안 ☐ 분노 ☐ 슬픔 ☐ 우울 ☐ 거부 ☐ 긴장 ☐ 기타			
	활동상태	☐ 보행가능 ☐ 도움으로 가능 ☐ 완전 의존 ☐ 마비 : 부위 ☐ 감각이상: 부위 ☐ 보조기 : 종류			
	호흡기계	☐ 호흡곤란 ☐ 청색증 ☐ 기좌호흡 ☐ 기침 : 객담, 객혈 ☐ 통증 : 부위 ☐ 기관지절개관 ☐ 산소사용 : ℓ/min ☐ 기타			
	소화기계	☐ 식욕부진 ☐ 연하장애 ☐ 오심 ☐ 구토 ☐ 변비 ☐ 설사 ☐ 통증			
	식이상태	☐ 구강 (☐ 정상식, ☐ 치료식( ) Kcal) ☐ 위관 # ☐ 수액			
	심혈관계	☐ 흉통: 부위 양상 ☐ 부종: 부위 ☐ 심계항진 ☐ 부정맥 ☐ 심잡음 ☐ weak pulse ☐ 기타			
	피부상태	☐ 욕창(크기, 부위, 정도) ☐ 발진 ☐ 소양감 ☐ 탈수 ☐ 상처(유/무, 부위)			
	배설기능	소변	☐ 자연배뇨 : 회/일 (☐ 빈뇨 ☐ 뇨실금 ☐ 배뇨곤란 ☐ 긴박감 ☐ 통증 ☐ 유치도뇨관 ☐ 색깔 및 양상 (☐ 정상 ☐ 혈뇨 ☐ 탁한뇨 ☐ 기타)	
		대변	☐ 횟수 : 회/ 일 ☐ 색깔 및 양상(☐ 정상 ☐ 혈변 ☐ 기타)	
간호계획					

간호(조무)사 서명 :

협약의료기관 및 계약의사 운영규정 제10조

제10조 (입소자에 대한 간호사 등의 건강관리기록부 작성·보관) 시설의 장은 시설의 간호(조무)사로 하여 금 붙임 7의 서식에 따른 건강관리기록부에 입소자의 혈압·맥박·호흡·체온 등 건강상태를 매일 체크·기록 하게 하여야 하며, 의사가 시설을 방문하였을 때에 건강관리기록을 보고 적절한 조치나 지도를 할 수 있 도록 하여야 한다.

【붙임7】

등 록 번 호 :	
이 름 :	건강관리 기록지
성 별 / 나 이 :	

월 일								
입소일수								
혈 압								
맥 박	회/분	회/분	회/분	회/분	회/분	회/분	회/분	회/분
호 흡								
체 온	℃	℃	℃	℃	℃	℃	℃	℃
체 중	kg	kg	kg	kg	kg	kg	kg	kg
혈 당								
약물투여								
주사제 투여								
문제 행동	유 / 무	유 / 무	유 / 무	유 / 무	유 / 무	유 / 무	유 / 무	유 / 무
낙상	유 / 무	유 / 무	유 / 무	유 / 무	유 / 무	유 / 무	유 / 무	유 / 무
탈수	없음 / 의심	없음 / 의심	없음 / 의심	없음 / 의심	없음 / 의심	없음 / 의심	없음 / 의심	없음 / 의심
소변/대변실금	유 / 무	유 / 무	유 / 무	유 / 무	유 / 무	유 / 무	유 / 무	유 / 무
통증(VAS)	약 / 중 / 강	약 / 중 / 강	약 / 중 / 강	약 / 중 / 강	약 / 중 / 강	약 / 중 / 강	약 / 중 / 강	약 / 중 / 강
욕창	무 / 유 부위:	무 / 유 부위:	무 / 유 부위:	무 / 유 부위:	무 / 유 부위:	무 / 유 부위:	무 / 유 부위:	무 / 유 부위:
섬망	없음 / 의심	없음 / 의심	없음 / 의심	없음 / 의심	없음 / 의심	없음 / 의심	없음 / 의심	없음 / 의심
간호 제공 내용								
간호(조무)사 서명								

참 · 고 · 문 · 헌

1. 인천은혜병원 간호부. 간호업무지침서. 인천: 인천은혜병원; 2001.

2. Herr KA, Mobility PR. Comparison of selected pain assessment tools for use with the elderly. Appl Nurs Res 1993;6:39-46.

3. 이민걸, 노효진 역. 한눈에 보는 피부과학. 4판. 서울: 군자출판사; 2010.

4. 대한의사협회. 노인요양시설 계약의사 교육 표준교재. 서울: 대한의사협회, 2016.

영양불량, 탈수의 평가와 관리

KEYPOINT 🔓

- **노인의 영양평가를 위하여 몸무게와 키를 잴 때 가장 중요한 것은?**
- ➡ 넘어지지 않는 것이 가장 중요하다고 생각합니다.

❶ 노인에서 왜 영양불량이 흔한가?

a. 구강 및 위장관 변화: 치아, 타액분비↓, 위액분비↓, vit B12, 엽산, 철 흡수↓, 소장융모 길이↓, 대장 운동↓

b. 감각 변화: 미각↓, 후각↓⇨ 단맛, 짠맛에 대한 미각 역치↑ ⇨ 과다한 양념 사용. 쓴맛, 신맛은 남게 되어 식욕저하를 유발한다.

c. 칼로리 요구량 감소: 신체적 활동↓, 신진대사율↓

d. 건강상의 변화: 퇴행성 질환, 약물, 체액불균형, 암, 치매↑

e. 사회심리적 변화: 능력 쇠퇴, 은퇴, 가족의 죽음, 경제력↓

그림 26-1 오랜 와상 상태에 의한 육체 활동 저하로 근감소증의 소견을 보이는 노인. 관절이 크고 다리가 길어 보인다.

❷ 노인 영양불량의 특징

a. 체중감소가 가장 중요한 지표: 5%↓/1개월, 10%↓/6개월

b. 혈액검사 결과 : 혈청알부민↓, 총단백질↓, 혈색소(헤모글로빈)↓

c. 근육약화, 의식장애가 가능하다.

d. 단백질-열량 영양실조(protein-calorie malnutrition; PCM)이 흔하다.

e. 질병회복 지연, 수명단축, 기능적 능력 감소, 삶의 질 감소 등을 유발한다.

f. 우리나라 노인의 영양 결핍 상태

－65세 이상: 6명 중 1명(**15.6%**)은 영양섭취부족자(**2012년 국민 건강 통계**)

－단백질 54%, 칼슘 80%, 비타민A 77%에서 영양권장량의 75% 미만 섭취(**1998년 국민건 강조사**)

－70세 이상 남자노인의 18%가 저체중(**1998년 국민건강조사**)

❸ 영양불량의 위험이 높은 자?

1) 입소자 스스로 하는 영양자가점검

자가점검항목들	예
나는 식이량이나 종류를 변화시키는 질병에 걸렸거나 그런 상태이다.	2
나는 하루에 2회 이하의 식사를 한다.	3
나는 과일, 야채, 유제품을 거의 먹지 않는다.	2
나는 거의 매일 술(포도주 또는 맥주)을 3잔 이상 마신다.	2
나는 식사를 곤란하게 하는 구강 또는 치아 문제를 가지고 있다.	2
나는 항상 필요한 음식을 살 돈이 충분하지 않다.	4
나는 대부분 혼자 식사를 한다.	1
나는 하루에 3종류 이상의 약물을 복용한다.	1
나는 지난 6개월동안 10파운드(4.53KG)의 체중이 늘었거나 줄었다.	2
나는 신체적 문제로 인해 혼자 구매, 조리, 또는 식사하기 어렵다.	2
총 점	

0~2점(양호: 6개월 후 재조사) / 3~5점(중등도 위험: 3개월 후 재조사) / 6점 이상(고위험: 전문적 치료 필요)
출처: Nutrition Screening Initiative, a project of the American Academy of Family Physicians, the American Dietetic Association, and the National Council on the Aging.

2) 직원이 하는 영양불량 위험평가

A. DETERMINE 평가 : 영양불량의 위험이 높은 자 찾아내기

Ⅰ. 기본정보	
Disease	혼란, 섬망, 치매, 우울증
Eating poorly	너무 많이 먹는 것도 문제, 알코올, 채소 부족
Tooth loss/Mouth Pain	빠지거나 흔들리는 치아, 충치, 틀니 불량
Ecomonic hardship	적절한 식품 구매를 위한 경제력 부족
Reduced social contact	독거 노인의 증가
Multiple medicines	식욕 감소, 입맛의 변화, 쇠약, 기면, 설사, 오심 유발, 과량의 비타민도 해로울 수
Involuntary weight loss/gain	과체중이나 저체중 모두 위험
Needs assistance in self care	보행, 쇼핑, 구매, 요리 등의 어려움
Elder years above age 80	나이가 들면서 쇠약해지고 건강문제 증가

출처: The Nutrition Screening Initiative, 1994

B. 영양불량 위험자와 위험요소 찾아내기

–다음과 같은 방법으로 초기평가를 하고 영양불량이 의심되면 간이영양평가(MNA)를 시행한다.

영양불량 위험자와 위험 요소들을 동시에 찾아내기

- 병력이 가장 중요하다.
- 병원 검사 소견: 혈청 알부민<3.5 mg/dL, Hb<12 g/dL, 총콜레스테롤<160 mg/dL
- 신체기능: 일상생활, 장보기, 식사준비, 식사하기에 도움 필요?
- 임상증세: 체중감소(가장 예민!), 입마름증
- 정신기능: 집중력, 기억력, 신경증, 수면장애, 무관심, 사회적 고립
- 사회경제적 상태: 경제적 어려움

Adapted from Beth E, et al. The Nurse Practitioner 2001;26:52-65.

❹ 영양불량 노인 가려내기

1) 간단한 영양불량 선별검사 (다음의 2가지 질문에 모두 '예'인 경우는 영양불량 위험자)

CNST : Canadian Nutrition Screening Tool-캐나다 식품영양학회 권장		
질문	네	아니오
지난 6개월 사이에 체중이 감소하셨나요?		
지난 8일 이상, 평소보다 적게 식사를 하시고 계신가요?		
2가지 질문 모두 '네'이면 영양불량 위험자로 분류		

본인이 대답하지 못하면 입소자에 대해 잘 알고 있는 자가 대답한다.

만일 정보가 정확하지 않다면, 현재 평소 입던 옷이 지나치게 느슨해져 있는지 질문. 영양불량 위험자가 아니어도 입소 후 최소 매월 체중 측정하여 체중감소 확인.

2) 간이영양평가(MNA; Mini Nutritional Assessment)를 통한 본격적인 영양불량 정도 파악

–MNA는 건강한 노인보다는 노쇠한 노인들에게 적합한 것으로 알려져 있다. 따라서 요양원 입소자들에게 적합한 영양평가도구이다.

간이영양평가(Mini Nutritional Assessment)

Screening	J. 하루에 몇 끼의 식사를 하십니까?
A. 지난 3개월 동안에 밥맛이 없거나, 소화가 잘 안되거나, 씹고 삼키는 것이 어려워서 식사량이 줄었습니까? 0 = 예전 보다 많이 줄었다. 1 = 예전 보다 조금 줄었다. 2 = 변화 없다.	0 = 1끼 1 = 2끼 2 = 3끼
B. 지난 3개월 동안 몸무게가 줄어들었습니까? 0 = 3 kg 이상의 체중 감소 1 = 모르겠다. 2 = 1 kg에서 3 kg 사이의 체중 감소 3 = 줄지 않았다.	K. 단백질 식품의 섭취량 – 우유나 떠먹는 요구르트, 유산균 요구르트 중에서 매일 한 개 드시는 것이 있습니까? (예/아니오) – 콩으로 만든 음식(두부 포함)이나 달걀을 일주일에 2번 이상 드십니까? (예/아니오) – 생선이나 육고기를 매일 드십니까? (예/아니오) 0.0 = 0 또는 1개 '예' 0.5 = 2개 '예' 1.0 = 3개 '예'
C. 집밖으로 외출할 수 있습니까? 0 = 외출할 수도 없고, 집안에서도 주로 앉거나 누워서 생활한다. 1 = 외출할 수는 없지만 집에서는 활동을 할 수 있다. 2 = 외출할 수 있다.	L. 매일 3번 이상 과일이나 채소를 드십니까? 0 = 아니오 1 = 예
D. 지난 3개월 동안 많이 괴로운 일이 있었거나, 심하게 아팠던 적이 있습니까? 0 = 예 2 = 아니오	M. 하루 동안에 몇 컵의 물이나 음료수, 차를 드십니까? 0.0 = 3컵 이하 0.5 = 3컵에서 5컵 사이 1.0 = 5컵 이상
E. 신경 정신과적 문제 0 = 중증 치매나 우울증 1 = 경증 치매 2 = 특별한 증상 없음	N. 혼자서 식사할 수 있습니까? 0 = 다른 사람의 도움이 항상 필요 1 = 혼자서 먹을 수 있으나 약간의 도움 필요 2 = 도움 없이 식사할 수 있음
F. 체질량지수(BMI) = {몸무게(kg)/신장()} 0 = BMI ⟨ 19 1 = 19 ≤BMI ⟨ 21 2 = 21 ≤ BMI ⟨ 23 3 = BMI ≥ 23	O. 본인의 영양 상태에 대해 어떻게 생각하십니까? 0 = 좋지 않은 편이다. 1 = 모르겠다. 2 = 좋은 편이다.
중간점수Ⅰ(A–F) 합계: 12점 이상: 보통, 위험도 없음, 평가 불필요 11점 이하: 영양불량 위험군, 평가 필수	P. 비슷한 연령의 사람들과 비교해봤을 때, 본인의 건강 상태가 어떻습니까? 0.0 = 나쁘다 0.5 = 모르겠다 1.0 = 비슷하다 2.0 = 자신이 더 좋다
Assessment	Q. 상완위 둘레(MAC)(cm) 0.0 = MAC ⟨ 21 0.5 = 21 ≤ MAC ⟨ 22 1.0 = MAC ≥ 22
G. 평소에 본인의 집에서 생활하십니까? 0 = 예 1 = 아니오	R. 종아리 둘레(CC)(cm) 0 = CC ⟨ 31 1 = CC ≥ 31
H. 매일 3종류 이상의 약을 드십니까? 0 = 예 1 = 아니오	중간점수Ⅱ(G–R) 합계: 총 점수 합계: 1 = 24점 이상(정상) 2 = 17 ~ 23.5점(영양불량위험) 3 = 16.6점 이하(영양불량)
I. 피부에 욕창이나 궤양이 있습니까? 0 = 예 1 = 아니오	

❺ 영양불량 노인에 대한 접근

1) 노인영양관리의 일반 원칙

- 가능한 한 신체 활동을 지속시킨다 ⇨ 위장관 운동↑, 가동력↑ ⇨ 식욕↑, 영양소 흡수↑
- 대상자의 자존감과 삶의 질에 관심
  - 스스로 식사할 수 있도록 도와주고, 도움이 필요한 경우에도 자존심을 지켜줄 수 있는 방법 고려
- 노인도 식품피라미드에 제시된 모든 식품을 포함한 균형식이가 필요
- 노인의 하루 권장 식품 단위
  - 빵, 곡식 군**(6-11회)**
  - 야채 군**(3-5회)**, 과일 군**(2-4회)**
  - 우유, 요구르트, 치즈 군**(2-3회)**
  - 육류, 생선, 달걀, 콩류**(2-3회)**
  - 지방, 설탕류**(필요한 경우 가끔, 가급적 제한)**

2) 한국영양학회에서 권고한 노인의 1일당 식품단위**(2005)**

- 2000 kcal**(남)**/1,600 kcal**(여)**
- 단백질 50 g**(남)**/40 g**(여)**
  - 불포화지방산 많은 식물성 지방 〈 300 mg/d
  - 탄수화물: 55-60% 정도를 빵, 국수 같은 복합당질에서 섭취
  - 채소, 과일 같은 식이 섬유소: 동맥경화, 당뇨, 변비 예방
  - 짜게 먹지 않기: 김치, 국
  - Vit.B**(곡류위주 식사)**, C**(항산화, 감기예방?)**, D**(실내생활자)**

3) 못 먹는 노인을 위한 실질적 전략 **(Johnson LE, 2004)**

- 과자나 간식, 심지어 사탕 등 고열량, 고단백질 음식을 자주 조금씩 먹도록 격려.
- 주변에 음식물을 보이도록 비치.
- 불필요한 식단 조절은 중단.
- 먹고 싶을 때 먹도록 한다.
- 체중을 지속적으로 관찰.
- 가능한 한 약물 투여를 줄인다.
- 매일 종합비타민과 무기질 보충제를 먹는다.

4) 노인에서의 비타민과 미네랄

a. 노인에서 짚고 넘어갈 비타민과 미네랄

영양소	노화와의 연관성
비타민 D	노인은 활동량 감소로 햇빛 노출량 감소, 피부 합성 감소, 신장 합성 감소, 낙상 위험.
엽산	혈중 호모시스테인 농도 감소시킴. 대장암, 유방암 예방
비타민 B12	노인에서 흔한 위축성 위염에 의한 흡수 불량. 비타민 B12 부족에 의한 인지기능저하가 노인성치매로 오인.
비타민 B6	인지능력, 면역력과 관련. 부족시 말초신경장애
철분	폐경이후 여성에서는 하루 12 mg만 권장(젊은 여성은 15 mg). 노인에게 철분 부족이 확인되지 않은 이상 과다 철분 공급은 피한다.
칼슘	우리나라 모든 연령대에서 가장 부족한 영양소.
아연	상처 회복, 면역력, 입맛과 후각의 변화와 연관. 육류, 달걀, 생선에서 용이하게 흡수 이용되므로 질 좋은 동물성 단백질 필수.

b. 독이 될 수도 있는 비타민?

－ATBC 암 예방 연구: 베타카로틴 보충제가 폐암의 발병을 높임.

－CARET trial: 베타카로틴+비타민A가 흡연자에서 폐암의 발병과 사망률을 높임.

－이미 암이 있는 환자 대상 연구: 다량의 비타민 C와 베타카로틴이 마치 정상 세포를 보호하듯 암세포를 보호하는 것으로 보이는 등의 연구 결과도 있었음.

표 26-1 비타민의 각종 부작용들

VIt.A		Vit.B6	Vit.C	Vit.D
구토, 피로, 변비, 뼈의 통증, 탈모, 손톱손상, 태아기형		손,발 저림, 보행장애, 작은 물건 집는 능력 저하	신장결석, 담석	복통, 오심, 구토, 칼슘침착(간, 신장, 폐 조직)
엽산	Vit.B12	Vit.K	니아신	Vit.E
악성빈혈, 신장 손생	설사, 붓기, 다리 혈전	빈혈	피부 홍조, 오심, 설사, 간 손상	두통, 피로, 복시, 설사, Vit.A,D,K 결핍

출처: Definition of Vitamin Toxicity in the Medical dictionary - Free Online Medical Dictionary, Thesaurus and Encyclopedia. Medical Dictionary. Retrieved June 11, 2013

❻ 탈수환자 접근

1) 탈수의 임상 증상

a. 탈수환자 선별하기

임상에서 유용한 탈수 증상 파악법 (3R2D)

Reduced axillary sweating (겨드랑이 땀의 감소)
Reduced skin turgor (피부 팽창력 감소)
Recent change in consciousness (최근의 의식 변화)
Darker urine (짙어진 소변 색)
Dry oral mucosa (구강점막 건조)

---

b. 탈수의 정도 파악하기

탈수의 정도	증상	
경증	입술과 구강 건조. 갈증을 느낌. 소변량 감소: 진한 노란색 소변	
중등도		갈증 구강이 매우 건조함. **푹 패인 눈** 소변량이 매우 적거나 아예 없음 눈물이 나오지 않음 텐트치기(Tenting) (피부를 들어올려 3초 이상 유지되면 탈수 의미)
심각	빠르고 약한 맥박 빠른 호흡 입술이 파래짐 손, 발이 차가워짐 매우 처짐(lethargic), 혼수상태, 간질발작(가장 심각한 경우)	

2) 탈수 노인에 대한 대처

  a. 경구 수액 공급: 가능하다면 가장 좋은 방법.

  b. 병원 치료

   - 경비위관(**L-tube**): 입으로 수액공급이 불충분한 경우에 고려.

   - 피하 수액공급: IV보다 주입이 쉽다.

   - IV 수액공급: 심각한 경우에 시도.

 * 안전하게 체중 재기

    노인의 몸무게와 키를 잴 때 가장 중요한 요소는 안전이다. 시력, 근력, 균형감각 등이 저하된 노인들이 특히 입원 초기 평가시에 몸무게와 키를 재는 과정에서 낙상을 하는 일이 종종 발생한다. 따라서 노인환자의 신체 계측에서 가장 중요한 것은 "넘어지지 않도록 재는 것"이다.

그림 26-2 안전하게 체중 재기. (a)휠체어를 이용하면 안전하다. (b)일반 저울을 휠체어용 저울로 개조한 사례(개조 저울 사진출처: 박인수. 네이버카페 요양병원실무자모임)

* 안전하게 키 재기

다음 페이지에 있는 표를 이용하여, 우리나라 노인의 경우에는 팔 길이를 이용하여 키를 추정할 수 있다. 이 방법이 익숙해지면, 모든 노인에게 이 안전한 방법을 적용하기를 권고한다.

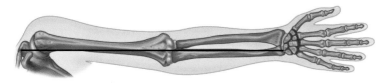

팔길이 = 견봉돌기 끝(acromial process tip)~
척골 경돌기 끝(styloid process of ulna)

그림 26-3 와상 환자의 팔 길이를 이용해서 키를 추정하는 방법

전체 팔 길이(팔)와 나이에 따른 키(신장)(cm)

(나이는 가장 근접한 나이를 적용한다)

팔길이 (cm)	남 자						여 자					
	60세	65세	70세	75세	80세	85세	60세	65세	70세	75세	80세	85세
45	152	151	151	150	149	148	145	144	144	143	142	141
46	154	153	152	152	151	150	147	146	145	145	144	143
47	156	155	154	153	153	152	149	148	147	147	146	145
48	157	157	156	155	154	154	151	150	149	148	148	147
49	159	158	158	157	156	155	152	152	151	150	149	149
50	161	160	159	159	158	157	154	153	153	152	151	150
51	163	162	161	160	160	159	156	155	154	154	153	152
52	164	164	163	162	161	161	158	157	156	155	155	154
53	166	165	165	164	163	162	159	159	158	157	156	156
54	168	167	166	166	165	164	161	160	160	159	158	157
55	170	169	168	167	167	166	163	162	161	161	160	159
56	172	171	170	169	169	168	165	164	163	162	162	161
57	173	173	172	171	170	170	167	166	165	164	164	163
58	175	174	174	173	172	171	168	168	167	166	165	165
59	177	176	175	175	174	173	170	169	169	168	167	166
60	179	178	177	176	176	175	172	171	170	170	169	168
61	180	180	179	178	177	177	174	173	172	171	171	170
62	182	181	181	180	179	178	175	175	174	173	172	172
63	184	183	182	182	181	180	177	176	176	175	174	173
64	186	185	184	183	183	182	179	178	177	177	176	175
65	188	187	186	185	184	184	181	180	179	178	178	177

인천은혜병원 가혁 제작

그림 26-4 환자의 팔 길이를 통해 키를 추정하기 위한 표. 예를 들어, 77세 여성의 팔 길이가 53 cm라면, 이 환자의 키는 157 cm로 추정한다.

참·고·문·헌

1. 박영임, 노인의 주요 건강문제와 간호중재(I), In: 보건복지가족부. 2009년 맞춤형 방문 건강관리사업 전담인력 교육. 서울: 보건복지가족부; 2009. p. 387-415.

2. 질병관리본부. 2012 국민건강통계(국민건강영양조사 제5기 3차년도). 서울: 질병관리본부; 2013.

3. 김희자, 노인의 주요 건강문제와 간호중재(II), In: 보건복지가족부. 2009년 맞춤형 방문 건강관리사업 전담인력 교육. 서울: 보건복지가족부; 2009. p. 416-429.

4. 이수윤, 원장원, 박혜성, 최현림, 김병성. 한국 노인의 신장의 예측 공식 산출. 노인병. 2005;9:266-270.

5. Johnson LE. Nutrition. In: Primary Care Geriatrics. 2002. Burke MM, Laramie JA. Primary Care of the Older Adult, 2nd ed. 2004.

Chapter 27

노인요양시설에서의 약물 관리와 5R 투약원칙

KEYPOINT 🔒

- 요양원 입소자 대부분 약물을 복용 중이신데, 실수 없이 약을 드시도록 하는 요령이 있을까요?
➡ 5R (다섯 가지 올바른) 투약 원칙을 숙지하시기 바랍니다.

❶ 안전하게 약물 보관하기

1) 냉장이 필요한 의약품(인슐린 등)은 냉장고에 보관한다.

2) 각 입소자별로 약물을 구분하여 보관하고, 약보관 시 약물명이나 성분명 등을 라벨링하며, 특히 유효기간을 절대 넘기지 않도록 장치를 마련한다.

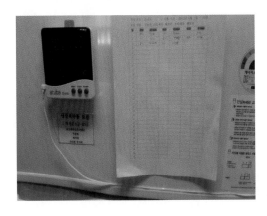

그림 27-1 냉장고용 온도계를 이용한 냉장고 온도 관리(냉장고 온도는 2–8도, 가장 안정적으로는 5도)

3) 차광약품 보관 요령으로는, 아예 모든 약물 보관 장소를 차광하는 것이 간편하고 안전하다. 의외로 차광이 필요한 약물들이 많기 때문이다.

그림 27-2 간호사실에 보관한 모든 약물을 차광필름으로 차광한 모습

❷ 안전하게 약물 투여하기

1) 약물투여 직원의 자격 : 의료인 혹은 간호조무사

- 간호조무사도 투약이 가능한가?

  의료법 제2조에서는 간호사의 업무를 '진료의 보조' 등으로 규정하고 있으며, 간호조무사 및 의료유사업자에관한규칙 제2조에서는 간호조무사의 업무를 '간호의 보조, 진료의 보조'로 규정(구체적 규정x). 대법원 판례 및 그 간의 유권해석에 따르면, '진료보조'라 함은 의료인의 지시·감독 하에 이루어지는 의료행위 또는 의료행위에 준하는 행위들.

   간단한 문진·활력징후 측정 등 진단 보조 행위, 피하·근육·혈관 등 주사행위, 병동/진료실에서의 소독·마취·혈관로/소변로 확보·관장·깁스 등 치료보조행위, 입원실이 있는 의료기관에서의 투약 등 의료법 적용에 있어 간호사에 관한 규정을 간호조무사에게 준용토록 하고 있음.

2) 안전한 약물투여 과정 : 5 Rights 원칙에 의해 투여한다.

① 정확한 약물(Drug) - 처방전 혹은 약물 설명서에 있는 약물이 맞는지 확인.

② 정확한 환자(Patient) - 환자의 이름과 나이가 정확한지 확인.

③ 정확한 용량(Dose) - 처방전에 적힌 용량을 확인. 1회 용량인지, 1일 용량인지?

④ 정확한 경로(Route) - 먹는 약인지, 좌약인지, 녹여 먹는 약인지 확인.

⑤ 정확한 시간(Time) - 아침, 점심, 저녁, 취침전

3) 투약 후 간호기록

- 약물명, 투여용량, 투여경로, 투여시간, 투여자

- 투약을 하지 못한 경우 그 이유를 기록한다.

- 이상반응 발생 여부 및 조치사항

참 · 고 · 문 · 헌

1. 가혁, 원장원. 의사,간호사를 위한 노인요양병원 진료지침서. 3판. 서울: 군자출판사, 2016.

Chapter **28**

구강관리

KEYPOINT 🔒

- **치아가 한 두 개 밖에 남아 있지 않을 때 뽑아버리는 것이 낫지 않을까요?**

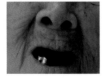

➡ 남아 있는 치아가 건강한 치아라면 뽑지 않는 것이 좋습니다. 치아 뿌리에 있는 치근막은 씹는 맛을 느끼게 하는 감각기능이 있습니다. 예를 들어 하나라도 치아가 남아있는 경우와 하나도 없는 경우는 음식을 씹을 때의 느낌이 다를 수 있습니다. 또한 치아가 하나뿐이라 할지라도 건강한 치아가 있으면 틀니를 걸쳐 고정시킬 수 있습니다. 잇몸에 놓이는 총의치보다 더욱 안정감이 있습니다. 하지만 치주병이 진행되어 치아가 간신히 잇몸에 붙어 있는 상태라면 뽑는 편이 나을 수도 있습니다.

❶ 노인에게서 많이 볼 수 있는 구강 문제점

1) 심한 입 냄새(구취)

 a. "노인 냄새"의 대표적 원인

 b. 다른 사람이 얼굴을 찡그린다. → 사회적 위축 → 우울증

 c. 치아우식증(충치), 치주병 등의 세균에 의한 입 냄새

 d. 기타 원인: 만성비염, 위궤양, 만성기관지염, 당뇨병, 암 등

2) 치주병

치아가 흔들리거나, 그대로 방치하면 빠진다.

3) 잇몸 퇴축

잇몸이 퇴축되어 마치 치아가 길어진 것처럼 보임(그림 **28-1**).

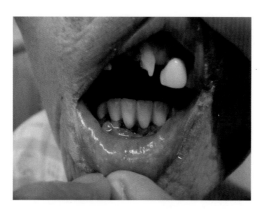

그림 28-1 잇몸이 퇴축되어 치아가 길어 보인다.

4) 의치가 맞지 않는다.

의치가 벗겨지거나 잇몸에 상처를 준다.

5) 치석

치아와 잇몸의 경계에 생기기 쉽다. 치주낭 속에 축적되어 있는 치석은 관리가 어렵다.

6) 프라그

치아우식증(충치)이나 치주병의 원인이 되는 세균의 소굴

7) 치아우식증(충치)

치아의 뿌리에 발생하는 경우도 있다.

8) 구내염

의치의 금속 등이 닿으면 상처가 생기거나 궤양을 일으키기도 한다.

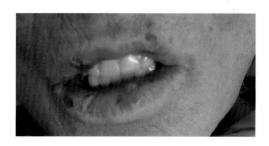

그림 28-2 　입술 주변에 생긴 아프타성 궤양. 구강 내에도 같은 모양의 궤양이 생겼을 확률이 높으므로 입 안도 자세히 관찰한다. 이런 환자는 자극적인 음식을 먹기 힘들어 영양결핍으로 이어질 수도 있다.

9) 구강 건조

입 안이 마르면서 오염물이 부착되는 경우가 증가

10) 설태

혀 표면에 오염물이 부착된다.

❷ 입소자 구강 관리의 실제

1) 입 속을 천으로 닦아낼 때에는 어디를 닦아야 하나?

  a. 다음 그림처럼 안쪽(깊숙한 곳)부터 바깥쪽을 향에 닦으면 기도 흡인(aspiration)이 방지된다.

  b. 물을 너무 많이 적시면 입 안에 물이 고이므로 주의!!

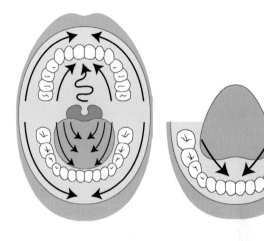

그림 28-3 입 속을 천으로 닦는 방향

2) 한 쪽 사지마비가 있는 노인의 구강 관리

   a. 앉을 수 없는 경우

     −스스로 닦을 수 있는 사람은 마비된 쪽이 아래로 가게 옆으로 누워, 마비되지 않은 손으로 칫솔을 잡고 닦는다.

     −스스로 닦지 못하는 사람은 마비되지 않은 쪽이 아래로 가게 하여 옆으로 눕힌다.

   b. 앉을 수 있는 경우

     −마비된 쪽에 쿠션 등을 대어 몸의 균형을 유지한다.

     −마비된 쪽을 의식하기 위해 거울을 보며 칫솔질을 하면 도움이 된다.

그림 28-4 앉을 수 없는 우측편마비 환자의 이 닦기

그림 28-5 앉을 수 있는 좌측편마비 환자의 이 닦기

3) 가글을 할 때에는 볼을 이용하고, 목을 뒤로 젖히지 않도록 한다.

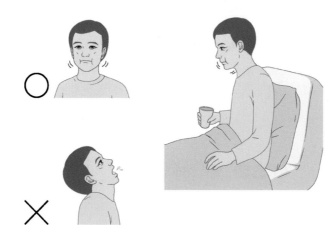

그림 28-6   가글은 목을 앞으로 약간 숙이고 볼을 움직이면서 헹군다.

4) 요양보호사가 옆에서 함께 이를 닦고 헹구면 그것을 보고 잘 따라 하는 경우도 있다.

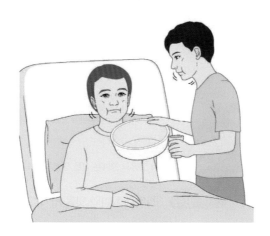

그림 28-7   간병인과 함께 가글하기

5) 가글이 불가능 할 때

   a. 물로 씻어내는 방법(그림 **28-8**)

   얼굴을 옆으로 향하게 하고 젖어도 상관없는 타올을 깐 후, 턱에 그릇을 받치고 입을 벌린 다음 물을 부으며 씻어낸다.

   b. 천으로 닦아내는 방법(그림 **28-9**)

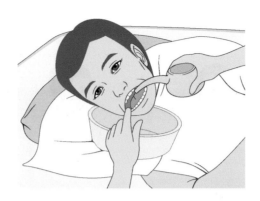

그림 28-8   물로 씻어내기

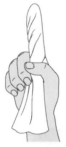

손가락이나 나무젓가락에 거즈를 감고
적신 다음에 닦아낸다.

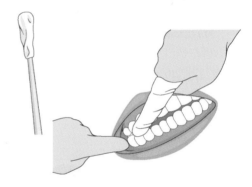

치아 안쪽을 닦을 때 깨물 우려가 있는 경우는
나무젓가락을 여러 개 묶어서
어금니 주위에 넣고 하면 깨물지 못하게 된다.

치아와 잇몸의 경계는 작은 면봉으로 닦아낸다.

그림 28-9   천으로 치아와 잇몸 닦기

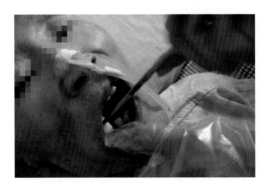

그림 28-10   생리식염수로 적신 cotton으
로 치아와 잇몸을 닦는 모습

6) 의치(틀니) 관리하기

　a. 가능하면 매 식후 관리한다.

　b. 의치 닦는 법

　　－끓는 물이나 표백제 사용은 안된다.

　　－치약 사용하지 말고 2~3일에 한번 의치세정제로 닦는다.

　　－자기 전에는 씻어놓은 의치를 물에 담가 보관

　　－매일 하는 관리: 의치를 떨어뜨려 파손되거나 배수구에 떠내려가는 것을 막기 위해
　　　아래에 통(대야)을 놓고 의치용 칫솔로 닦는다.

의치 세정제의 표시성분 확인

- 발포 타입: 일반적인 오염 제거에 적합. 거품과 과산화수소로 오염을 제거. 칸디다 등의 미생물에는 효과가 약하다.
- 산소계: 산소력으로 미생물을 제거. 담뱃진이나 찻물 등에는 별로 효과 없다.
- 치아염소산계: 강한 살균 작용. 오래 담가 두면 의치의 금속 부분과 플라스틱이 변색

　c. 의치 끼우는 방법

　　의치를 물에 적신다 ⇨ 총의치의 경우 상악부터 앞으로, 검지와 엄지로 중앙을 받치면서 의치를 비스듬히 해서 끼운다 ⇨ 아래쪽 의치는 검지로 붙잡고 천천히 장착

　d. 의치 빼내는 방법

　　아래쪽 의치부터 빼낸다. 의치 끝을 잡아 당겨서 빼낸다. ⇨ 위쪽 의치도 양끝을 잡고 가만히 내리면 빠진다.

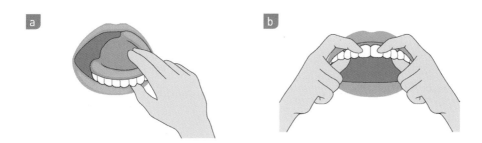

그림 28-11　의치 끼우기(a) 및 의치 빼내기(b)

참·고·문·헌

1. 일본방문치과협회. 노인을 위한 구강 관리. 군자출판사, 서울 2008.

2. 인천은혜병원 간호부. 간호업무지침서. 인천: 인천은혜병원; 2001.

Chapter

29

욕창 관리

KEYPOINT 🔓

- 66세 남성. 경추 손상 이후 사지마비 발생, 대학 병원에서 치료 받다가 퇴원하여 요양시설에서 입소하신 분임. 환자의 미골 부위(coccyx area)에 2x3 cm 정도 크기로 피부색의 변화(홍반)가 관찰되었으며 손으로 눌러도 창백해지지 않음.

➡ 현재의 상태를 욕창이라고 할 수 있나? 욕창이라면 몇 단계 욕창인가?

➡ 현 단계에서 적절한 드레싱 및 기타 보조 요법은?

❶ 욕창은 왜 생기나?

: 지속적, 반복적인 힘(주로 중력)이 뼈의 튀어나온 부위에 가해질 때

❷ 어떤 조건에서 욕창이 잘 생기나?

1) 외부적인 원인

    a. 과도한 압력

    b. 물(습기)에 의해 피부가 불려졌을 때 : 기저귀 착용자

    c. 마찰력

2) 수급자 스스로의 원인

    a. 특히 척수 손상 환자(사지 마비; 하지 마비)

    b. 혈관, 신경학적 질환자 - 일단 발생하면 치유도 늦다.

    c. 저혈압, 탈수 등을 유발하는 병적 상태.

    d. 노인 - 혈액 순환, 근력, 피부 상태 등이 약하므로 위험하다.

❸ 어떤 부위에 욕창이 잘 생기나?

1) 골격이 노출된 부위

    - 앙와위 : 발 뒤꿈치, 천골, 팔꿈치, 견갑골, 뒷머리

    - 복와위 : 발 뒤꿈치, 무릎, 가슴

    - 반좌위 : 발 뒤꿈치, 천골, 좌골

2) 연조직으로 싸인 부위 (그림 **29-1**)

    - 콧구멍, 입, 눈 주위, 도뇨관 삽입 주위, 항문 주위

3) 피부끼리 맞닿는 부위

    - 귀 뒤, 사타구니, 엉덩이

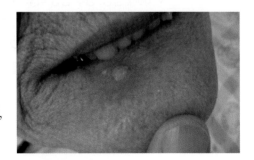

그림 29-1 혈관성 치매 환자로서, 반복적인 치아에 의한 자극으로 입 주위에 생긴 피부 궤양

표 29-1 자세별 욕창이 잘 생기는 부위

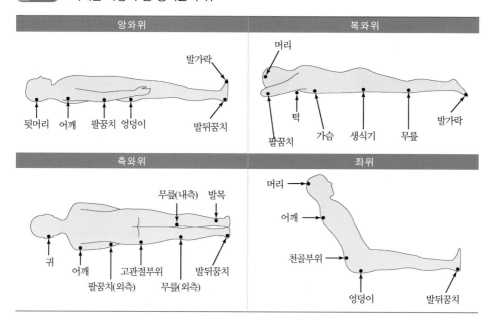

❹ 욕창의 단계

표 29-2 욕창의 단계별 특징 및 치유 기간

단계	특징	치유 기간
I	상피층에 국한된 급성의 염증 반응 손으로 눌렀을 때 창백해지지 않는 불규칙한 모양의 홍반, 또는 표재성 궤양 통증, 물렁거림, 주변에 비해 열감이나 냉감	1일~1주일
II	진피를 포함한 일부의 피부 손실. 찰과상, 물집 또는 명확한 경계를 가진 얕은 궤양(분화구 모양) 형태(crater)	5일~3개월
III	피부 전층 손실. 피하조직(지방층)까지만 보임. 근막(deep fascia)을 넘지 않는다. 궤양 기저부에 감염이 되고 악취 나는 괴사 조직이 있다.	1개월~6개월
IV	광범위한 손상, 조직 괴사, 또는 근육, 뼈, 결체조직(건, 관절낭) 손상 골수염과 패혈성 관절염이 생길 수 있다.	6개월~1년
판별불가 단계 (unstageable)	조직의 전층이 소실되었으나 피부 궤양의 기저가 각질(황색, 황갈색, 회색, 녹색, 갈색)이나 딱지(황갈색, 갈색, 검은색)로 덮여 있는 상태. 각질이나 딱지를 충분히 제거하기 전에는 깊이를 판별할 수 없다.	
심부조직손상 의심 단계	피부 손상은 없으나 보라색이나 갈색의 국소적 변성이 온 상태, 혹은 혈액으로 채워진 수포의 상태로 진전되면 짙은 빛의 상처 위에 작은 수포들이 생기거나 얇은 가피로 덮여있을 수 있다.	

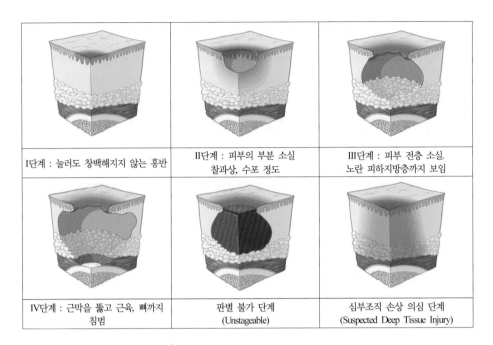

I단계 : 눌러도 창백해지지 않는 홍반	II단계 : 피부의 부분 소실 찰과상, 수포 정도	III단계 : 피부 전층 소실. 노란 피하지방층까지 보임
IV단계 : 근막을 뚫고 근육, 뼈까지 침범	판별 불가 단계 (Unstageable)	심부조직 손상 의심 단계 (Suspected Deep Tissue Injury)

그림 29-2   욕창의 단계 ▶딱지(necrotic eschar)로 덮여 있어 단계를 알 수 없다면 debride-ment 수행 전까지는 4단계.

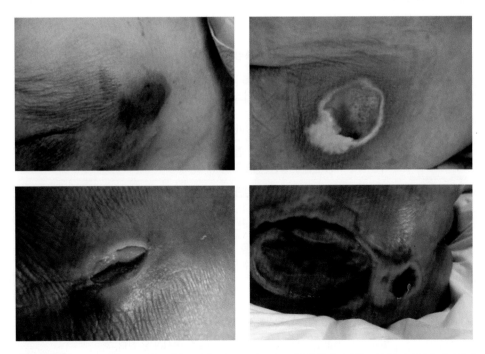

그림 29-3   실제 욕창 사례들 (a) 1단계: 손으로 눌러도 창백해지지 않는 홍반, (b) 2단계: 진피를 포함한 일부의 피부 손실, (c) 3단계 : 피부 전층 침범. 지방층까지 보임, (d) 4단계: 근막을 뚫고 근육까지 침범

❺ 욕창의 예방 및 관리

표 29-3   단계별 욕창 관리의 원칙

I, II 단계	• 체위변경, 위생관리, 전단력 감소 등의 보존적 중재를 통해 손상부위가 자연치유될 수 있다.
III, IV 단계	• 다량의 괴사조직과 염증을 동반하고 있는 경우가 흔하므로 괴사조직을 제거하고 감염을 조절 ⇨ 병원치료 필요 • 상처를 통한 단백질 손실로 영양결핍이 동반될 수 있으므로 단백질 보충과 고열량 식이가 필요.

1) 영양 공급

    a. 하루에 열량 30~35 kcal/kg, 단백질 1.25~1.5 g/kg 공급

    b. 비타민 결핍 의심되면 비타민과 미네랄 공급

2) 체위 변경 및 압력의 최소화

    a. 와상 환자는 매 2시간마다 체위 변경을 시킨다.

그림 29-4   일괄적 체위 변경. 모든 환자를 같은 시각에 같은 자세로 눕히면 누락되는 환자 없이 시행할 수 있다.

그림 29-5   팔꿈치 압력 최소화(좌측 편마비 환자)

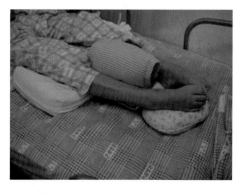

그림 29-6   무릎 안쪽과 발 뒤꿈치의 압력 최소화(하지 마비 환자)

　　b. <u>30도 각도의 semi-Fowler 자세(머리쪽을 **30도** 정도 올림)</u>

　　　－천골(**sacrum**)에 가해지는 마찰력 및 전단력을 최소화

　　　－신체의 soft parts에 의해 압력을 흡수해주는 각도

　　c. 침대 위에서 노인을 끌지 말고, 2인 이상이 들어서 움직일 것

　　d. 욕창 부위에 직접적 압력이 가지 않도록 할 것

　　e. 가능하면 의자에 2시간 이상 앉아 있지 않도록 할 것

　　f. 체위 변경이 불가능할 때 ⇨ <u>쿠션, 특수 침대</u>

3) 상처의 세척(Wound Cleansing)

　　a. <u>멸균된 생리 식염수가 널리 쓰임</u> (**povidone, iodine, sodium hypochlorite, hydrogen peroxide, acetic acid** 등의 소독약은 오히려 상처의 치유를 방해할 수 있다). 수돗물도 치료율이나 감염률 면에서 유의한 차이 없다고 알려짐.

　　b. 30 mL 주사기에 19G 주사바늘이나 angio-catheter를 부착하여 궤양 기저부에 손상이 가지 않을 정도의 충분한 압력으로 세척하는 것이 좋다.

　　c. 물의 온도 : 차가우면 치유 과정을 저해하므로 <u>따뜻한</u> 물이 좋다.

4) 드레싱(Dressings)

　　a. 상처의 임상적 측면, 주변의 조직, 치료의 목적 등에 따라 달라짐.

　　b. 매일 드레싱 하면서 호전 정도를 관찰 및 기록(사진 등)으로 남김.

　　c. 드레싱의 단계

　　　① 상처 주변의 피부를 깨끗이 한다.

　　　② 괴사조직이 있는 경우는 제거한다.

　　　③ 세척액으로 피부를 잘 닦는다. 깨끗한 상처는 환부의 안에서 밖으로 원을 그리며 닦고, 더러운 상처는 환부의 밖에서 안으로 닦되, 한 번 사용한 소독솜은 버리고 이 과정을 3회 반복한다.

　　　④ 상처 주위의 피부를 마른 거즈로 가볍게 두드려서 말린다.

　　　⑤ 각 상처 드레싱의 목적에 부합하는 드레싱을 수행한다.

(1) 거즈 패킹 (Gauze packing)

　욕창으로 인한 사강(**dead space**)을 없애는 것은 매우 중요한데 넓은 공간, 특히 분비물이 많이 나올 때는 거즈를 뭉쳐서 패킹하는 것보다 낱장으로 풀어서 느슨하게 채워주는 것이 분비물의 흡수를 돕는다. 과도한 패킹은 궤양 기저부 조직에 압력을 주어 부가적인 조직 손

상을 야기할 수 있으므로 부드럽게 채워주고 피부표면보다 드레싱이 위로 올라가지 않도록 한다. 패킹 재료는 상처 가장자리 안에 위치하도록 하고 상처주위 피부에 닿지 않도록 한다. 패드 형태의 거즈는 사용을 피하고, 욕창이 깊은 경우 롤 형태의 거즈를 사용하면 거즈가 사강 내에서 분실되는 것을 예방할 수 있다.

(2) 거즈 드레싱 (Gauze dressing)

연고나 크림, 소독제 등 국소치료제를 거즈에 함유하여 감염된 상처에 사용하거나, 패킹하는 것으로, 동굴관(sinus tract) 또는 잠식(undermining)을 가진 상처에 적합하다. 건식 거즈 드레싱(dry gauze dressing)은 건조한 상태의 거즈를 상처 위에 놓고 건조한 상태에서 교환하는데, 이 방법은 손상이나 감염으로부터 상처를 보호하고, 삼출물을 조절한다. 습윤 건조 거즈 드레싱(Wet to dry gauze dressing)은 거즈에 생리식염수를 적신 후 개방된 상처에 놓고 거즈가 건조된 후 떼어낸다. 이 때 괴사조직 제거가 다 될 때까지 매 6~8시간마다 반복해야 효과적이다. 습윤 거즈 드레싱(moist gauze dressing)은 괴사조직을 많이 함유하지 않은 욕창에 유용하고, 상처 기저부가 축축하게 유지되도록 지속적으로 습윤 거즈를 교환한다.

(3) 투명필름 드레싱 (Transparent polyurethane film dressing)

투명필름 드레싱은 마찰이 있는 부분의 욕창 예방과 1, 2단계 욕창에 주로 쓰인다. 투명필름 드레싱은 흡수력이 전혀 없으므로 심하게 감염되어 삼출물이 많은 경우나 감염의 위험이 있는 욕창에 사용해서는 안 되며, 제품으로는 OpSite, Tegaderm 등이 있다(표 29-4).

(4) 하이드로콜로이드 드레싱 (Hydrocolloid dressing)

2단계와 3단계 욕창에서 상처가 넓으며 편평한 경우 적용할 수 있다. 괴사조직의 자가분해(autolytic debridement)를 도와주지만 다량의 분비물을 모두 흡수하지 못해 오히려 감염의 위험을 높일 수 있으며 감염된 상처에서는 효용성이 낮다. 삼출물 흡수효과가 뛰어나, 보호자와 의료진의 시간을 절약해 주며 제품으로는 DuoDERM, Tegasorb, Replicare 등이 있다. 깊지 않은 궤양에는 하이드로겔(hydrogel) 드레싱을 사용하는 것이 좋다(표 29-4).

표 29-4 습윤 드레싱 종류와 그 사용

Wound Dressings	흡수력	가피제거	교체주기	Stage
Polyurethane films(테가덤필름)	none	none	1주 이내	I, II
Hydrogels(Dermagauze)	minimal	Autolysis	1주 이내	II, III, IV
Hydrocolloids(듀오덤)			1주 이내	
Alginates(Sorbsan)			매일-3일	
Polyurethane foams(메디폼)	moderate	none	1주 이내	

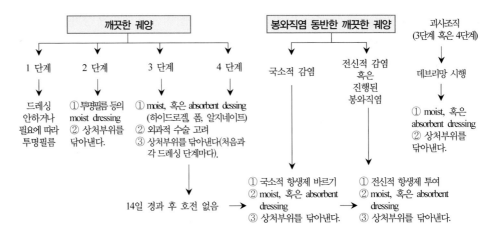

그림 29-7 욕창의 단계별 치료(3,4단계의 경우에는 병원치료가 원칙)

출처: Am Fam Physician. 2008 Nov 15;78(10):1186-94.

6) Braden Scale에 의한 욕창 위험성 평가 및 관리 방법

표 29-5   Braden Scale 점수에 따른 욕창 예방법

15-16점(욕창의 위험 있음)
규칙적 체위 변경, 최대한 움직일 수 있게 한다.   발 뒤꿈치 보호 습기, 영양, 마찰력, 전단력 관리   와상, 휠체어 의존 환자 : 압력 감소 장치 * 다른 주요 위험 인자(고령, 고열, 단백질 결핍, 이완기 혈압 ⟨ 60 mmHg 등) ⇨ 다음 단계로!
13-14점(중등도의 욕창 위험성)
규칙적 체위 변경, 최대한 움직일 수 있게 한다.   측위 유지를 위해 베개를 사용 발 뒤꿈치 보호   습기, 영양, 마찰력, 전단력 관리 * 다른 주요 위험 인자 ⇨ 다음 단계로!
10-12점(높은 욕창 위험성)
체위 변경을 보다 자주 한다. 조금씩만 이동시켜 준다. 측위 유지를 위해 베개를 사용 발 뒤꿈치 보호   습기, 영양, 마찰력, 전단력 관리
9점 이하(매우 높은 욕창 위험성)
위의 모든 사항 + 심한 통증이나 추가 위험 요인이 있다면 압력 완화 도구 사용

Adapted from Hospital Council of Nothern & Central California

표 29-6 Braden Scale(욕창 위험 사정표)

욕창 위험 사정표(Braden Scale)

Barbara Braden, PhD, RN, FAAN

환자명		님			
사정일시	월 일 시			합계	점

항목	1점	2점	3점	4점
감각인지 불편감을 주는 압력에 대해 의미있게 반응하는 능력	전혀 없음 의식이 저하되거나 진정제로 인해 통증 자극에 대해 전혀 반응없음. 신체의 대부분에 감각이 떨어짐	매우 제한됨 통증자극에 대해서만 반응함. 신음하거나 안절부절 못하는 것 외에는 불편감을 호소하지 못함. 또는 신체의 1/2 이상의 감각이 떨어짐	약간 제한됨 구두로 요구를 표현하나 불편감을 느끼거나 몸을 돌릴 필요가 있을 때마다 하는 것은 아님. 또는 하나 둘의 사지에서 감각이 떨어짐	장애 없음 구두로 요구를 표현할 수 있으며, 감각기능장애가 전혀 없음
습한 정도 피부가 습기에 노출되어 있는 정도	지속적으로 습함 땀, 소변 등으로 피부가 계속 습한 상태임. 돌리거나 움직일 때마다 축축함	습함 항상은 아니나 자주 습한 상태임. 적어도 8시간마다는 린넨을 교환해야 함	때때로 습함 하루에 한 번 정도로 린넨을 교환할 정도로 습한 상태	거의 습하지 않음 피부가 거의 습하지 않음. 정해진 간격으로 린넨을 교환하여도 됨
활동정도 신체활동 정도	침상 안정 계속적으로 침대에 누워 있어야 함	의자에 앉을 수 있음 보행능력이 없거나 매우 제한됨. 몸을 지탱할 수 없거나 의자나 휠체어로 옮길 때 도움이 필요함	때때로 보행 낮동안에는 때때로 걸으나 짧은 거리만 가능함. 대부분을 의자나 침대에서 보냄	정상 적어도 하루에 두 번 정도는 산책할 수 있음
기동력 체위를 변경하고 조절할 수 있는 능력	전혀 없음 도움없이는 몸이나 사지를 전혀 움직이지 못함	매우 제한됨 가끔은 몸이나 사지를 움직이긴 하지만 자주 혹은 혼자서 많이는 아님	약간 제한됨 혼자서 약간씩이나 자주 움직임	정상 도움없이도 자주 자세를 크게 바꿈
영양상태 평소 음식섭취 양상	불량 제공된 음식의 1/3 이상을 먹지 못함. 또는 금식, 5일 이상 IV	부적절함 보통 제공된 음식의 1/2 정도를 먹음. 또는 적정량 이하의 유동식, 경관 유동식	적절함 대부분 반 이상을 먹거나 적정량의 경관 유동식, TPN	양호 거의 다 먹음
마찰력과 전단력	문제 있음 이동 시 많은 도움이 요구되며, 끌지 않고 드는 것이 불가능함. 종종 침대나 의자에서 미끄러져 자세를 다시 취해야 함. 경직, 경축, 초조가 계속적으로 마찰을 일으킴	잠재적 문제 있음 최소한의 조력으로 움직일 수 있음. 이동 시 시트, 의자, 억제대나 다른 도구에 약간은 끌림. 때때로 미끄러지나 의자나 침대에서 대부분은 좋은 자세를 유지함	문제 없음 침대나 의자에서 스스로 움직일 수 있고 움직이는 동안 몸을 들어올릴 수 있음. 항상 침대나 의자에서 좋은 자세를 유지할 수 있음	

가장 좋은 점수는 23점(4+4+4+4+4+3)이며, 16점 이하부터는 욕창의 위험이 있음.

Modified from Bergstrom N, et al., 1987

7) 압력 감소 장치

    a. 물 매트리스, 공기 매트리스 등이 병원 매트리스보다 좋다.

    b. 의자, 침대, 휠체어에 푹신한 패드 사용.

    c. <u>도우넛 모양의 쿠션은 중심부에 있는 피부로 가는 혈류를 차단하므로 사용하지 말 것!</u>

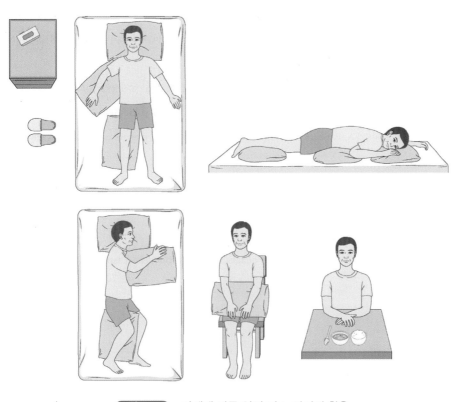

그림 29-8   자세에 따른 압력 감소 장치의 활용

그림 29-9   공기 매트리스

참 · 고 · 문 · 헌

1. 최윤호. 압창. In: 대한노인병학회. 노인병학. 개정판. 서울: 의학출판사; 2005. p. 340-346.

2. Trellu LT, Terumalai K, Cheretakis A. Pressure Ulcers. In: Cho KH, Michel JP, Bludau J, Dave J, Park SH. Textbook of Geriatric Medicine. Seoul: Argos; 2010. p. 411-418.

3. Proper Positioning for the Prevention of Pressure Sores and Muscle Contracture [Internet]. Dept. of Health, The Government of the Hong Kong Special Administrative Region; c2006 [cited 2010 Aug 8]. Available from: http://www.info.gov.hk/elderly/english/healthinfo/elderly/prevention_of_pressure_sores-e.htm.

4. 김주희, 곽진상, 김연숙, 김영애, 김정화, 송미순 등. 장기요양 노인간호. 서울: 군자출판사; 2005.

5. 박주성. 욕창. In: 대한임상노인의학회. 임상노인의학. 서울; 한우리; 2003, p. 297-310.

6. Bluestein D, Javaheri A. Pressure ulcers: prevention, evaluation, and management. Am Fam Physician. 2008;78:1186-94.

7. Anthony D, Reynolds T, Russell L. A regression analysis of the Waterlow score in pressure ulcer risk management. Clin Rehabil. 2003;17:216-223.

8. October 23, 2008 - Town Hall Meeting [Internet]. Hospital Council of Nothern & Central California; [cited 2010 Aug 8]. Available from: http://www.hospitalcouncil.net/cgi-bin/default.asp?AID=274.

Chapter 30

요양보호사의 역할 :
안전하게 입소자 케어하기

KEYPOINT 🔓

- 요양보호사는 입소자 어르신에게 어떤 일이 생겼을 때 보고하여야 하는가?
➡ 시시콜콜한 일까지 모두 간호(조무)사에게 보고하여야 합니다.

　　간병이란 신체적이나 정신적으로 불편한 사람들을 옆에서 돌보며 도와주는 일로서, 만성 질환이나 외상, 정서적 장애 등 혼자 일상생활을 하기 어려운 사람들을 도와주는 일이며, 질환의 악화나 합병증을 예방하며, 회복할 수 있도록 수발하며 돕는 일이다. 요양보호사란 시설이나 가정에서 도움이 필요한 이를 가족 대신 돌보아주는 사람으로서 간병서비스를 제공하는 사람을 말하며, 노인장기요양보험제도 시행 이후에는 전문 교육을 받고 자격시험에 합격한 자에게 '요양보호사' 자격을 주어 노인요양시설에서 필요한 간병 서비스를 입소자들에게 제공한다.

간병의 목적

- 병이 악화되는 것을 예방한다.
- 입소자의 일상생활을 보조하여 불편함이 없도록 한다.
- 입소자의 신체적 건강 증진 및 정서적, 심리적 안정을 가져온다.
- 입소자에게 매여 있던 가족이 본연의 일을 할 수 있도록 한다.

　　시설의 특징 중 하나가 "공동 간병"이다. 일반적으로 병원에 수술 등을 목적으로 단기간 입원하는 경우에는 입소자의 특성에 따라 필요한 경우에만 개인 요양보호사를 이용하지만, 대부분의 입소사가 일상생활수행능력이 저하되어 도움을 필요로 하는 시설의 경우는 각 침실마다 요양보호사를 배치하여 2교대 혹은 3교대로 입소자들을 24시간 간병한다.

표 30-1　일일 계획과 요양보호사 일일 업무 계획 사례

시 간	업 무 내 용
05:00~07:30	- 세탁, 샴푸(주 2회) : 병동 별로 요일을 나누어서 시행 - TV시청, 침상 및 병실 정리, 입소자 세면, 면도, 샴푸 도와드림 - 입소자 개인별 보릿물 한 통씩 준비 - 침대 식판 펴고 앉혀 드린 후 앞치마 입혀 드림(보릿물 반 컵 드림)
07:30~08:20	식사 및 관리, 식사 후 입소자 양치 및 틀니 관리
08:20~08:30	근무 교대(업무 인수 인계 철저히)
08:30~09:30	입소자 파악, 기저귀 청결
09:30~11:30	- 산책(실내, 실외, wheel chair 이용), TV 시청, 자동수욕 실시 - 체위 변경, 등 맛사지, 보릿물 반 컵 드림
11:30~12:10	- 식사 준비, TV 종료, 요양보호사는 교대로 식사 - 각 층 별로 5분 간격으로 식당에서 출발
12:10~13:00	입소자 식사 보조
13:00~15:00	- TV 시청, 물리치료 준비, 산책 - 입소자에게 보릿물 반 컵 드림, 자동수욕 실시

15:00~16:00	사회사업실 요법 활동에 적극 참여(요법 해당 입소자분은 모두 참여하도록 합니다. 참석 못하시는 분은 간호사실에 보고합니다.)
16:00~16:30	보릿물 반 컵 드림, 손톱, 발톱 깎아 드림(침실마다 각각 다른 요일)
16:30~17:10	식사 준비, TV 종료, 요양보호사 식사 교대(식당 출발 시간을 잘 지켜서 오랫동안 기다리는 일이 없도록 합니다.)
17:10~18:00	식사 및 식사 관리
18:00~19:00	실내 또는 실외 산책
19:00~19:50	TV시청, 침상 및 병실 정리, 취침 준비
19:50~20:00	근무 교대(업무 인수 인계 후 교대)
20:00~22:00	회음부 간호 시 보조, 기저귀 관찰, 체위 변경 실시(오른쪽으로 누운 자세)
22:00	취침-체위 변경(바로 누운 자세), 입소자분이 화장실 가시는 분은 화장실로 모심되도록 이동식변기 또는 침상변기를 사용함
24:00	수면, 체위 변경(왼쪽으로 누운 자세), 기저귀 관찰
02:00	기저귀 관찰, 체위 변경(바로 누운 자세)
04:00	기저귀 관찰, 체위 변경(오른쪽으로 누운 자세)
04:00~05:00	채혈 검사 시 간호사 돕기
05:00	어르신 겨드랑이에 체온계 꽂아드림. 혈압 측정 시 보조

Adapted from 인천은혜병원 간호국

❶ 요양보호사로서의 기본 소양

1) 입소자에 대한 기본적인 예의를 갖추도록 한다.

　a. 입소자를 어린아이 취급하지 않고, 존댓말을 사용하도록 한다.

　b. 입소자 호칭 : ○○○ 님, ○○○ 어르신

　c. 입소자의 수준에 맞추어 대화하기. 목소리 톤은 너무 높지 않게 한다.

　d. 입소자의 잔존 능력을 최대한 발휘할 수 있도록 돕겠다는 마음가짐을 갖도록 한다.

　e. 입소자의 프라이버시 보호가 필요한 경우에는 반드시 스크린을 치도록 한다.

2) 기본적인 치매 교육 받기

　a. 치매와 연관된 행동심리증상(특히 공격적 행동)에 대해 감정적 대응을 하지 않도록 한다.

　b. 남자 치매 입소자의 성적인 행동도 병의 증상으로 받아들일 것을 교육

3) 입소자와의 사이에 인간적인 갈등이 생기면

    a. (책임자는) 일단 서로간의 중재를 유도

    b. 필요한 경우에 담당 입소자나 요양보호사의 근무 장소를 교체

4) 단정하고 편안한 외모

    a. 지정된 유니폼 및 규정에 맞는 실내화를 착용시킨다.

    b. 유니폼 이외의 신발, 양말, 머리스타일 등이 너무 튀지 않도록 한다.

    c. 손톱의 길이나 매니큐어 색깔도 규정에 맞도록 한다.

5) 보호자와의 관계

    a. 특정 입소자의 보호자와만 친밀해지지 않도록 주의를 준다.

    b. 입소자 상태에 대해 보호자에게 직접 말하지 말고 간호사실에 문의하도록 함.

    c. 보호자로부터 금전을 받는 행위를 금한다.

❷ 위생 개념

1) 손톱은 짧게 자른다.

2) 입소자가 사용하는 물컵, feeding bag, 음식 투여용 주사기 등을 청결히 세척

3) 멸균이 필요한 곳에 손이 닿지 않도록 교육

4) 전염성 질환(특히 옴 등 피부질환)을 앓고 있는 입소자를 만진 후에는 반드시 손 소독

❸ 간병일지 작성법 교육

1) 기저귀 교환 시간

2) 소변량 : "흠뻑", "1/2", "소량" 으로 구분

3) 대변량 : "계란"으로 표시(예 : 한 개, 세 개 반)

4) 그 날 입소자를 방문한 사람 기록(예 : "큰 따님 외 3명")

간 병 일 지

환자이름 :

날짜	위생상태	식사	시간	대변	양상	소변	량	방법	깔개	기타	서명
8/31 화		조80 중80 석80	9:00			✓		기			주; 야;
			13:00			✓		4			
			16:00			✓		4			
			20:00			✓		4			
			02:00			✓		4			
			05:00			✓		4			
9/1 수		조80 중80 석80	11:00			✓		4		14:30 동생 면부부 방문	주; 야;
			16:00	✓	묽음	✓	5	기	2		
			20:00			✓		4			
			02:00			✓		4			
			05:00			✓		4	1		
9/2 목		조80 중80 석80	11:00	✓	묽음	✓	2	기	1		주; 야;
			13:00			✓		4			
			16:00		묽음	✓	1	4	1		
			20:00			✓		4			
			02:00			✓		4			
			05:00			✓		4	1		
9/3 금	수욕	조80 중80 석80	11:00			✓		4			주;
			16:00	✓	묽음	✓	3	기	1		
			18:00			✓		4			

방   법 : 화장실 사용시 ⇨ 화,   기저귀 사용시 ⇨ 기,   좌변기, 변기 사용시 ⇨ 변
대변양상 : 정상, 묽음, 설사
대 변 량 : 계란1개, 계란2개, 3개, 4개 등으로 표시   ※ 中계란 1개에 50g
소 변 량 : 흠뻑, 1/2, 소량

그림 30-1 실제로 작성한 간병일지 사례

❹ 입소자의 물품 관리

1) 입소자의 틀니 보관
2) 기저귀, 캔 영양식 챙겨 놓기
3) 개인 물품(보호자가 가져온 간식 등)

❺ 침상 꾸미기

1) 베개 준비

침대 머리 쪽 받침대에 세로로 양쪽에 2개의 베개를 놓고 한 개를 그 밑에 가로로 대 놓으면 편안히 기대어 앉을 수 있다.

그림 30-2 입소자가 편하게 기대어 앉을 수 있게 베개 준비하기

2) 키가 작은 입소자

침대의 발 쪽이 흘러내리지 않도록 쿠션 또는 둘둘 말아서 만든 담요 등을 발 밑에 넣어준다.

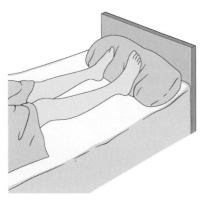

그림 30-3 키 작은 분을 위한 담요 배치

3) 입소자가 누워 있는 상태에서 바탕 시트 갈기

표 30-2 누워있는 입소자의 밑으로 바탕시트 가는 순서

1단계	2단계	3단계	4단계
천천히 조심스럽게 입소자를 옆으로 돌려 눕힌다.	입소자를 침대 모서리 요양보호사 가까이 옮긴다. 입소자가 편안한 상태인가를 확인.	입소자의 등 쪽의 더럽혀진 바탕 시트를 긴 축을 유지하며 반쯤 둥글게 말은 후, 미리 준비한 반쯤 둥글게 접힌 깨끗한 시트를 침대의 빈 공간의 중앙에 긴 방향으로 놓는다. 그리고 빈 공간 쪽으로 새 시트의 반쪽을 편다.	조심스럽게 입소자를 돌려서 깨끗한 새 반쪽 시트 쪽으로 누인 후, 더럽혀진 시트는 제거한다. 그리고 말려있던 새 시트를 부드럽게 펴서 바로 놓는다.

⑥ 경구약물의 투여 보조

1) 입소자 스스로 챙겨 먹지 못하는 경우가 많다.
2) 각 입소자 별로 정확한 약물이 정확한 시각에 정확한 양으로 복용되도록 한다.
3) 약을 먹지 않고 숨기는 입소자도 있으므로 다 먹었는지 끝까지 확인

⑦ 욕창 예방

1) 침대에서 입소자를 이동시킬 때 끌지 않도록 한다.
2) 압력 감소를 위해 쿠션이나 베개를 이용
3) (그림 30-5)와 같은 "체위 변경표"를 각 병실에 붙여 놓고 2시간마다 체위 변경
4) 모든 입소자에게 같은 시각에 같은 체위를 취하도록 해야 체위변경이 제대로 이루어지고 있는지 확인이 용이하다(그림 30-6).

그림 30-4 욕창 예방을 위한 쿠션

그림 30-5 체위변경표

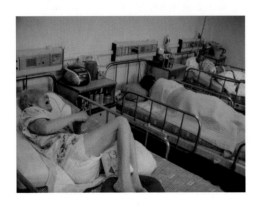

그림 30-6 체위변경표에 따라 모든 입소자가 왼쪽으로 누워 있다.

⑧ 팔, 다리의 굳음 막기

1) 사지를 스스로 움직이지 못하는 입소자의 팔, 다리 관절을 수시로 움직여 준다.

2) 쿠션이나 패드 등을 대준다.

그림 30-7 팔, 다리의 굳음 방지용 쿠션과 패드

❾ 움직이지 못하는 입소자가 바로 누워 있는 경우에 자세 잡기

엉덩이 바깥쪽에 베개를 놓아서 다리가 바깥쪽으로 외회전 되는 것을 방지한다.

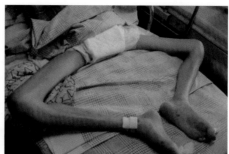

그림 30-8 그림 64-8. 위(우측) : 경추 손상으로 사지마비가 된 입소자가 장기간 누워 있은 후 외회전이 발생한 사례
아래 : 양 다리 관절이 굴곡되어 배를 누른 입소자. 기저귀 가는 데에 어려움이 생김.

❿ 침대에서 움직이지 못하는 입소자 옮기기

1) 노인을 갑자기 일으키면 기립성 저혈압이 생길 수 있으므로 항상 천천히
2) 침대 위에서 침대 머리 쪽으로 이동하기

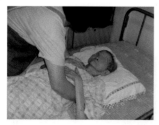

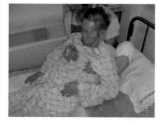

그림 30-9 입소자를 침대 머리 쪽으로 이동시키기(가능하면 2인이 함께 입소자를 살짝 들어서 옮기는 것이 침대에 쓸리지 않으므로 욕창을 방지할 수 있다)

⑪ 침대 밖으로 내려오는 동작 보조

1) 오랫동안 누워있던 노인들이 처음으로 침대에서 내려오려 하면 허약함 혹은 어지럼증을 느끼게 된다.

2) 낙상 방지를 위해, 입소자에게 서서히 시도하도록 하고 서기 전 몇 분 동안 침대의 모서리에 앉아 있게 한다.

3) 요양보호사는 침대 옆에 튼튼한 의자를 갖다 놓고 입소자 옆에서 움직임을 보조해 준다. 양 손을 입소자의 어깨와 무릎 밑에 넣고 입소자의 움직임을 도와준다.

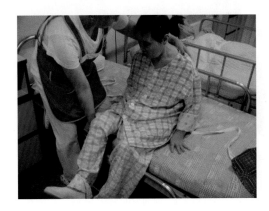

그림 30-10 양 손을 입소자의 어깨와 무릎 밑에 대고 보조

⑫ 침대 밖으로 움직이기 위해 휠체어 태우는 순서

1) 우선 침대 바퀴 및 휠체어 바퀴를 고정시킨다.

2) 입소자를 침대 모서리에 앉힌 후 입소자가 요양보호사를 껴안도록 한다(입소자의 양 다리 사이에 한쪽 다리를 넣으면 안전하다).

3) 입소자의 허리를 꼭 안아 일으켜 세운다.

4) 휠체어에 앉힌다.

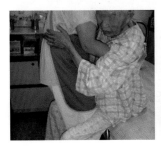

그림 30-11 안전하게 휠체어에 태우기

⑱ 식사 보조

1) 생선이 나오면 뼈를 발라주도록 하고, 큰 반찬이 나오면 잘라주도록 함.

2) 노인 입소자 각자에게 맞는 속도로 도와준다.

3) 올바른 식사 자세

  a. 상반신을 세우고 등을 앞으로 약간 구부린 상태에서 목도 약간 앞으로 숙인다. 이렇게 하면 목을 상하로 잘 움직일 수 있다.

  b. 위험한 식사 자세

    등받이에 기대게 하여 상체가 뒤로 젖혀진 자세나 요양보호사가 입소자의 머리 뒤에서 식사를 돕는 자세는 목이 펴진 상태이기 때문에 음식을 넘기기가 어렵다. 그리고 자세가 마비된 쪽으로 치우친 상태에서 먹는 것도 위험하다.

올바른 식사 자세(앞으로 숙임)

위험한 식사 자세(뒤로 젖힘)

그림 30-12   올바른 식사 자세(좌)와 위험한 식사 자세(우)

• 삼키는 힘이 약한 입소자의 식사 보조(수직 연하)
  – 목을 움직이지 못하는 입소자는 삼키는 순간에 얼굴을 약간 위로 올린 다음 다시 아래로 내리는 "수직 연하"를 하게 한다. 이 때 핵심은 "동작을 크게" 하는 것
  – 먹고 나면 숨을 내뱉도록 함. 숨을 내뱉음으로써 기도에 음식물이 들어가지 않도록 함

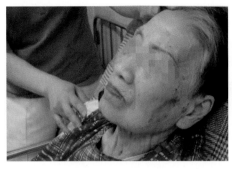

얼굴을 약간 위로 올리기   다시 아래로 내리기

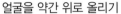 삼키는 힘이 약한 입소자의 식사 보조

- 목에 걸리기 쉬운 음식들
  - 떡, 생선회, 초밥, 생선 가시, 사과, 어묵, 김(미역), 곤약, 참깨, 콩류, 카스테라
  - 보호자들에게는 항상 주의를 준다.
- 시설을 방문한 보호자들의 눈에 잘 띄는 곳에 안내문을 부착한다.

> **보호자 준수사항**
>
> 노인 환자분들은 삼키는 기능이 저하되어 있습니다.
>
> 떡이나 고기류 및 단단한 음식 등을 환자분에게 드리는 것을 금지 하오니 준수하여 주시기 바랍니다.
>
> ○○요양원장

그림 30-14 질식사고 예방을 위한 안내문

- 음식이 기도에 걸리면 당황하지 말고 즉시 다음의 조치를 취하도록 한다.
  ① 입소자의 몸을 앞으로 약간 숙이게 하여 입 안에 손가락을 넣고 혀를 눌러주면서 등을 두드려 크게 기침을 하게 한다.
  ② 입소자의 뒤로 가서 한 손으로는 주먹을 쥐고 그 손 위에 다른 한 손을 포개어 명치 주변을 강하게 잡아 올리듯이 압박한다.

③ 입소자를 일으켜 세우고 직원이 뒤에서 한 손으로 가슴을 받치고 앞으로 숙이게
한 다음 견갑골(날개 뼈) 사이를 강하게 4~5번 두드린다.

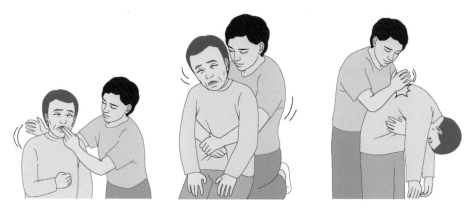

그림 30-15 목에 음식이 걸렸을 때의 응급조치

4) 앉지 못하는 사람의 안전한 식사 자세

목에 베개를 받쳐서 앞으로 약간 숙이게 하면 인두와 기관에 "〈" 형태의 각도가 생겨 흡
인을 일으키기 어렵게 한다.

몸이 미끄러져 내려가지 않도록 무릎을
구부리게 하고 발 끝에 쿠션 등을 댄다.

목에 베개를 받쳐 앞으로
약간 숙이게 한다. 이렇게
목의 각도를 주면 음식물
이 기관이 아닌 식도로 들
어가게 된다.

목에 베개를 대지 않을 경우

목에 베개를 대서 앞으로 약간 숙이게 한 경우

그림 30-16 앉지 못하는 사람의 안전한 식사자세

안전한 식사 돕기 요령

1. 입소자와 요양보호사는 눈높이를 같게 맞춘다.
2. 입 안에 넣을 양은 티스푼으로 1수저 정도씩
3. 입 안에 수저를 넣으면 입소자가 먼저 먹을 때까지 기다린다.
   – 입 안에 넣은 수저는 바로 빼지 말고 잠깐 동안 그대로 둔다. 입소자가 스스로 먹어도 될지 아닐지를 요양보호사가 판단하는 것이다. 음식을 삼키는 것을 수저를 통해 느끼고 나서 수저를 빼도록 한다.
4. 삼키면 목이 움직이는지 확인한다.
5. 수분을 함께 주면서 먹인다.

　　5) 식사 후 구강 관리 방법을 교육받도록 한다.

⑭ 배변, 배뇨 보조

1) 기저귀, 기스모 착용 시에 너무 조이거나 느슨하지 않게 알맞게 할 것

2) 기저귀 교체 시에 기저귀 발진처럼 보이는 피부 문제가 없는지 확인하도록 한다.

3) 배뇨 주기, 배뇨량, 양상, 횟수 등을 기록

4) Foley catheter가 막히지 않도록 자주 squeezing(훑어주기)을 해준다.

 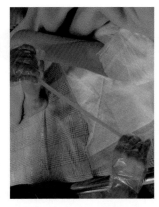 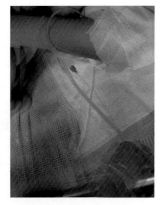

양 손으로 도뇨관을 꽉 누른다. 　왼손은 계속 누른 상태에서 오른손을 집뇨주머니 쪽으로 훑어 내린다. 　오른손은 계속 꽉 누른 상태에서 왼손을 뗀다.

그림 30-17 도뇨관 Squeezing(훑어주기). 이 과정을 통해 도뇨관에 찌꺼기가 끼지 않도록 한다.

5) 이동변기 사용하기

 a. 입소자가 침대 밖으로 잠깐 동안만 내려올 수 있을 때

 b. 요양보호사는 입소자의 이동을 부축한다.

 c. 사용할 때마다 이동변기에 끼워진 침상변기를 꺼내어 부유물을 버린다.

 d. 침상변기는 물로 씻은 후 소독약으로 철저하게 소독한다.

6) 침상변기 사용하기

 a. 침대에 누워만 있는 입소자

 b. 변기 모서리에 파우더를 바르면 좋다.

 c. 입소자가 스스로 엉덩이를 들 수 없다면, 입소자의 엉덩이를 들어올리면서 다른 요양
  보호사가 침상변기의 열린 부분이 다리 쪽으로 가도록 엉덩이 밑에 밀어 넣는다.

 d. 다른 요양보호사가 없다면, 입소자를 한 쪽으로 돌려 눕힌 후에 침상변기의 한 쪽을
  입소자의 엉덩이에 살며시 대면서 동시에 침상변기를 침대 바닥 쪽으로 세게 누르며
  입소자의 등을 돌려 침상변기 위에 눕힌다.

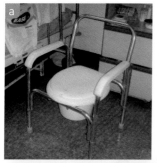

그림 30-18 변기의 종류. (a) 이동 변기, (b) 남성용 소변기, (c) 침상변기

 e. 소변 본 후에 성기 씻어주기

  여성의 경우, 배설물이 요도에 들어가 요로감염을 일으키지 않도록 항상 앞에서 뒤쪽으
 로(질에서 항문 쪽으로) 닦아내야 한다.

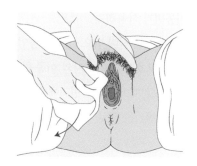

그림 30-19 배뇨 후에 성기 씻어주기

ⓖ 입소자의 개인위생 보조

1) 침대에서 입소자 목욕시키기

1단계	• 한 번에 신체 한 부분만 닦은 후 물기를 말린다. • 닦고 있는 부분만 옷을 벗긴다(입소자의 체온 유지 및 프라이버시 보호).	
2단계	• 머리 쪽에서 아래로 내려가면서 닦아 준다. • 땀 많이 나는 곳(겨드랑이, 사타구니, 엉덩이)은 비누칠	
3단계	• 깨끗하고 부드러운 수건을 사용 • 비비지 말고 부드럽게 물기를 닦아낸다.	
4단계	옆으로 돌려 눕히고 등쪽을 씻고 물기를 닦아낸다.	
5단계	입소자의 손을 깨끗한 물에 담그는 것이 젖은 수건으로 닦아 주는 것보다 훨씬 더 청결하게 닦을 수 있다.	
6단계	입소자가 옷 입는 것을 도와주기 전에, 입소자의 몸에서 물기가 완전히 닦였는지 재확인	

2) 세면, 양치질, 머리감기기 보조

3) 남자 입소자의 면도 도와주기

그림 30-20   미용사 자격증이 있는 요양보호사의 이발 봉사 모습

16 다음의 이상 상태가 보이면 즉시 간호사에게 보고 한다.

1) 설사, 혈변, 검은 변

2) 토할 때

3) 열이 날 때

4) 땀을 많이 흘릴 때

5) 얼굴 색의 변화

6) 평소보다 소변량이 적을 때, 혈뇨, 악취가 날 때

7) 평소와 다른 식사 상태

8) 의식 상태의 변화

9) 피부 병변을 발견했을 때

10) 낙상이나 부딪히는 일이 발생 했을 때

17 신체 보호대 사용 입소자의 경우 주기적으로 관찰해야 할 사항들

1) 간호(조무)사, 의사의 지시에 의해서만 보호대를 적용할 수 있음을 교육

2) 너무 조여졌거나 혹은 느슨하지 않은지 확인

3) 혈액 순환 : 청색증 발생 여부 확인

4) 억제대가 입소자의 목이나 가슴을 압박하여 호흡곤란 등의 문제는 없는지

⑱ 낙상 예방

1) 입소자에게서 눈 떼지 말기
2) 특히 TV 시청이나 독서, 요양보호사끼리의 잡담, 뜨개질 등 개인적 활동 금지
3) 보행이 불편한 입소자가 걸을 때에, 바로 옆에서 허리춤과 팔을 잡고 나란히 걸음으로써, 입소자가 갑자기 쓰러지려 해도 바로 붙잡을 수 있도록 한다.
4) 화장실 이용 시에 낙상이 많으므로 화장실 이용 시에 반드시 동행할 것

⑲ 요양보호사를 위한 스트레칭 체조

1) 간병 활동에 의한 반복적인 특정 근육의 사용은 근막통증후군 등 근골격계 질환을 유발할 수 있다.
2) 정기적인 단체 스트레칭을 통해서 근골격계 질환, 우울감 등의 예방 및 직원 간의 화합 등을 도모할 수 있다.

그림 30-21   간호직원과 요양보호사들의 정기적인 단체 체조 모습

양손을 바깥쪽으로 깍지를
끼고 앞으로 편다(15초)

팔꿈치를 잡고 비스듬히
아래로 천천히 잡아당김
(좌우 각 20초)

팔을 위로 펴고 허리를 쑥 내밀어 중
심을 옮기고 나서 몸을 똑바로 옆으
로 굽힌다(좌우 각 15초)

양팔을 펴고 허리를 비틀
어서 굽히기 한다(좌우
각 15초, 동작 크게)

발을 앞으로 크게 벌리고 양손을
앞 무릎에 놓고 허리를 천천히 내
린다(좌우 각 15초)

체중을 앞다리에 주고 양손으로
엉덩이를 앞으로 밀면서 뒷다리의
종아리를 펴준다(좌우 각 20초)

상체의 힘을 빼고 무릎을 조금 구부리면서
천천히 굽혀준다(15초)

양손을 뒤로 모으고 무릎과 허리를 펴면서
천천히 고개를 뒤로 젖힌다(15초)

그림 30-22 요양보호사를 위한 스트레칭 체조

참 · 고 · 문 · 헌

1. 인천은혜병원 간호부. 간병인직무기술서. 인천: 인천은혜병원; 2009.

2. 인천은혜병원 간호부. 간호업무지침서. 인천: 인천은혜병원; 2001.

3. 정한영 역. 노인가정요양 간병가이드. 서울: 군자출판사; 2008.

4. 일본방문치과협회. 노인을 위한 구강 관리. 서울: 군자출판사; 2008.

5. 보건복지부. 요양보호사 표준교재. 서울: 보건복지부; 2008.

PART **5**

치매란 무엇이며,
어떻게 돌볼 것인가?

치매환자에 대한
ABC 접근법

KEYPOINT 🔒

- 요양원 입소자의 대부분이 치매 환자라는데 저는 치매 환자를 실제로 돌봐드린 경험이 없어서 좀 막막합니다. 치매 어르신에 대해 어떤 식으로 접근해야 효율적이며, 치매와 감별할 질환들은 어떤 것들이 있을까요?
➡ "A-B-C 접근법"에 따라 차근차근 다가가면 효율적입니다. 또한 건망증, 섬망, 우울증과도 구별할 수 있어야 합니다.

치매는 단순 진단명이라기 보다는 증상 군이라고 하는 것이 어울린다. 다양한 질병이나 조건에 의해 치매라는 공통된 증상이 발생하기 때문이다. 치매의 원인은 70여 가지 이상으로 알려져 있으며, 이들 중 가장 대표적인 것은 알츠하이머병과 혈관성치매로, 전체 치매의 약 70-80%를 차지하고 있다. 우리나라에서 실시한 역학 조사에서는 65세 이상 지역사회 노인의 치매 유병률이 9.5~13%였다.

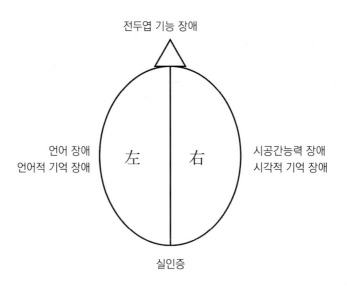

그림 31-1   치매 = [2가지 이상의 인지장애(기억력 장애 포함)] + [일상생활에 지장 초래]

Adapted from 나덕렬

❶ 치매의 진단 기준 (치매 공식)

D : 치매(Dementia)
C₂ : 인지기능 1가지 이상 저하
    (Cognition)
A : 일상생활기능저하(ADL)
    단, 섬망 X, 정신분열증 X

이상현(대한가정의학회 노인의학 Core Review 강의 내용 중 인용)

❷ 치매의 원인 질환들

1. 퇴행성 질환 -알츠하이머병, 루이소체치매, 전측두엽변성치매, Corticobasal degeneration, 진행성 핵상마비, 파킨슨병, 헌팅톤병 등
2. 혈관성 치매
3. 대사성 질환 -저산소증, 저혈당, 간성뇌병증, 윌슨병, 요독증, 갑상선기능저하증, 뇌하수체기능저하증 등
4. 감염성 질환 -AIDS, 바이러스성뇌염, 신경매독, 만성뇌수막염, 크립토콕쿠스증, Progressive multifocal leukoencephalitis 등
5. 중독성 질환 -알코올중독, 중금속중독, 일산화탄소중독, 약물중독 등
6. 결핍성 질환 -Wernicke-Korsakoff 증후군(Thiamine 결핍), 비타민 B12 결핍, 엽산결핍, 아연결핍 등
7. 기타 -뇌외상, 뇌종양, 뇌농양, 정상압수두증, 만성경막하혈종, 다발성경화증, Creuzfeldt-Jakob Disease, Paraneoplastic limbic encephalitis, 사립체 질환 등

Adapted from 최성혜

❸ 치매의 ABC?

표 31-1 치매 환자 접근 시 기억해야 할 3가지(C-A-B 순서)

평가 항목		방법
C (Cognition)	인지기능 평가	문진, 신경심리검사
A (ADL)	일상생활능력 평가	문진, 보호자 설문지 또는 인터뷰
B (Behavior)	이상행동 또는 문제행동	문진, 보호자 설문지 또는 인터뷰

Adapted from 나덕렬

1) C(Cognition) : 인지기능 장애는 어느 정도인가?

  a. 기억장애

   -언제 : "조금이라도 기억력이 떨어진 시기를 최대한도로 잡으면 어떻게 됩니까?"

   -속도 : "서서히, 아니면 갑자기?" - 퇴행성 치매는 서서히, 혈관성 치매나 뇌 외상이면 갑자기

   -경과 : "계속 진행하는지, 아니면 중간에 호전이 있는지, 아니면 비슷하게 가는지?"-퇴행성치매는 계속 진행, 혈관성치매는 굴곡이 있으며 중간에 일시적 호전, 뇌외상(교통사고 등)에 의한 기억장애라면 서서히 좋아지거나 서서히 좋아지다가 멈춤.

   -내용 : "구체적인 예를 들어주세요"

   -정도 : 다음의 4단계로 나누어 볼 수 있다.

표 31-2   기억장애의 정도

건망증 수준	최근 몇 주 동안 있었던 사건 중 중요한 사건만 기억 자세하거나 사소한 것은 잊음. 그러나 힌트를 주면 기억해냄.
초기 치매 정도	최근 몇 주 동안 중요한 사건(여행, 결혼식, 장례식 참석 등)도 잊고, 힌트를 주어도 다 기억해내지 못함. 중요한 물건을 어디에 두고 찾는 일이 많아짐. 이 정도 되면 주위 사람들에게 눈에 띄게 됨.
중기 치매 정도	오전에 있었던 일을 오후에 대부분 기억 못함. 수 분 전의 일을 전혀 기억하지 못하 기도 함. 그러나 오랜 기억(배우자, 직업, 본인 출생지 등)은 비교적 기억
말기 치매 정도	수 분 전의 일을 까맣게 잊고, 오래된 기억도 거의 없어지는 단계

- 치매 환자 : 일반적으로 자신의 기억장애를 부정하거나 대수롭지 않게 생각
- 불안 신경증 환자 : 실제 자신의 기억장애보다 더 과장되게 표현하는 경우가 많다.

b. 언어장애

　－하고 싶은 표현이 금방 나오지 않거나, 물건 이름을 금방 대지 못하여 머뭇거림

　－읽기, 쓰기 장애

　－환자의 말수가 갈수록 감소하는 증상

c. 시공간능력 저하

　－방향 감각이 떨어짐.

　－처음에는 익숙하지 않은 곳에게 길을 잃음.

　－좀 더 심해지면 동네에서 길을 잃거나, 아파트에서 자기 동이나 호수를 찾지 못함.

　－더 심해지면 집 안에서 화장실을 찾지 못함.

d. 계산능력의 감소

　－돈 관리에 실수

　－계산을 기피함.

　－잔돈 주고 받는데 실수

e. 전두엽 집행기능 저하

　－성격 변화

　－의욕적이던 사람이 만사를 귀찮아하고 하루 종일 잠만 자기

　－활동적, 사교적이던 사람이 모임에 나가는 것을 싫어하거나 남과의 대화를 회피

　－전혀 화를 내지 않던 사람이 쉽게 화를 냄.

　－판단력이 떨어지고 결정을 못하므로 우유부단해지고 고집이 세질 수 있음.

2) A(ADL) : 일상생활능력 평가

   a. 인지장애로 인한 것만을 의미함.

   b. 하루 일과에 대해 물어보는 것이 좋다.

   c. 우리나라 노인들의 경우는(특히 남성) 집에서 하는 일이 거의 없으므로 일상생활에서
      멀쩡해 보이는 경우가 상당히 많다. ⇨ 보호자에게 "만약 이런 일을 한다면 혼자서 하
      실 수 있겠습니까?"라고 물어보는 것도 한 방법이다.

표 31-3 치매는 다시 아기가 되는 병(같은 능력의 어린이를 대하듯, 눈높이를 맞추어 따뜻하게 대한다.)

소아 가능 연령	능력	알츠하이머병 단계
12세 이상	취업	3-경도 인지장애
8~12세	단순한 재정적 판단	4-경도 치매
5~7세	적절한 옷 선택	5-중등도 치매
5세	혼자 옷 입기	6-중고도 치매
4세	혼자 몸 씻기	
3~4세	소변 가리기	
2~3세	대변 가리기	
15개월	5~6 단어 말한다.	7-고도 치매
1세	혼자 걷는다.	
6~7개월	혼자 앉는다.	
3~4개월	목을 가눈다.	

Modified from 이영민, 2010

3) B(Behavior) : 이상행동에 대한 평가

   a. 치매 환자에서 이상행동의 중요성

   −드물지 않게 이상행동이 인지기능 장애보다 먼저 나타난다.

   −보호자 고통 부담의 주원인

   −병원, 요양원 등에 입원하게 되는 주된 이유

   b. 종류

   −망상, 환각, 초조/공격성, 우울증, 불안, 다행감, 무감동, 탈 억제, 쉽게 화냄, 반복적인 행
     동, 수면 장애, 식습관의 변화 등

❹ 치매 선별 검사

치매의 정의는 [인지 장애 + 기능 장애]이므로, 치매 진단을 위해서는 [인지 검사]와 [기능 장애 검사]를 함께 해야 한다.

1) K-MMSE

표 31-4 한국형 MMSE의 일종인 K-MMSE

성 명 :	(상·우) 연령 :
검사일 : 검사자 :	

Ⅰ. 시간지남력(5)	년 월 일 요일 계절
Ⅱ. 장소지남력(5)	나라 시/도 현재 장소 몇 층 무얼 하는곳
Ⅲ. 기억등록(3)	비행기 연필 소나무
Ⅳ. 주의집중과 계산(5)	100-7=( )-7=( )-7=( )-7=( )-7=( )
Ⅴ. 기억회상(3)	비행기 연필 소나무
Ⅵ. 언어(8)	이름대기 : 시계, 볼펜 명령시행 : (1) 종이를 뒤집고, (1) 반을 접은 다음 (1) 제게 주세요. 따라말하기 :"백문이 불여일견" 읽고 그대로 하기 :"눈을 감으세요" 쓰기 : 오늘 날씨나 기분에 대해 써보세요.
Ⅶ. 시각적 구성(1)	보고 그리기(겹쳐진 오각형)
Total score : (24 이상 : 정상 / 13~23 : 치매의심 / 12이하 : 치매)	
Mental : Alert Vigilant Lethargic Stupor Coma Uncertain	

Adapted from 강연욱 등

2) 인지선별검사(CIST)

2021년부터는 MMSE 검사 시에 저작권료를 내게 되어, 보건복지부에서는 다음과 같은 인지선별검사(CIST)를 개발하여 무료로 사용할 수 있도록 하였다.

인지선별검사 (CIST)

Cognitive Impairment Screening Test

이름		성별		등록번호		
주민등록 생년월일	년 월 일 (양/음)		(만 세)	학력(교육년수)		( ) 년
실제 생년월일	년 월 일 (양/음)		(만 세)	검사장소	☐ 치매안심센터	
검사일자	년 월 일 요일				☐ 대상자 집	
검사자					☐ 기타:	

"안녕하세요. 지금부터 _____님의 기억력과 사고능력을 살펴보기 위한 질문들을 드리겠습니다. 생각나는 대로 최선을 다해 답변해 주시면 됩니다."

지남력	시간	**1. 오늘 날짜를 말씀해주세요.**		
		(1) 올해는 몇 년도입니까?	0	1
		(2) 지금은 몇 월입니까?	0	1
		(3) 오늘은 며칠입니까?	0	1
		(4) 오늘은 무슨 요일입니까?	0	1
	장소	2. 지금 ___님이 계신 여기는 어디인가요? 이 장소가 어디인지 말씀해 주세요.	0	1
기억력	기억등록	3. 지금부터 외우셔야 하는 문장 하나를 불러드리겠습니다. 끝까지 잘 듣고 따라 해 보세요. **(1차 시행) 민수는 / 자전거를 타고 / 공원에 가서 / 11시부터 / 야구를 했다** 잘 하셨습니다. 제가 다시 한번 불러드리겠습니다. 이번에도 다시 여쭈어 볼테니 잘 듣고 따라 해 보세요. **(2차 시행) 민수는 / 자전거를 타고 / 공원에 가서 / 11시부터 / 야구를 했다** 제가 이 문장을 나중에 여쭤보겠습니다. 잘 기억하세요.	점수 없음 (단, 순서 상관없이 대상자가 말한 단어에 ○표)	
주의력	숫자 바로 따라 말하기	4. 제가 불러드리는 숫자를 그대로 따라 해 주세요. (대상자가 잘 이해하지 못하는 경우) 제가 1-2-3 하고 부르면, 똑같이 1-2-3 이렇게 말씀해 주세요.		
		(1) 6 - 9 - 7 - 3	0	1
		(2) 5 - 7 - 2 - 8 - 4	0	1
	거꾸로 말하기	5. 제가 불러드리는 말을 끝에서부터 거꾸로 따라 해 주세요. (대상자가 잘 이해하지 못하는 경우) OOO님 (대상자 이름) 이름을 거꾸로 하면 OOO 이렇게 되지요? 마찬가지로 제가 부르는 말을 거꾸로 말씀해 주세요.		
		금수강산	0	1
시공간 기능	도형모사 (그림1)	6. (그림을 가리키며) 여기 점을 연결하여 그린 그림이 있습니다. 이 그림과 똑같이 되도록 (아래 반응 공간을 가리키며) 같은 위치에 그려보세요. 점을 연결해서 그리시면 됩니다.	0 1	2

▶ 인지선별검사(CIST) 계속

집행 기능	**시각추론1** (그림2)	7. 여기 모양들이 정해진 순서로 나옵니다. 모양들을 보면서 어떤 순서로 나오는지 생각해 보세요. 자(도형을 왼쪽부터 하나씩 가리키며), 네모, 동그라미, 세모, 네모, 빈칸, 세모. 그렇다면 여기 빈칸에는 무엇이 들어가야 할까요?	0	1	
	시각추론2 (그림3)	8. (맨 앞 그림을 가리키며) 여기 네 칸 중의 한 칸에 별이 하나 있습니다. (두 번째 그림을 가리키며) 별이 이렇게 다른 위치로 이동합니다. 어떤 식으로 이동하는지 잘 생각해 보십시오. (마지막 반응 칸을 가리키며) 여기서는 네 칸 중에 별이 어디에 위치하게 될까요?	0	1	
	언어추론 (그림4)	9. 카드에 숫자와 계절이 하나씩 적혀 있습니다. '1-봄-2-여름~' 이렇게 연결되어 나갑니다. (화살 표시된 빈칸을 가리키며) 여기는 무엇이 들어갈 차례일까요?	0	1	2

10. 제가 조금 전에 외우라고 불러드렸던 문장을 다시 한번 말씀해 주세요.
[조금 전에 외우라고 불러드렸던 문장(한 문장의 이야기)을 말씀해 보세요.]

인지영역				
기억력	**기억회상 /재인**	**기억회상**(각 2점)	**재인**(기억회상 과제에서 회상하지 못한 항목만 시행. 각 1점)	
		민수 [　]	제가 아까 어떤 사람의 이름을 말했는데 누구일까요? 영수 [　]　　민수 [　]　　진수 [　]	0 1 2
		자전거 [　]	무엇을 타고 갔습니까? 버스 [　]　　오토바이 [　]　　자전거 [　]	0 1 2
		공원 [　]	어디에 갔습니까? 공원 [　]　　놀이터 [　]　　운동장 [　]	0 1 2
		11시 [　]	몇 시부터 했습니까? 10시 [　]　　11시 [　]　　12시 [　]	0 1 2
		야구 [　]	무엇을 했습니까? 농구 [　]　　축구 [　]　　야구 [　]	0 1 2

언어 기능	이름대기 (그림5)	11. 여기 있는 이 그림의 이름을 말씀해 주세요. 이것은 무엇입니까?		
		(1) **칫솔**　[대상자 반응:　　　　　　　　　　　]	0	1
		(2) **그네**　[대상자 반응:　　　　　　　　　　　]	0	1
		(3) **주사위**　[대상자 반응:　　　　　　　　　]	0	1
	이해력	12. 제가 말씀드리는 대로 행동으로 그대로 보여주십시오. **박수를 두 번 치고, 주먹을 쥐세요.**	0	1
집행 기능	유창성	13. 지금부터 제가 그만이라고 말할 때까지 과일이나 채소를 최대한 많이 이야기해 주세요. 준비되셨지요? 자, 과일이나 채소 이름을 말씀해 주세요. 시작! [반응기록/제한 시간 1분] 0-8개: 0점 / 9-14개: 1점 / 15개 이상: 2점	＿＿＿＿개 0　1　2	

결과요약표

인지영역	지남력	주의력	시공간기능	집행기능	기억력	언어기능	총 점
점수	/5	/3	/2	/6	/10	/4	/30

판정	□ 정상	□ 인지저하 의심

▶ 인지선별검사(CIST) 계속

[그림 1]

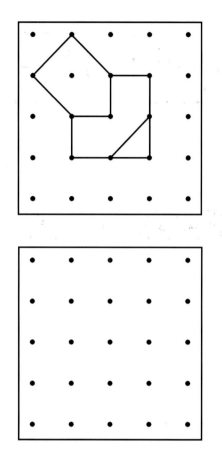

[그림 2]

▶ 인지선별검사(CIST) 계속

[그림 3]

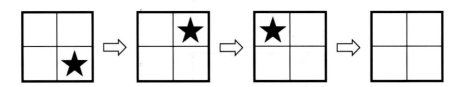

[그림 4]

[그림5]

▶ 인지선별검사(CIST) 끝

3) 인지검사+기능검사의 예 : Clinical Dementia Rating (CDR)

표 31-6 Clinical Dementia Rating (CDR)

	CDR 0	CDR 0.5	CDR 1	CDR 2	CDR 3
기억력 Memory(M)	기억장애가 전혀 없거나 경미한 건망증이 때때로 나타남	경한 건망증이 지속적으로 있거나 사건의 부분적인 회상만이 가능: 양성건망증	중등도의 기억장애로서 최근 것에 대한 기억장애가 더 심함. 일상생활에 지장이 있음.	심한 기억장애. 과거에 반복적으로 많이 학습한 것만 기억하고 새로운 정보는 금방 잊음.	심한 기억장애. 부분적이고 단편적인 사실만 보존됨
지남력 Orientation(O)	정상	시간에 대한 장애가 약간 있는 것 이외에는 정상	시간에 대한 약간 장애가 있음. 사람과 장소에 대해서는 검사상으로는 정상이나 실생활에서 방향 감각이 떨어질 수 있음	시간에 대한 지남력은 상실되어 있고, 장소에 대한 지남력 역시 자주 손상됨	사람에 대한 지남력만 유지되고 있음
판단력과 문제해결능력 Judgement and Problem Solving (JPS)	일상생활의 문제를 잘 해결함. 판단력이 과거와 비교하여 볼 때 양호한 수준을 유지함	문제해결능력, 유사성, 상이성 해석에 대한 장애가 의심스러운 정도	복잡한 문제를 다루는 데에는 중등도의 어려움이 있음. 사회생활에서의 판단력이 손상됨	문제해결, 유사성, 상이성 해석에 심한 장애가 있으며, 사회생활에서의 판단력이 손상됨	판단이나 문제해결이 불가능함
사회활동 Community Affairs (CA) 사회활동 Community Affairs (CA)	직장생활(사업), 물건사기, 금전적인 업무(은행업무), 사회적 활동에서 보통 수준의 독립적인 기능이 가능함	이와 같은 활동에 있어서의 장애가 의심되거나 야간의 장애가 있음	이와 같은 활동의 일부에 아직 참여하고 있고 얼핏 보기에는 정상활동을 수행하는 것처럼 보이나 사실상 독립적인 수행이 불가능함.	집밖에서는 독립적인 활동을 할 수 없음 / 외견상으로는 집밖에서도 기능을 잘 할 수 있어 보임	외견상으로도 집밖에서 정상적인 기능을 할 수 없어 보임
집안 생활과 취미 Home and Hobbies (HH)	집안생활, 취미생활, 지적인 관심이 잘 유지되고 있음	집안생활, 취미생활, 지적인 관심이 다소 손상되어 있음	집안생활에 경미하지만 분명한 장애가 있고 어려운 집안일은 포기된 상태임. 복잡한 취미나 흥미(예를 들어 바둑)는 포기됨	아주 간단한 집안일만 할 수 있고, 관심이나 흥미가 매우 제한됨	집안에 있더라도 자기방 밖에서는 집안일을 포함한 어떤 기능도 하지 못함
위생 및 몸치장 Personal Care (PC)	혼자서 충분히 해결		가끔 개인 위생에 대한 권고가 필요함	옷입기, 개인위생, 개인 소지품의 유지에 도움이 필요함	개인위생, 몸치장의 유지에 많은 도움이 필요하며, 자주 대소변의 실금이 있음

- 기억력 점수가 0인 경우   CDR=0 : 다른 항목도 전부 0이거나 0.5인 경우
  CDR=0.5 : 위의 사항에 해당되지 않는 모든 경우
- 기억력 점수가 0.5인 경우 CDR=0.5 : 아래의 사항에 해당하지 않는 경우
  CDR=1 : 위생 및 몸치장을 제외한 나머지 항목 중 적어도 3가지가 CDR 1 이상 되어야 한다.
- 기억력 점수가 1, 2, 3인 경우   6항목 중 3가지 이상 공통되는 항목인 점수를 CDR점수로 하고 흩어져 있는 경우에는 기억력 점수를 기준으로 한다.

Adapted from Hughes CP, et al. 1982

—6개의 영역[1) 기억력, 2) 지남력, 3) 판단력과 문제해결 능력, 4) 사회활동, 5) 집안 생활과 취미, 6) 위생 및 몸치장]으로 되어 있으며 각 항목의 점수를 더해서 시간적인 변화를 평가하는데 사용하기도 한다(총점18점).

—의사나 간호사가 환자 및 보호자와 자세한 면담을 통하여 이 여섯 가지 영역의 기능을 평가한다.

a. 점수산정 방법

ㄱ. 여섯 영역의 점수를 모두 합산한 "Sum of Boxes **(CDR-SB)**" 계산

혹은

ㄴ. 기억력 검사를 기준으로 "전체 CDR 점수**(Global score)**" 결정

Global score는 전산화된 프로그램을 이용해 자동으로 할 수 있다**(http://www.biostat.wustl.edu/~adrc/cdrpgm/index.html참조)**. 또한 CDR 평가에 대한 교육을 http://alzheimer.wustl.edu/cdr/default.htm에서 무료로 받을 수 있다.

4) 인지기능의 저하에 따른 정도 분류 : Global Deterioration Scale (GDS)

표 31-7   Global Deterioration Scale (GDS)

검사일 :　　년　　월　　일

1	인지장애 없음 (no cognitive decline)	임상적으로 정상, 주관적으로 기억장애를 호소하지 않음. 임상 면담에서도 기억장애가 나타나지 않음
2	매우 경미한 인지장애 (very mild cognitive decline)	다음과 같은 주관적 기억장애를 주로 호소함 (1) 물건을 둔 곳을 잊음 (2) 전부터 잘 알고 있던 사람이름 또는 물건이름이 생각나지 않음. 임상 면담에서 기억장애의 객관적인 증거는 없음. 직장이나 사회생활에 문제없음. 이러한 자신의 증상에 적절한 관심을 보임
3	경미한 인지장애 (mild cognitive decline)	(1) 분명한 장애를 보이는 가장 기초 단계. 그러나 숙련된 임상가의 자세한 면담에 의해서만 객관적인 기억장애가 드러남 (2) 새로이 소개받은 사람의 이름이 금방 떠오르지 않는 것을 주위에서 알아차리기도 함 (3) 귀중품을 엉뚱한 곳에 두거나 잃어버린 적이 있을 수 있음 (4) 낯선 곳에서 길을 잃은 적이 있을 수 있음 (5) 임상 검사에서는 주의력의 감퇴가 보일 수 있음 (6) 직업이나 사회생활에서 수행 능력이 감퇴함. 동료나 환자의 일 수행 능력이 떨어짐을 느낌 환자는 이와 같은 사실을 부인할 수 있음. 경하거나 중등도의 불안증이 동반될 수 있음 현재 상태로는 더 이상 해결할 수 없는 힘든 사회적 요구에 직면하면 불안증이 증가됨

4	중등도의 인지장애 (moderate cognitive decline)	자세한 임상 면담 결과 분명한 인지장애. 다음 영역에서 분명한 장애가 있음 (1) 자신의 생활의 최근 사건과 최근 시사 문제들을 잘 기억하지 못함 (2) 자신의 중요한 과거사를 잊기도 함 (3) 순차적 빼기
5	약간 심한 정도의 인지장애 (moderately severe cognitive decline)	다른 사람의 도움 없이는 더 이상 지낼 수 없음 (1) 자신의 현재 일상생활과 관련된 주요한 사항들을 기억하지 못함(예를 들면, 집 주소나 전화번호, 손자와 같은 가까운 친지의 이름 또는 자신이 졸업한 학교의 이름을 기억하기 어려움) (2) 시간(날짜, 요일, 계절 등)이나 장소에 대한 지남력이 자주 상실됨. 교육을 받은 사람이 40에서 4씩 또는 20에서 2씩 거꾸로 빼나가는 것을 하지 못하기도 함 (3) 이 단계의 환자들은 대개 자신이나 타인에 관한 중요한 정보는 간직하고 있음. 자신의 이름을 알고 있고 대개 배우자와 자녀의 이름도 알고 있음. 화장실 사용이나 식사에 도움을 필요로 하지는 않으나 적절한 옷을 선택하거나 옷을 입는 데는 문제가 있을 수 있음(예를 들면 신을 좌우 바꿔 신음)
6	심한 정도의 인지장애 (severe cognitive decline)	환자가 전적으로 의존하고 있는 배우자의 이름을 종종 잊음. 최근의 사건들이나 경험들을 거의 기억하지 못함. 오래된 일은 일부 기억하기도 하나 매우 피상적임. 일반적으로는 주변상황, 년도, 계절을 알지 못함. '1-10' 또는 '10-1'까지 세는데 어려움이 있을 수 있음 일상생활에 상당한 도움을 필요로 함(예를 들면 대소변 실수가 있음). 또는 외출 시 도움이 필요하나 때때로 익숙한 곳에 혼자 가기도 함. 낮과 밤의 리듬이 자주 깨짐 그러나 거의 항상 자신의 이름은 기억함. 잘 아는 사람과 낯선 사람을 대개 구분할 수 있음 성격 및 감정의 변화가 아타나고 기복이 심함 (1) 망상적인 행동(예) 자신의 배우자가 부정하다고 믿음. 주위에 마치 사람이 있는 것처럼 이야기하거나 거울에 비친 자신과 이야기 함) (2) 강박적 증상(예) 단순히 바닥을 쓸어내는 행동을 반복함) (3) 불안증, 초조, 과거에 없었던 난폭한 행동이 나타남 (4) 무의지증, 즉 목적있는 행동을 결정할 만큼 충분히 길게 생각할 수 없기 때문에 나타나는 의지의 상실임
7	아주 심한 인지장애 (very severe cognitive decline)	모든 언어 구사 능력이 상실됨. 흔히 말은 없고 단순히 알아들을 수 없는 소리만 냄. 요실금이 있고 화장실 사용과 식사에도 도움이 필요함. 기본적인 정신운동능력이 상실됨

GDS 검사의 팁	
GDS 1	임상에서 거의 볼 수 없다.
GDS 2	"나 좀 깜박깜박 해"라고 하면 일단 2단계 이상.
GDS 3	MCI(경도인지장애)
GDS 4	중요한 과거사 잊음.
GDS 5	혼자 살 수 있으면 5단계 미만
GDS 6	BPSD가 심함 & 대소변 못 가린다면 6단계 이상
GDS 7	말 못하고 걷지 못함.

출처: 연세의대 김우정 교수 강의자료, 2020 대한노인병학회 춘계학술대회.

❺ 일상생활능력 측정도구 : K-ADL

요양원 입소자 수준에서는 기본적인 ADL만 파악하는 것이 일반적이다.

한국형 일상생활활동 측정도구(K-ADL)

※ 조사원에게 :
이 도구의 목적은 노인 분들이 생활하는데 주변 사람들의 도움이 얼마나 필요한가를 평가하는 것입니다. 환자에 대한 정보는 환자, 가족, 친척, 친구 혹은 간병인으로부터 얻으시면 됩니다. 조사의 시점은 최근 1주간의 활동을 기준으로 합니다.

※ 다음의 각 기능 영역에 대해 환자분에게 해당되는 보기에 표시해 주십시오.
1. 옷 입기 – 내복, 외투를 포함한 모든 옷을 옷장이나 서랍, 옷걸이에서 꺼내 챙겨 입고 단추나 지퍼, 벨트를 채우는 것
  질문 : 어르신께서는 옷을 챙겨 입을 때 다른 사람의 도움 없이 혼자 하십니까?

☐ ① 도움 없이 혼자서 옷을 옷장에서 꺼내어 입을 수 있다.[1]
☐ ② 부분적으로 다른 사람의 도움을 받아 옷을 입을 수 있다.[2]
☐ ③ 전적으로 다른 사람의 도움에 의존한다.

1) 단추를 채우고 지퍼를 올리고 벨트를 채우는 일도 도움 없이 한다.
2) 옷을 꺼내주고 준비해 주면 혼자 입을 수 있거나, 단추, 벨트. 혹은 지퍼를 잠그는데 도움을 받는 것도 ②에 해당된다.

2. 세수하기 – 세수, 양치질, 머리감기를 하는 것
  질문 : 어르신께서는 세수나 양치질을 하고, 머리를 감을 때 다른 사람의 도움 없이 혼자서 하십니까?
☐ ① 세 가지 모두 도움 없이 혼자 할 수 있다.
☐ ② 세수와 양치질은 혼자 하지만 머리감기는 도움이 필요하다.
☐ ③ 다른 사람의 도움을 받지 않고는 머리감기 뿐 아니라 세수나 양치질을 할 수 없다.
* 세수는 얼굴에 물을 묻히는 정도도 괜찮음
3. 목욕 – 욕조에 들어가서 목욕하거나, 욕조에 들어가지 않고 물수건으로 때 밀기, 샤워(물 뿌리기) 등을 모두 포함
  질문 : 어르신께서는 목욕을 하실 때 다른 사람의 도움을 받지 않고 혼자서 하십니까?

☐ ① 도움 없이 혼자서 때 밀기와 샤워를 한다.[1]
☐ ② 샤워는 혼자 하나. 때는 혼자 밀지 못한다.또는 몸의 일부 부위를(등 제외) 닦을 때만 도움을 받는다.[2]
☐ ③ 전적으로 다른 사람의 도움에 의존한다.

1) 등은 혼자 닦지 못해도 무관하며, 욕조에서 목욕할 경우에는 욕조에 들어가고 나올 때 혼자서 한다.
2) 혼자 목욕을 할 수는 있어도 목욕을 하기 위해서는 욕조에 들어가야 하고 이를 위해 도움이 필요하다면 ②에 해당됨

4. 식사하기 – 음식이 차려져 있을 때 혼자서 식사할 수 있는 능력
　　질문 : 어르신께서는 음식을 차려주면 남의 도움 없이 혼자서 식사를 하십니까?

☐ ① 도움 없이 식사할 수 있다.
☐ ② 생선을 발라먹거나 음식을 잘라먹을 때는 도움이 필요하다.
☐ ③ 식사를 할 때 다른 사람의 도움이 항상 필요하거나, 튜브나 경정맥수액을 통해 부분적으로 혹은 전
　　적으로 영양분을 공급받는다.

1) 젓가락은 사용하지 못하나 숟가락이나 포크를 이용해서라도 혼자 식사할 수 있는 경우에는 ①에 해당
2) 손가락이나 포크를 사용해도 음식을 대부분 흘리는 사람은 ③에 해당

5. 이동 – 잠자리(침상)에서 벗어나 방문을 열고 밖으로 나오는 것
　　질문 : 어르신께서는 이부자리에 누웠다가 일어나 방문 밖으로 나올 때 다른 사람의 도움 없이 혼자서
　　　　하십니까?
☐ ① 도움 없이 혼자서 방 밖으로 나올 수 있다.[1]
☐ ② 방 밖으로 나오는데 다른 사람의 도움이나 부축이 필요하다.
☐ ③ 들것에 실리거나 업혀야 방 밖으로 나올 수 있다.

1) 무언가를 잡고 나오거나 지팡이, 휠체어 등의 보조 기구를 사용해도 무관하며, 기어서 나오더라도 방
　　밖으로 혼자서 나오면 이에 해당

6. 화장실 사용 – 대소변을 보기 위해 화장실에 가는 것과 대소변을 본 후에 닦고 옷을 추려 입는 것
　　질문 : 어르신께서는 대소변을 보기 위해 화장실 출입할 때 남의 도움 없이 혼자서 하십니까?
☐ ① 도움 없이 혼자서 화장실에 가고 대소변 후에 닦고 옷을 입는다.[1]
☐ ② 화장실에 가거나 변기 위에 앉는 일, 대소변 후에 닦는 일이나 대소변 후에 옷을 입는 일, 또는 실내
　　용 변기(혹은 요강)를 사용하고 비우는 일에 다른 사람의 도움을 받는다.
☐ ③ 다른 사람의 도움을 받아도 화장실 출입을 못하거나 실내용 변기(혹은 요강)를 이용해 대소변을 볼
　　수 없다.
1) 지팡이, 보행기 혹은 휠체어를 이용해도 되며, 실내용 변기(혹은 요강)를 사용해도 되지만, 스스로 실
　　내용 변기를 비울 수 있어야 한다.

7. 대소변 조절 – 대변이나 소변보기를 참거나 조절하는 능력
　　질문 : 어르신께서는 대변이나 소변을 지리거나 흘리지 않고 잘 보십니까?
☐ ① 대변과 소변을 본인 스스로 조절한다.[1]
☐ ② 대변이나 소변 조절을 가끔 실패할 때가 있다.[2]
☐ ③ 대변이나 소변을 전혀 조절하지 못한다.

1) 화장실 가기에 문제가 있어서 실내에서 보더라도 대소변을 잘 가리거나, 카테터(도관), 장루(腸瘻)를
　　본인이 도움 없이 완벽하게 사용하면 이에 해당
2) 소변 조절 실패가 하루 1회 정도이거나, 대변 조절 실패가 주 1회 정도인 경우에 해당

Adapted from 원장원 등, 2002

"9초 치매" – 치매환자와의 대화법!

"9초 치매" : 속으로 여덟까지만 세면 답을 하신다.

85세 중증치매 여성의 50대 아드님은 매우 바쁜 분이다.

간혹 병원을 방문하여 어머니를 만나기는 하지만 거의 대화를 나눠 본 적이 없다. 어머니는 아들을 멀뚱멀뚱 바라만 볼 뿐 아들이 묻는 말에 대답해본 적이 없다.

그러나, 이는 오해였다. 비록 중증의 인지기능 장애가 있지만 질문자가 간단한 질문을 하고 느긋하게 기다리면 결국은 대답을 하신다. 단지 퇴화된 뇌기능으로 인해 정보를 얻고 해석하여 입으로 표현하기까지 시간이 걸릴 뿐이다.

주치의인 나는 "여기가 어디에요?"하고 묻고 속으로 "하나-둘-셋... ... 여덟"까지 센다. 그러면 아홉을 세는 순간에 "몰러~"하고 답을 하신다. 그래서 이 여성의 별명은 "9초 치매 할머니".

한편 필자는 최근에는 15초 치매 여성을 돌보고 있다.

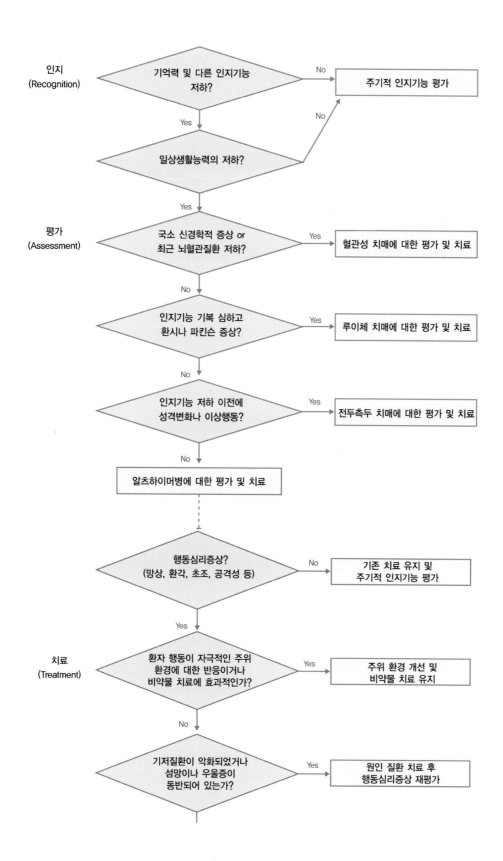

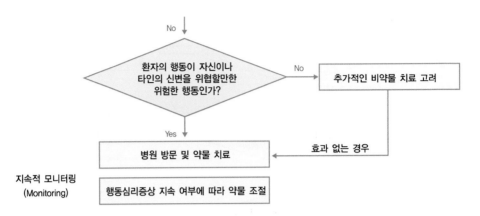

그림 31-2   노인요양시설에서의 치매 대처 알고리즘(국민건강보험공단 일산병원 가정의학과 이상현, 추정은 제작).

참·고·문·헌

1. 김범생. 치매의 개관. In: 대한치매학회. 치매 임상적 접근. 서울: 아카데미아; 2006. p. 23-39.

2. American Psychiatric Association. Diagnostic and Statistical Manual of Mental Disorders. 4th ed. Washington DC: American Psychiatric Association; 1994.

3. 최성혜. 기타 치매 질환. In: 대한노인병학회. 노인병학. 개정판. 서울: 의학출판사; 2005. p.573-581.

4. 나덕렬. 치매의 임상적 접근. In: 대한치매학회. 치매 임상적 접근. 서울: 아카데미아; 2006. p. 61-71.

5. 이영민. 치매환자 이상 행동 시 대처 요령. 노인병 2010;14(Suppl. 1):63-70.

6. 강연욱, 나덕렬, 한승혜. 치매 환자들을 대상으로 한 K-MMSE의 타당도 연구. 대한신경과학회지 1997;15:300-308.

7. 원장원, 노용균, 김수영, 이은주, 윤종률, 조경환 등. 한국형 일상생활활동 측정도구(K-ADL)와 한국형 도구적 일상생활활동 측정도구(K-IADL)의 개발. 노인병 2002;6:107-120.

8. 양동원. 치매의 치료 약물. 노인병 2009;13(Suppl. 1):71-79.

9. Hughes CP, Berg L, Danziger WL, Coben LA, Martin RL. A new clinical scale for the staging of dementia. Br J Psychiatry 1982;140:566-572.

10. 보건복지부,경희대학교 산학협력단.계약의 업무지침 내실화 및 교육교재 개발, 2014.

섬망 : 치매와 구별해야 한다.

- 말기암으로 마약성 진통제 드시면서 요양 중이신 75세 남성이 1주일 전부터 갑자기 의식이 흐려지고 인지기능도 저하되었으며, 계속 엉뚱한 소리를 하시면서 잠을 안 주무십니다. 갑자기 치매가 오신 건가요?

➡ "갑자기" 왔다면 치매보다는 섬망일 가능성이 높습니다. 마약성 진통제와 같은 약물이 원인인 경우가 매우 흔합니다.

3D 혹은 섬망치 삼형제 : 노인에게 흔한 정신적 문제
Delirum(섬망) vs Delusion(망상) vs Dementia(치매)

섬망, 치매의 행동증상, 망상은 늘 헷갈린다. 사례를 통해 각 증상을 구별해 보도록 하자.

사례 1. 치매인 줄 알고 병원을 방문한 섬망 환자 사례

78세 남성이 며느리와 함께 치매 검사를 받기 위해 병원을 방문했다. 며느리 이야기로는 환자가 "갑자기" 1일 전부터 엉뚱한 이야기와 행동을 하신다고 했다. 당일 아침에도 갑자기 병원을 가신다며 집을 나서려다가 언제 그랬냐는 듯이 다시 방안에서 서성였다고 하고, 전 날에도 엉뚱한 행동을 하시다가 오후에는 친구를 만나시러 나가셨다가 별 일 없이 들어오셨다고 한다. 잠은 잘 주무신 편이고, 식사도 매우 양호하게 잘 하시는 등 일상생활 능력에 큰 장애는 없다고 했다.

간호사가 "성함이 어떻게 되세요?"라고 묻자 "뭐?"라며 따지듯이 대답하고, "여기가 어디인지 아시나요?", "이 분은 누구세요?"라는 질문에 "몰라!"라고 짧게만 대답하시며 다소 산만한 모습이었다. 특별한 과거력은 없었으나, 간혹 속이 쓰리시다며 소화제를 드신다고 하며, 내원 당일에도 환자분의 방에 들어가 보니, 약 봉지들이 여기 저기 있었다고 한다.

사례 2. 망상장애 혹은 치매에 의한 망상

6개월 전에 '엉뚱한 소리를 한다'고 하여 입소하신 77세 여자분의 침실을 가보니 이불을 뒤집어 쓰고 누워 계신다. 매일 근무시간에 라운딩을 가면 늘 매우 예의 바르게 맞이해 주신다. 이 분과 대화를 해보니, "나는 사실 500년 전에 쓰여진 역사책에 나오는 인물이며, 이미 500년 전에 지금의 나의 생활에 대한 기록이 정확히 되어 있다"고 하셨다. 혹시 요양원에 입원하신 것까지 기록이 되어 있느냐고 여쭤봤더니 "그렇다"라고 대답하셨다. 역사책에 본인이 '감옥소'에서 말년을 보낸다고 했는데 생각해보니 그 감옥소가 이곳을 의미하는 것 같다고 하셨다. 현재 드시는 약물은 혈압약과 치매치료제인 아리셉트 5 mg이다. 최근 시행한 K-MMSE 점수는 24점이었다.

사례 3. 혈관성 치매와 동반된 이상행동심리증상(BPSD)

69세 남성의 며느리와 아들이 입소 상담을 오심. 최근 들어 자주 엉뚱한 이야기를 하시고 기력이 없어 하시며, 옷을 벗고 다니신다고 하심. 약간 호전 되는 듯 하다가 상담 당일에는 다시 엉뚱한 소리 하심. 현재 당뇨병약을 드시고 계시고, 3일 전 종합병원에서 뇌 MRI 검사 결과 미세하게 뇌경색이 지나갔다고 들으셨음. 최근 들어 며느리를 이성으로 대하는 듯한 행동(만지기)을 보여서 며느리는 환자에게 엄격하게 대함. 인지기능 검사 결과 K-MMSE 17점, CDR 1, GDS (Global Deterioration Scale) 3.

❶ 단 한 가지 질문으로 섬망 선별하는 방법

1) 간단한 선별검사 : SQUID (Single QUestion to Identify Delirium)

영국노인병학회(British Geriatrics Society)에서 제안한 섬망 선별도구로서, 다음과 같은 단

하나의 질문으로 섬망을 선별하는 방법이다. 민감도는 80%, 특이도는 71%로 알려져 있다. 숙련되지 않은 조사자도 사용할 수 있는 장점이 있지만, 조용한 섬망(**Hypoactive delirium**)을 놓치기 쉽다는 단점이 있다.

섬망의 선별을 위한 SQUID 질문법

- 'OOO 환자분이 평상시보다 최근에 더 혼란스러운(Confused) 상태인가요?'
  라고 친구나 가족(혹은 간병인)에게 질문하기

출처: Sands MB et al. Palliat Med. 2010 Sep;24(6):561-5.

❷ 섬망을 진단하는 방법

1) CAM (Confusion Assessment Method) ⇐ 가장 많이 사용됨

a. 검사방법이 짧고 실용적 목적으로 만들어져서, 실제로 현장에서 널리 쓰인다.

b. 하버드 의대 Sharon K. Inouye 교수가 1990년에 예일대 재직 시절 개발

c. 양성예측도가 90%, 음성예측도가 90-100%.

Sharon K. Inouye M.D., M.P.H.

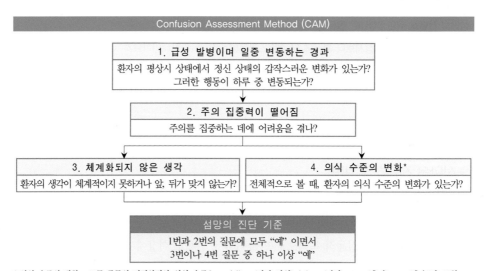

그림 32-1 Confusion Assessment Method by Inouye SK

❸ 섬망은 어떤 분들에서 잘 생기나?

표 32-1 섬망의 위험요인

섬망의 위험요인	노인, 남자, 치매 일상생활수행능력(ADL) 저하 동반 질환 알코올 남용 감각 장애(시력, 청력) 와상(Bed rest) 도뇨관 유치자 억제대 사용자

❹ 섬망의 유형(Types)

1) 조용한 섬망(hypoactive - 50%)

　a. 환자가 타인의 관심을 끌만한 행동을 보이지 않기 때문에 알아채기가 어렵다.

b. 결국 진단도 늦어지고 장기간 진행되는 경우가 많다!!

2) 시끄러운 섬망(hyperactive - 25%)

a. 섬망의 원인을 제대로 파악하여 치료하지 못하면 지나친 sedation과 PR (physical restraint)이 오히려 또 다른 문제를 일으키는 수가 많다.

3) 혼합형 섬망(mixed - 25%)

a. 밤에 깨고 낮에는 잠만 자는 경우가 많다.

표 32-2 섬망의 유형별 증상의 구체적인 예들

조용한(hypoactive) 섬망	시끄러운(HYPERACTIVE) 섬망
주변을 의식하지 못함	과다 각성(Hypervigilance)
명료함이 감소함	들뜬 상태로 잠도 못 잠
혼미함	말을 빨리 하거나 목소리가 큼
움직임이 느려짐	짜증이나 화를 냄
사람을 노려봄	분노
무감동	금방이라도 싸울 듯 함
	참을성이 없어짐
	욕을 함
	노래 부르기
	소리 내어 웃기
	비협조적임
	이유 없이 행복해 함
	정처 없이 돌아다님
	쉽게 깜짝 놀람
	빠른 운동 반응
	주의가 산만함
	사고이탈(이야기가 '삼천포'로 빠짐)
	악몽을 꿈
	특정한 생각에 집착

Adapted from Lipzin B, Levkoff S

❺ 섬망의 원인

표 32-3   섬망의 원인 : "THE DELIRIUM"

T	Trauma	머리의 외상, 수술 후, 고온증 혹은 저온증
H	Hypoxia	빈혈, 저혈압, 폐색전
E	Endocrinopathy	고혈당, **저혈당**, 갑상선기능 이상, 부신기능 이상, 부갑상선기능 항진증
D	Drugs or heavy metals	**여러 가지 약물들**(표 32-4), 납, 망간, 수은
E	Electrolytes	고나트륨혈증 or 저나트륨혈증
L	Lack of drugs, water, or food	통증, 금단(알콜, 벤조다이아제핀), 탈수, 영양 결핍(비타민 B12, Thiamine)
I	Infection	패혈증, 요로감염, 흡인성 폐렴
R	Reduced sensory input	시력 장애, 청력 장애, 신경병(neuropathy; 당뇨병성 신경병)
I	Intracranial	SDH, 뇌수막염, 간질, 뇌종양, 뇌졸중
U	Urinary/Fecal retention	약물, 변비
M	Myocardial	심근 경색, 심부전, 부정맥

표 32-4   섬망을 유발하는 약물들 :"ABC"

Analgesics(진통제)	Opioid(코데인, 메페리딘), Salicylates
Antiarrhtymics(항부정맥제)	Digoxin, Lidocaine, Procainamide, Amiodarone
Antibiotics(항생제)	Cephalexin, Gentamicin, Penicillin
Anticonvulsants(항경련제)	Phenytoin, divalproate, carbamazepine
Antidepressant(항우울제)	Amitriptyline(에나폰), imipramine
Antihistamine(항히스타민제)	Diphenhydramine(제놀), hydroxyzine(유씨락스), ranitidine, cimetidine
Antineoplastic(항암제)	5-fluorouracil, Methotrexate
Antipsychotics(항정신병제)	Haloperidol, thioridazine
Antismasmodic(진경제)	Oxybutynin(디트로판), belladonna(키미테 패취)
Benzodiazepine	Diazepam(발륨), chlordiazepoxide
Corticosteroids(스테로이드)	Prednisolone(소론도), dexamethasone
CNS drugs(중추신경계 관여)	Lithium, levodopa, indomethacin, methyldopa
기타	Bromide, Disulfiram, Timolol 점안액, 테오필린 등

❻ 섬망 환자에 대한 예방과 대처법

1) 비약물적 치료를 먼저 할 것

   a. 의사와 상담하여 필요 없는 모든 약물의 복용을 중단시킨다.

   b. 약물 중단이 어렵다면 의사와 상담하여 용량을 줄이거나 대체 약으로 바꾼다.

   c. 가족들의 방문을 권장

   d. 적절한 자극을 제공하는 조용하고 잘 정돈된 침실이 도움

   e. 밤에는 낮은 조도의 불빛이 도움이 된다

   f. 시계, 달력, 가족사진, 개인용품 등을 이용하여 지남력을 자주 일깨움

   g. 수시로 지남력을 일깨워 줌. 즉, 각자의 이름을 소개하고 시설의 이름, 호실 등을 알려 줌

   h. 인지기능 자극; TV 보기, 최근 뉴스거리에 대해 이야기하기

   i. 감각 장애를 보이는 환자에게는 안경과 보청기 등이 도움

   j. 침대에만 있기 보다는 자주 보행을 시킨다.

   k. 탈수 예방을 위해 물을 많이 마시게 함.

그림 32-2   섬망을 예방하기 위한 다양한 방법들. (a)달력에 고물줄로 날짜를 표시하여 시간지남력을 유지 , (b)낯선 환경 극복을 위한 환자 머리맡의 가족 사진들

2) 비약물적 대처로 조절이 안 되는 경우에만 약물치료 고려

   a. 섬망 환자에게서 약물의 사용은 섬망 증상을 더욱 장기화 시킬 수 있음을 명심!

   b. 비약물적 처치가 실패하고 환자가 위험할 경우에만 약물 치료를 고려한다.

❽ 입소한 노인들에게서 섬망 예방하기

1999년, Inouye 등은 "Elder life specialists"라는 팀을 구성해 "Yale-New Heaven Hospital"에서 다음의 6가지 중재 방법을 이용해 섬망의 발생을 성공적으로 예방하였다.

- a. 인지기능 자극
- b. 지남력 일깨움(**reorientation**)
- c. 안경과 보청기의 사용(**필요시**)
- d. 하루에 3회 보행시키기
- e. 수분 섭취 프로토콜
- f. <u>약 안 먹고 잠자기 프로토콜</u> □ 가장 효과가 좋았던 방법!!

밤에 약 안 먹고 잠자기 프로토콜의 내용

- 밤에 형광등은 끄고 야간조명용 전등을 켠다.
- 따뜻한 우유나 허브 차를 마신다.
- 짧게 등을 마사지 해준다.
- 이완을 시켜주는 음악을 들려준다.

❾ 섬망 vs 치매 vs 망상?

1) 섬망 vs 치매?

특히 섬망과 치매를 구분하는 것은 어려울 수 있다. 실제로 이 두 가지는 흔히 동시에 존재하는데, 치매 환자들 중 많은 수가 경과 중에 섬망을 앓게 되고, 반대로 섬망을 일으키는 많은 임상적 상황(저산소증, 뇌막염, 뇌염 등)들이 결국은 치매로 발전한다.

표 32-5 섬망과 치매의 감별점

임상 양상	섬망	치매
발생 시점	갑자기 발생	언제부터인지 모르게 천천히
주증상	집중력 저하, 급성 인지기능 장애, 낙상, 안절부절, 흥분 증상의 과잉 혹은 감소	기억력 장애 말기에는 섬망의 증상이 가능
진행 상황	갑자기	수개월~수년에 걸쳐 천천히 나빠짐
경과	짧다. 원인이 제거되면 좋아진다. 늦은 밤과 이른 아침에 더 나쁘다.	매우 길며, 증상이 계속 나빠진다.
기간	수 시간 ~ 1개월(혹은 수년까지도)	수 개월 ~ 수 년
의식	명료하지 않음 오르락 내리락 변동이 심함.	초기에는 정상(alert)
주의 집중	쉽게 산만해지고 집중하지 못함.	초기에는 정상
사고	체계화 되지 않고 느리거나, 두서 없이 이야기를 늘어놓으며 빨라지기도 함.	판단력 장애 추상적 사고가 힘듦.
기억력	즉각적 및 단기간의 기억 상실	최근, 혹은 과거의 기억 상실
지남력	초기에 장애	말기에 장애
현실 자각	왜곡되어짐(망상, 환각)	초기에는 정상
사례	독거 중이던 89세 여성이 보호자(딸)와 함께 외래를 방문하였다. 보호자 말로는 어머니가 약 5년 전에 local clinic에서 치매 진단을 받았다고 하였다. 환자의 상태가 점점 나빠지기는 하였지만 가정 방문 요양보호사의 도움으로 그럭 저럭 집에서 생활을 하고 있었다. 그러던 중, 2일 전에 갑자기 소변을 지리게 되었고(평소 없던 일임), 요양보호사가 대화를 해보니 엉뚱한 말을 하며, 요양보호사가 보기에 환자분이 졸려 보여다고 했다.	78세 여성이 밤에 잠옷 차림으로 혼돈 상태에서 거리를 헤맴. 그녀의 차림은 단정치 못하고 헝클어져 있었다. 의식은 명료하나 시간, 장소의 지남력이 없었고 집 주소를 떠올리지 못했다. 그녀는 묻는 말에 잘 대답은 하였지만 대화를 하다 보면 그녀의 남편이나 아이들 문제로 화제를 돌리기 십상이었다. 그녀는 병원에 입원한 후 수시로 병원 복도를 목적 없이 돌아다니는데, 물어보니 "집에 가려고 버스 정류장을 찾는 길"이라고 대답하였다.
위 사례의 판단근거	• 졸려 함(lethargic) • "치매"는 섬망의 큰 위험 인자. • 최근 발생(2일 전) • 환자 상태를 잘 아는 보호자가 보기에 엉뚱한 내용의 말을 함.	• 의식이 명료했다(alert) • 대화에 집중을 잘 했다. • 야간에 문제가 있었지만 "버스 정류장"으로 설명이 됨.
대처법	최근 요실금이 생겼으므로 섬망의 원인으로 요로감염을 먼저 생각한다.	환자를 가장 잘 아는 가족이나 이웃들을 만나 좀 더 정확한 정보를 파악할 것.

최근의 연구들에 의하면 섬망이 수개월에서 심지어는 수년까지 지속될 수도 있다고 한다!!

Persistent Delirium vs Reversible Dementia 감별이 쉽지 않다.

2) 섬망 vs 망상 vs 망상장애?

- 망상이란? : 불합리하며 잘못된 생각 또는 신념

  정도가 약한 망상은 "overvalued idea"라고 하며 '편견'이나 '이데올로기' 등이 그 예가 된다. 망상으로 출발했으나 그 이후의 전개가 논리적일 때는 "체계화된(systematized) 망상"이라고 하며, 망상 내용이 매우 괴상하고 엉뚱할 때에는 "괴이한(bizarre) 망상"이라고 한다.

- 결국 괴이한 망상은 섬망의 일부가 될 수 있다!!!

  체계화된 망상은 섬망의 일부로 볼 수 없으며, DSM-IV에 의하면 체계화된 망상이 1개월 이상 지속되며 약물 등 섬망의 위험 인자가 없는 경우는 "망상 장애(Delusional disorder)"로 따로 분류될 수 있다.

❿ 결론

정신 상태가 변하고 주의 집중력이 떨어지며 의식 수준이나 사고의 체계가 흐트러진 증상을 보이는 노인은 일단 '섬망'으로 간주하고 섬망에 대한 대처를 진행하면 될 것이다. 특히 치매와 연관된 이상행동심리증상(BPSD)과의 감별이 힘들지만, 우선 섬망의 비약물적 치료로 접근하고, 이에 반응이 없는 경우에는 약물 투여를 고려해 볼 수 있다.

참 · 고 · 문 · 헌

1. Young J, Inoue SK. Delirium in older people. BMJ 2007;334:842-846.

2. Rudolph JL, Marcantonio ER. Delirium. In: Duthie Jr EH, Karz PR, Malone ML. Practice of Geriatrics, 4th ed. Philadelphia: W.B Saunders; 2007. p. 335-344.

3. American Psychiatric Association. Diagnostic and statistical manual of mental disorders: DSM-IV-TR. 4th ed. Washington D.C.: American Psychiatric Publishing, Inc.; 2000.

4. Inouye SK, van Dyk CH, Alessi CA, Balkin S, Siegal AP, Horwitz RI. Clarifying confusion: The confusion assessment method. A new method for detection of delirium. Ann Intern Med 1990;113:941-948.

5. Inouye SK, Foreman MD, Mion LC, Katz KH, Cooney LM Jr. Nurses' recognition of delirium and its symptoms: comparison of nurse and researcher ratings. Arch Intern Med 2001;161:2467-2473.

6. Inouye SK, Leo-Summers L, Zhang Y, Bogardus ST Jr., Leslie DL, Agostini JV. A chart-based method for identification of delirium: validation compared with interviewer rating using the confusion assessment

method. J Am Geriatr Soc 2005;53:312-318.

7. Delirium [Internet]. Oakland: University of California; c2009 [cited 2010 July 25]. Available from http://www.ucop.edu/agrp/docs/la_delirium.pdf.

8. Lipzin B, Levkoff S. An empirical study of delirium subtypes. Br J Psychiatry 1992;161:843-845.

9. 연병길. 섬망(Delirium). 가정의학회지 2005;26(Suppl. Nov):S274-S278.

10. Inouye SK, Bogardus ST Jr, harpentier PA, et al. A multicomponent intervention to prevent delirium in hospitalized older patients. N Engl J Med 1999;340:669-676.

11. Gillis AJ, MacDonald B. Unmasking Delirium. The Canadian Nurse 2006;102:19-24.

12. 이영진. 섬망. In: 대한임상노인의학회. 임상노인의학. 서울: 한우리; 2003. p. 179-184.

13. McCuster J, Cole M, Dendukuri N, Han L, Belzile E. The course of delirium in older medical inpatients: a prospective study. J Gen Intern Med 2003;18:696-704.

14. 민성길. 최신정신의학. 3판. 서울: 일조각; 1995.

15. Are delusions a sign of dementia, delirium, or both? [Internet]. San Mateo: Caring.com; c2008-2010 [cited 2010 Aug 1]. Available from http://www.caring.com/questions/delusions.

Chapter 33

치매 환자에게도
내 마음이 전달된다.

KEYPOINT 🔒

■ **선, 후배 간호직원의 대화**

선배: 환자의 입장에서 생각하는 습관이 매우 중요해. 약을 드시지 않는 분에게
      "병을 치료해야 하니까 드셔야 해요"보다는 "이 약은 삼키기 힘드시지요?"
      라고 물어보아서 우선 그 이유를 파악하는 거지.

신입: 그렇구나! 모든 행동에는 뭔가 이유가 있을텐데 말이지요. 가루약을 싫어
      한다거나, 타이밍이 나빴다거나…

선배: 맞아, 인지장애 환자의 치료는 '설득'하는 것이 아니라, '납득'시키는 것
      이 중요해!

와시미 유키히코, 치매간호.

❶ 내가 변하면 환자가 변한다.

> 설득이 아니라 **납득**을 시켜라!

치매환자의 인격을 존중하는 자세로 대해야 원활한 의사소통이 되고 환자를 다루는 것이 쉬워진다. 특히 직원들을 힘들게 하는 치매환자들의 행동심리증상도 환자의 입장에서 생각해보면 인지장애로 인한 자연스러운 행동임을 이해한다면 그들을 대하는 자신의 마음도 달라지게 된다.

**말씨가 변하면 마음이 변하고, 마음이 변하면 행동이 변하며,
행동이 변하면 사람이 변한다.**

말씨가 가장 중요하고 기본이 된다는 의미이다. '문제행동'이라고 하지 말고 '행동장애'라고 불러야 한다. 사소한 일이지만 맞는 말을 사용하는 자세도 환자의 존엄성을 지키는 것이다. 이렇듯 환자의 입장에서 생각하는 습관은 치료 제공자로서 매우 중요하며, 이러한 마음가짐은 대부분 환자에게 그대로 전달된다. 결국 어려운 치매환자를 대하는 쉬운 요령의 하나는 그들을 이해하려 하는 마음을 갖고, 그에 따라 진심으로 행동하는 것이다.

> 환자가 불쾌감이나 치료에 저항감을 나타낼 때는 무조건 치매 탓을 하지 말고,
> 환자를 대하는 **자신의 태도나 말씨를 점검**해야 한다!

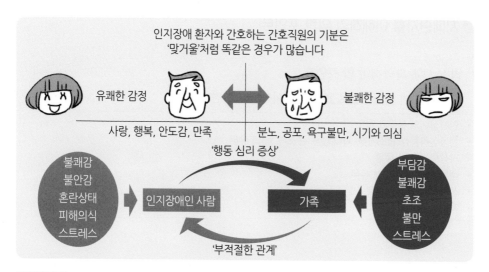

그림 33-1 치매환자의 얼굴은 나의 거울인 경우가 많다. 즉, 내가 편안하게 대하면 환자도 편안해지고, 내가 스트레스를 받으면 환자도 스트레스를 받아 행동심리증상을 보이기도 한다.

Adapted from 와시미 유키히코, 치매간호.

❷ 치매환자의 존엄성을 지키는 행위 vs 존엄성을 훼손시키는 행위

치매환자의 존엄성을 지켜주는 17가지 행위	치매환자의 존엄성을 훼손시키는 17가지 행위
배려(다정함, 따뜻함)	서두르기
감싸주기	뒷전으로 미루기
긴장 풀기	공포심 주기
존경	어린애 취급하기
받아들이기	이해하려 하지 않기
함께 기뻐하기	바람직하지 않은 구분
존중	모욕
실천	무시
공감하며 이해하기	비난
환자가 할 수 있는 능력 이끌어내기	능력을 제한하기
필요한 지원 하기	거짓말하기(둘러대기)
관계 유지	강요
함께 하기	중단
개성 인정하기	사람 취급하지 않기
함께 있기	차별
일원으로 느낄 수 있게 하기	비웃음
함께 즐기기	따돌림

❸ 치매환자를 이해하기 위한 포인트

1) 입소 시에 파악해야 할 포인트

다음과 같이 입소자별로 표로 만들어서 관리하면 좋다.

- 인지장애의 유무와 정도
- 행동심리증상(협조거부, 과다행동, 큰소리 등)의 유무
- 낙상의 위험성 유무
- 배회, 탈출의 위험성 유무
- 섬망의 위험성 유무
- 지시를 따르지 않는다.

2) 치매환자를 관찰, 평가할 때 유의할 점

1. 경미한 표정이나 말의 변화에 따라 신체상황을 신중히 평가한다.
2. 인지저하 점수는 어디까지나 대상자 특성의 일부일 뿐이다.
3. 각 평가척도의 특성을 충분히 파악한 후에 활용한다.
4. 환자의 생활능력, 시간에 따른 경미한 변화에 주목한다.
5. 환자가 하는 말과 행동의 의미를 잘 해석한다.
6. 간호팀 내에서 치매환자의 관찰 결과에 대해 반복하여 의논한다.

❹ 의사소통의 포인트

의사소통은 세상 모든 인간관계의 기본이며, 특히 말씨와 표정이 가장 중요하다.

낮은 목소리로 천천히, 부드럽게 이야기한다.
눈을 보고 웃는 얼굴로 이야기한다.
손을 잡는다거나, 부드럽게 몸을 터치한다.
청력 장애가 있는 분들은 큰 글씨로 써서 보여준다든가, 물건을 보여준다든가 한다.
자존심에 상처를 주는 말을 하지 않는다.

자존심에 상처를 주는 말들의 예

"제가 한 말 잊어버리셨어요?"

"똑같은 말을 또 하시네요"

"거짓말이지요?"

"안돼요"

"깨끗이 하셔야죠"

4무2탈 존엄케어 운동 : 최근에 요양병원을 중심으로 점차 확대되고 있는 노인 인권존중 운동으로서, 현장의 힘든 여건 속에서도 다음과 같은 4가지 무(無), 2가지 탈(脫) 운동을 통해 진정으로 노인을 공경하고 질 높은 서비스를 제공하고자 하는 병원과 시설의 움직임.

| 냄새 무 | 욕창 무 | 낙상 무 | 신체구속 무 | 탈기저귀 | 탈침대 |

❺ 휴머니튜드(Humanitude) 기법

'휴머니튜드(humanitude)'는 프랑스의 이브 지네스트(Yves Gineste)와 로젯 마레스코티(Rosette Marescotti)가 만든 케어 기법이자 치매환자를 '인간다운' 존재로 대하자는 철학적 운동이다.

이브는 체육교사였는데, 40여년 전 프랑스의 한 병원에서 간호사 요통예방 교육을 위해 일하던 중 간호직원들이 직업적으로 치매환자를 돌보는 모습을 목격하고 충격을 받게 되었다. 특히 묵묵히 입을 다문 채로 환자와의 눈맞춤 없이 케어하는 모습을 보며 '치매환자에게도 인간을 대하는 기본적인 자세로 대할 것'을 철학으로 하는 '휴머니튜드 기법'을 개발하게 되었다. 2019년에는 인천광역시의 초청으로 인천광역시를 방문하여 필자의 병원(인천은혜요양병원)에서 위탁 운영하는 인천광역시립제1치매요양병원에서 휴머니튜드 워크숍(국제치매케어 워크숍)을 개최하였다. 한편 본 병원과 인천광역시립제2치매요양병원에서 치매환자를 대상으로 수개월에 걸쳐 적용한 휴머니튜드 기법은 2부작 다큐멘터리로 제작되어 KBS에서 방영되어 큰 반향을 일으킨 바 있다.

그림 33-2　휴머니튜드 개발자인 이브 지네스트와 필자의 만남

그림 33-3　2019년 인천시의 초청으로 인천시립치매요양병원에서 개최된 국제치매케어 워크숍에서 휴머니튜드에 대해 강의하는 이브 지네스트

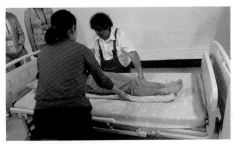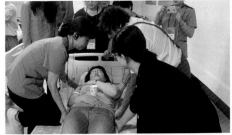

그림 33-4   누워있는 환자를 환자이동용 시트 활용을 통해 휠체어로 옮기는 휴머니튜드 기법

1) 휴머니튜드의 4가지 기둥

휴머니튜드의 가장 기본이며 중요한 4가지 행동은 바라보기, 말하기, 접촉하기, 서기이다. 사람과 사람이 친밀한 상호작용할 때에는 누군가를 바라보고(눈맞춤) 말하며(대화) 접촉(악수, 포옹)을 하고, 걸어서(서기) 세상을 본다. 부모라면 자식을 키울 때에 누가 시키지 않아도 사랑

바라보기   말하기

접촉하기(Touch)   서기

그림 33-5   휴머니튜드의 4가지 기둥 – 바라보기, 말하기, 접촉하기, 서기

의 눈길로 바라보고 정답게 이야기를 나누며 수시로 접촉을 하고 걸음마 아기가 걸을 때에 뿌듯해한 경험이 있을 것이다. 이러한 기쁨을 치매환자를 돌볼 때에도 느낄 수 있다.

4가지 기둥의 구체적 방법들 중 몇 가지만 다음의 표에 요약하였다.

표 33-1 휴머니튜드의 4가지 기둥 응용기술의 예

바라보기	• 바라볼 것(보지 않음 = 존재하지 않는다) 　- 환자의 눈을 바라보지 않고 환자를 닦는다면 세차장에서 차를 세차하는 것과 무엇이 다른가? 　- 눈맞춤을 회피하면 바라보는 곳으로 가서 눈맞춤을 하도록 한다. 　- 아래쪽을 쳐다보면 무릎을 굽히고 아래에서 위로 쳐다본다. 　- 식사를 드릴 때에 스푼을 확실하게 눈 앞으로 보여지게 해서 드시게 한다. • 눈을 맞추거든 2초 이내에 말을 건다. 이 때 가능하면 돌봄 자체에 대한 이야기에 앞서 일상적인 대화(날씨 이야기 등)로 시작한다. • 가까이서 보도록 한다. 　- 22~25 cm 거리를 두고 바라본다. 그러면 뇌에서 도파민(사랑의 호르몬)이 분비된다고 한다.
말하기	• 말을 할 것 　- 치매환자를 돌보는 직원들이 하루 종일 한 사람에게 단 2분만 이야기한다는 연구결과가 있다. 　- 엄마 말을 알아듣지 못하는 아기에게도 말을 시키지 않는가? • 자동피드백 　- 반응이 없는 사람에게도 계속 말을 하면 그 에너지는 그대로 전달된다. 즉, 치매환자가 대답을 못하더라도 계속 말을 시킨다. • 행동을 언어로 표현 　- "어르신, 등을 닦겠습니다", "양손을 위로 올려주세요", "아, 손이 따뜻하시네요"...와 같이 본인이 하는 동작을 말로 표현한다.
접촉하기	• 붙잡지 않고 아래서 지지한다. 　- 손목을 덥석 잡으면 환자는 기분도 안 좋고 '내가 뭘 잘못했나?'라고 생각하기 쉽다. 손목을 잡아버리면 손을 뿌리치면서 낙상의 위험이 높아진다. • 5살 아이의 힘 이상을 사용하지 않는다. • 닿는 면적을 넓게 하면 압력이 세져서 안전하다.
서기	• 40초만 혼자 설 수 있다면 선 자세에서 케어받도록 한다. • 세우는 기술 　⇒ 인사하기 - 무릎과 발꿈치가 90도가 되는지 확인 - 악수 자세로 환자 손을 잡기 - 팔씨름 자세로 바꾸기 - 아래에서 다른 편 손을 넣어 받치기 - 끼워 넣은 팔을 굽혀 고정하기 - 2인의 직원이 서로 마주본 자세로 세우기 - 무릎이 굽혀지지 않도록 무릎 안쪽으로 확실히 Lock을 건다 - '절하기' 자세로 환자를 앞으로 굽히도록 하기 - 직원은 서로 마주본 상태에서 천천히 걷기

 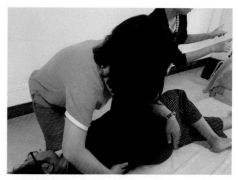

그림 33-6 치매환자를 가까이서 똑바로 바라보기 실습. 거리는 22~25 cm를 유지하며 정면을 바라본다.

그림 33-7 체위 변경 등을 할 때에 최대한 환자와의 접촉면을 넓혀서 접촉한다.

참 · 고 · 문 · 헌

1. 와시미 유키히코. 치매간호: 당신의 환자가 치매(인지장애)라면 어떻게 하겠습니까? 서울: 군자출판사; 2015.

2. 이브 지네스트, 고젯 마레스코티. 가족을 위한 휴머니튜드. 인천:대광의학; 2019.

치매의 행동심리증상
– 약 없이 대처하기

KEYPOINT 🔓

- 알츠하이머형 치매를 앓고 계신 84세 여성. 척추가 휘어서 보행이 원만치 못하지만 식사도 잘하고 부분적인 의사소통도 가능하다. 입소 당시부터 본인 물건을 요양보호사가 훔쳐갔다고 욕설과 함께 고함을 지르는 등의 문제행동이 있다. 아무래도 병원에 가서 약물을 처방받아야 할 것 같다.

➡ "문제행동"보다는 "행동심리증상"혹은 그냥 BPSD라고 부릅시다.

➡ 약물 치료를 생각하는 이유는? 환자가 힘들어해서인가, 아니면 내가 힘들어서인가?

	치매의 행동심리증상
	BPSD (Behavioral & Psychological Symptoms of Dementia)

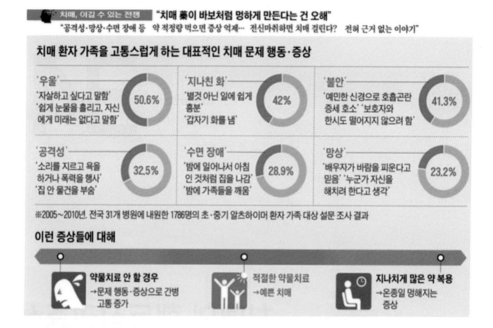

그림 34-1   치매 환자의 가족을 힘들게 하는 행동심리증상

(이 기사에도 치매 문제행동으로 되어 있지만, 행동심리증상이 더 바람직한 표현으로 생각한다.)

(출처 : 조선일보. 2013-12-23)

표 34-1   행동심리증상(BPSD)의 빈도 및 고통 정도에 따른 분류

	1군 : 가장 흔함	2군 : 중간 정도로 흔함	3군 : 덜 흔함
심리 증상	망상, 환각, 우울증, 불면증, 불안	착오	
행동 증상	공격성, 배회, 안절부절	초조, 탈억제, 고함, 문화적으로 부적절한 행동	울음, 욕설, 의욕상실, 반복 질문, 따라다니기

Adapted from Luxenberg JS, 2000

표 34-2	행동심리증상(BPSD)의 종류	

심리 증상		행동 증상
망상 delusion	환각 hallucination	공격성 aggression
편집증 paranoia	우울증 depression	배회 wandering
무감동 apathy	불안 anxiety	수면 장애 sleep disturbance
반복 reduplication	착오 misidentification	부적절한 식사 행동 inappropriate eating behavior
		부적절한 성적 행동 inappropriate sexual behavior
		분노 반응 rage reaction

❶ BPSD는 반드시 기억장애나 인지장애로 인한 문제가 아닐 수 있다.

➪ BPSD가 치매 초기나 말기에는 잘 발생되지 않고, 주로 중기에 발생

1) 시간적 양상(Time Course)

　　a. 치매 진단 후 평균 5년 후에 나타남.

　　c. BPSD 나타날 때의 MMSE : 5-12점 (치매 중기)

　　d. BPSD 사라질 때의 MMSE : 0-6점 (치매 말기)

　　e. 전체적인 BPSD 기간 : 12-24개월

❷ BPSD가 임상적으로 왜 중요할까?

　　a. 치매 환자가 시설에 입소하는 가장 큰 이유가 된다.

　　b. 환자 및 가족들의 삶의 질을 떨어뜨리고, 환자의 장애를 더욱 악화시킨다.

　　c. 환자를 돌보는데 드는 비용을 증가시킨다.

　　d. 인지장애 증상에 비해, 약물치료나 비약물적 개입을 통해 완화시킬 수 있다.

❸ BPSD 각 증상의 특징들

1) 망상

　　─현실과는 동떨어진 생각

　　─치매의 망상은 정교하지 않고 구체적이지 못하며 내용이 자주 바뀐다.

　　－알츠하이머병의 50% 정도에서 발생

　　－도둑 망상(가장 흔함), 유기(버려짐) 망상, 부정(간통) 망상(의처증, 의부증)

표 34-3　망상성 착오(delusional misidentification) : 인식장애로 인한 잘못된 믿음 혹은 생각 – 망상과 차이

Fregoli 망상	친밀한 사람이 다른 외모로 변장했다고 믿음
변형 망상	외모뿐만 아니라 본질까지도 완전히 다른 사람으로 변했다고 믿음
주관적 닮은 꼴	자신과 똑같은 모습을 가진 다른 사람이 존재한다고 믿음
Capgras 증후군	친근한 사람을 본래의 사람과 닮거나 비슷한 다른 사람, 혹은 본래의 사람을 사칭한 협잡꾼으로 믿음
'이 집이 내 집이 아니다' 망상	자신의 집이 아니라고 착각하여 자기 집에 가겠다고 나가려고 함으로써 돌보는 사람들을 곤혹스럽게 함
Phantom border	낯선 사람이 집에 들어와 있거나 살고 있다고 믿음
Picture sign	TV에서 방영되는 내용이 그 시간대에 실제로 일어나고 있다고 믿음
Mirror sign	거울에 비친 자신의 모습이 반대쪽에 있는 다른 사람이라고 믿음

* 중기 알츠하이머병의 27~34%에서 발생
* 알츠하이머병에서 phantom border는 17%, Capgras 증후군은 12%, picture sign은 6%, mirror sign은 4%에서 발생

2) 환각

　　－12~49%에서 발생

　　－감별질환 : 안과 질환이나 시야결손 혹은 시각실인증

3) 우울증

　　－약 30%에서 발생

　　－알츠하이머병보다는 다발성경색치매에서 더 많이 발생

4) 무감동

　　－가장 흔한 BPSD 중의 하나(알츠하이머병의 72%라는 보고도 있음)

　　－동기 상실과 목표지향적 행동의 감소

5) 불안

　　－"서성거리기", "노래 부르기", "반복적으로 치는 행동" 등은 내면에 깔린 불안으로 인해

발생할 수 있다.

—"Godot(고도) 증후군(반복적으로 끊임없이 다가올 일에 대해 묻기)"의 원인이 되기도

6) 과민성(irritability), 공격성

—알츠하이머병의 30~50%

—환자를 돌보는 사람들이 가장 많이 힘들어하는 증상 중의 하나

7) 배회

—알츠하이머병의 53%

—환자에게 위험을 초래할 수 있는 증상

8) 반복행동

—걷기, 박수 치기, 세탁물을 접었다 폈다 하는 행동

—마치 목적을 가지고 있는 듯하나, 환자에게 물어보면 대답을 못 함.

9) 부적절한 식사 행동

—알츠하이머병의 10%에서 폭식, 6%에서 과구강증(먹을 수 없는 물건들을 입에 집어넣는 행위)

10) 분노 반응

—자신들이 추진하던 일이 실패하거나 기대에 미치지 못할 경우 갑작스러운 심한 감정 반응을 보이거나 신체적 혹은 언어적 공격 행동을 보임.

11) 부적절한 성적 행동

—부적절한 성적 행동은 치매 환자의 7%~25%에서 발생한다고 추정되는데, 주변 사람에게 괴로움을 준다. 그러나 성적인 행동이 과연 부적절한 것인지 아닌지를 구분하는 것은 어렵다.

—부적절한 성적행동의 3가지 유형

① 성적인 이야기 하기(Sex talk) —가장 흔한 유형

② 성적인 행동(Sexual acts) —만지기(touching), 노출하기(exposing), 자위하기(masturbating)

③ 은연중 일어나는 성적 행동 —공개적으로 음란한 잡지를 읽거나, 불필요하게 성기의 케어를 요구하기

❹ BPSD에 대한 비약물적 치료 ☞ 필요할 경우에만 약물 치료와 상호 협조적 관계

1) 무엇을 치료해야 하는가?

　a. BPSD 자체가 치료 대상이 아니라 BPSD가 주는 영향이 치료 대상

　　❰예❱ 큰 문제를 일으키지도 않는 욕설하기에 대해 약물치료를 반드시 해야 할 필요는 없다.

　b. 치료 대상 : 보호자의 부담을 덜어주고, 환자의 행동을 제어

❰표 34-4❱　BPSD에 대한 약물반응 정도: 특히 약물에 반응이 적은 증상은 비약물적 치료가 중요하다!

약물에 반응하는 증상	약물에 반응이 적은 증상
불안, 초조증	배회
우울증	반복적 질문
무감동, 거부증	습관적 행동
퇴행적 행동	방해 행위(intrusiveness)
불면, 과다 행동	이상한 옷을 걸치거나 옷을 벗음
욕설	다식증
망상, 피해 사고	자해
환각	

Adapted from 박건우

2) 비약물적 치료 요법들의 실제

　a. 주변 환경의 정비

　　-적절한(은은한) 조명

　　-야간조명 사용 (밤에 침실의 불을 완전히 꺼 놓는 것은 안 좋다)

　　-지남력을 제시하는 도구들 설치(시계, 달력 등)

　　-근무복 지양, 직원들의 일상복 착용

　　-적절한 배경 음악(민요, 트로트, 클래식)

　　-전화벨 볼륨 낮추기

　　-밖으로 나가려는 환자 : 문의 손잡이를 가리거나, 문을 벽과 구분 못하도록 위장.

　　-다른 병실로 들어가려는 환자 : 복도 벽을 사진, 그림, 화초 등으로 꾸미고 조용한 음악을 틀어줌 ⇨ 치료진들도 만족시킴(연구 결과).

그림 34-2   직원은 근무복이 아닌 티셔츠 형태의 일상복을 착용

그림 34-3   엘리베이터 버튼에 '고장' 표시하고 잠금

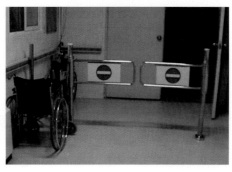

그림 34-4   출입문 앞의 통행 차단장치

그림 34-5   치매우주복: BPSD로 기저귀를 뜯거나 옷을 벗거나 피부를 긁는 분을 위해 제작된 원피스. 지퍼가 뒤에 달림(앞, 뒤)

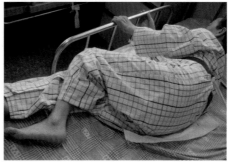

그림 34-6   실제로 치매우주복을 입고 계신 치매환자.
보호자가 태권도 띠(파란색)를 환자복에 꿰매어 뒤쪽에서 억제대를 묶을 수 있도록 해주심.

b. 활동 프로그램과 음악 ("36장. 치매 환자를 위한 활동프로그램 운영의 팁" 참조)

　–기분 전환시키는 유희, 신체 자극 및 운동이 불안과 초조 감소에 도움

　–고함치기, 공격성 : 환자가 좋아하는 음악, 가족 비디오 보여주기

　–배회 증상 : 손을 잡고 산책 함께 하기

　　　　-공격성 : 몸을 긁어 주고 운동 시켜주기

　c. 행동 치료

　　-소리 지르는 환자

　　　• 조용히 하면 → 좋아하는 음식 주기

　　　• 소리 지르면 → 관심을 주지 않기. 적절한 음악, 대화, 접촉 유지하기

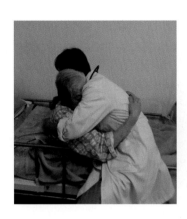

그림 34-7　접촉 유지하기. 늘 소리 지르고 간호케어에 저항하는 필자 병원에 입원하신 80대 여성. 매일 회진 시에 주치의인 필자가 안아주면 다소 누그러든다.

　d. 회상 치료 및 현실 지남력 치료

　　-회상 치료 : 사진, 비디오 등을 이용하여 다른 사람들 앞에서 발표하는 방법

　　-현실 지남력 치료 : 시간, 장소, 사람에 대해 지남력을 자꾸 일깨워 주기

　e. 광치료, 손 아로마 요법 및 손마사지

　　-초조 증상에 효과적

　f. 동물매개치료 (Animal Assisted Therapy)

　　-공격적이거나 우울증, 외로움을 타는 환자들에게 좋은 반응을 보임.

　g. 보호자 교육

　　-보호자 대상으로 BPSD에 대한 교육과 대처 방안을 교육

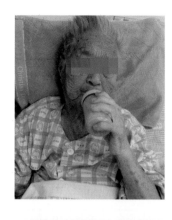

그림 34-8 식사를 거부하고 경비위관도 거부하시던 96세 치매 여성. 담당 간호사의 아이디어로 젖병에 유동식을 넣어 드렸더니 식사를 드시기 시작한 사례임.

그림 34-9 배회증상이 심한 치매환자들을 위한 건물 구조. 동그란 띠 모양의 복도로 되어 있어 외부로 탈출할 위험이 적고 끊임 없이 걸을 수 있다(경기도 분당 헤리티지 너싱홈 제공).

⑤ 직원을 힘들게 하는 상황별 구체적 대처법의 예

1) "집에 가고 싶다"고 하시면서 배회를 한다

- 특히 입소 직후에는 '갑자기 바뀐 환경'으로 인해 집으로 가고 싶은 마음이 당연한 것이다.
- 이해해줄 사람이 없다고 생각하면 '집에 돌아가고 싶은' 기분이 더 강해진다.
- 위로하거나 설득하지 말고, 환자에게 공감하는 것이 중요하다!
- 입소 상황에 대해 반복해서 설명해도 이해 못하면 표현을 바꿔 설명하거나, 종이에 적어서 보여드림.
- 친숙한 물건을 곁에 두고 가족의 방문을 요청한다.
- 직원이 손을 잡고 같이 산책을 하면 곧 지쳐서 스스로 침실로 가신다.

> 거짓말하지 말 것!
> "곧 가족이 오실 거에요"와 같은 거짓말은 불신만 키운다.

2) "내 물건을 도둑맞았다"는 망상

—알츠하이머형 치매의 50% 정도에서 망상이 나타나며, 그 중에서도 도둑망상이 가장 많다.

—망상의 원인은 여러 가지이다.

> 도둑 맞았다는 망상의 원인들
> -신체적 요인 : 시력, 청력 등의 감각 저하. 섬망
> -심리,환경 요인 : '도둑맞았다'고 오해받기 쉬운 환경(물건 찾기 힘든 구조), 소외감 등
> -정신적 요인 : 우울감, 인지기능 저하로 인한 오해

—망상이나 환각을 부정하면 역효과가 난다. (야단맞는 느낌)

—"지갑이 없으면 불편하시겠어요"라는 식으로 함께 찾는 시늉을 하여 안정시킨다.

—시력, 청력 저하로 인한 오해를 막기 위해 안경이나 보청기를 착용시킨다.

—물건을 찾기 쉽도록 환경을 정리한다.

3) 주야를 불문하고 큰소리를 낸다.

—청력, 혹은 시력이 저하되면 목소리가 커질 수 있다.

—통증이나 불안증을 호소하는 것일 수도 있다(치매로 인해 의사표현을 잘 못하므로).

—대, 소변 조절을 못하여 난처할 때 누군가 사람을 부르기 위해 소리를 지를 수도 있다.

—같은 자세로 있기가 힘들거나 기저귀가 더러워져 있는 등의 불쾌감이 원인일 수 있다.

—실내 온도나 조명, 주위의 소리 등이 자극이 되기도 한다.

> 시선을 맞추면서 침착한 소리로 어르신의 성함을 불러본다.
> 꾸준히 의사소통을 하거나 가능하면 레크리에이션으로 친해진다.

4) 성적 행동

a. 너무 부정적으로 대하지 말 것

> 직원의 몸을 만지는 남성에게
> "용무가 있을 때 이름을 부르시면 도와드리겠습니다"

b. 자존심을 손상시키지 말 것

c. 정신적으로 안정을 취하게 할 것 (가족의 면회, 레크리에이션, 침실의 변경, 음악요법, 원예요법 등)

d. 정상적인 성적 표현은 허용한다 (스크린으로 가려드린다든가, 개인실 사용 등).

e. 성적인 신호가 될만한 자극을 제거한다.

f. 비약물적 요법으로 안되면 약물치료 고려

치매환자에서의 성적 행동의 원인?
– 사람을 사랑하고 싶다거나 귀여워하는 기분의 표현일 수 있다.
– 파킨슨치매라면 파킨슨병 치료제 중 성적 욕구를 늘리는 약이 있다.

---

5) 날짜와 요일을 하루에도 몇 번 씩 물어본다.

—치매의 기억장애로 인해 오늘이 몇일인지 모르는 것 자체가 불안

—말로만 대답하지 말고 탁상달력의 날짜를 함께 지워나가는 방법도 좋다.

—관심을 돌려본다. 즉, "오늘은 25일이네요. 그러고 보니, 오늘 점심에는 미역국이 나오겠네요. 어르신은 어떤 반찬이 좋으세요?"와 같이.

6) 식사나 약의 복용을 거부한다

—음식이 입맛에 맞지 않을 수 있다.

—스스로 숟가락질을 할 수 있는 분에게 먹어드리면 안 드실 수 있다.

—밥에 약을 섞어서 드시게 하면 밥맛이 없을 수 있다. 어쩔 수 없이 밥에 약을 섞는다면 1~2스푼 정도만 섞도록 한다.

—처방 의사에게 부탁하여 약의 복용 시간을 바꾸어본다.

- BPSD는 과연 문제행동인가, 정상 반응인가?
  » 65세 이상 인구의 치매 발병율은 약 10%를 육박한다. 이 글을 읽으실 분들이 1천명이라면 그 중 나이 들어 치매가 되실 분들은 약 100명 정도 된다는 의미이다. 만일, 그 10%에 내가 포함된다면 어떻게 될까? 내가 치매가 되는 순간, 나에게는 어떠한 일들이 일어날까? 상상해보자.
  우선, 언제부터인지 모르게 오늘이 며칠인지 깜박 잊게 되고, 이어서 여기가 어디인지, 이 낯선 사람은 누구인지 모르게 될 것이다. 결국 밖에서 헤매이다 길을 잃는 일이 반복되던 어느 날, 나는 어느 이름 모를 요양원에 입소하고 있는 신세가 되었다. 물론 나는 이 사실을 모르고 있고, 이 곳을 얼마전까지 다니던 주간보호센터로 오해하여 저녁 무렵에 집으로 가고자 한다. 그런데, 지금 입고 있는 이 이상한 잠옷(환자복)을 입고는 밖에 나가기가 부끄럽다. 그래서 옆에 온 흰 옷 입은 사람에게 집에 갈 수 있게 바지 좀 하나 얻어달라고 부탁한다.

"엉뚱한 옷을 걸친 문제행동 환자"??

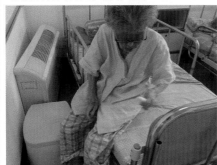

나도 이 할머니가 될 수 있다.
내가 이런 상황이라면 어떨까?
화가 나지 않을까? (공격성)
우울하지 않을까? (우울감)
가족 곁으로 가고 싶지 않을까? (배회)
이 때, 밖에 있던 직원이 '목욕할 시간입니다'라고 한다면 따르고 싶을까? (케어에 대한 저항)
혹시 우리는 너무나 정상적인 감정 반응을 문제행동이라는 왜곡된 시각으로 바라보고 있는 것은 아닐까?

참·고·문·헌

1. 한일우. 치매의 행동심리증상. In: 대한치매학회. 치매 임상적 접근. 서울: 아카데미아; 2006. p. 113-133.

2. Luxenberg JS. Clinical issues in the behavioral and psychological symptoms of dementia. Int J Geriatr Psychiatry 2000;15:S5-S8.

3. 이영민. 치매환자 이상 행동시 대처 요령. 노인병 2010;14(Suppl. 1):63-70.

4. 박건우. 치매의 행동신경심리증상에 대한 비약물학적 접근. In: 대한치매학회. 치매 임상적 접근. 서울: 아카데미아; 2006. p. 641-648.

5. 한일우. 치매의 행동심리증상에 대한 약물치료. In: 대한치매학회. 치매 임상적 접근. 서울: 아카데미아; 2006. p. 615-637.

6. Atri A, Verma S, Kim SY. Dementia. In: Cho KH, Michel JP, Bludau J, Dave J, Park SH, editors. Textbook of Geriatric Medicine International. Seoul: Argos; 2010. p. 183-196.

7. Ozkan B, Wilkins K, Muralee S, Tampi RR. Pharmacotherapy for Inappropriate Sexual Behaviors in Dementia: A Systematic Review of Literature. Am J Alzheimers Dis Other Demen 2008;23:344-54.

8. Burns A, Jacoby R ,Levy R. Psychiatric phenomena in Alzheimer's disease. IV: disorders of behaviour. Br J Psychiatry. 1990;157:86-94.

9. Szasz G. Sexual incidents in an extended care unit for aged men. J Am Geriatr Soc 1983;31:407-411.

10. Kamel HK, Hajjar RR. Sexuality in the nursing home, part 2: managing abnormal behavior-legal and ethical issues. J Am Med Dir Assoc 2004;5(suppl. 2):S48-S52.

11. Alagiakrishnan K, Lim D, Brahim A, et al. Sexually inappropriate behavior in demented elderly people. Postgrad Med J. 2005;81:463-466.

12. 와시미 유키히코. 치매간호: 당신의 환자가 치매(인지장애)라면 어떻게 하겠습니까? 서울: 군자출판사; 2015.

13. 후카츠 료, 사이토 마사히코. 약 없이 치료하는 치매. 서울: 노인연구정보센터; 2012.

Chapter **35**

입소자를 위한 활동
프로그램 운영의 팁

표 35-1 활동프로그램 시간표의 예

월	화	수	목	금	토
			1 시청각교육	2 치료 레크리에이션	3 가족지지모임
5 독서요법	6 산책요법	7 인지요법	8 시청각교육	9 미술요법	10 가족지지모임
12 노래요법	13 산책요법	14 치료요법	15 시청각교육	16 인지요법	17 가족지지모임
19 독서요법	20 산책요법	21 요리요법	22 시청각교육	23 창작공예요법	24 가족지지모임
26 노래요법	27 산책요법	28 미술요법	29 시청각교육	30 치료 레크리에이션	31 가족지지모임

❶ 활동프로그램

1) 활동프로그램의 원칙

 a. 일상적 작업이나 활동을 독립적으로 수행하지 못하는 사람들의 삶을 확장시키고 풍요롭게 한다.

 b. 활동프로그램은 때로 "바쁘게 하는 것"으로 잘못 이해되기도 함.

  ⑩ 참여자 동의 없는 파티나 빙고게임, 노래 부르기 등의 활동에는 오히려 참여율이 낮은 경우를 볼 수 있다.

 c. 계획에서 수행 단계에 이르기까지 모든 단계마다 참여자를 포함시켜야 한다.

 d. 일과 놀이의 연속선상에 따라 제공해야 한다.

 e. 환경은 편안하게 하며, 의무적으로 하는 것이 아니라 자유롭게 활동하는 느낌을 갖도록 하는 것이 중요하다.

 f. 지도자는 예술과 과학을 함께 적용함으로써 전문적으로 이끌 수 있다.

그림 35-1 활동프로그램을 위한 다목적실. (a) 넓은 창문으로 인해 프로그램실 내부가 잘 보인다(부천가은병원), (b) 벽은 강한 충격도 흡수하는 쿠션으로 되어 있고, 간호사실과 통한 유리창을 통해 외부에서 의료진이 환자를 관찰하기 쉽게 디자인되어 있다(대만 타이페이 Veterans General Hospital).

2) 활동프로그램의 연속성

a. 양로원이나 복지관에서의 프로그램 - 예방적

b. 주야간보호센터 프로그램 - 보다 손상된 노인의 안전이나 의학적 문제를 고려

c. 장기요양노인시설 - 총체적인 환자 간호, 재활 및 사회적 서비스도 활동프로그램과 같이 제공

3) 활동프로그램의 7단계 과정

a. 요구, 강점, 가정의 규명   b. 목표 설정

c. 분석과 활동 선택   d. 계획 수립

e. 계획 수행   f. 결과 평가

g. 기록

4) 활동프로그램 개발 및 적용 시 고려할 사항

a. 노인의 활동상태 파악

　－신체적, 사회적, 인지적 활동 수준, 지각 능력, 과거 및 현재 활동과 관심사항 등

b. 비용분석

표 35-2 활동 프로그램 준비시에 고려할 사항

영역	구체적 내용
활동명	프로그램명 제시
활동 기술	활동내용과 목표를 기술
참가자 수	적합한 참여자 수
개인적 필요조건	활동에 참여하는데 필요한 개인적인 조건, 기술
업무별 직원 또는 참여자	계획 및 조정, 재료 준비, 방 준비, 이동, 활동 수행, 정리에 필요한 인력
물품	필요한 물품, 구입할 물품 기록
도구	필요한 도구, 구입할 도구 기록
총 물품과 도구의 가격	
가장 적은 비용으로 가장 큰 이익을 얻을 수 있는 활동으로 결정하는 것이 필요	

Adapted from 김주희 등

5) 치매 노인의 활동 선택 시 주의점

    a. 단순성 : 활동은 짧고 단순하여 언어적인 설명보다는 행동을 보여줌이 효과적

    b. 지속성 : 주의집중력이 저하되어 있으므로 최적의 시간은 20~30분 정도이다.

    c. 융통성 : 치매 노인이 활동을 행하지 못해 절망하고 당황하면 다른 방법을 시도하거나 정지시킨다.

    d. 활동의 수준 : 가능한 한 성인 수준의 활동을 유지하나, 질병 진행에 따라 어린이 그림 책이나 게임 등을 응용한다.

❷ 미술요법

1) 기대 효과

    a. 심신의 어려움을 겪고 있는 사람들을 대상으로 하여 그들의 미술작품(작업)을 통해서 심리를 진단하고 치료한다.

    b. 우울한 노인의 자아존중감을 증가시키고 의사소통능력을 향상시키고 자아정체감을 강화하고 안정시킴.

    c. 치매노인들의 이상행동 호전

2) 집단미술치료법 운영 시 지침(캘리포니아 주간보호센터)

    a. 참여자를 어린아이로 취급하지 말라

　　b. 인내를 배워라. 당신뿐 아니라 참여자들도 자신의 느림에 짜증이 난다.

　　c. 주의력을 가져라.

　　d. 초점이 되어라. 반달형의 자리 배치가 좋다.

　　e. 칠판에 쓰고 이야기 하는 방식과 같이 적어도 두 가지 감각을 이용하여 환자들과 연결한다.

　　f. 사회 현실감을 갖도록 돕는다. 그들이 집단 안에 있다는 것을 상기시킨다.

　　g. 그들이 할 수 있는 것에 주의를 기울여라. 그들의 잃어버린 기능에 의존하는 활동을 피하라. 그래야 자신을 존중하게 된다.

3) 프로그램의 예

　　a. 벽화 만들기

　　각자에게 맞는 작업을 주고 완성작을 미리 벽에 붙여둔 전지에 붙인다.

　　b. 달력 만들기

　　스케치북 크기의 종이에 반은 그림을 그려 색칠하게 하고, 나머지 반은 그 달의 숫자를 적어 넣을 빈 칸을 만든다.

　　c. 조화 만들기

　　색 끈으로 반복되는 작업으로 장미를 만들어 나감.

　　d. 서예

　　각자의 수준에 맞게 표본을 나눠주고 그대로 연습하게 한다.

　　e. 종이 찢기

　　종이 찰흙을 만들기 위해서 신문지를 찢어 달라고 치매노인들에게 인식시킨 후 작업을 진행

　　f. 색칠하기

　　두 아이가 바닷가에서 모래성을 쌓고 노는 모습이 그려진 그림을 각자에게 나누어 주고 그것을 색칠하게 함. 동시에 어린 시절을 회상하게 하면 더 효과적이다.

 **그림 35-2** 미술 요법 : "데칼코마니"

그림 35-3 색칠하기 활동 : 이동하기 힘든 분들도 소외되지 않고 침상에 혼자 앉아서 할 수 있다.

③ 음악요법

1) 대상 : 치매, 우울증, 신경증, 분별력 장애, 건망증 등

2) 치매환자에서의 효과

   a. 우울증 등 부정적인 정서를 감소시킴.   b. 배회 행동의 감소

   c. 현실감 증가   d. 인지기능 증가

   e. 집중력 향상   f. 비애감과 상실감 감소

   g. 밤과 낮의 역전현상 감소

3) 종류 : 기억 회상, 선호 곡 듣기, 노래 따라 부르기, 악기 연주, 율동

그림 35-4 음악 요법 : "실로폰 치기"

그림 35-5 바이올린 연주를 해주시는 자원봉사자. 연주에 맞추어 춤을 추시는 입소자

❹ 운동요법

1) 걷기 : 굽이 낮고 바닥이 푹신한 신발을 신고 산책하는 기분으로 왕복 30분 정도의 거리를 느긋하게 걷는다. 걷는 동안 주변의 상황을 설명 해준다.
2) 춤추기 : 환자가 평소에 춤추기를 좋아한다면 권장
3) 균형을 잡을 수 없는 환자라면 앉아서 하는 운동을 권장
4) 신체를 움직일 수 없는 환자의 경우, 근육과 관절의 경축을 예방하기 위해 수동적 관절 운동을 주기적으로 시행

그림 35-6 안전한 환경에서 산책하는 모습

그림 35-7 산책요법에 적합한 장소인 숲길

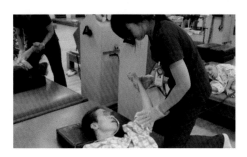
그림 35-8 수동적 관절 운동 시행 모습

그림 35-9 사물놀이와 함께 하는 춤과 노래

❺ 작업요법

1) 원칙
   a. 간단한 것일수록 좋다.
   b. 집중력을 유지할 수 있는 시간(**20분~30분**) 내에 할 수 있는 것이 좋다.
   c. 잘 안될 때에는 기분 전환을 시도

d. 치료자는 유연성을 갖고 환자를 대한다.

e. 작업은 가능한 한 어른 수준에서 시작하여 치매의 진행에 따라 유아 수준으로 낮춰간다.

2) 종류

a. 지지적 작업치료 : 정신과적 작업치료 또는 오락적 작업치료

b. 기능적 작업치료 : 일상생활, 가정생활 및 작업 등을 최대한 독립적으로 할 수 있도록 기능을 회복시키는 것

c. 직업중심적 작업치료 : 가사활동 훈련과 직업 복귀를 위한 훈련 포함

그림 35-10   작업치료실에서의 작업 요법

그림 35-11   요리요법 – 기능적 작업치료의 예.

6 인지요법

* 기억력 향상을 위한 일반적인 원칙

a. 연상 : 기억하고자 하는 것을 본인이 이미 알고 있는 것과 연관 짓는다.

b. 시각화 : 머릿속으로 기억하고자 하는 것의 그림을 그려본다.

c. 능동적인 관찰 : 기억하고자 하는 것을 적극적으로 관찰하고 생각해 본다.

d. 설명 : 기억하고자 하는 것의 세부사항을 설명한다.

1) 인지력 향상을 위한 프로그램

a. 낱말 만들기 - 자음과 모음이 각각 적혀 있는 카드를 준비. 지도자가 단어를 부르면 참여자는 단어를 만들고 큰 소리로 읽으면 승리한다.

b. 빙고 게임

그림 35-12 인지력 향상을 위한 "빙고 게임"

2) 능동적 관찰 기억 훈련

예술, 자연, 도시 정경, 여행을 담은 그림을 사용할 수 있다.

예 호수 주변에 있는 사람들의 풍경이 담긴 그림을 보여주고 30초 후에 그림을 가린 다음, 다음의 질문들을 한다.

－그림 속에 사람들이 몇 명 있는가?　　－무엇을 입고 있는가?

－나이는 어느 정도로 보이는가?　　－어떤 얼굴 표정인가?

－하루 중 어느 때인가?　　－어느 계절인가?

－날씨는 어떤가?　　－물 색깔은 하늘 색깔과 비교해 어떠한가?

－호수에 배가 있는가?　　－사람들이 무엇을 하고 있는가?

＊ 그림을 다시 보여주면서 놓쳤던 부분들을 언급한다.

그림 35-13 능동적 관찰 기억 훈련 : "같은 그림 찾기 게임"

3) 집중력을 위한 프로그램

    a. 고리던지기 : 일반인은 2 m 정도의 거리가 적당하나, 치매노인의 경우 보폭으로 "한 발 짝 반" 정도의 거리에 목표물을 둔다.

    b. 조각게임 : 술래는 눈을 가리고 포즈를 취하고 있는 사람의 몸을 더듬어 그 동작을 기 억하여 자기 팀에게 동작을 전달해 주는 게임

    c. 모양 맞추기 : 플라스틱 또는 나무 모양의 도형의 판 안의 구멍에 같은 도형끼리 맞추 는 게임. 모양과 색깔 등에 대해 이야기한다.

그림 35-14 집중력을 위한 프로그램 : 고 리 던지기

그림 35-15 빨대를 이용한 단체 게임. 폐 활량 운동으로도 좋다.

4) 혼자 하는 활동들

젊은 사람과 마찬가지로 노인에게서도 성향에 따라 남과 어울리는 것을 싫어하고, 혼자 소일하는 것을 즐 기는 분들이 당연히 많다. 그런 분들을 위하여 집단 활동과 더불어 혼자서 할 수 있는 활동 프로그램을 제 공하는 것도 중요하다!

    a. 독서

      −환자가 읽는 것이 가능한 경우, 활자가 큰 책과 잡지 제공

      −너무 길거나 복잡한 것은 안 된다.

      −단순하고 혼란스럽지 않은 그림책이나 인기 있는 어린이 책

    b. TV 시청

　　　−성격 변화가 나타나는 치매 노인에게 액션 프로그램은 가장 피해야 하는 프로그램이
　　　다.

　　c. 뜨개질
　　　−오래된 뜨개옷을 푸는 것도 노인들이 즐거움을 느낀다.

　　d. 분류, 구분하기
　　　−크기, 색깔 또는 모양에 따라 단추를 분류하고 그것들을 자루 안에 넣기 등

　　e. 배합 활동(**Matching**)
　　　−하나의 사물을 2~4등분하여 배합 활동을 통해 맞추는 것
　　　−두꺼운 마분지에 그림을 그리고 반으로 나누어 서로가 연결된 단순한 대상들끼리 짝
　　　짓기 **예** 수화기가 있는 전화, 자동차, 물고기 등

　f. 판에 못박기 작업
　　　−운동 신경의 조절을 돕는다.
　　　−어느 정도 박은 후 정지할 수 있도록 감독

그림 35-16　독서: 시력 저하 노인을 위해 활
자가 큰 책 구비　　그림 35-17　뜨개질 하기

7 원예요법

1) 정의

　　식물체를 이용한 자연 친화적 환경 조성을 통하여 심신의 안정을 도모하고 건강을 증진
시키는 간호 중재의 한 접근법

그림 35-18   휴게실 화초에 물을 주고 있는 치매 환자

2) 핵심

  a. 독립된 삶과 자기 간호

  b. 육체적 건강증진, 유지

  c. 인지기능 유지

  d. 나이에 맞는 여가

  e. 정서적, 사회적 관계 증진

  f. 원예요법을 위한 정원모임 등을 통해 외로움 해소

3) 치매 노인에서의 원예요법 효과

  a. 감각을 자극시킴.

  b. 오래된 기억력, 지남력, 현실감 증진

  c. 언어적, 사회적 활동 증가

  d. 관절운동범위 향상

  e. 정원을 산책함으로써 배회 증상을 감소

  f. 씨를 뿌리고 이식하고 돌보며 계절감을 느끼게 함.

  g. 색채감, 집중력을 키워줌.

  h. 옛날에 뛰놀던 정원 분위기에서 어릴 적 기억을 회상시킬 수 있음.

8 아로마요법

  −치매 환자의 수면장애, 이상행동 등의 조절에 효과적이란 일부 보고들이 있음.

  −진정작용이 있는 라벤더, 레몬밤 등을 주로 사용

  −주로 오일 마사지 방법을 많이 사용

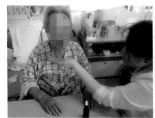

그림 35-19　아로마 손마사지. 아로마 요법은 특히 우울증이나 공격성을 가진 노인환자들에게 여러 가지 잇점이 있는데, 직원과의 피부접촉과 아로마 향기 자체가 심적인 안정을 갖도록 도와주며, 짧은 시간이나마 직원–환자 간에 자연스러운 대화를 나눌 수 있다는 점이 좋다.

9 동물매개치료(AAT: Animal Assisted Therapy)

아직 치매 환자들에게서 명확한 효과를 보여 준 연구 결과들은 없으나, 작은 규모의 연구들에서 '개'가 초조, 공격성을 줄여주고 사회적 행동을 증진시킨다고 알려짐.

1) 참가자 및 동물에 대한 확인사항

   - 참가자 중 동물 털에 알레르기가 있는 환자는 없는가?
   - 동물을 잘 다룰 수 있는 조련사
   - 동물이 온순하며 깨끗한가?
   - 동물을 예방접종을 하였나?

2) 대상자 수, 소요시간

   - 여건에 따라 [대상자:동물]은 [1:1], [1:그룹], [그룹:그룹]
   - 빈도: 최소 월 1회, 가능하면 주 1회 (너무 길면 잘 기억하지 못한다)
   - 시간: 동물이 받는 스트레스를 줄이기 위해 "30분 정도의 간격"을 둔다.

3) [그룹:그룹] 프로그램의 실제

   - 참가자와 동물을 집합시켜 놓고 주의사항 등을 준 후, 둥글게 앉도록 한다.
   - 원 안에 조련사가 동물을 데리고 들어오고, 천천히 참가자와 접촉시킨다.
   - 동물의 이름이나 종류 등을 참가자에게 설명.
   - 억지로 만지게 하지 말고 스스로 만지도록 하되, 자발성이 부족하면 조련사가 먼저 권함
   - 활동 후에는 접착테이프로 참가자에게 달라붙은 동물의 털을 제거하고 알코올 솜으로 손을 닦아준다.

4) 진행의 노하우

- 노인의 경험이나 동물을 키웠던 체험에 따라 접근 방식에 차이가 있으므로, 노인에 따라 진행방식을 각각 이끌어 내고, 일종의 '회상요법'으로 이용한다.
- 한국인의 동물관 : 요즘은 집안에서 개를 키우는 사람이 많지만 옛날에는 마당에 묶어 두었기 때문에 개를 실내에 들이는 것을 싫어하는 노인들이 있고, 동물을 '더럽다', '사람을 문다'라는 이미지로 생각하는 노인들도 많음을 고려한다.
- 응용을 하면 효과가 배가 : 노인과 애완동물을 함께 찍은 사진을 머리맡에 붙여두기 등.
- 노인들은 '먹이 주기' 시도하려는 경우가 많은데, 먹이 주기 보다는 접촉 기회를 늘리도록 한다.
- '안아주기'를 적극 유도한다.
- 실제 동물매개요법을 실시할 때에는 '개 짖는 소리' 등으로 인해 정신 없는 경우가 많으므로, 노인들이 안정할 수 있도록 진행자의 태도가 중요.
- 시간이 되는 가족들을 같이 참가시키면 더 좋은 결과를 가져온다.

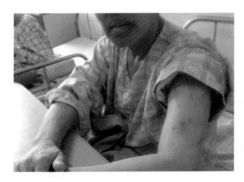

그림 35-20   동물매개치료 사례1. 반복적으로 피부를 긁던 치매 환자가 동물매개치료를 받으면서 만난 개를 쓰다듬는 동작을 하면서 자신의 피부를 긁던 횟수가 줄어들었다.

그림 35-21   동물매개치료 사례2. 평상시에 욕설을 하시고 매우 공격적이던 68세 치매 남성. 동물 친구들을 만난 후에 천진난만한 아이와 같이 장난을 치고 있는 모습. 사진을 잘 보면 환자의 무릎이 다른 개의 위에 얹어져 있다.

그림 35-22   동물매개치료 사례-3. 우울감을 호소하던 78세 여성. 강아지와 친구가 된 후 웃음을 되찾으심.

⑩ 아동과 함께 하는 프로그램

그림 35-23   어린이들과의 미술활동 장면. 경미한 치매 환자들의 학습 수준에서 어린이들은 매우 적합한 학습 동반자가 되며, 우울 증상 개선에도 큰 도움이 될 것으로 추정된다.

⑪ 정서적지지 활동

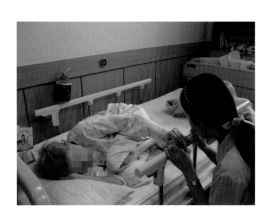

그림 35-24   여성 노인에게 매니큐어 발라드리기

⑫ 회상요법

1) 그룹회상요법의 대상자 수, 횟수, 시간

보통 치매 노인들의 "과거에 대한 집착"을 부정적으로 보는 경우가 많으나, 미국의 정신과 의사 버틀러는 노인들의 회상에거 긍정적인 의미를 찾아냈다. 보통 배우자와의 사별 후에 자신의 죽음에 대해 의식하게 되는데, 이 때에 전문가가 공감하는 태도로 다가가서 심리적 안정을 되찾도록 돕는 것이 회상요법의 원리이다.

– 대상 : 초기~중등도 치매 (의사소통이 안 된다면 소용 없다).

– 대상자 수 : 그룹 회상법의 경우에는 2명의 직원이 6~10명 정도를 대상으로

– 횟수 : 8~10회 정도를 같은 참가자들끼리 같은 장소에서 계속 실시. 그래야 맨 처음 가졌던 긴장감이 서서히 풀려서 편안하게 이야기할 수 있는 분위기가 된다.

– 시간 : 1회에 30~60분 정도 (유도하는 시간과 차 마시는 시간 등 제외한 핵심 시간은 약 **20~30분** 정도). 만일 매우 건강한 분들이라면 핵심 시간은 50분까지 가능하다.

2) 사전 준비와 공간 설정

– 직원 : 진행자와 보조진행자로 구성

– 진행자 : 당일의 회상 주제를 선정, 사회를 봄.

– 보조진행자 : 난청자(청각장애자)들을 보조

– 참가후보자 : 인지기능 수준, 의욕, 나이, 성별 등을 고려

> "여러분은 모두 과거의 추억에 대한 이야기를 나누기 위해 이 자리에 모이셨습니다."

– 장소 선정 : 조용한 장소, 칸막이 이용(집중할 수 있도록), 참가자들끼리 시선을 주고받을 수 있도록 자리 배치, 화이트 보드 준비

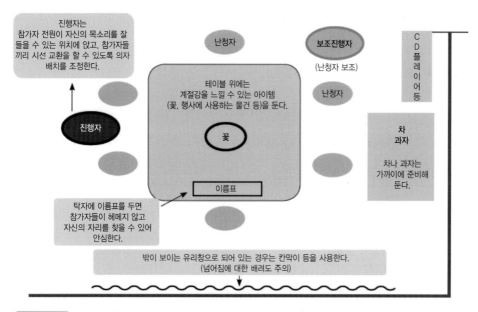

진행자는 참가자 전원이 자신의 목소리를 잘 들을 수 있는 위치에 앉고, 참가자들끼리 시선 교환을 할 수 있도록 의자 배치를 조정한다.

난청자

보조진행자

(난청자 보조)

C D 플레이어 등

테이블 위에는 계절감을 느낄 수 있는 아이템 (꽃, 행사에 사용하는 물건 등)을 둔다.

난청자

진행자

꽃

차 과자

차나 과자는 가까이에 준비해 둔다.

이름표

탁자에 이름표를 두면 참가자들이 헤메지 않고 자신의 자리를 찾을 수 있어 안심한다.

밖이 보이는 유리창으로 되어 있는 경우는 칸막이 등을 사용한다. (넘어짐에 대한 배려도 주의)

그림 35-25 그룹회상요법에서의 공간 설정, 좌석배치의 예(Adapted from 후카츠 료)

ⓑ 프로그램 기록지의 작성 사례들

표 35-3 프로그램 기록지의 예(인지요법)

<table>
<tr><td colspan="5" align="center">집 단 치 료 평 가 서</td></tr>
<tr><td>일 시</td><td colspan="4">2017년 8월 21일</td></tr>
<tr><td>활동 명</td><td colspan="4">인지요법(8월 달력 만들기)</td></tr>
<tr><td>참석자</td><td colspan="4">유XX, 홍XX, 이XX, 김XX, 양XX, 문XX, 이XX, 조XX</td></tr>
<tr><td>진행자</td><td colspan="4">권XX 외 2명</td></tr>
<tr><td>준비물</td><td colspan="2">달력종이, 크레파스</td><td>장 소</td><td>8층 요법실</td></tr>
<tr><td rowspan="5">활동내용</td><td>목적</td><td colspan="3">1. 날짜감각을 익힌다.
2. 요일에 대한 인지능력을 향상시킨다.
3. 여름에 관한 그림을 그리고 색칠함으로써 색깔인지능력을 향상시킨다.</td></tr>
<tr><td>도입</td><td colspan="3">1. 진행자 소개 및 성원 간 인사하기
2. 스트레칭을 통해 위축된 신체를 이완시킨다.
3. 년도, 월, 일, 요일을 이야기하며 지남력 훈련을 한다.</td></tr>
<tr><td>진행</td><td colspan="3">1. 오늘의 프로그램에 대해 설명한다.
2. 숫자, 요일에 공백을 만들어 놓은 달력종이를 배부한 후 크레파스를 이용하여 날짜, 요일의 공백을 채우도록 한다.
3. 달력종이에 공백을 채운 후 여름과 관련된 그림을 그리고 색칠하도록 한다. ex) 과일, 부채 등
4. 완성된 달력을 서로 보여주며 이야기한다.</td></tr>
<tr><td>종료</td><td colspan="3">1. 오늘의 프로그램에 대해 이야기하고 격려함으로써 활동에 대한 만족감을 얻도록 한다.
2. 강화물을 제공하고 손뼉 치며 마무리한다.</td></tr>
</table>

<table>
<tr><td>평가</td><td>진행될 달력 만들기에 도움이 될 수 있도록 년도, 월, 일, 요일, 계절을 반복적으로 이야기하고 정보를 제공하여 지남력 훈련을 실시하였다. 큰 어려움은 없었으나 대체적으로 1~31까지의 날짜 공백을 채우지 못하고 반복적으로 쓰는 몇몇 성원들이 있어 개별보조를 실시함으로써 만족감을 얻도록 하였다. 모두 달력이 완성된 후 만족감을 표현하였고 날짜, 요일, 그림을 그리고 색칠함으로써 인지능력이 향상되는데 도움이 되었으리라 평가된다.</td></tr>
</table>

참 · 고 · 문 · 헌

1. 김주희, 곽진상, 김연숙, 김영애, 김정화, 송미순 등. 장기요양 노인간호. 서울: 군자출판사; 2005.

2. 인천은혜병원 의료사회사업과. 집단치료평가서. 인천: 인천은혜병원; 2010.

3. Nguyen QA, Paton C. The use of aromatherapy to treat behavioural problems in dementia. Int J Geriatr Psychiatry. 2008;23:337-46.

4. Filan SL, Llewellyn-Jones RH. Animal-assisted therapy for dementia: a review of the literature. Int Psychogeriatr. 2006;18:597-611.

5. 후카츠 료, 사이토 마사히코. 약 없이 치료하는 치매. 서울: 노인연구정보센터; 2012.

Chapter 36

치매 예방을 위한
근거있는 생활수칙

KEYPOINT 🔒

- 노인요양시설에서 근무하면서 치매 노인들을 많이 접하다보니 치매에 대한 걱정이 많아졌습니다. 치매를 예방할 수 있는 근거 있는 방법들은 무엇인가요?

➡ [진인사대천명]을 실천하시는 것이 최선입니다.

❶ 진인사대천명 GO! 생활수칙

표 36-1 진인사대천명(盡人事待天命) GO!

진	땀나게 운동하고
인	정사정 없이 담배 끊고
사	회 활동
대	뇌 활동
천	박하게 술 마시지 말고
명	을 연장하는 식사를 할 것
GO	고혈압, 고지혈증, 고혈당 관리할 것

Adapted from 대한치매학회

진땀나게 : 규칙적으로 운동을 합니다.

－걷기와 같은 적은 운동량도 규칙적으로 하면 좋다. 가능하면 많이 걷기

－숨차고 땀나는 운동을 1주일에 3회 이상

－다양한 스포츠 즐기기

인정사정 없이 : 금연합니다.

－매일 한 갑씩 40년 이상 피운 사람은 알츠하이머병에 걸릴 위험이 3배

－지금 금연해도 늦지 않다. : 금연 후 6년이 지나면 인지 장애 확률이 40% 감소

사회활동 : 사회활동을 활발히 합니다.

－사람을 많이 만나십시오(친구를 사귀고, 친척과 한 달에 한 번 이상 만나기).

－여가 생활을 즐기십시오(영화, 연극, 전시회, 여행, 외식 → 치매 위험 **40%** 감소).

－여러 가지 활동(손자녀 돌보기, 친목단체활동, 여행, 정원 가꾸기, 뜨개질 등을 **2가지** 이상하면 치매

위험이 **60%**, **3가지** 이상하면 **80%** 감소)

대뇌활동 : 적극적인 두뇌활동을 합니다.

－머리를 많이 쓰는 활동을 적극적으로 하십시오(독서, 오락, 게임, 글쓰기, 창작활동).

－배움에는 정년이 없습니다(컴퓨터, 악기, 외국어 배우기, 박물관 관람 등).

천박하지 않게 : 절주합니다.

－과음과 폭음은 인지장애의 확률을 1.7배 높입니다.

－중년기부터 많은 음주를 하면 노년기에 인지장애를 보일 확률이 2.6배 높습니다.

－음주를 하신다면 술은 적당히 드십시오(한 번에 **1~2잔**, 일주일에 **3회** 이하로).

명을 늘리는 : 뇌 건강 식사를 합니다.

- 생선을 섭취하십시오.

- 채소와 과일을 매일 섭취하십시오.

- 우유를 즐겨 드십시오.

고혈압, 고지혈증, 고혈당 : 3고를 관리합니다.

- 정기적 검진을 받습니다.

- 병원에서 처방받은 약을 꾸준히 복용한다.

그림 36-1　치매 예방을 위한 "진인사대천명GO" 생활 수칙

❷ 잠을 충분히 자자!

1) 미국 캘리포니아대 크리스틴 야페 교수팀 연구

치매 없는 노인 여성 298명 대상 2년 연구 결과, 수면무호흡증이 있는 그룹의 44.8%에서 인지장애나 치매가 나타났고, 수면무호흡증이 없는 그룹은 31.1%에서만 나타남. 다음과 같은 가설이 제시되었다.

　a. 깊이 잠들지 못하고 자다가 뇌가 깨면 정보 정리가 제대로 진행되지 않음.

　b. 특히, 수면무호흡증이 있으면 체내 산소 농도가 떨어져서 뇌세포가 손생되어 기억력이 떨어질 수 있다고도 함.

❸ 수녀님들처럼 생활하라!

NUN Study(수녀님 연구) : 75세 이상 678명의 수녀 대상 연구

1) 건전한 생활습관이 치매를 예방할 수 있었다!

a. 자원한 수녀 모두 사후 뇌를 기증.

b. 부검 결과 알츠하이머병의 특징인 뇌의 심한 위축과 신경섬유매듭(**Neurofibrillary tangles**)이나 아밀로이드 반점이 뇌에 축적되더라도 인지기능이 정상 범위로 유지될 수 있음이 입증됨.

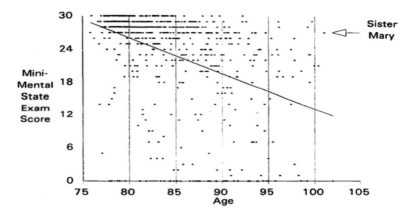

그림 36-2 Nun Study 참여자인 마리아 수녀님(Sister Mary): 사망 수개월 전에 측정한 MMSE 점수가 27점이었다.

	Neurofibrillary Tangles in Neocortex	Neurofibrillary Tangles in Hippocampus	Neuritic Plaques in Neocortex	Neuritic Plaques in Hippocampus	Diffuse Plaques in Neocortex	Diffuse Plaques in Hippocampus	Brain Weight in Grams
Sister Mary's actual value	1	57	3	6	179	32	870
Unadjusted mean in other sisters	11	20	15	3	92	7	1120
Sister Mary's predicted value based on the other sisters	14	22	10	1	55	4	1007
P-value for difference between actual and predicted values	0.59	0.14	0.60	0.42	0.02	0.001	0.24

Note: Predicted values were adjusted for age at death and attained education. *P*-value was based on the Student test, and was a test of the hypothesis that Sister Mary's values were different from those predicted based on the values of the other sisters who died. Means were based on 110 to 116 sisters (since lesion counts were not possible in some sisters because a brain infarction had obliterated a specific brain region, and brain weight was unavailable for one sister).

그림 36-3 부검 결과, 놀랍게도 마리아 수녀님(Sister Mary)의 뇌의 무게는 870 g밖에 안 되었고, 다른 수녀님들보다 신경섬유매듭(Neurofibirillary tangles)이나 아밀로이드 반점(Plaques)이 뇌에 많이 쌓여있었다.

> 마리아 수녀님은 어떠한 보상도 원하지 않았어요.
> 유명인이 되고 싶어하지도 않았어요.
> 그저, 언젠가 나이가 들게 될 젊은이들에게 자신이 도움이 될 수 있기를 원했어요.
> 유일한 요구사항은 자신을 '마리아 수녀(Sister Mary)'라고 불러주기를 바랐던 것 뿐이에요.
> – NUN Study 책임연구자: 데이빗 스노우돈 –

참 · 고 · 문 · 헌

1. 이윤환. 치매 예방을 위한 생활 수칙: PASCAL. 노인병 2009;13(Suppl. 1):107-120.

2. Snowdon DA. Aging and Alzheimer's Disease. The Gerontologist 1997;37;150-156.

PART **6**

중증환자에 대한 대처법

Chapter 37

요양시설에서의 튜브 관리
(위관, 도뇨관, 인공항문, 기관지관)

KEYPOINT 🔒

- 노인요양시설 입소자들이 많이 갖고 계신 인공 튜브에는 어떠한 것들이 있을까요?
➡ 시설 입소들은 기본적인 일상생활수행능력이 감퇴된 경우가 많으므로 먹고 (L-tube, PEG), 싸고(Foley catheter, 인공항문) 숨쉬는(T-tube) 데에 필요한 카테터를 가지고 계신 분들이 많습니다. 물론 삽입은 병원에서 하지만, 평소 관리는 시설에서 하게 됩니다.

❶ 경비위관(L-tube) 관리

1) 치매가 심각해지면 음식 섭취에도 문제가 생긴다.

    치매가 진행되면서 와상 상태가 지속되고 여타 모든 일상생활수행능력이 의존적으로 변하면서 결국 음식 섭취에도 어려움이 생기기 시작한다. 중증의 치매 환자들은 음식 섭취를 거부하거나 무관심해지고, 입 안에 있는 음식물 덩어리들을 식도로 넘기지 못하거나, 삼키는 과정에서 사레가 들기도 한다.

2) 경비위관의 단점?

    a. 흡인성 폐렴을 오히려 유발한다.

      −특히 PEG를 시행하면 식도의 하부 조임근을 약화시키는 효과를 가져온다.

      −경비위관이나 PEG 여부에 관계없이 입으로 섭취하는 경우보다 흡인성 폐렴을 더 많이 유발한다.

    b. 삼킴 장애 시에 경비위관의 삽입이 생존률을 높여준다는 증거가 없다.

      −특히 PEG 시술은 시술 관련 합병증으로 인한 사망률이 6%-24%에 이른다는 보고도 있다.

    c. 욕창을 예방하거나 치료해 준다는 증거가 없다.

    d. 감염을 줄여준다는 증거가 없다.

    e. 환자의 기능 상태를 증진시켜준다는 증거가 없다.

    f. 환자를 편안하게 해준다는 증거가 없다.

3) 경비위관의 적절한 삽입길이?

    경비위관의 삽입 길이는 NEX 측정법, 즉 Nose-Earlobe-Xiphoid를 잇는 길이로 한다. 환자의 코 부위에 적힌 튜브의 눈금을 확인한다!

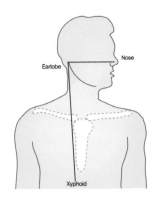

그림 37-1 NEX 측정법. 환자의 코(Nose)–귓볼(Earlobe)–칼돌기(Xiphoid process)를 잇는 선의 길이를 L–tube 삽입 길이로 정한다.

4) 경비위관을 통한 영양공급 시의 주의사항

a. 환자의 자세는 45도 이상 앉히거나, 누워있을 때에는 오른쪽으로 고개를 돌린다.

b. 처음 식사 시에는 적은 양부터 시작해서 늘림.

c. 보통 상업용 유동식 한 캔의 칼로리는 200 kcal

d. 식사 도중 경비위관을 잡아 빼는 치매환자가 있을 때, 식사를 위해 바로 다시 삽입하면 구토로 인한 흡인성폐렴의 위험이 있다!

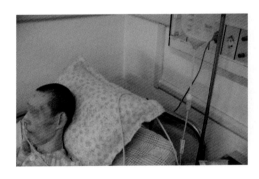

그림 37-2 Feeding Bag을 이용하면 천천히 공급할 수 있다.

5) 경비위관의 삽입은 다른 방법이 없을 때에만 신중하게 고려하자!

중증의 치매 환자에게 경비위관의 삽입은 여러 가지 요인들에 의해 합리화되고 있다. 특히 환자가 먹는 행위에 어려움이 생길 때에 경비위관 삽입을 섣불리 결정하는 경우가 흔하다. 환자 관리의 용이함이나 의료진 혹은 보호자들의 경비위관에 관한 여러 가지 오해들도 경비위관의 이용을 쉽게 결정하는 요인이 된다. 그러나 여러 연구들에서 밝혀진 바와 같이 경비위관의 삽입이 실제로 환자의 임상적 상황에 어떠한 도움이 된다는 근거는 없다. 가능하다면 끝까지 환자에게 음식을 숟가락으로 떠서 먹이는 것이 환자의 건강과 인권을 위한 최선의 방법이 될 것이다.

6) 경비위관을 하고 있는 분이 다시 입으로 먹고 싶다고 한다면?

다시 입으로 먹는 게 소원이다.

- 경비위관을 삽입하고 있는 입소자가 다음의 3가지 조건을 만족하면 입으로 하는 식사를 시도해 볼 수 있다.
  1) 의식이 분명할 것
     - 말을 걸었을 때 얼굴이나 눈을 돌려 분명하게 반응
  2) 입을 다물고 있을 수 있어야 한다.
     - 음식을 삼킬 때에는 반드시 입술을 다물고 넘긴다.
     - 빨대 같은 것으로 물을 1~2방울 혀 위로 떨어뜨렸을 때 입술을 다무는 정도라면 안심
  3) 음식을 삼킬 때 목이 확실하게 위아래로 움직이는지 확인한다.
     - 남성은 목젖 때문에 쉽게 눈으로 확인
     - 여성은 목젖에 가볍게 손을 대어 상하 움직임을 확인
- 처음에는 젤라틴 젤리부터
  1) 오랫동안 입으로 먹지 않았던 사람은 갑자기 물을 꿀꺽 마시거나 고형 음식물을 먹을 수 없다.
  2) 처음에는 차나 물을 젤라틴 젤리로 굳힌 것부터 시도
  3) 젤라틴 젤리: 흘리지 않고 삼키기가 쉬우며, 만일 기도로 넘어가도 18℃ 이상에서는 녹기 때문에 안전
  4) 농도는 1.6%: 수저로 떴을 때 살랑살랑 흔들리는 정도의 굳기
  5) 푸딩은 젤리와 유사하나 한천이 들어 있어 녹지 않으므로 위험

그림 37-3 여성 환자는 목에 직접 손을 대어서 삼킬 때 갑상연골(딱딱한 부분)이 위아래로 움직이는지 확인한다.

그림 37-4 경비위관 제거 전에 젤라틴 젤리로 경구 투여를 시도해 본다. (a) 젤라틴 분말을 물 (혹은 녹차 등)에 섞는다. (b) 스푼으로 1~2분 간 젓는다. (c) 고형화 된 것을 눈으로 확인한다. (d) 환자에게 먹인다.

❷ PEG(경피적내시경하위루) 관리

1) PEG는 어떤 분들이 하나?

    a. 연하곤란 : 뇌졸중, 외상에 의한 뇌손상, 뇌종양 등에 의함

    b. 안면 손상

    c. 식도천공

    d. 인후두와 식도의 악성 종양에 의한 협착

    e. 신경근 장애 등으로 경구 섭취 불가능할 때

    f. 장기간 경비위관 적용이 필요한 경우

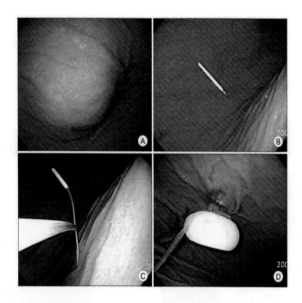

출처: 임윤정, 양창헌. The Korean J of Gastrointestinal Endoscopy, 2009.

2) PEG 관리의 요점

a. 첫 시술 후 약 2~4주 후에 영양관 통로가 성숙하게 됨.

b. 통로 성숙 전에 환자 등이 영양관을 잡아 뽑으면 출혈, 감염 우려가 높다.

c. 의사소통이 안되거나 인지기능이 저하된 환자의 경우는 필요시에 신체억제대(장갑 등) 적용하기도 함(보호자의 동의 필요).

d. PEG 교환은 대개 6개월 간격을 권장하나, 4시간 간격으로 영양관을 20~30 mL 정도 따뜻한 물로 씻어 음식물 찌꺼기, 약제 등이 관에 끼지 않도록 잘 관리해서 관의 손상만 없다면 1년 이상 사용할 수 있다.

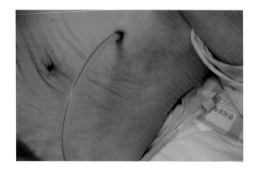

그림 37-5 PEG 시술을 통한 위루 유치

❸ 도뇨관(Foley catheter)

1) 어떠한 경우에 도뇨관을 삽입하게 되나?

a. 소변 배출이 안되어 방광에 축적될 때

　─기술 부족이나 인지기능 저하로 간헐적 도뇨(clean intermittent catheterization; CIC)가 어려울 때

　─소변 축적의 원인들로는 신경인성 방광(neurogenic bladder; 충분한 배뇨 작용에 문제)이나 방광의 출구가 막혔을 때(bladder outlet obstruction) 등이 있다.

　─장기간 소변 축적이 되는 자들: 척수손상 환자, 다발성 경화증, 전립선비대, 뇌졸중

b. 관리가 안 될 정도의 심각한 요실금

c. 말기 환자

d. 욕창 치료를 위한 단기간의 도뇨관 삽입

e. 기타 단기간의 도뇨관 삽입이 필요한 경우들: 수술 후 관리, 방광 내 약물 주입, 배뇨량 체크(신부전 등)

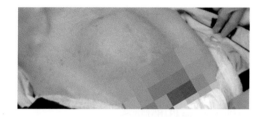

그림 37-6 　소변 배출이 안 되어 방광이 부풀어 오르는 경우가 자주 발생하면 도뇨관 적응증.

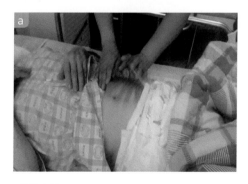

그림 37-7 　소변 배출이 되지 않는 환자에게 소변을 스스로 보도록 하는 비약물적 처치들. (a) 치골 상부를 가볍게 두드린다. (b) 허벅지 안쪽을 부드럽게 문질러준다.

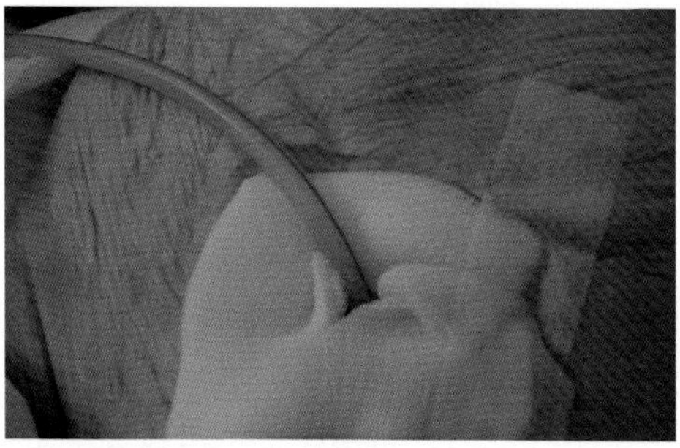

그림 37-8 치골상부 도뇨관 : 여러 가지 원인에 의해 요도를 통한 도뇨관 삽입이 부적절한 경우에 하복부를 통해 요도뇨관을 삽입한 시술.

2) 도뇨관 유치 후의 합병증

a. 요로감염(**Urinary Tract Infection, UTI**)

–30일 이상 도뇨관을 유치하고 있는 경우에 대부분 환자의 소변에서 세균이 검출되지만 무증상인 경우가 많다.

–도뇨관의 제거가 가장 확실한 UTI의 예방법이다.

–도뇨관 유치자에게 예방적인 항생제 투여는 오히려 항생제 내성을 쉽게 유발하므로 무증상의 경우에는 고려하지 말아야 하며, 임상적 증상을 동반한 UTI의 경우에만 항생제 치료를 시행한다.

b. 신우신염(**pyelonethritis**)

c. 세균혈증(**bacteremia**)

d. 방광암

e. 요석이나 요도주위 감염 등에 의해 만성적 요로 폐쇄 유발

f. 보라색 소변주머니 증후군(**Purple Urine Bag Syndrome; PUBS**)

3) 도뇨관의 관리

a. 일반 원칙

–요도 자극과 오염을 피하기 위해 도뇨관을 대퇴 상부 혹은 복부에 고정한다.

–집뇨주머니는 방광보다 낮게 위치시킨다.

–부착 부위를 수일마다 교체한다.

–8시간마다 소변을 비운다.

–도뇨관을 일상적으로 세척하지 않는다.

–요도 주위에 항생제 연고를 바르는 것은 효과적이지 않다. 비누와 물로 하루 한 번 씻으면 충분.

–무증상세균뇨의 항생제 치료는 효과도 없고 대개 저항 균주의 출현을 야기한다.

b. 교체 주기

−주기적인 도뇨관의 교체가 도뇨관의 폐쇄나 요로감염을 예방할 수 있다는 근거는 없다.

−다만 지나친 biofilm 등에 의해 도뇨관이 자주 막힌다면 도뇨관을 교체해 주어야 한다.

−특별한 문제가 없는 환자라면 동일한 도뇨관을 수년 동안 사용할 수 있다.

−일반적으로는 1~2개월에 1회씩 도뇨관을 교체해 준다.

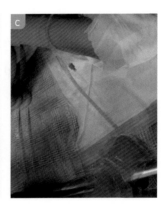

그림 37-9　도뇨관 Squeezing(훑어주기). 이 과정을 통해 도뇨관에 찌꺼기가 끼지 않도록 한다. (a) 양 손으로 도뇨관을 꽉 누른다. (b) 왼손은 계속 누른 상태에서 오른손을 집뇨주머니 쪽으로 훑어 내린다. (c)오른손은 계속 꽉 누른 상태에서 왼손을 뗀다.

❹ 인공항문

1) 인공항문 착용환자 교육

  a. 채소, 과일을 포함한 균형잡힌 식습관.

  b. 하루에 6-8잔 이상의 수분 섭취.

  c. 천천히, 꼭꼭 씹어서 먹을 것.

  d. 껌 씹기, 흡연, 빨대로 먹기 등은 공기를 삼키는 효과로 인해 복부 팽만을 유발하므로 삼가할 것.

  e. 요구르트는 가스로 인한 복무팽만을 줄여 준다.

  f. 저녁 8시 이후로는 식사 삼가.

  g. 생선, 양파, 마늘, 브로콜리, 양배추 등은 안 좋은 변 냄새를 유발한다.

2) 병원으로 전원이 필요한 상황

a. 피부 삽입부위 변색 (보라, 흑색, 흰색 등으로)

b. 6시간 이상 지속되는 심한 복통

c. 6시간 이상 지속되는 분비물 배출

d. 3일 이상 대변 배출 없을 때

e. 대량 출혈

f. 피부 삽입부위가 평소보다 0.5인치(1.3 cm) 이상 부어오를 때

g. 피부 삽입부위가 피부 아래로 말려들어갈 때

h. 심한 피부자극 혹은 깊은 피부 궤양

I. 복부가 불룩해짐(bulging)

❺ 기관카테터(T-tube)

T-tube는 공기의 흐름을 가능하게 하고 기관지 분비물들을 제거하기 위해 삽입한다. 흔히 사용하는 T-tube의 종류에는 Koken tube와 James' tube가 있다.

1) Koken tube(이중내관 기관절개관)

a. 내, 외관이 분리되는 double cannula

b. 세척 시 내관만 빼내에서 세척 후 다시 사용

c. 장기간 사용 가능

d. Size는 외경(O.D.: Outer Diameter)을 기준으로 함

2) James'tube(단순 기관절개관)

a. 내관이 없는 single cannula

b. 단기간 사용 가능

c. 풍선 부풀리기(Cuffed) : 인공호흡기 사용하는 경우, 객담 많은 경우

d. 풍선 부풀리지 않기(Un-cuffed) : 환자 스스로 호흡 가능, 발성연습 필요로 하는 경우

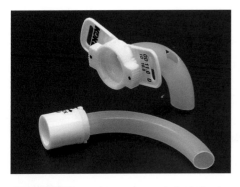

그림 37-10 Koken tube. 2개의 관이 있고 내관을 교체할 수 있는 구조이다.

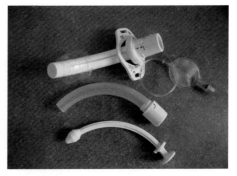

그림 37-11 그림. James' tube. 내관이 없고 cuff가 있다.

3) T-tube의 관리

a. 목을 둘러싸는 줄을 느슨해지지 않도록 관리한다.

b. 끝부분에 풍선이 달린 경우 풍선을 지나치게 팽창시키면 기관점막의 괴사를 초래할 수 있으므로 지나친 압력이 가해지지 않게 주의하며, 매시간 약 15분 정도 주기로 풍선 압력을 줄여준다.

c. 삽입 후 36시간 내에 튜브가 빠지면 개구부(開口部)가 협착되어 재삽입이 어려우므로 주의한다. 만약을 대비하여 침상 위에 같은 치수와 한 치수 작은 튜브를 준비해둔다.

d. 튜브의 내관을 처음 2-3일간은 1-2시간마다 꺼내 소독하여 마른 점액에 의해 튜브가 폐쇄되는 것을 방지한다.

e. Y형 거즈를 이용하여 매일 소독을 시행한다.

f. 교체 주기 : 통상적으로 1개월마다

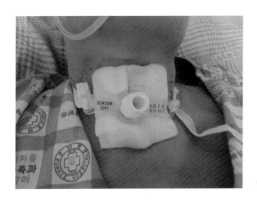

그림 37-12 Y형 거즈로 고정

4) T-tube 주변의 소독

a. 매일 1회 이상 시행하되 분비물로 인해 지저분한 경우에는 더 자주 소독한다.

　－준비물 : 소독셋트, 멸균장갑, 10% 베타딘 솜 또는 0.5% 클로르헥시딘, 멸균생리식염수 솜, 소독 Y거즈, 고정용 끈, 가위

b. 소독방법

① 손을 씻고 기관흡입으로 가래를 제거한다.

② 기존의 거즈를 제거하고 장갑을 낀 후 소독액으로 기관절개 부위를 닦는다.

　　(분비물이 많이 붙어있는 경우 멸균생리식염수로 적신 솜으로 닦은 후 베타딘 솜으로 소독함)

③ 소독 Y거즈를 튜브 밑에 넣어준다.

④ 기관절개 튜브 고정용 끈을 교환해준다. 이 때 손가락 하나 정도의 여유를 두고 끈을 묶어주어야 한다.

c. 사용한 솜을 새 것으로 교환하는 동안 기관지튜브가 과도하게 움직이지 않도록 손가락으로 튜브를 잘 지지하며 관이 빠지지 않도록 한다.

참 · 고 · 문 · 헌

1. Ciocon JO, Silverstone FA, Graver LM, Foley CJ. Tube feedings in elderly patients. Indications, benefits, and complications. Arch Intern Med 1988;148:429-433.

2. Finucane TE, Christmas C, Travis K. Tube feeding in patients with advanced dementia. JAMA 1999;282:1365-1370.

3. McCann R. Lack of Evidence about tube feeding-Food for thought. JAMA 1999;282:1380-1381.

4. 일본방문치과협회. 노인을 위한 구강 관리. 서울: 군자출판사; 2008.

5. 인천은혜병원 간호부. 간호업무지침서. 인천: 인천은혜병원; 2001.

6. Wilde MH, Getliffe K. Annals of Long-Term Care: Clinical Care and Aging. Urinary catheter care for older adults [Internet]. Malvern: HMP Communications; c2010 [cited 2010 Jul 10]. 2006;14:38-42. Available fromhttp://www.annalsoflongtermcare.com/article/6051.

7. Zhengyong Y, Changxiao H, Shibing Y, Caiwen W. Randomized controlled trial on the efficacy of bladder training before removing the indwelling urinary catheter in patients with acute urinary retention associated with benign prostatic hyperplasia. Scand J Urol. 48:400-4, 2014.

8. Robinson J. A practical approach to catheter-associated problems. Nurs Stand 2004;18:38-42.

9. Hopkins TB. 도뇨법. In: 김형묵 역. 임상실기 ATLAS. 서울: 고려의학; 1988. P. 261-268.

10. Joanna Briggs Institute. Aged Care Practice Manual. 2nd ed. Adelaide: JBI; 2003.

11. Cravens D, Zweig S, Urinary Catheter Management. Practical Therapeutics (American Academy of Family Physicians), 2000. January.

12. Wong E, Hooton T. Guideline for Prevention of Catheter-associated Urinary Tract Infections. Georgia: Center for Disease Control; 1981.

13. 김준철. 요실금. In: 대한노인병학회. 노인병학. 개정판. 서울: 의학출판사; 2005. p. 315-328.

14. 인천은혜병원 간호부. 간호업무지침서. 인천: 인천은혜병원; 2001.

15. UPMC. Colostomy care[Internet]. c2016 [cited 2016 Aug 01]. Available from http://www.upmc.com/ patients-visitors/ education/ostomy/Pages/colostomy-care.aspx.

16. 보건복지부, 대한의학회 건강정보, 2016.

소변백이 보라색이 되면?

KEYPOINT 🔒

- 3년 전부터 집뇨주머니로 배뇨 중인 81세 여성의 소변백과 도뇨관의 색이 지난 주부터 갑자기 선명한 보라색으로 변하였다. 이러한 현상의 원인은 무엇인가? 복용 중인 약물 때문인가, 요로감염 때문인가, 아니면 병원치료가 필요한 상황인가?

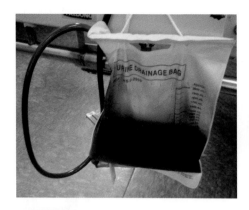 

그림 38-1   보라색 소변백 증후군(Purple Urine Bag Syndrome). 소변백과 카테터가 선명한 보라색으로 변하였다.

그림 38-2   소변백과 카테터는 보라색이지만 소변의 색은 노란 소변색이다.

❶ 보라색 소변 증후군(PUS; Purple Urine Syndrome)이란?

소변백이나 카테터, 혹은 소변 묻은 기저귀가 보라색 혹은 파란색으로 변하는 현상으로서, 이러한 특이한 현상을 처음 접하게 되는 사람들은 당황하게 된다. 이에 대해 세계적으로 여러 사례 보고가 이루어졌고, 그 결론은 다음과 같다.

a. 아미노산의 일종인 트립토판(음식물을 통해 장내 흡수)이 장내 세균에 의해 대사된 후 indoxyl sulfate (IS)라는 물질로 변환되어 소변 내에 고농도로 배출된다.

b. 소변 내의 IS는 Klebsiella pneumoniae나 Enterobacter 등과 같은 세균에 의해 indoxyl로 변환된다.

c. 소변백 내 알칼리성 환경에서 산소에 의해 산화되어, 보라색 물질을 생성한 후 착색된다.

그림 38-3 보라색 기저귀 증후군(Purple Diaper Syndrome), 보라색 집뇨주머니 증후군(Purple Urine Bag Syndrome)

② 보라색 소변 증후군의 위험 인자 및 빈도

기존의 증례 보고 연구들에서 PUS의 위험 인자로 거론되고 있는 것들로는 잦은 변비, 여성, 노령화, 반복적인 요로 감염, 알칼리성 소변, 장기간의 도뇨관 유치, 일상생활활동(ADL)의 감소, 와상 상태, 인지 능력의 감퇴 등이 제기되고 있다. 결국 정신적, 신체적으로 취약한 노인 환자들이 장기간 입원해 있는 요양시설에서 PUS가 호발할 수 있음을 알 수 있다. 여성의 경우에는 요도가 짧고, 항문에 가까워서 대장 내 그람음성간균이 요도로 접근하기가 용이한 것도 여성에서 PUS가 호발하는 원인들 중 하나일 것으로 가정하였다.

우리나라에서는 2002년에 이광우 등에 의해 처음으로 PUS의 증례 보고가 있었다. 2007년에는 필자(가혁)가 인천은혜병원에 입원하여 장기간 도뇨관 유치를 하고 있는 60명의 65세 이상 환자들을 대상으로 하여 3개월간 관찰한 결과, PUS의 발생 빈도는 27%(16/60)였고, 16명의 PUBS 환자가 모두 여성이었으며, 기존의 연구와 마찬가지로 장기간 도뇨관을 유치한 자, 잦은 변비, bisacodyl 좌약의 사용 빈도가 높을수록 PUS가 호발함을 밝혔다. 특히 필자는 최근 1개월 이내에 그 이유에 관계없이 항생제를 사용하지 않은 환자들에게서 PUS의 발생이 많음을 관찰함으로써, 오히려 PUS의 발생은 최근에 임상적으로 현격한 감염 질환이 없었음을 반증하는 좋은 지표로도 사용될 수 있음을 처음으로 제시하였다.

③ PUS와 관련된 세균들

그간의 연구들에서 PUS를 나타내는 환자들의 소변을 배양해 본 결과, 다양한 세균들이 검출되었고, PUS가 발생하지 않은 환자들에 비해 그 농도도 높은 것으로 알려졌다. 배양된 균주들은 주로 그람 음성 간균들이었다(표 55-1). 그러나 아직까지 PUS와 직접적인 인과관계를 보이는 세균은 밝혀지지 않았으며, 따라서 PUS 환자의 소변 검체에서 배양된 세균들이 그 환자의 PUS를 직접적으로 야기한 원인인지의 여부도 확실하지 않은 상태이다.

표 38-1   보라색 소변 증후군 환자의 소변 배양에서 흔히 검출되는 세균들.

Citrobacter freundi	Proteus mirailis
Citrobacter koseri	Proteus vulgaris
Enterobacter spp	Providencia stuartii
Excherichia coli	Pseudomonas aeruginosa
Klebsiella pneumoniae	Pseudomonas spp
Morganella morganii	Serratia marcescens

❹ PUS의 임상적 의의 및 대응 방안

PUS는 소변백과 카테터에 특이한 착색을 일으키는 것 외에는 특이한 임상적 증상을 나타내지 않는 것으로 알려져 있다. PUS를 보인 환자에게서 심각한 요로 감염이나 패혈증을 보인 사례 보고들도 있었지만, 이들 역시 PUS와 직접적인 연관 관계를 보이지는 못했다. 다만 PUS가 발생한 환자들에 대해 도뇨관을 교체하거나, 그람음성간균에 효과를 보이는 항생제를 단기간 사용하였더니 대부분의 경우에 착색 현상이 사라졌음이 보고되었다. 그러나 무증상의 PUS 환자에게 단지 착색을 없애기 위하여 항생제를 사용한다면 오히려 항생제 내성 균주에 의한 요로 감염의 유병률을 높임으로써 향후 요로 감염에 대한 경험적 치료를 어렵게 만들 수도 있다.

결론적으로 장기 노인 입원 시설에서 주로 발생하는 PUS는 환자나 보호자, 심지어 경험이 적은 의료진들을 매우 당황하게 만드는 현상이다. 물론 환자의 임상적 상황이나 불안 정도 등에 따라 도뇨관을 교체하거나, 항생제 치료를 권유할 수도 있겠으나, 그 보다는 PUS의 기전과 임상적 경과 및 의의를 불안해하는 환자나 보호자들에게 교육시킴으로써, 환자나 보호자를 안심시키는 것이 좋겠다.

참·고·문·헌

1.   Mantani N, Ochiai H, Imanishi N, Kogure T, Terasawa K, Tamura J. A case-control study of purple urine bag syndrome in geriatric wards. J Infect Chemother 2003;9:53-57.

2. Tang MW. Purple urine bag syndrome in geriatric patients. J Am Geriatr Soc 2006;54:560-561.

3. 이광우, 이윤재, 김두한, 김영호, 김민의, 박영호. Purple Urine Bag 증후군. Korean J Urol 2002;43:902-903.

4. Arnold WN. King George III's urine and indigo blue. Lancet 1996;347:1811-1813.

5. Barlow GB, Dickson JAS. Purple urine bags. Lancet 1978;28:220-221.

6. Sammons HG, Skinner C, Fields J. Purple urine bags. Lancet 1978;1:502.

7. Payne B, Grant A. Purple urine bags. Lancet 1978;1:502.

8. Dealler SF, Hawkey PM, Millar MR. Enzymatic degradation of urinary indoxyl sulfate by Providencia stuartii and Klebsiella pneumoniae causes the purple urine bag syndrome. J Clin Microbiol 1988;26:2152-2156.

9. Scott A, Khan M, Roberts C, Galpin IJ. Purple urine bag syndrome. Ann Clin Biochem 1987;24:185-188.

10. Nobukuni K, Kawahara S, Nagare H, Fujita Y. Study on purple pigmentation in five cases with purple urine bag syndrome. Kansenshogaku Zasshi 1993;67:1172-1177(in Japanese)

11. Umeki S. Purple urine bag syndrome (PUBS) associated with strong alkaline urine. Kansenshogaku Zasshi 1993;67:487-490.(in Japanese)

12. Robinson J. Purple urinary bag syndrome: A harmless but alarming problem. British Journal of Community Nursing 2003;8:263-266.

13. Ishida T, Ogura S, Kawakami Y. Five cases of purple urine bag syndrome in a geriatric ward. Nippon Ronen Igakkai Zasshi 1999;36:826-829.(in Japanese)

14. Lin HH, Li SJ, Su KB, Wu LS. Purple urine bag syndrome: A case report and review of the literature. J Inter Med Taiwan 2002;13:209-212.

15. Coquard A, Martin E, Jego A, Capet C, Chassagne PH, Douchet J, et al. Purple urine bags: A geriatric presentation of lower urinary tract infection. J Am Geriatr Soc 1999;47:1481-1482.

16. Su FH, Chung SY, Chen MH, Sheng ML, Chen CH, Chen YJ, et al. Case analysis of purple urine-bag syndrome at a long-term care service in a community hospital. Chang Gung Med J 2005;28:636-642.

17. Dealler SF, Belfield PW, Bedford M, Whitley AJ, Mulley GP. Purple urine bags. J Urol 1989;142:769-770.

18. Pillai RN, Clavijo J, Narayanan M, Zaman K, An association of purple urine bag syndrome with intussusception. Urology 2007;70:812.e1-2.

19. Ga H, Park KH, Choi GD, You BI, Kang MC, Kim SM et al. Purple urine bag syndrome in geriatric wards: Two Faces of a Coin. J Am Geriatr Soc 2007;55:1676-1678.

20. Vallejo-Manzur F, Mireles-Caodevila E, Varon J. Purple urine bag syndrome. Am J Emerg Med 2005;23:521-524.

21. Arslan H, Azap OK, Ergonul O, Timurkaynak F. Risk factors for ciprofloxacin resistance among Esch-

erichia coli strains isolated from community - Acquired urinary tract infections in Turkey. J Antimicrob Chemother 2005;56:914-918.

22. Gagliotti C, Nobilio L, Moro ML. Emergence of ciprofloxacin resistance in Escherichia coli isolates from outpatient urine samples. Clin Microbiol Infect 2007;13:328-331.

23. Ga H, Kojima T. Purple urine bag syndrome. JAMA 2012;9:1912-3.

언제 병원으로 옮겨야 할까?

KEYPOINT 🔓

요양시설은 의료기관이 아님을 입소 시에 보호
자에게 설명해야 하고, 요양시설 나름대로 병원
전원 기준을 마련해 놓아야, 입소자의 건강 악
화 시에 적절히 대처할 수 있다.

표 39-1 요양시설에서 병원으로 진료를 의뢰해야 할 시점?

1. 활력징후(혈압, 맥박, 호흡, 의식) 불안정 상태
2. 조절되지 않는 질환
   - 고열 (38도 이상, 3일 이상 지속), 항생제 투여 필요
   - 폐렴, 새로 발생한 고관절·척추 등 주요 골절
   - 심한 치매(로 타인에 피해), 조절 안 되는 문제행동
3. 의료적 처치가 필요한 경우
   - 호흡곤란, 산소호흡기 필요, 저산소증, 기관절개 필요
   - 비위관으로 음식 섭취, 식이섭취 장애, 영양섭취 불균형, 심한 연하곤란

❶ 입소 시부터 보호자의 의향을 파악하라!

1) 심폐소생술거부(DNR) 여부?

   가. 반드시 가족 모두의 합의가 되었는지 확인할 것.

   나. 되도록이면 가족 대표의 서명을 포함한 DNR 서식을 마련할 것.

2) 입소 전 다니시던 병원이나 선호하는 병원을 미리 파악할 것.

3) 요양시설에서 주로 이용하는 의료기관을 미리 선정해 놓을 것(24시간 응급실 이용 가능).

❷ 요양시설은 병원이 아님을 이해시킬 것

간혹 요양시설을 의료기관(병원)으로 혼동하는 보호자들이 계심. 입원 시점의 면담을 통해, 요양시설에서 가능한 수준 이상의 진료서비스를 기대하는 경우에는 요양시설이 아닌 병원으로의 입원을 권유해야 함.

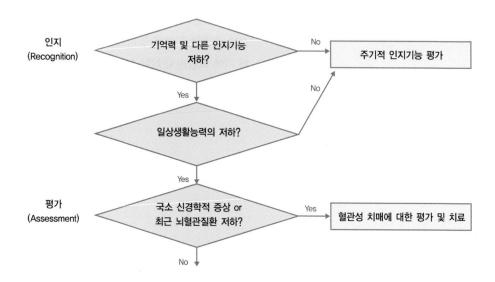

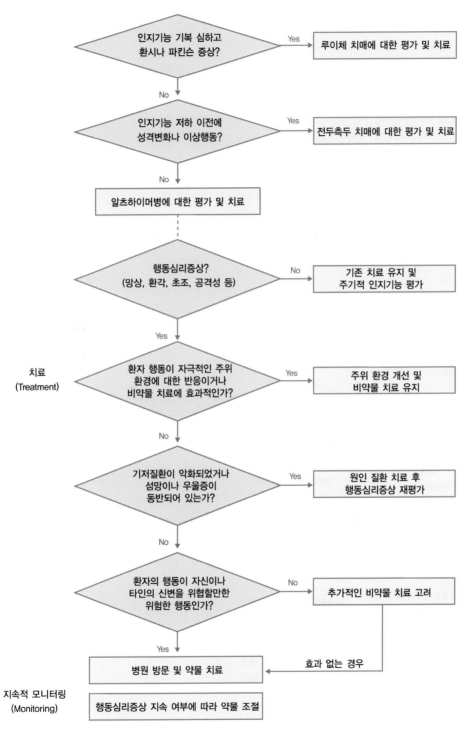

그림 39-1 노인요양시설에서의 치매 대처 알고리즘(국민건강보험공단 일산병원 가정의학과 이상현, 추정은 제작).

❸ 노인요양시설 다빈도 질환 환자들의 병원 방문 시점 판별하기

노인요양시설에서 흔한 4대 질환인 치매, 고혈압, 당뇨병, 골관절염에 대한 대처 알고리즘
을 통해 만성질환을 가지고 있는 입소자들을 어떤 시점에 병원으로 의뢰해야 하는지를 숙지
하고 있어야 한다.

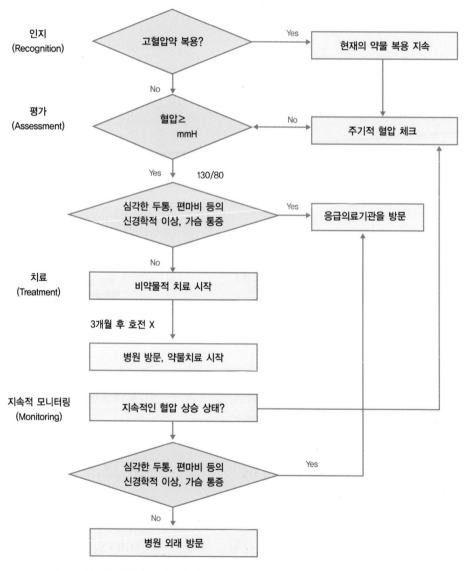

그림 39-2 노인요양시설에서의 고혈압 대처 알고리즘

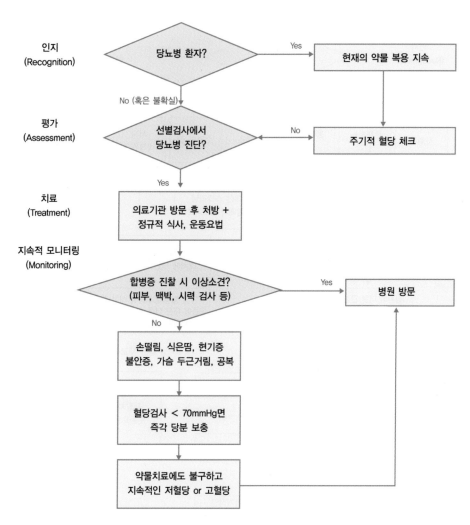

그림 39-3 노인요양시설에서의 당뇨병 대처 알고리즘 (가톨릭관동대학교 국제성모병원 가정의학과 황희진 제작)

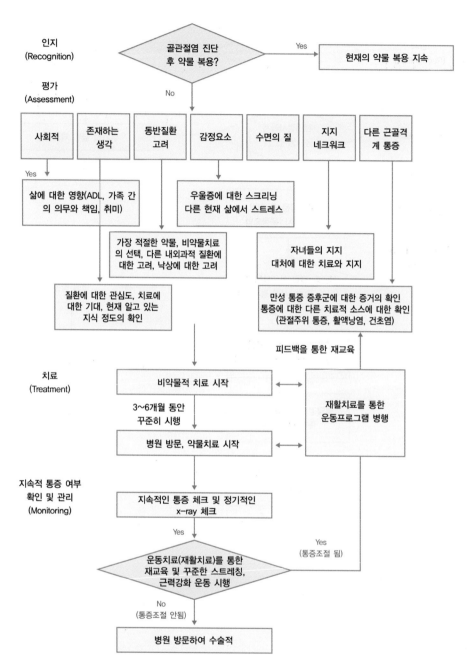

그림 39-4 노인요양시설에서의 골관절염의 평가 및 치료 알고리즘(서울아산병원 재활의학과 김대열 제작)

참 · 고 · 문 · 헌

1. 대한의사협회. 노인요양시설 계약의사 교육 표준교재. 서울:대한의사협회,2016.

2. 보건복지부, 경희대학교 산학협력단. 계약의 업무지침 내실화 및 교육교재 개발. 세종;보건복지부,2014.

Chapter 40

각종 응급상황에 대한 대처법

KEYPOINT 🔒

- CPR을 대비해 필요한 사항
- ➡ 질식 사고에 대한 대비 모의 훈련

❶ 문제상황별 1차적 대처법

1) 의식이 갑자기 나빠졌을 때(계속 졸려 하거나 통증 자극에 반응 없는 등)

    a. Vital Sign 체크 : 특히 혈압이나 호흡 수가 떨어지지 않았는지 확인

    b. BST 체크

        −60 mg/dL 이하면서 저혈당 증상 ⇨ 우선 응급으로 당분을 섭취시킨다.

        −400 mg/dL 이상이라면 당뇨병성 케톤산증에 의한 혼수 증상일 수 있다 ⇨ 응급실로
           이송

2) 고열이 날 때

    a. 발열의 양상은 어떠한지 체크

    b. 감염을 의심할 만한 증상이 동반되었는지 확인

        −수포 등의 피부 병변 ⇒ 바이러스 등의 전신적 감염

        −목이 아프다 ⇒ 편도선염

        −기침, 가래 동반 ⇒ 호흡기 감염(폐렴 등)

        −최근 식사 시에 사래 기침을 많이 하지 않았는지 ⇒ 흡인성(**Aspiration**) 폐렴

        −특히 도뇨관 유치 환자의 소변 색깔이 탁하거나 한 쪽 옆구리를 두드리면 아파할 때
           ⇒ 요로감염

        −욕창의 진행이 심해지지 않았나

3) 혈압이 갑자기 떨어졌을 때

    a. 평상시의 혈압은 어떠했는지를 먼저 확인

    b. 혈압약, warfarin, aspirin 등의 약물 복용력 확인

    c. 소변량 확인

4) 갑자기 호흡 곤란을 호소할 때

    a. 우선 산소포화도(**O₂ saturation**)를 확인

    b. 가래가 많은 환자라면 suction부터 한다.

    c. 천식, COPD, 폐렴, 불안 장애 등, 호흡곤란을 일으킬만한 질환이 있는지 확인

    d. 최근에 식사 시에 사래 기침이 많지는 않았는지 확인 ⇒ 일단 음식을 중단

    e. 단순히 환자의 호소인지, 실제로 호흡수가 빨라졌는지, 호흡의 양상은 어떠한지를 확
       인

f. Cheyne-Stokes 호흡(호흡의 깊이가 리듬감 있게 커졌다 작아졌다 하다가 규칙적 무호흡)은 심한 신부전증이나 신경 질환으로 인한 무의식 상태에서 발생 ⇨ 임종이 임박했음을 나타내는 신호

그림 40-1 갑자기 호흡곤란을 호소한 74세 혈관성 치매 남자. V/S을 체크했더니 혈압은 90/60(mmHg), 호흡수가 36회/분이었으며 체온은 36.6℃ 였다. 도뇨관 및 집뇨주머니에서 검붉은 혈뇨 소견이 보였다. 위 환자의 복용 약물을 검토해 보니 아스피린 100 mg을 매일 복용 중이었다. 즉, 아스피린이 혈뇨를 유발하였고, 혈뇨로 인한 빈혈이 빈맥(Tachycardia) 및 호흡곤란을 일으킨 사례이다. 이와 같이 갑자기 빠른 호흡이 발생했을 때에는 출혈 가능성을 염두에 두어야 한다.

5) 갑자기 위장 출혈이 발생했을 때

a. 우선 old blood인지 active bleeding인지 구분할 것:검은 색이면 old, 새빨간 색일수록 active

b. 환자의 V/S을 체크(특히 맥박수, 혈압)

c. 환자가 aspirin, plavix, warfarin 등 출혈의 부작용이 있는 약을 복용하는지 파악

d. 간질환(간경화, B형간염바이러스 보균, 간암)이나 위궤양 등을 진단받았는지 파악

e. 보호자에게 위험한 상황임을 설명하고, 응급실로 이송한다

6) 혈압이 높게 측정될 때

a. 동반된 신경학적 증상(반신 마비, 감각 이상, 심한 두통, 어지러움)이나 코피 등의 증상이 없다면 혈압을 급하게 떨어뜨려야 하는 이유는 없다.

b. 특히 노인에게서 속효성 니페디핀(아달라트)의 사용은 금기
   ⇨ 심장이나 뇌로 가는 혈류를 감소시킴으로써 심근경색, 뇌경색, 사망 등을 유발할 수 있음(FDA에서도 금지)

7) 소변이 나오지 않을 때

a. 일반적으로는 8시간~10시간 정도 소변을 보지 못하면 보고하나, 환자 개인별로(약물 복

용 등에 의해) 차이가 있으므로, 각 환자의 특성을 우선 파악할 것

    b. 가장 최근에 소변 본 시각을 확인

    c. 아랫배가 볼록 불러 있는지 확인(남자 환자의 경우 전립선비대증이 흔함)

    d. 소변 자체가 만들어지지 않는다면 신장의 문제(ARF) ⇒ 혈압은 떨어지지 않았는지

    e. 당뇨병은 없는지 ⇒ 당뇨에 의한 신장 합병증

    f. 부종은 없는지 손가락으로 발등을 눌러 본다.

8) 구역질, 구토 발생 시

    a. 최근에 도네페질이나 아리셉트와 같은 치매약이나 정신과적 약물이 새로 처방되지 않았는지 확인

    b. 열이 나고 있지는 않은지 확인

    c. 변비는 없었는지

    d. 배가 불러 있지 않은지(장폐색 가능)

9) 손, 발이 갑자기 부었을 때

    a. 양 쪽이 다 부었는지, 한 쪽만 부었는지?

    b. 심장병(심부전 등)이나 폐질환(COPD, 천식 등)의 과거력이 없는지?

    c. 혈압을 체크

    d. 당뇨병을 앓고 있는지

    e. 복용하는 약물 중에 부종을 일으킬만한 약물(노바스크, AM 등)이 있는지

    f. 최근 영양 상태 확인

10) 낙상(Fall) 발생 시

    a. 환자의 의식 상태

    b. 가장 충격을 받은 신체 부위가 어디인지 파악

    c. 충격 받은 부위의 피부 열상, 출혈 등을 꼼꼼히 관찰

    d. 발견된 장소, 발견 당시의 환자의 자세, 낙상 당시의 상황

    e. 비상 연락 체계에 따라 보고 후 병원 진료 보도록 함

11) 와파린(warfarin; 쿠마딘) 복용자

주로 부정맥(심방세동), 인공심장판막 유치 환자, 심근경색, 뇌경색, 정맥 혈전 등에 대한 예방 목적으로 혈전 형성 억제제인 와파린을 만성적으로 복용하게 되는데, 다른 약물 복용에

의해 영향을 많이 받는 편이고 과다 복용 시에 치명적인 출혈 등이 생길 수 있으므로 주의를 기울여야 한다.

❷ CPR (Cardio[심]-Pulmonary[폐]-Resuscitation[소생술])

1) CPR은 무엇인가?

C[순환] – A[기도] – B[호흡]을 유지시켜서 생명의 연장을 시도하는 방법

2) CPR은 언제 할까?

a. 폐에 문제가 있는 경우

—혼수상태	—물에 빠진 후(**Drowning**)
—뇌졸중	—이물질이 기도를 막았을 때
—연기를 흡입했을 때	—약물 중독
—숨을 헐떡거릴 때	—심근경색
—벼락에 맞았을 때	

b. 심장에 문제가 발생 했을 때

—심실세동(**Ventricular fibrillation**)

—심실빈맥(**Ventricular tachycardia**)

—무수축(**Asystole**)

3) CPR의 종류

a. BLS (**Basic**기본-**Life**인명-**Support**구조술)

—맨손으로 C, A, B

b. 이물에 의한 기도 막힘(질식) 처치

—의식 여부와 나이에 따라 구분

c. ACLS (**Advanced**전문-**Cardiac**심장-**Life**인명-**Support**구조술) : 병원에서 시행

—심정지 환자와 심정지가 발생할 가능성이 있는 환자의 초기처치에 필요한 의료기술

☞ 88서울올림픽을 계기로 1987년 우리나라에 응급의학과 탄생

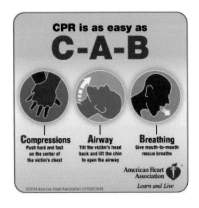

그림 40-2　미국심장학회(AHA)의 BLS 홍보 포스터

4) BLS(기본인명구조술)–노인요양시설에서

　　a. 의식 상태를 파악한다.

　　　　–흔들어서 깨운다. 머리를 흔드는 것은 피한다.

　　b. 주위사람을 부른다. 사람이 오면 119를 누른다.

　　c. 위로 향하도록 누인다.

　　d. (심장)순환 확인

　　　　–경동맥이나 대퇴동맥의 맥박을 느낀다.

　　　　–맥박이 없으면?

　　　　　　⇨ **검상돌기(xiphoid process)에서 머리쪽으로 손가락 2개 너비**

　　　　　　⇨ **손바닥 두툼한 부위로 손가락이 가슴에 닿지 않게 두 손을 포갠다.**

　　　　　　⇨ **팔꿈치가 굽혀지지 않게 팔을 곧게 뻗고, 어깨와 허리 힘을 이용**

　　　　　　⇨ **3~5 cm 깊이로 분당 100회**

　　e. 기도를 열어준다.

　　　　–머리를 뒤로 젖히기/ 턱을 들어올리기

　　　　–숟가락 이용

　　f. (폐)호흡 확인

　　　　–눈으로 가슴의 움직임을 본다.

　　　　–귀로 가슴이나 목에서 나는 숨소리를 듣는다.

　　　　–손바닥이나 볼을 콧구멍 가까이 대어 느낀다.

　　　　–호흡이 없으면? ⇒ 환자 가슴이 올라올 정도로 1초씩 2회 불어 넣는다! 코 막기!

　　g. 심폐소생술 시행

　　　　–심30:폐2의 비율로!

　　h. 5초간 BLS 멈추고 환자의 호흡과 순환 확인

−CPR 시작 1분 후와, CPR 중 매 1-2분마다

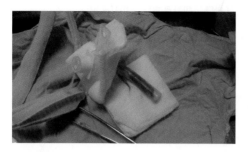

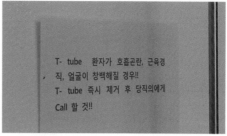

그림 40-3 갑작스러운 근육 경련 및 산소포화도 저하 소견을 보인 환자에게서 제거한 T-tube의 내관이 환자의 가래 등 분비물로 막혀 있다. 이러한 환자의 CPR은 바로 T-tube 제거이다.

그림 40-4 T-tube 환자 침상 위에 붙여 놓은 응급상황 대처법

5) 음식물이 아닌 물건을 먹었을 때 (이식증; 異食症)

−비누, 종이, 샴푸와 같이 음식물이 아닌 물건들을 먹는 행위.

−배가 고파서 먹을 수도 있고, 빈혈과 같은 내과적 질환이 원인일 수도 있다.

−각종 이물질을 삼킨 경우의 일차 대응법은 다음과 같다(일차 대응 후에 반드시 병원을 방문해야 하며, 무엇을 삼켰는지 모를 때에는 바로 병원을 방문한다).

표 40-1 이물질을 삼킨 경우의 대처법

이물질		독성	우유를 마시게 한다	난백을 마시게 한다	물을 마시게 한다	토하게 한다
세제	화장실용, 배수 파이프용 곰팡이 제거	강	–	–	–	X
	부엌용, 세탁용	중약	○	○	–	○ 대량인 경우
표백제	염색계	강	○	○	–	X
	산소계	중강	○	○	–	X
건조제	생석회	중강	○	–	–	X
	염화칼슘	중약	○	–	–	–
	실리카겔	약	○	–	–	–
담배		중강	–	–	–	○
방충제	장뇌	중강	X	–	○	X
	나프탈린	중강	X	–	○	○
	파라디크롤벤젠	중약	X	–	○	○
의치세정제		중약 강알칼리는 중강	○	○	–	X
화장수		중약	–	–	–	○
향수		중약	–	–	–	○
샴푸		중약	○	○	–	○
방향제		중약 메타놀 함유는 강	–	–	–	–
루즈 립크림		약 칸풀 함유는 중강	○	–	–	X
비누		약	○	○	–	○
유액크림		약	–	–	–	X

- 건전지, 버튼전지 : 식도에 막히지 않았으면 변 속으로 배출되는데, 한 곳에 오래 머물러 있으면 전지액이 새어나와서, 식도에 구멍이 뚫릴 염려가 있다.
- 크레용, 크레파스 : 1개정도라면 상태를 지켜본다.
- 체온계의 수은 : 2~3일이면 변으로 배출된다.
- 종이물수건, 티슈, 금속류(클립, 치아의 충전물) 약의 시트 : 독성은 없지만, 뾰족한 것은 목구멍이나 내장이 손상될 염려가 있다.
- 단추, 지우개 등의 고형물 : 드물게 장폐색을 일으키는 수가 있다.
- 종이기저귀 : 독성은 없지만, 대량 섭취하면 질식할 염려가 있다.

6) 기도가 막힌 질식 환자의 처치법(그림 40-5)

처음에는 의식이 있어, 숨이 막힌다는 신호 보냄

－손으로 목을 잡고 기침을 하려고 애를 쓰거나 고통스러워 함.

▷ 말이나 기침 할 수 있으면 환자 스스로 이물질 뱉어내도록!

▷ 하임리히수기 : 검상돌기 아래부분에 순간적인 세찬 압박을 3~5회 가함.

그림 40-5 (a) 음식이 기도에 걸렸을 때 시행하는 하임리히 수기. (b) 세우기 힘든 환자는 침대에 누운 상태에서 고개를 옆으로 돌린 후 시행한다.

어르신들의 안전을 위하여 보호자님들께서는 떡 및 음식의 반입을 삼가주시기 바랍니다.

(반입한 음식을 섭취할 시 차후 문제는 책임지지 않겠습니다.)

서천노인요양원

그림 40-6 질식사고 예방을 위해 엘리베이터에 부착한 보호자 안내문.

참·고·문·헌

1. American Heart Association. Part 3: Overview of CPR. Circulation 2005;112:12-18.

2. 일본방문치과협회. 노인을 위한 구강 관리. 군자출판사,서울 2008.

3. 와시미 유키히코. 치매간호: 당신의 환자가 치매(인지장애)라면 어떻게 하겠습니까? 서울: 군자출판사; 2015.

Chapter **41**

말기환자와 그 가족분들을 어떻게 케어할까?

KEYPOINT 🔒

- 75세 여성. 3년 전 폐암 말기 진단 받고 입소함심. 의식은 명료하고 일상생활수행능력도 거의 정상이나 호흡곤란으로 다소 힘든 운동은 못 할 정도임. 보호자 분들은 적극적인 병원 치료를 원치 않고 있음. 요양시설은 어떠한 상황을 대비해야 할까?

➡ 심폐소생술을 원치 않고 있는지를 재차 확인한다(입소자 본인이나 가족 대표로부터).

➡ 호흡곤란 악화를 대비하여 산소 투여를 준비한다.

➡ 입소자가 편안할 수 있도록 정서적 지지를 하는 법을 익힌다.

➡ 통증 등의 신체적 불편함에 대해서는 병원 진료를 통해 약물치료를 받도록 한다.

➡ 임종에 가까워질 때, 보호자에게 병원이송, 행정적 절차에 대한 안내를 한다.

임종 과정에서 일어나는 두려움

1. 죽음이 미지라는 두려움	2. 고독에 대한 두려움
3. 가족과 친지를 잃는다는 두려움	4. 신체를 잃는다는 두려움
5. 자기지배능력의 상실에 대한 두려움	6. 통증에 대한 두려움
7. 주체성 상실에 대한 두려움	8. 퇴행에 대한 두려움

❶ 정서적지지 (치료적인 대화)

a. 단순히 이야기를 들어주고 환자 개개인의 감정을 있는 그대로 인정하는 것만으로 충분하다.

b. 환자의 이야기를 들어주고 감정을 이해해 준다는 점을 환자가 인지하는 것이 가장 중요하다.

c. 공감적 대응들 : 짧은 침묵의 활용, 대화를 격려, 회상 등

❷ 말기암에서 흔한 통증

a. 통증은 환자 자신이 아프다고 하는 바로 그것이다. 다른 사람이 그럴 것이라고 기대하거나 또는 그 정도여야 한다고 생각하는 것이 아니다.

b. 통증 부위가 여러 곳일 수 있으므로 그림으로 표시하는 방법을 사용하면 의사 전달이 쉽다.

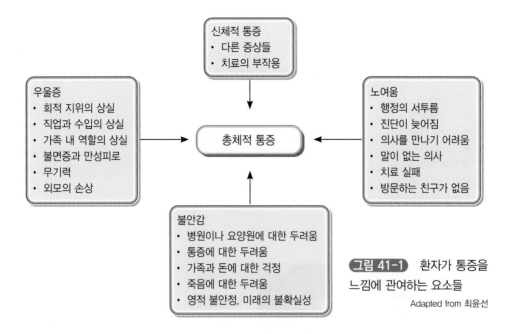

그림 41-1 환자가 통증을 느낌에 관여하는 요소들

Adapted from 최윤선

c. 통증의 강도 : 경도(1~3) / 중등도(4~6) / 중증(7~10)

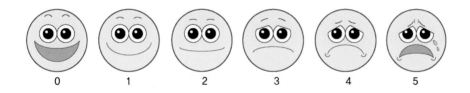

0: 통증이 전혀 없고, 너무 행복하다.
2: 약간 아프다
4: 상당히 아프다

1: 미세한 통증이 있다.
3: 좀 더 아프다
5: 이 이상을 생각할 수 없을 정도로 강한 통증

그림 41-2 얼굴그림척도(FPRS; Faces Pain Rating Scale) : 노인에서 VAS나 NRS로 불가능한 경우에 유용

"사람 얼굴 보이시죠? 왼쪽은 활짝 웃고 있고, 오른쪽은 너무 아파서 흘리고 있는 사람입니다. 본인이 아프신 정도는 어떤 사람의 얼굴과 비슷하다고 생각하시나요?"

③ 말기암 이외의 말기질환의 종류

표 41-1   말기암 이외의 말기질환들(미국 Medicare의 급여 기준)

- 말기 치매
- 말기 심장질환
- 말기 HIV 질환
- 말기 간질환
- 말기 폐질환
- 말기 신장질환
- 뇌졸중과 혼수상태
- 전신쇠약
- 루게릭병(ALS)

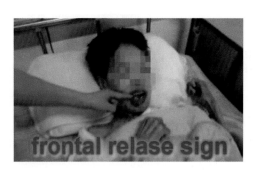

그림 41-3   말기치매 환자. 손가락을 입 근처에 대면 마치 신생아가 젖꼭지를 찾듯이 손가락을 빨려는 반응(suctioning reflex)을 보인다. 전두엽의 퇴화로 인해 마치 아직 전두엽이 성숙하지 않았을 때 보이는 신생아들의 반사를 보이고 있다.

④ 말기질환의 증상 관리

−말기질환 환자의 증상 관리에서 질병명은 그다지 중요하지 않다.
−환자의 요구와 쾌적함을 최우선적으로 고려한다.

표 41-2   말기암 환자들에게 흔한 증상들

피로감	95%	구토	40%
통증	90%	불안	40%
식욕 저하	80%	기침	30%
변비	65%	섬망	30%
호흡 곤란	60%	압창	30%
불면증	60%	흉막염	20%
식은 땀	60%	복수	15%
부종	60%	출혈	15%
구강 건조증	50%	우울감	10%
오심	50%	가려움증	5%

Adapted from Noortgate NVD

표 41-3　임종 직전의 증상들

임상 증상	최후 24시간	임종 전 48~24시간	입원 당시
섬망	42%	38%	10%
의식 장애	41%	21%	1%
통증	38%	51%	84%
배뇨 곤란	37%	33%	37%
호흡 곤란	35%	36%	39%
가래 끓는 소리	30%	17%	2%
신음 소리	20%	17%	0%
안절부절 못함	19%	19%	2%
오심/구토	12%	21%	54%
식은 땀	8%	1%	0%
경련, 몸을 비틈	4%	3%	0%

Adapted from 정수진 등

1) 호흡곤란

　　a. 말기환자에서의 호흡곤란의 의미

　　　－모든 임종기에 공통된 현상.

　　　－호흡이 불편하다는 느낌은 주관적.

　　　－호흡수, 산소포화도와 무관.

　　　－신체 활동과 삶의 질을 제한.

　　　－불안과 큰 관련.

　　　－하나의 증상이 다른 증상을 일으키거나 악화.

　　　－환자와 가족들에게 불안감을 안겨준다.

　　b. 비약물적 치료

　　　－어떠한 치료가 특정 환자에게 효과를 나타내는지를 알아낸다.

　　　－환자의 체위, 선풍기, 창문 열기, 이완 요법

　　　－증상 완화를 위한 산소(비강 캐뉼라를 이용한 분당 4~6리터)투입을 시도해 볼 수 있다.

　　　－대부분의 환자들에게 고통을 일으킬 수 있는 석션을 삼간다.

호흡곤란 환자에게 왜 선풍기를 틀어주는가?
찬 공기의 환기는 안면의 기계수용체를 자극하여 삼차신경을 통해 뇌의
구심성 정보를 변경시켜 호흡곤란을 완화시킬 수 있다.

3차신경 자극하기

출처: Schwartzstein RM, Lahive K, Pope A, Weinberger SE, Weiss JW. Cold facial stimulation reduces breathlessness induced in normal subjects. Am Rev Respir Dis 1987; 136: 58-61

죽음의 그르렁거림 (Death rattle) = 임종 직전의 거친 숨소리

- 죽어가는 환자의 25-50%
- 65%의 환자는 48시간 이내에 사망
- 상기도 근육의 약화
- 분비물 제거 능력의 저하
- 기도흡인은 오히려 불편감만 초래하고 반응성 부종(reactive edema) 유발 가능
- 가래제거약물 무의미
- 호흡곤란과는 큰 연관 없음

출처 : Campbell J Pall Med 2013

---

2) 오심, 구토

　a. 비약물적 치료

- 자주, 적은 양으로 먹기

- 찬 음식 먹기

- 나쁜 냄새나 미관상 좋지 않은 음식 피하기

- 즐겁고 편안한 환경

3) 삼킴 장애로 인해 입으로 약을 드시기 힘들 때, 항문이나 설하(혀)로 투여 가능한 약물

직장 투여 가능한 약물	설하 투여 가능한 약물
• Morphine • Hydromorphone • Chlorpromazine • Paracetamol • Lasix • Aldactone • Domperidone	• Morphine • Hydromorphone • Oxycodone • Hyocine • Lorazepam • Olanzapine (zyprexa)

❺ 연명치료에 대한 결정 : 사전연명의료의향서의 작성

우리나라에서는 죽음에 대해 공개적으로 이야기하는 것을 금기시하는 문화가 있다. 그러나 모든 사람은 자신의 생명에 대한 결정권을 가지고 있다. 그래서 가능하면 온전한 상태에서 연명치료나 심폐소생술 여부에 대한 본인의 의사를 사전에 확인할 필요가 있다. 마침 우리나라에서도 2016년 1월에 웰다잉법(호스피스/완화의료 및 임종과정에 있는 환자의 연명의료결정에 관한 법률안)이 국회를 통과하여 2018년부터는 사전연명의료의향서의 작성이 법제화되었다.

1) 사전연명의료의향서란?

사전연명의료의향서는 환자 스스로가 본인의 건강문제에 대한 의료 처치에 대해 사전에 결정하여 의사를 표명하는 서류로서 공통적으로 적용되는 원칙들은 다음과 같다.

① 가능하면 본인이 직접 작성하는 것이 원칙이다. 즉, 사전연명의료의향서는 위중한 상태에서 결정하는 것이 아니고 신체, 정신적으로 건강한 시점에 작성하는 것이다.

② 반드시 대리인을 설정하여, 환자의 의사결정 능력이 저하되었을 때에 환자의 입장에서 의견을 표출할 수 있도록 한다.

③ 의사결정자의 생각은 주기적으로 체크하며, 언제든지 결정 내용은 바뀔 수 있다.

④ 모든 의료적 의사결정 전에 관련 전문가(의료인)로부터 각 의사결정의 의미에 관하여 정확한 지식을 전달받아야 한다.

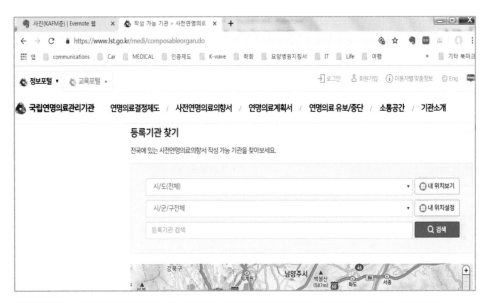

그림 41-4   국립연명의료기관 홈페이지를 통한 사전연명의료의향서 작성가능 기관 검색.

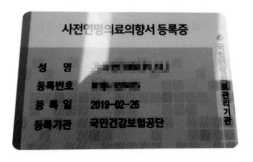

그림 41-5   사전연명의료의향서 등록증

⑥ 남겨진 가족에 대한 사별 관리

1) 가족과 개인을 상담할 수 있는 자격을 갖추고, 사별관리에 대한 교육과 적절한 훈련을 받은 자에 의해 지도 받음.

2) 사별관리 제공자는 환자 사망 전 호스피스-완화의료를 제공했던 팀 구성원과 정보를 교환

3) 환자, 가족의 슬픔과 상실 문제, 유가족의 요구, 사회적, 종교적, 문화적 배경, 위험 요인, 병적인 애도 반응의 발생 가능성 등을 평가

4) 사별가족 보살핌에 유의할 점들

　a. 슬픔의 표현을 각자 자기식대로 표출할 수 있도록 배려한다.

　b. 슬픔 때문에 오는 여러 가지 반응과 고통을 정상적인 것으로 수용한다.

　c. 불쌍히 여기는 행동이나 측은하게 생각하는 어투는 삼간다.

　d. 의례적인 인사보다 침묵 속에 함께 아픔을 나누는 마음이 중요하다.

　e. 슬픔에서 벗어나게 해 주기 위해서는, 기술적인 분석이나 해설보다는 그저 들어주고 기다려 주는 것이 좋다.

사별관리의 방법

1. 슬픔에 대한 표현을 경청한다.
2. 사별은 고통스럽다는 사실을 인정하도록 돕는다.
3. 고인을 잘 추모할 수 있도록 한다.
4. 실질적 도움을 준다(가사, 행정적 도움[동사무소 사망신고 등], 유품정리, 각종 애도 행사 도움).
5. 스스로를 잘 돌볼 수 있도록 격려
6. 정상적인 슬픔 vs 병적인 애도 반응 구별(자살, 술 등 언급시 전문가 의뢰)
7. 고인의 죽음으로 가족 간 갈등이 생길 수 있으므로, 가족들이 서로 자신들의 감정을 표현하고 나누도록 격려
8. 삶의 의미를 재창조할 수 있도록 영적인 활동(좋은 글과 책, 기도, 명상 등)을 격려
9. 적응 단계에서는 내면의 힘과 기쁨이 올라오므로 새로운 관계를 맺고, 그 동안 미뤄왔던 중요한 결정 사항들을 하나씩 선택하여 이를 실천해 보도록 격려

그림 41-6　사별가족 모임: 죽음을 앞두고 있거나, 이미 사별을 하신 가족들이 모임을 갖고 정보를 공유하고 있는 모습. 이러한 모임을 통해 마음의 준비뿐 아니라, 행정절차 등 실질적인 도움을 받을 수 있다(보바스기념병원 제공).

참 · 고 · 문 · 헌

1. Karnofsky performance status scale [Internet]. 서울: 한국 호스피스 완화의료 학회; c2001 [cited 2010 Aug 10]. Available from: http://www.hospicecare.co.kr/im_03.html.

2. 윤영호. 말기 환자의 관리. In: 대한노인병학회. 노인병학. 개정판. 서울: 의학출판사; 2005. p. 269-279.

3.   최윤선. 호스피스 완화의학. 서울: 고려대학교 출판부; 2000.

4.   Gray J. A pain in the neck and shoulder. Pain Topics 1977;1:6.

5.   Potash J, Horst P. Palliative care at the end of life. In: Ham RJ, Sloane PD, Warshaw GA. Primary Care Geriatrics. St. Louis: Mosby: 2002. p. 229-242.

6.   허대석. 환자의 자기결정권과 사전의료지시서. J Korean Med Assoc 2009;52:865-70.

7.   사전의료의향서 실천모임. 내려받기. [Internet]. 서울; [cited 2016 Aug 06]. Available from: http://www.sasilmo.net/bbs/board.php?bo_table=download&wr_id=1&page=0.

8.   김창곤. 호스피스-완화의료에서의 사별 돌봄. 한국호스피스완화의료학회지 2007;10:120-127.

운영규정 사례

본 운영규정은 사회복지법인이 운영 주체인 60명 정원의 일개 요양시설 운영규정을 참고로 하였다.

제 1 장 총   칙

제1조【목적】이 규정은 노인의료복지시설 ○○요양원(이하 시설)이라 한다. 운영에 있어 필요한 사항을 규정함을 목적으로 한다.

제2조【기본방침】시설의 운영은 다음 각 호의 방침에 따라 운영하여 지역사회 노인복지 증진에 기여한다.

1. 쾌적한 시설환경의 유지·관리
2. 시설 운영의 투명성 확보 및 지역사회에 대한 공개
3. 입소자에 대한 최적의 서비스 제공 및 인권 존중으로 삶의 질 향상
4. 지역사회와의 연계성 확대로 공동체의식 함양

제3조【규정의 준용】이 규정에서 정하지 아니한 사항에 대하여는 사회복지사업법, 노인복지법, 사회복지법인재무·회계규칙(이하 "사회복지관계법령"이라 한다.) 및 본 시설의 운영주체인 사회복지법인 ○○재단의 정관 등을 준용한다.

제4조【규정의 개정】이 규정의 개정은 원장 또는 운영위원회 등의 요청에 의하여 발의되며, 운영위원회에서 임원 과반수의 출석과 출석임원 과반수의 찬성으로 의결한다.

제 2 장 입소자 보호 관리

제5조【입소정원 및 모집방법】

1. 입소정원은 ○○명으로 한다.
2. 모집방법은 치매나 중풍 등 노인성질병으로 수발을 필요로 하는 어르신이나 가족을 대상으로 인터넷 홈페이지와 홍보지 등을 통하여 모집한다.

제6조【이용계약에 관한 사항】

1. 어르신장기요양보험 대상자의 경우 계약기간은 1년으로 하며 장기요양등급의 변동에 따라 재계약을 시행한다.
2. 월 이용료 및 기타 비용부담액은 아래 표와 같이 한다.

구 분		금액(원)	내 역
월 이용한도	보험료	80%	서비스이용자의 등급에 따라서 비급여를 뺀 100% 중 80% 건강보험 공단으로부터 지급.
자 부 담	보험료(개인부담금)	20%	보험공단이 80%이고 본인 부담금이 20%임.
	식사재료비(일반)	1일/7,500원	1식 2,500원으로 하루 3식
	간 식	월/20,000원	오전, 오후 2회

제7조【계약자,당사자의 의무】 서비스제공자와 서비스이용자 보호자간에 다음 각 호를 포함한 별도의 이용계약서를 체결한다.

　1. 서비스제공자의 의무

　　① "입소어르신"의 안전한 시설생활여건 조성 및 질 높은 서비스제공 의무(단, 병원 입원 시는 간호, 간병을 제공하지 않는다.)

　　② "입소어르신"의 신변 이상 시 보호자에게 즉시 연락 의무(단, 연락하였으나 수신하지 않은 경우는 제외)

　　③ 표준 수발서비스의 성실한 제공 의무

　2. 입소자의 의무

　　① 월 이용료 납부 의무

　　② 시설의 건전한 생활분위기 조성 의무

　　③ 시설내의 개인 애완동물 사육금지 등 청결 의무

　　④ 보호자 인적사항 변동 시 즉시 통보 의무

　　⑤ 각종 프로그램의 참석 의무

　　⑥ 기타 시설 규칙 이행 의무

　3. 신원인수인의 의무

　　① 입소자에 관한 건강 및 필요한 자료제공과 의무

　　② 입소자의 월 이용료 등 입소비용 부담의무

　　③ 인적사항 등 변경 시 즉시 통보 의무

　　④ 장기출장 등으로 보호자 의무 이행이 어려울 시 대리인 선정 의무

　　⑤ 입소자가 병원 입원 시에는 간호 및 간병, 입·퇴소 절차, 비용 등 모든 것에 대한 책임의무

제8조【계약의 해지】 다음 각 호의 요건에 해당될 경우에는 입소자 또는 보호자에게 계약을 해지할 수 있다.

　1. 입소자의 생명이 위험하거나 사망하였을 때

　2. 입소자의 건강진단 결과 법정 전염병 소지자 또는 보균자로 판정될 때

　3. 3회 이상 이용료를 납부하지 아니하고 연체하였을 때

　4. 시설 내에서 시설규칙이나 시설관계자의 정당한 조치에 따르지 않는 등 시설 운영 또는 타 입소자의 생활에 지장을 줄 때

　5. 배회성 또는 폭력성 등 심한 치매나 성격상 문제자로 타 입소자의 생활에 막대한 지장을 줄 때

　6. 10일 이상 병원 입원을 하였을 때(장기요양보험 외박기준일 초과 시)

7. 어르신의 건강과 관련한 중요한 정보를 고의적으로 숨긴 것이 드러났을 때

제9조【이용료 및 비용 변경】 다음 각 호의 요건에 해당될 경우에는 입소자나 보호자와의 협의를 거쳐 이용료 및 비용을 변경 할 수 있다.

1. 노인장기요양보험 대상자의 경우 등급이 변경되었을 경우

2. 노인장기요양보험 대상자의 경우 요양급여수가 기준이 변경되었을 경우

3. 이용계약서의 계약기간이 만료되어 재계약을 하여야 하는 경우

제10조【서비스내용】 다음 각 호의 서비스를 입소자에게 제공한다.

1. 일상생활지원서비스 식사관리. 배설관리. 목욕관리. 구강관리. 두발관리. 손·발관리. 세면관리. 회음부관리. 옷갈아입히기. 체위변경. 수면관리. 이동요양

2. 의사소통 및 여가지원 서비스: 일상편의대행. 의사소통지원. 여가지원(프로그램 서비스)

3. 건강지원 및 응급구호서비스

건강관찰 및 확인. 투약관리. 치매관리. 간호 및 처치. 호스피스. 응급구호 외래 진료 및 입·퇴원관리. 예방관리. 협약기관 진료

4. 재활치료 지원서비스

일상생활동작훈련. 물리치료. 신체기능훈련. 작업치료 및 인지·정신기능훈련

제11조【특별한 보호】 특별한 보호를 필요로 하는 경우의 서비스 기준은 다음의 각 호와 같다.

1. 입소어르신의 과잉 또는 부적절한 행동에 관한 특별서비스 기준

① 아래 해당하는 내용의 경우 보호를 위한 특별서비스를 제공할 수 있다.

- 시설이용 어르신 또는 종사자 등의 생명이나 신체에 위험을 초래할 가능성이 현저하게 높을 경우

- 대체할만한 수발방법이 없거나, 증상완화 목적으로 긴급하거나 어쩔 수 없는 경우 등

② 긴급하거나 어쩔 수 없는 경우로 인해 일시적으로 신체를 제한할 경우에도 어르신의 심신의 상황, 신체 제한을 가한 시간, 신체적 제한 사유에 대하여 자세히 기록하고 어르신이나 가족에게 그 사실을 알린다.

③ 보호를 위한 특별서비스 내용이라 함은 신체적 제한을 의미하며, 신체적 제한에 포함되는 내용은 격리보호, 낙상예방을 위한 휠체어의 안전벨트 사용, 경관 튜브 제거위험 방지를 위한 신체 일부의 구속, 욕창예방 및 치료를 위한 체위 변경에 따른 신체 일부의 구속 등 직접적인 보호와 관련된 서비스 내용이다.

2. 집중관찰 및 전문 의료 활동에 관한 특별서비스 기준

① 상태변화를 위한 집중관찰과 집중의료처치를 위하여 전문 의료 서비스(산소공급, 석션

등)를 제공할 수 있다.

② 호스피스 케어와 관련하여 편안한 환경 및 호스피스 케어서비스를 제공할 수 있다.

③ 기타 개별적인 집중케어를 위한 특별의료소모품에 관해서는 본인이나 가족이 부담한다.

제12조【의료서비스 처리절차】 의료를 필요로 하는 경우 처리절차는 다음 각 호와 같다.

1. 간호(조무)사의 활동사항

① 간호(조무)사는 매일 입소어르신의 건강상태를 점검하고 건강관리기록부를 작성하여 보관한다.

② 입소어르신의 건강상태에 따라 복용약물, 체중, 혈압, 체온, 혈당 등 입소자의 건강관리에 필요한 정보를 기록하여 촉탁의사가 입소어르신의 건강상태를 평가하는 데 도움이 되도록 적극 협력하여야 한다.

③ 간호(조무)사는 입소어르신의 건강관리를 위해 의사의 조치사항을 수행하도록 한다.

④ 간호(조무)사는 어르신 상태변화 및 응급상황이 발생하였을 경우 상황에 따라 촉탁의사와 상담을 실시하여 조치사항을 수행하도록 한다.

2. 촉탁의사의 진료에 관한 사항

① 촉탁의사는 입소자별로 1개월에 2회 이상 방문하여 입소어르신의 건강상태를 확인한다.

② 촉탁의사의 건강상태 점검결과에 따라 적절한 조치를 취한다.

③ 촉탁의사는 입소자의 건강상태에 관해 상시적으로 의료상담을 실시하며 필요에 따라 적절한 조치를 취할 수 있다.

④ 촉탁의사가 시설을 방문하여 진료 후 처방에 따른 본인부담의 치료비는 장기요양이용료 외에 본인 또는 가족이 부담한다.

3. 병원진료에 관한 사항

① 입소어르신의 상태변화 및 응급상황이 발생하였을 경우, 그 밖에 병원진료가 필요하다고 판단될 경우 가족 또는 보호자와 상담 후 병원진료를 받을 수 있도록 협조한다.

② 정기 병원진료 시 처리절차

　가. 병원진료 수일 전에 가족 또는 보호자에게 정기진료에 관해 미리 알려 진료에 협조한다.

　나. 병원진료를 위한 가족 또는 보호자의 전화 및 내원 상담을 실시한다.

　다. 병원진료에 필요한 어르신의 근황과 진료에 필요한 각 종 관찰기록을 가족 또는 보호자에게 제공하여 정기진료 시 진료의사가 어르신 상태를 파악 할 수 있도록 협조한다.

③ 응급상황에 따른 병원진료 의뢰 시 처리절차

　가. 응급상황 발생 시 가족 및 보호자에게 연락을 취함과 동시에 119구급대 및 협력의료기관에 연락하여 신속한 진료를 받을 수 있도록 적극 협조한다.

　나. 병원진료에 따른 후송 시 부득이 가족이나 보호자가 동행할 수 없을 경우 요양원 직원이 병원까지 동행할 수 있으며, 가족이나 보호자가 병원에 도착하면 어르신을 인계한 후 귀원한다.

④ 외래병원 또는 의원 방문 진료 시 처리절차

　가. 가벼운 질병 등(내과, 이비인후과 등)으로 외래병원이나 의원을 방문하여 진료가 필요한 경우 원칙적으로 가족이나 보호자가 동행하여야 하나 부득이 동행할 수 없을 경우 직원이 동행하여 보호자의 역할을 대신할 수 있다. 발생하는 진료비의 본인부담금은 가족이나 보호자가 부담한다.

　나. 입소어르신의 병원진료(정기, 수시) 시 가족이나 보호자가 함께 동행을 원칙으로 한다.

　다. 병원진료를 위한 이동 시 개인적 필요에 의한 병원 등을 이용할 경우 이동에 따른 차량 이용료는 본인 또는 가족이 별도로 부담한다.

4. 전원조치에 대한 사항

① 질환의 증상 악화로 인해 전문적인 의료서비스나 케어서비스가 필요하다고 판단될 경우 시설장은 본인 또는 가족과 협의하여 전원조치 할 수 있다.

② 기타 사유로 본인이나 가족이 전원을 원할 경우 시설장과 협의하여 전원 할 수 있다.

제13조【시설물 사용상의 주의사항 등에 관한 사항】

1. 시설은 수선, 보건, 위생, 방범, 방화 기타 관리상에 필요한 때는 입소어르신의 양해를 얻어 언제나 거실 내에서 출입에 필요한 조치를 취할 수 있는 것으로 한다.

2. 시설은 입소어르신이 1개월 이상 부재일 경우 및 입소어르신의 건강 재해상의 긴급 시에는 입소어르신의 양해를 얻지 않고 언제나 거실 내에 출입할 수 있는 것으로 한다.

3. 입소어르신이 거실에 3일 이상에 걸쳐서 외박할 경우 발생 시 입소어르신은 시설에 미리 그에 관한 사정을 제출함과 동시에 그 거실의 보전, 연락방법 등에 대하여 시설과 사전 협의하여야 한다.

4. 입소어르신 또는 입소어르신의 신원인수인은 시설 및 그 비품에 대하여 입소어르신으로 인하여 발생한 오손, 파손 또는 별실 했을 때는 곧 자기비용으로 원상회복 하거나 시설이 정하는 대가를 지불해야 한다.

5. 입소어르신은 다음 각 호에 열거한 행위를 하려고 할 때는 시설이 정한 서면에 따라 미

리 시설의 승인을 얻지 않으면 안 된다.

① 거실에 대하여 문향 바꿈 기타 공작을 할 때

② 부지 내의 공작을 하려고 할 때

③ 부지 내에 있어서 자동차를 보유하려고 할 때

④ 이 계약 이외에 제3자를 동거케 하려고 할 때

⑤ 이 계약 이외에 제3자의 급식 기타 편의시설물을 이용코자 할 때

⑥ 입소어르신이 필요한 개인 물품을 반입할 때

6. 입소어르신은 거실 등 공용부분 외 이용방법 등에 관하여 시설의 관리지침에 따라 선량한 관리자로서의 주의를 갖고 이용하여야 한다.

7. 입소어르신은 그 거실을 주거로서만 이용하는 것으로서 그 이외의 목적으로 이용해서는 안 된다.

8. 입소어르신은 공용부분을 시설 및 다른 이용자가 용인하기 어려운 목적으로 이용해서는 안 된다.

9. 입소어르신은 제3자에 대하여 거실의 전부 또는 일부를 전대하여 거주의 이용권을 양도하거나 거실을 다른 거실과 교환해서는 안 된다.

10. 시설은 그 어떤 명목으로든지 전항의 금지행위나 처분을 해서는 안 된다.

11. 입소어르신은 거실 또는 부지 내에 있어서 작은 새 및 물고기 이외의 동물을 사육해서는 안 된다.

제14조【서비스제공자의 배상책임 및 면책범위】

1. 다음 각 호에 해당되는 경우에는 "갑(OO요양원)"은 "을(입소어르신)"에게 배상할 의무를 진다.

① 시설 종사자의 고의나 중대한 과실로 인하여 입소어르신을 부상케 하거나 사망에 이르게 하였을 때

② 약을 잘못 투약하여 입소어르신의 건강을 상하게 하거나 사망에 이르게 하였을 때

③ 상한 음식을 제공하였을 때

2. 다음 각 호에 해당되는 경우에는 "을"은 "갑"에게 배상을 요구할 수 없다.

① 시설 내에서 자연 사망하였을 때

② 입소어르신이 임의로 외출하여 상해를 당했거나 사망하였을 때

③ 입소어르신이 천재지변으로 인하여 상해를 당했거나 사망하였을 때

④ 입소어르신 본인의 고의 또는 과실로 인하여 상해를 당했거나 사망하였을 때

제15조【장례절차】

1. 원장은 시설 입소어르신이 사망한 경우 그 의식을 경건한 장례절차에 따라 행하여야

한다.

2. 시신 처리는 사망 확인 후 만 하루가 경과된 후 화장 처리함을 원칙으로 한다.

3. 사망자의 연고자가 장례를 가족장으로 처리하고자 시신의 인도를 요구할 경우에는 시신을 인도해 줄 수 있으며, 이 경우 반드시 시신인수확인서를 받고 장례절차 전반에 대하여 확인하여야 한다.

4. 사망자의 장례식에는 사망자의 가족, 직원 및 시설거주자가 참여할 수 있다.

5. 사망자에 대한 화장신고 및 사망신고는 시설에서 조치함을 원칙으로 한다. 다만, 유족의 정당한 요구가 있는 경우에는 이에 따를 수 있다.

제16조【유류금품 처리】

1. 입소어르신의 사망 후 유류금품은 본인의 의사에 따라 처리하여야 한다. 다만, 의사 표시 없이 사망한 경우에는 우선 병원 입원비 및 장례비용으로 사용하고, 그 외 잔여 금품은 직계혈족 등 유족의 의사에 따라 처리한다.

2. 제1항의 조치가 불가능한 경우의 잔여 유류금품 처리는 운영위원회에 상정하여 심의 결과에 따라 운영비 등에 편입 사용할 수 있다.

3. 제1항의 규정에도 불구하고 사망자의 유족이 입소자 생존 시 보호자로서의 의무를 전혀 행사하지 않았다고 증명될 경우에는 유족의 의사를 따르지 않고 제2항의 규정을 적용할 수 있다(위 제3항의 경우에는 시설 입소 시 보호자로부터 각서 징구 등 선행조치가 필요할 것임).

제17조【건의함 설치 등】 원장은 입소어르신 및 직원의 건의 및 고충 처리를 위하여 건의함을 설치하고, 면담창구를 개설·운영하는 등 입소어르신과 직원 개인의 애로사항 해소에 노력하여야 한다.

제 3 장 운영규정의 개정방법 및 절차

제18조【운영규정 개정】

1. 운영규정의 개정은 운영 위원회의 운영규정 절차에 따른다.

2. 재적 인원 과반수의 발의로 운영규정 개정안을 발의 할 수 있다.

3. 재적 위원 3분의 2이상의 찬성으로 운영규정을 개정할 수 있다.

제 4 장 운영위원회

제19조【운영위원회 설치 및 운영】

운영위원회의 설치 및 운영은 「사회복지사업법」에 의거하여 설치 운영한다.

제20조【운영위원회의 구성 및 운영】

1. 위원회의 위원은 위원장 및 원장을 포함하여 5인 이상 10인 이하의 위원으로 구성한다.

2. 위원회의 위원은 다음 각 호의 1에 해당하는 자 중에서 원장의 추천을 받아 관할 구청장이 위촉한다. 다만 제5호에 해당하는 자의 경우에는 원장의 추천을 받지 아니한다.

　① 원장

　② 입소자 또는 입소자의 보호자 대표

　③ 지역주민

　④ 후원자 대표

　⑤ 관계공무원

　⑥ 기타 시설운영에 관하여 전문적인 지식과 경험이 풍부한 자

3. 위원회의 위원장은 위원중에서 호선한다.

4. 위원의 임기는 3년으로 하되, 연임할 수 있다.

5. 위원회의 회의는 매분기별 1회 이상 개최하도록 한다.

6. 위원회는 위원 과반수의 출석으로 개회하고, 출석위원 과반수 찬성으로 의결한다.

7. 원장은 입주자의 상황, 서비스 제공 실태 등 시설의 운영상황을 정기적으로 운영위원회에 보고하여야 하며, 입주자 및 그 가족의 의견이 시설의 운영에 반영되도록 하여야 한다

제21조【운영위원회 규정】운영위원회의 규정에 관한 사항은 별도의 「운영위원회규정」을 둔다.

제22조【운영위원회의 기능】 운영위원회는 본원의 운영과 관련한 다음 각 호의 사항을 심의한다.

1. 입소어르신의 일상생활 서비스 제공내용 및 실시, 평가에 관한 사항

2. 의료서비스 제공내용 및 실시, 평가에 관한 사항

3. 여가선용 및 프로그램 서비스 제공내용 및 실시, 평가에 관한 사항

4. 지역사회와의 역할 분담과 상호 연계사업의 시행에 관한 사항

5. 종사자의 근무환경 개선에 관한 사항

6. 기타 시설 운영과 관련한 사항

제 5 장 인사위원회

제23조【인사위원회 설치】

　직원의 임면, 승진 및 포상, 징계 등에 관한 사항을 심의하기 위하여 인사위원회를 둔다.

제24조【구성 및 임기】

1. 위원회는 원장과 사무국장 외에 그에 준하는 직급의 직원 중 원장이 임명하는 자로 총 6인 이내로 구성하며, 위원장 1인에 서기 1인을 둔다.

2. 위원의 임기는 그 직을 수행하고 있는 동안으로 한다.

제25조【위원회 위원장 및 임무】

위원회의 위원장은 원장으로 하며, 위원회를 대표하고 회의를 통괄한다.

위원회는 인사관리 기본방침의 수립 및 시행에 관한사항을 심의한다.

회의는 위원장이 이를 소집하고 의장이 된다.

회의는 재적위원 과반수이상의 참석과 참석위원 3분의2 이상의 찬성으로 의결한다

제26조【관계자출석 등】

위원회는 필요에 따라 대상자 및 관계자를 출석시켜 발언하게 할 수 있다.

위원회는 심의에 필요한 자료를 제출하게 할 수 있다.

제27조【회의록】위원회의 결정사항은 회의록을 작성하여 각 위원이 서명 날인하고 보관 관리한다.

제 6 장 고충처리위원회

제28조【고충처리위원회 설치 및 운영】고충처리지침을 별도로 제정하여 생활어르신 및 종사자의 근무조건, 인사관리, 기타 신상문제에 대한 고충을 객관적으로 심사하여 통일성 및 신뢰성을 제고하기 위해 설치 및 운영한다.

제 7 장 조직 · 인사 · 복무

제1절 조직

제29조【직제 및 정원】시설에는 원장과 사무국장을 각 1인씩 두고, 그 외 간호사(또는 간호조무사), 생활복지사, 요양보호사, 조리원, 위생원, 관리인(이하 "직원"이라 한다.) 등은 사회복지관계법령이 정하는 시설종사자 배치기준에 따라 임용·배치한다. 다만, 종사자 배치기준에도 불구하고 본원 예산 사정에 따라 매년도 노인보건복지사업 안내에서 별도 조정한 경우에는 이를 따른다.

제30조【조직표】시설의 조직은 다음의 표와 같다.

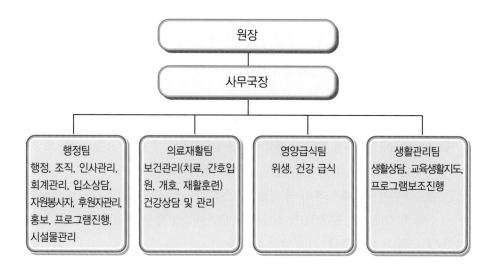

제31조【업무분장 및 업무대행】

1. 원장은 시설업무 전반을 총괄하고 직원들을 지휘 감독한다.

2. 사무국장은 원장을 보좌하고 원장 부재시 또는 부득이한 사유로 그 직무를 수행할 수 없는 때에는 원장 직무를 대리한다.

3. 담당 종사자의 휴무 또는 휴가 등으로 업무수행이 어려울 경우 종사자 중 동등의 면허 또는 자격을 소지하고, 업무수행능력이 있는 자에게 대하여 시설장은 그 업무를 대행하게 할 수 있으며, 관련법률 및 지침에 위배되지 않는 범위 내에서 유선(전화 등)으로 지도를 받아 업무를 대행(촉탁의진료 및 협력기관의뢰)한다.

4. 행정팀의 분장업무는 다음 각 호와 같다.

① 행정, 조직, 인사, 노무관리

② 문서관리에 관한 사항(수신, 발송 및 작성·보관)

③ 수입, 지출과 물품출납에 관한 사항 등 예산 및 회계에 관한 사항

④ 직원의 지도감독에 관한 사항

⑤ 직원의 복리후생에 관한 사항

⑥ 시설물관리

5. 사회복지팀의 분장업무는 다음 각 호와 같다

① 자원봉사자의 교육 및 관리에 관한 사항

② 후원자 개발 및 홍보 관리에 관한 사항

③ 각종프로그램 진행(특별, 여가)

④ 생활어르신 및 보호자 상담

⑤ 지역사회연계 자원활용

⑥ 사례관리

6. 의료재활팀 분장업무는 다음 각 호와 같다.

① 입소자의 질병예방과 진료에 관한 사항

② 입소자의 보건관리에 관한 사항

③ 입소자의 기능회복 또는 기능의 감퇴방지를 위한 사항

④ 물리치료사 부재(휴무, 휴가) 시 생활 어르신이 물리치료 서비스를 요할 때에는 담당자에게 연락 후 촉탁의 및 협력기관에 의뢰하여 물리치료를 받을 수 있게 조치한다.

⑤ 간호(조무)사 부재(휴무, 휴가) 시 생활어르신이 의료서비스를 요할 때에는 담당자에게 연락 후 촉탁의 및 협약기관에 의뢰하여 의료서비스를 받을 수 있게 조치한다.

7. 영양급식팀의 분장업무는 다음 각 호와 같다.

① 음식물 조리 및 위생지도에 관한 사항

② 입소자의 급식 및 영양관리에 관한 사항

③ 식단 및 간식에 관한 사항

④ 주부식 및 주방위생관리에 관한 사항

⑤ 기타 제반업무

8. 생활관리팀의 분장업무는 다음 각 호와 같다.

① 입소자의 생활지도 및 상담, 프로그램 진행에 관한 사항

② 입소자의 급식 및 영양관리에 관한 사항

③ 입소자의 환경 및 위생관리에 관한 사항

④ 입소자의 피복관리에 관한 사항

9. 직원의 직명별 업무분장은 【별표1】과 같다.

제2절 인사

제32조【임용권 및 자격】

1. 원장은 시설 설치자 및 이와 준하는 봉사정신이 투철하고 책임감이 강하며 시설을 관리, 감독할 수 있는 정신적 신체적으로 건강한 자, 능력 있는 사람으로 공개 채용할 수 있다.

2. 원장은 사무국장 등 직원에 대한 임용권을 가진다.

3. 직원의 임용자격은 사회복지관계법령에 따른다.

제33조【임용의 원칙】 직원의 채용은 공개경쟁에 의함을 원칙으로 한다. 다만, 필요한 자격의 요건이 특별한 경우 등에는 그러하지 아니한다.

제34조【신규채용】

1. 직원의 신규채용은 서류심사 및 면접시험에 의하는 것을 원칙으로 하되 필요할 경우 필기 및 실기시험을 추가하여 실시 할 수 있다.

2. 직원의 모집 및 채용에 있어서 남녀의 차별을 하지 아니하며, 여성 직원을 임용함에 있어 모집·임용하고자 하는 직무의 수행에 필요하지 아니한 용모, 미혼 등의 조건을 제시하거나 요구하지 아니한다.

3. 시설의 직원이 되고자 하는 자는 시설에서 정한 서류를 제출하고 시설에서 실시하는 전형과 관계기관에서 실시하는 신체검사 등에 합격하여야 한다.

제35조【임용의 제한】 다음 각 호의 1에 해당하는 자는 직원으로 임용 할 수 없다.

1. 미성년자

2. 금치산자 또는 한정치산자

3. 파산자로서 복권되지 아니한 자

4. 법원의 판결 또는 법률에 의하여 자격이 상실 또는 정지된 자

5. 금고 이상의 실형의 선고를 받고 그 집행이 종료되거나, 집행이 면제된 날로부터 3년이 경과되지 아니한 자

6. 금고 이상의 형의 집행유예선고를 받고 유예기간 만료 후 1년을 경과하지 아니한 자

7. 제5호 내지 제6호의 규정에 불구하고 사회복지사업 또는 그 직무와 관련하여 죄를 범하거나 사회복지관계법령에 위반하여 50만원 이상의 벌금형의 선고를 받고 그 형이 확정된 후 5년 또는 형의 집행유예 선고를 받고 그 형이 확정된 후 7년이 경과하지 아니하거나 징역형의 선고를 받고 그 집행이 종료되거나, 집행이 면제된 날로부터 7년이 경과되지 아니한 자

8. 병역의무자로서 병역을 기피한 자

9. 사회복지관련기관이나 시설에서 징계에 의하여 파면 또는 파직된 자로서 그 징계 처분을 받은 날로부터 2년을 경과하지 아니한 자

11. 신체검사 결과 채용실격으로 판정된 자

12. 범죄·경력 조회결과 사회복지법인 및 시설종사자등 결격사유로 확인된 자

제36조【임용 시 구비서류】

1. 신규채용자는 다음 각 호의 구비서류를 제출하여야 한다.

   ① 자필 이력서(사진첨부) 및 자기소개서

   ② 주요경력증명서(경력자에 한함)

   ③ 최종학교 졸업증명서(자격증 소지자 제외)

   ④ 자격증 및 면허증 사본(소지자에 한함)

   ⑤ 신체검사서 및 기타 시설에서 정하는 서류(채용확정자에 한함)

2. 제1항의 규정에도 불구하고 직원의 담당 직무의 성질에 따라 전항의 서류 중 일부의 제출을 면제하거나 추가로 서류제출을 요구할 수 있다.

제37조【수습기간】

1. 직원으로 임용될 자는 3개월간의 수습기간을 거쳐야 한다. 다만, 업무의 성격이나 경력 또는 당해 직무와 관련된 자격증의 소지 등 특수사정에 따라 수습기간을 단축하거나 수습기간을 두지 아니할 수 있다.

2. 수습기간 중 직원으로서의 자질을 갖추지 못하였다고 판정된 자나 정신적·신체적인 결함 등으로 직무 수행에 지장이 있다고 인정된 자 등은 채용하지 아니한다.

3. 수습기간은 근속연수에 산입하며, 수습기간 중의 임금은 따로 정할 수 있다.

제38조【발 령】

1. 전형과 신체검사 등에 합격한 자는 시설에서 정한 구비서류를 제출한 후 수습기간을 마치고 인사발령을 받음으로써 임용이 확정된다.

2. 시설은 긴급을 요할 때에는 전항의 서류를 사후에 제출하게 하고 인사발령을 할 수 있으나, 임용된 자가 시설에서 지정한 기일 내에 서류를 제출하지 않을 경우, 또는 신체검사 등에 불합격하거나 허위의 기재사항이 발견된 경우에는 인사발령을 취소할 수 있다.

제39조【근로계약】 수습기간을 마치고 직원으로 채용이 확정된 자는 근로계약서에 서명 날인하고 근로계약을 체결한다.

제40조【임용시기】 직원은 임용장 또는 임용통지서에 기재된 일자에 채용된 것으로 본다. 다만, 본규정의 제정 이전에 임용된 직원은 채용 명령일 또는 급여지급이 발생한 원인일에 임용된 것으로 본다.

제41조【임시직원의 채용】

1. 시설 운영상 필요하다고 인정될 때에는 예산의 범위 내에서 임시직원(일용직 등)을 채용할 수 있다.

2. 임시직원의 채용소요재원은 자체부담금으로 한다.

제42조【신분보장】 직원은 형의 선고, 징계처분 또는 사회복지관계법령과 이 규정이 정하는 사유에 의하지 아니하고는 그 의사에 반하여 감봉, 휴직, 정직, 면직 또는 파면을 당하지 아니한다.

제43조【특별승진】 당해 직급에서 1년 이상 근무한 직원으로서 근무성적 또는 업무능력이 특히 우수하거나 시설발전에 현저한 공적이 있다고 인정되는 자에 대하여 노인복지법령이 정한 직위별 자격요건 범위 내에서 인사위원회의 심의를 거쳐 특별승진 임용할 수 있다.

제44조【전임·전보】

1. 원장은 시설업무의 능률성 향상 등을 위하여 직원의 직무변경 등 전임 또는 전보를 명할 수 있다.

2. 법인내 사무국 또는 다른 시설으로의 전보는 법인 이사장(또는 대표이사)과 다른 시설의 원장과의 사전 협의를 거쳐야 한다.

제45조【휴직자의 결원보충】 원장은 직원이 6월 이상 휴직한 경우에는 당해 휴직자의 직급에 해당하는 정원이 따로 있는 것으로 보고 결원을 보충할 수 있다. 다만, 휴직자의 복직으로 인한 정원초과 인원은 정원에 부합할 때까지 6월 기간 동안 한시적으로 초과 운영할 수 있다.

제46조【겸임 및 대리】 임용권자는 다음 각 호의 1에 해당하는 경우 본직의 직무수행에 지장이 없는 범위 안에서 직무를 대리하게 하거나 겸임시킬 수 있다.

1. 임용 예정 직위에 관련되는 전문 인력의 확보가 필요한 경우

2. 기타 보직 관리상 필요한 경우

제47조【포상】

1. 원장은 시설의 발전에 공헌한 업적이 현저한 자 또는 근무성적이 우수한 직원에 대하여는 심의를 거쳐 포상할 수 있다.

2. 포상은 표창장 수여 또는 다른 기관·단체에 포상추천으로 행하며, 이와 병행하여 해외연수기회 제공, 특별휴가 실시 또는 상품권을 지급할 수 있다.

제48조【당연퇴직】 직원이 다음 각 호의 1에 해당될 때에는 당연 퇴직한다.

1. 사회복지사업법 제19조(임원의 결격사유)에 해당된 때

2. 정년에 도달한 때

3. 시설 운영이 중단되었을 때

제49조【직권면직】 원장은 직원이 다음 각 호의 1에 해당될 때에는 인사위원회의 심의를 거쳐 그 직권으로 당해 직원을 면직시킬 수 있다.

1. 신체·정신상의 이상으로 1년 이상 직무를 감당하지 못할 때

2. 근무태도가 극히 불량하거나 근무능력이 현저히 부족할 때

3. 정원의 감소, 예산의 감소에 의하여 폐직 또는 과원이 되었을 때

4. 원장의 허락 없이 타 직종에 종사하였을 때

제50조【임용장 등】

1. 직원의 신규임용, 승진, 전보할 경우에는 당해 직원에게 임용장을 수여하여야 한다.

2. 직원의 전보와 면직, 징계, 직위해제, 휴직, 복직 등의 조치를 하는 경우에는 당해 직원에게 인사발령장을 교부하여야 한다.

3. 위 각항의 조치를 한 때에는 이를 인사발령대장에 기록 유지하여야 한다.

제51조【휴직 및 휴직기간】 직원이 다음 각 호의 1에 해당하는 사유로 휴직을 원하는 경우에는 원장이 휴직을 명할 수 있다. 다만, 제1호 내지 제4호의 경우에는 본인의 의사에도 불구하고 인사위원회의 심의를 거쳐 휴직을 명할 수 있다.

1. 신체 또는 정신상의 장애로 장기요양을 요할 때

2. 병역법에 의한 병역의무를 필하기 위하여 징집 또는 소집되었을 때

3. 천재지변, 기타 재해로 생사소재가 불명할 때

4. 기타 법률의 규정에 의한 업무를 수행하기 위하여 직무를 이탈하게 되었을 때

5. 기타

① 정당한 사유가 있을 때

② 제1항 각 호의 휴직기간은 최고 3개월 이내로 하고 그 기간 내에 휴직조건이 해소되지 않으면 증빙서류를 첨부하여 사전에 1월 이내의 기간을 정하여 연장허가를 받아야 하며, 그러하지 않을 경우 자연 해직된 것으로 본다. 단, 제1항의 제2호의 징집소집기간 중은 소요기간을 휴직 기간으로 한다.

제52조【정년】

1. 원장 및 직원의 정년은 다음 각 호와 같다.

① 원장 : 만 65세(단 설립자는 운영관리 가능할 때까지)

② 일반사무직원(단 촉탁의사 제외) : 만 60세

③ 요양보호사: 만 60세

2. 정년에 달한 날이 1월에서 6월 사이에 있는 경우에는 6월 30일에, 7월에서 12월 사이에 있는 경우에는 12월 31일에 각각 당연 퇴직한다. 정년퇴직 이후 직원은 촉탁직으로 재채용을 할 수 있다.

제53조【징계】 원장은 직원이 제47조 제1항의 규정에 해당되는 때에는 인사위원회의 심의를 거쳐 해당 직원에 대하여 징계처분을 행한다.

제54조【징계의 사유 및 종류와 심의】

1. 원장은 직원이 다음 각 호의 1에 해당할 때에는 인사위원회의 심의를 거쳐 징계처분을 행하여야 한다.

① 직무상의 의무를 위반하거나 근무를 태만히 한 자

② 정당한 이유 없이 계속하여 월간 3회 이상 무단결근하거나 지각 또는 결근이 빈번한 자

③ 근로시간 중에 취침하거나 도박, 음주, 사내폭행 행위를 한 자

④ 사기 또는 부정한 방법으로 채용되었음이 발견된 자

⑤ 정당한 이유 없이 시설이 발행한 문서, 도면, 제증명서 및 기타 각종 서류를 위조·변

조하거나 다른 사람에게 대여·유용하게 한 자

⑥ 고의 또는 과실로 시설의 기물, 집기 등을 훼손시킨 자

⑦ 시설 내에서 시설장의 승인 없이 시설의 이익에 반하는 불온유인물 및 서류 등을 배
포하거나, 직원을 선동·규합하는 행위를 한 자

⑧ 시설의 공금을 유용하거나 횡령한 자

⑨ 고의 또는 과실로 시설에 피해를 주거나 시설의 명예를 실추시킨 자

⑩ 업무상의 정당한 지휘, 명령에 불복종하거나 시설의 운영 질서를 문란하게 한 자

⑪ 시설안전 및 보건상의 의무를 위반한 자

⑫ 다른 직원에게 성희롱 또는 성폭행을 행한 자

⑬ 입소자에게 금전이나 금품 등을 차용하거나 수수받은 자

⑭ 입소자를 상습적으로 학대하거나 불손한 언행 또는 차별대우 등 입소자의 인권을
침해하는 자

⑮ 기타 전 각 호에 준하는 사유에 해당하는 자

2. 징계의 종류와 효력은 다음 각 호와 같다.

① 견책 : 장래를 훈계하고 시말서를 제출케 한다.

② 감봉 : 1월 이상 3월 이하의 기간 동안 월보수의 10분의1을 감급한다.

③ 정직 : 1월 이상 3월 이하의 기간 동안 신분은 보유하나 직무에 종사하지 못하며 그
기간내에는 임금을 지불하지 아니한다.

④ 징계해고(파면) : 예고기간을 두지 않고 즉시 해고한다. 다만, 해고예고수당을 지급하
지 않을 경우에는 관할지방노동사무소장의 승인을 받도록 한다.

3. 인사위원회에서는 직원의 징계를 심의함에 있어 대상 직원에게 별지5에 통지서를 통보
하고 해당 직원이 인사위원회에 출석을 원하지 않을 때에는 별지5의 진술권 포기서 또
는 별지6의 서면진술서를 징수하여 기록에 첨부하고 서면 심사만으로 징계의결을 할
수 있다. 또한, 징계위원회는 의결 전에 해당직원에게 소명할 기회를 부여한다.

4. 징계는 징계사유가 발생한 날부터 2년 이상 경과한 때에는 이를 행하지 못한다.

5. 원장은 징계 결과를 해당직원에게 서면으로 통보하여야 한다.

제55조【재심 청구】

1. 직원이 제54조의 규정에 의한 징계처분을 받고 그 처분에 이의가 있는 경우에는 징계
처분 결정일로부터 10일 이내에 다음 각 호의 자료를 첨부하여 인사위원회에 재심을
요구할 수 있다.

① 징계재심청구서(소정 서식)

② 기타 관련 자료 등

  2. 인사위원회는 피징계자의 재심 청구가 있는 때에는 청구서를 접수한 날로부터 7일 이
     내에 이를 심의하여 그 결과를 원장에게 통보하여야 한다.

  3. 원장은 인사위원회의 재심청구 심의결과가 통보된 날로부터 3일 이내에 징계 내용을
     재결정하여 이를 당해 직원에게 서면으로 통보하여야 한다.

  4. 재심의 청구는 1회에 한한다.

제56조【재심청구의 취하】 징계처분의 재심 청구자는 인사위원회의 재심 청구 심의일 전에
그 청구를 취하할 수 있다.

제57조【재심청구의 효력 등】

  1. 재심청구에 의한 재심의 처분은 원처분보다 무겁게 할 수 없다.

  2. 재심처분의 효력은 원처분일에 소급한다.

  3. 재심의 청구는 원처분의 진행을 막지 못한다.

제3절 복 무

제58조【의무사항】

  1. 직원은 관계법령, 정관, 기타 제규정을 준수하고 원장의 정당한 지시에 순응하여 맡은
     바 직무를 성실히 수행하여야 한다.

  2. 직원은 입소자에게 최대한의 봉사를 하여야 하며, 특히, 학대·차별 대우 등 입소자의
     인권을 침해하는 행위를 하여서는 아니 된다.

  3. 직원은 직무의 내외를 불문하고 품위를 손상하는 행위를 하여서는 아니 된다.

  4. 직원은 업무처리 중 취득한 비밀을 누설하여서는 아니 되며, 퇴직 후에도 또한 같다.

제59조【금지사항】

  1. 직원은 원장의 허가 또는 정당한 이유 없이 근무시간 중 직장을 이탈하여서는 아니된
     다.

  2. 직원은 직무와 관련하여 어떠한 사례나 증여 및 향응을 제공받아서는 아니 된다.

  3. 직원은 제38조의 규정에 의하지 않고서는 다른 직무를 겸직하지 아니한다. 다만, 원장
     이 사전에 허가한 경우에는 그러하지 아니하다.

제60조【손해보상】 직원이 고의 또는 중대한 과실로 인하여 시설의 기물을 파손하는 등 재
산상의 손해를 끼쳤을 때는 이를 배상하여야 한다.

제61조【근무시간】

  1. 직원의 1일 근로시간은 휴게시간을 제하고 8시간, 1주일에 40시간을 초과할 수 없다.
     다만, 시설운영상 필요에 의하여 연장근로를 하여야 할 경우에는 당사자와의 사전 협의
     를 거쳐 1주일에 12시간 연장 근무할 수 있다.

구분	시업 및 종업	휴게시간
비교대근무	08:30~17:30	12:30 ~ 13:30
3교대	·07:00~16:00 ·13:00~22:00 ·22:00 ~07:00	·12:30~13:30 ·19:00~20:00 ·02:00~03:00
2교대	·06:00 ~14:00 ·10:30 ~18:30	·11:00~12:00 ·14:00~15:00

2. 휴식은 직원에게 일제히 부여한다. 다만, 일제히 휴게를 주는 것이 업무상 곤란할 때에는 부서별, 기능별로 구분하여 교대로 휴게를 줄 수 있다.

3. 요양보호사 및 조리원의 근로시간은 협의된 근무편성표에 따라 근무한다.

4. 야간 당직 근무자는 익일 휴무한다.

5. 원장은 사무처리상 긴급을 요한다고 인정할 때에는 전항의 규정에도 불구하고 근무시간 외의 근무를 명하거나 공휴일의 근무를 명할 수 있으며, 이 경우에는 이에 상응하는 휴무를 주거나 수당 등을 지급하여야 한다.

6. 직원이 개인사정으로 출근하지 못하거나 지각 또는 조퇴하고자 할 때에는 그 사유를 원장에게 신고하여야 하며, 부득이한 사유로 신고하지 못할 때에는 사후에 즉시 신고하여야 한다.

제62조 【출장】

1. 직원은 업무 수행상 출장이 필요한 경우 원장의 출장 명령을 받아 출장하여야 하며 출장 중에는 직무수행에 전력하여야 한다.

2. 출장을 마친 직원은 그 결과를 원장에게 서면 또는 구두로 복명하여야 한다.

제63조 【근무상황 관리】

1. 직원이 근무일의 지정된 시간까지 출근할 수 없을 때에는 원장에게 미리 신고하여야 하며, 정오까지 신고가 없을 때에는 결근할 것으로 본다.

2. 직원이 결근하고자 할 때에는 원장에게 결근계를 제출하여야 하며 질병으로 5일 이상 출근하지 못할 때에는 진단서를 첨부하여야 한다.

3. 직원이 다음 각 호의 1에 해당하는 사유가 있을 때에는 원장에게 사전조퇴·외출 허가를 받아야 한다.

① 질병 기타 사유로 인하여 퇴근시간 전에 퇴근하고자 할 때

② 근무시간 중에 외출을 할 때

제64조 【휴일】 본원의 유급휴일은 다음과 같다.

1. 정부에서 법으로 정한 공휴일

2. 기타 정부에서 임시공휴일로 정한 날

제65조 【휴일의 중복】 주휴일과 유급휴일이 중복될 때에는 주휴일만 인정한다.

제66조 【휴일의 대체】 원장은 업무상 중대한 영향이 있거나, 기타 비상상황이 발생하였을 때에는 본 규정에서 정한 휴일에 근무를 하고, 직원과의 합의에 의하여 휴일을 전후 7일 이내의 다른 날을 휴일로 대체할 수 있다.

제67조 【휴가】

1. 직원의 휴가는 연가, 병가, 공가 및 특별휴가로 구분 한다.

2. 1년간 8할 이상 출근한 직원은 15일의 유급휴가를 사용할 수 있다.

3. 계속하여 근로한 기간이 1년 미만인 직원은 1개월 개근 시 1일의 유급휴가를 사용할 수 있다.

4. 직원의 최초 1년간의 근로에 대하여 유급휴가를 주는 경우에는 제 3항에 따른 휴가를 포함하여 15일로 하고, 직원이 제 3항에 따른 휴가를 이미 사용한 경우에는 그 사용한 휴가 일수를 15일에서 차감한다.

5. 당해 연도에 결근, 휴직, 정직 및 직위해제 사실이 없는 자로서 병가를 얻지 아니하고 3년 이상 계속하여 근로한 근로자에게는 제 2항에 따른 휴가에 최초 1년을 초과하는 계속 근로 연수 매 2년에 대하여 1일을 가산한 유급 휴가를 주어야 한다. 이 경우 가산휴가를 포함한 총 휴가 일수는 25일을 한도로 한다.

6. 원장은 직원에 대하여 업무에 지장이 없도록 계획을 수립하여 실시하되 연가 일수가 7일을 초과하는 자에 대하여는 년2회 이상으로 분할하여 허가한다. 다만, 특별한 사유가 있는 때에는 그러하지 아니한다.

7. 연가는 오전 또는 오후의 반일 단위로 허가할 수 있으며 반일 연가 2회는 연가 1일로 계산한다.

8. 결근일수와 휴직일수, 직위해제일수, 정직일수는 이를 연가일수에서 공제한다. 다만, 법령에 의한 의무수행이나 공무상 질병 또는 부상으로 인하여 휴직한 경우에는 그러하지 아니한다.

9. 질병이나 부상 외의 사유로 인한 지참, 조퇴 및 외출은 누계 8시간을 연가 1일로 계산한다.

10. 원장은 직원이 다음 각 호의 1에 해당하는 경우에는 필요한 기간 공가를 허가 하어야 한다.

    ① 병역법 기타 다른 법령에 의한 징병검사, 소집, 검열, 점호 등에 응하거나 동원 또는 훈련에 참가하려 할 때

    ② 공무에 관하여 국회, 법원, 검찰, 기타 국가기관에 소환된 때

    ③ 법률의 규정에 의하여 투표에 참가하려 할 때

    ④ 천재지변, 교통차단, 기타의 사유로 출근이 불가능 할 때

제3절   기본급 외 급여(수당)

제94조【직무.직책수당】

직원에게는 예산의 범위내에서 직무수당과 직책수당을 지급할 수 있다.

제95조【시간 외 근무수당】

1. 평일 8시간, 휴일근무시간 및 야간근무시간에 대하여는 시간외근무수당을 지급한다.

2. 직원이 법정시간을 초과하여 근무할 때에는 통상임금을 기준으로 하여 근무한 시간에 따라 근무수당을 지급한다.

3. 야간근무수당은 오후 10시부터 오전 6시까지의 사이에 근무를 명한 경우에 근무한 시간 수에 따라 정하고 야간근무수당을 지급한다.

제96조【직책보조비】보직자에게는 예산의 범위 내에서 직책보조비를 직책에 따라 차등지급할 수 있다

제97조【연월차 유급 휴가수당】

① 사원이 연월차유급휴가를 청구하여 휴업한 경우에는 소정근로시간 근로한 경우에 지급되는 통상임금을 지급한다.

② 연월차유급휴일에 근로한 경우에는 전항의 통상임금과 휴가일에 대한 대가의 통상임금을 아울러 지급한다.

제98조【특별휴가수당】

특별휴가수당은 직원이 특별휴가원을 제출하여 회사가 승인한 특별휴가에 대하여 지급하고, 임금을 차인하지 않는다.

제99조【휴업수당】

회사의 귀책사유로 휴업한 경우에는 휴업기간 중 평균임금의 100분의 70을 지급한다. 다만, 부득이한 사유로 인하여 노동위원회의 승인을 받은 경우에는 지급하지 아니할 수 있다.

제100조【기타수당】

회사는 직원에게 별도로 정한 바에 의하여 기타수당을 지급할 수 있다.

부   칙

제93조, 제94조 규정은 2016. 01월 01일부터 폐지한다.

제4절   상여금

제101조【상여금】

상여는 원칙적으로 회사의 영업실적과 사원의 근무성적을 고려하여 지급한다.

제102조【지급액, 지급시기의 결정】

① 상여금의 연간지급액은 월급여액의 600%내에서 지급하며 12등분을 하여 매월 지급한다.

부   칙

위 규정은 2016년 01월 01일로 폐지한다.

제5절   퇴직금

제103조【퇴직금】

1. 종사자가 1년 이상 계속 근무하고 퇴직하는 경우에는 퇴직금을 지급한다.

2. 퇴직금은 계속 근무년수 1년에 대하여 30일분의 평균임금을 퇴직금으로 지급한다.

3. 계속 근무년수 1년을 초과한 월, 일에 대하여는 월할, 일할 계산한다.

4. 근로자 퇴직급여보장법에 따라 퇴직연금제도를 운영할 수 있다.

제104조【퇴직금 수령권자】

1. 퇴직위로금의 수령은 퇴직자가 생존 시에는 본인 또는 그 위임자, 사망 시에는 그 유족이 한다.

2. 유족의 범위 및 순위는 근로기준법 시행령 제61조에 정한 바에 의한다.

제 11 장 예·결산 및 재무·회계

제105조【예·결산 및 재무·회계】 시설의 예·결산과 재무·회계처리는 사회복지법인재무·회계규칙에 따른다.

제106조【제정】 이 시설의 운영재원은 노인장기요양보험 등급별 수익금, 본인부담금, 식재료비, 후원금, 기타 실비수입금으로 한다.

제107조【회계연도】 이 시설의 회계연도는 정부의 회계연도에 따른다.

제108조【사업계획 및 예산】 시설장은 매 회계연도 사업계획 및 예산을 작성하여 관할기관에 보고하여야 한다.

제109조【사업실적 및 결산】 이 시설의 사업실적 및 결산은 회계연도 종료 후 작성하여 관할기관 및 운영위원회에 보고하여야 한다.

제110조【수입·지출원】

1. 시설의 수입·지출에 대하여는 원장의 위임을 받아 사무국장이 이를 각각 집행한다.

2. 수입·지출원은 직무상의 특성에 따라 연간 일정액(구체적으로 정하여야 함) 이상의 재산세 납부자의 재정보증이나 또는 이와 동등 이상의 신원보증보험에 가입하여야 한다.

제 12 장 물품의 관리

제111조【물품의 관리】

1. 원장은 시설에 속하는 물품을 성실히 관리하여야 한다.

2. 원장은 시설에 속하는 물품의 구매 및 관리에 관한 사무를 사무국장에게 위임할 수 있다.

제112조【불용물품의 처리】

1. 원장은 보통재산 중 노후훼손, 사용가치의 상실, 기타 불필요하다고 인정되는 경우에는 불용을 결정할 수 있다.

2. 불용으로 결정된 물품에 대하여는 매각 또는 폐기 처분하여야 한다.

제 13 장 후원금의 관리 등

제113조【후원금의 범위 등】 원장은 아무런 대가 없이 무상으로 받은 금품 기타의 자산(이하 "후원금"이라 한다)의 수입·지출 내용과 관리에 명확성이 확보되도록 하여야 한다. 시설거주자가 받은 개인결연후원금을 당해인이 정신질환 기타 이에 준하는 사유로 관리능력이 없어 원장이 이를 관리하게 되는 경우에도 또한 같다.

제114조【영수증 교부】 후원금을 받은 때에는 후원금영수증을 후원자에게 즉시 교부하여야 한다. 다만, 금융기관 또는 체신관서의 계좌 입금을 통하여 후원금을 받는 경우에는 그러하지 아니하다.

제115조【수입 및 사용내용 통보 등】

1. 원장은 연 1회이상 해당 후원금의 수입 및 사용내용을 후원금을 낸 법인·단체 또는 개인에게 통보하여야 한다. 이 경우 법인이 발행하는 정기간행물 또는 홍보지 등을 이용하여 일괄 통보할 수 있다.

2. 원장은 반기 종료 후 10일 이내에 후원금 수입 및 사용결과보고서를 ○○시 ○○구청장에게 제출하여야 한다.

제116조【용도 외 사용금지】

1. 접수된 후원금은 후원자가 지정한 사용용도 외의 용도로 사용하지 못함을 원칙으로 한다. 다만, 비지정후원금은 시설운영비로 활용할 수 있으며, 지정 후원금도 총 후원금액의 10분의 1 범위 내에서 모금 홍보 및 사후관리 비용으로 사용할 수 있다.

2. 후원금의 수입 및 지출은 예산의 편성 및 확정절차에 따라 세입·세출예산에 편성하여 사용하여야 한다.

제 14 장 사무·문서관리

제117조【사무관리의 원칙】 시설의 사무는 용이성·정확성·신속성 및 경제성이 확보될 수

있도록 관리하여야 한다.

제118조【사무의 분장】 원장은 사무의 능률적 처리와 책임소재의 명확을 기하기 위하여 소관 사무를 단위업무별로 분장하되, 직원간의 업무량이 균형되게 하여야 한다.

제119조【사무의 인계·인수】

1. 직원이 인사발령 또는 사무분장의 조정등의 사유로 사무를 인계·인수하는 때에는 담당사무에 관한 진행상황·관계문서·자료 기타 업무와 관련 되는 사항을 구체적으로 문서로 작성하여 인계·인수하여야 한다.

2. 직원의 사무인계는 인계사유 발생일로부터 3일 이내에 인계서 3통을 작성하여 인계인수자가 각 1통씩 소지하고 1통은 원장이 관리한다.

3. 사무인수·인계서에는 인계인수자가 각각 서명, 날인한 후 그 직을 관장하는 차상위 상사가 확인하여야 한다.

제120조【문서의 종류】 공문서(이하 "문서"라 한다.)는 지시문서와 공고 문서·비치문서·민원문서 및 일반문서로 나눈다.

제121조【장부의 비치】 원장은 다음 각 호의 장부 및 서류를 비치하여 담당 직원으로 하여금 기록 또는 보존토록 하여야 한다.

1. 시설의 연혁에 관한 기록부
2. 시설설치(허가)신고필증
3. 시설 거주자 및 퇴소자의 명부 및 상담기록부
4. 후원금품대장
5. 시설의 건축물 관리대장
6. 재산목록과 재산의 소유권 또는 사용권을 증명하는 서류
7. 시설운영일지
8. 시설의 운영계획서 및 예산서 및 결산서
9. 총계정원장 및 수입·지출 보조부
10. 금전 및 물품의 출납부와 증빙서류
11. 보고서철 및 행정기관과의 협의 및 관련 문서철
12. 법인 정관 및 관련서류
13. 입소자 관리카드 및 직원의 근로계약서, 이력서 등 관련서류
14. 촉탁의사 근무상황부 등 기타 필요한 각종 장부

제122조【직인관리】

1. 시설 및 원장의 직인은 원장이 직접 관리함을 원칙으로 한다. 다만, 특별한 사유가 있을 때에는 사무국장에게 관리 위임할 수 있다.

2. 직인은 소정의 결재과정과 문서 심사가 끝난 문서에 한하여 사용한다.

제123조【문서의 성립 및 효력발생】

1. 문서는 당해 문서에 대한 최종 결재자의 서명에 의한 결재가 있음으로써 성립한다.

2. 문서는 수신자에게 도달됨으로써 그 효력을 발생한다. 다만, 공고 문서의 경우에는 공고문서에 특별한 규정이 있는 경우를 제외하고는 그 고시 또는 공고가 있는 후 5일이 경과한 날부터 효력을 발생한다.

제124조【문서작성의 일반원칙】

1. 문서는 한글로 작성하되, 쉽고 간명하게 표현하고 뜻을 정확하게 전달하기 위하여 필요한 경우에는 괄호안에 한자 그 밖의 외국어를 병기할 수 있으며, 특별한 사유가 있는 경우를 제외하고는 가로로 쓴다.

2. 문서에 쓰는 숫자는 특별한 사유가 있는 경우를 제외하고는 아라비아숫자로 한다.

3. 문서에 쓰는 날짜의 표기는 숫자로 하되, 연·월·일의 글자는 생략하고 그 자리에 온점을 찍어 표시하며, 시·분의 표기는 24시간제에 따라 숫자로 하되, 시·분의 글자는 생략하고 그 사이에 쌍점을 찍어 구분한다. 다만, 특별한 사유로 인하여 다른 방법으로 표시할 필요가 있는 경우에는 그러하지 아니하다.

4. 문서의 작성에 쓰이는 용지의 크기는 특별한 사유가 있는 경우를 제외하고는 가로 210밀리미터, 세로 297밀리미터로 한다.

제125조【문서의 수정】문서의 일부분을 삭제하거나 수정한 때에는 삭제 하거나 수정한 곳에 서명 또는 날인하여야 한다. 다만, 전자문서를 본문의 규정에 따라 수정할 수 없을 경우에는 수정한 내용대로 재작성하여 결재를 받아 시행한다.

제126조【문서의 간인】다음 각 호의 1에 해당하는 2장 이상으로 이루어지는 문서에는 간인하여야 한다.

1. 전후관계를 명백히 할 필요가 있는 문서

2. 사실 또는 법률관계의 증명에 관계되는 문서

제127조【발신명의】문서의 발신명의는 원장으로 한다. 다만, 내부결재문서는 발신명의를 표시하지 아니한다.

제128조【문서의 기안】

1. 문서의 기안은 시설에 비치된 기안문 서식으로 함을 원칙으로 한다. 다만, 업무의 성격 기타 특별한 사정이 있는 경우에는 그러하지 아니하다.

2. 기안문에는 발의자(기안하도록 지시한 자를 말하며, 기안자가 스스로 입안한 경우에는 기안자를 말한다)와 보고자(결재권자에게 직접 보고하는 자를 말한다)를 알 수 있도록 표시하여야 한다.

제129조【결재】

1. 문서는 원장의 결재를 받아야 한다.

2. 원장은 사무의 내용에 따라 당해 업무담당 직원으로 하여금 위임전결하게 할 수 있으며, 그 위임전결사항은【별표4】와 같다.

3. 결재권자가 휴가·출장 기타의 사유로 결재할 수 없는 때에는 그 직무를 대리하는 자가 대결할 수 있으며, 내용이 중요한 문서에 대하여는 결재권자에게 사후에 보고하여야 한다.

제130조【문서의 발송 등】

1. 결재를 받은 문서 중 발신을 하여야 할 문서에 대하여는 수신자별로 시행문을 작성하여야 한다.

2. 원장의 명의로 발신하는 문서의 시행문에는 직인을 찍거나 서명을 한다. 다만, 경미한 내용의 문서에는 직인을 찍는 것과 서명하는 것을 생략할 수 있다

3. 시행문이 종이문서인 경우에는 이를 복사하여 발송함을 원칙으로 한다. 다만, 업무의 성격 기타 특별한 사정이 있는 경우에는 인편·우편·모사전송 등의 방법으로 발신할 수 있으며, 내용이 중요한 문서는 인편·등기우편 기타 발송사실을 증명할 수 있는 특수한 방법으로 발송하여야 한다.

제131조【문서의 접수·처리】

1. 문서는 문서수발담당 직원이 접수하여 문서접수대장에 기록한 후 지체 없이 업무처리 담당직원에게 이를 인계하여야 한다.

2. 접수된 문서에는 접수인을 찍고, 문서등록대장에 접수등록번호와 접수일시를 기재하여야 한다.

3. 처리담당자는 공람할 자의 범위를 정하여 그 문서를 공람하게 할 수 있다.

4. 공람을 하는 결재권자는 문서의 처리기한 및 처리방법을 지시할 수 있으며, 필요하다고 인정하는 때에는 그 처리담당자를 따로 지정 할 수 있다.

제132조【문서의 등록】 모든 문서는 생산한 즉시 문서등록대장에 등록하고 생산등록번호를 부여하여야 한다.

제133조【편찬 및 보관방법】

1. 문서는 매건 마다 그 발생원인, 결과 및 완결에 관계되는 문서를 일괄하여 발생순으로 표지를 사용하여 보관한다.

2. 문서철 내의 문서의 양은 300매를 기준한다.

3. 문서철의 설정은 문서분류기준으로서 기능별, 보존기간별로 설정하여야 한다.

4. 완결된 일건(1건) 문서는 완결일자 순으로 최근 문서가 상부에 위치 하도록 철하고 그

반대란에 색인목록을 붙인다.

5. 수개의 문서가 내용적으로 서로 관련이 있는 경우 그 내용을 최종적으로 종결하는 문서 처리, 완결된 때에는 발생, 경과 및 완결 순으로 최근 문서가 위에 오도록 하여 1건 문서로 철하여야 한다.

6. 문서철 내의 장수표시는 한계선 하단에 기입한다.

제134조【문서의 보관, 보존】

1. 완결된 문서는 서류함(화일 캐비넷 또는 이에 준하는 것을 말한다)에 보관 보존하여야 한다.

2. 완결되지 아니한 미결 문서는 보관철에 1건으로 가철하여 완결 될 때까지 지정된 서류함에 보관한다.

3. 문서는 책상, 서랍 등에 보관하여서는 아니 된다.

제135조【보존기간】

1. 문서의 보존기간은 영구, 준영구, 10년, 5년, 3년 및 1년으로 구분하며 보존기간별 문서의 종류는【별표 5】에 의한다.

2. 보존기간이 완료된 문서일지라도 계속해서 보관할 필요가 있다고 판단한 때에는 상당 기간을 정하여 보존 할 수 있다.

제136조【보존기간의 기산】보존기간은 처리 완결된 사업년도의 다음 사업년도 개시일부터 기산한다.

제137조【보존의 방법】

1. 모든 문서철은 년도별, 분류기호별, 보존기간별로 보존하여야 한다.

2. 보존되는 문서철의 현황을 파악하기 위하여 보존문서 대장에 보존기간별로 현황을 기록하여 비치하여야 한다.

3. 문서책임자는 연 1회 이상 보존문서와 보존문서기록대장을 대조하여 보관상태를 확인하며, 보존문서의 변질, 충해 등의 방지를 위하여 적절한 온·습도의 유지 및 소독을 실시하는 등 필요한 조치를 강구 하여야 한다.

제138조【보존기간 경과문서의 폐기】

1. 보존기간이 끝난 문서는 원장의 결재를 얻어 보존문서 기록대장에 홍색글씨로 폐기일자를 기입한 후 폐기하여야 한다. 이때 기록대장 비고란에는 담당자 및 사무국장이 날인하여야 한다.

2. 보존기간이 끝난 문서라 하여도 그 내용이 시설운영에 참고가 될 것으로 인정되는 것에 대하여는 이를 분류하여 따로 보존기간을 연장, 조정할 수 있다.

3. 폐기문서는 특별한 경우를 제외하고는 소각하지 아니하고 재생 활용 할 수 있다.

제14장 시설물 및 차량 안전관리

제139조【시설의 안전점검 등】 원장은 매반기 1회이상 시설의 옥·내외 시설물과 전기, 가스, 소방시설, 축대 등에 대한 정기 및 수시 안전점검을 실시하고, 그 결과를 인천 광역시 서구청장에게 제출하여야 한다.

제140조【불안전시설의 안전조치】 원장은 제111조의 규정에 의한 안전점검 결과 불안전하다고 판명된 시설에 대하여는 즉시 시설의 보완 또는 개·보수 등 적절한 안전조치를 강구하여야 한다.

제141조【금지행위】 시설입소자나 직원은 원장의 사전 승인 없이는 다음 각 호의 행위를 하여서는 아니된다.

1. 건물의 벽체, 출입문 또는 창틀에 못을 박는 등 구조물 손상행위
2. 건물 또는 시설물의 모양 또는 색깔을 변형시키는 행위
3. 가구 등의 위치를 변형시키는 행위

제142조【안전관리지침 등】

1. 원장은 시설의 안전관리와 사고발생시 체계적인 대응으로 인명 및 재산피해를 최소화하기 위해 다음 각 호의 내용을 지침으로 정하여야 한다.

   ① "사고는 언제든, 어디에서든 일어날 수 있다"는 안전관리 의식을 항상 숙지하고, 사고에 대비할 수 있는 대응체계를 구축한다.

   ② 안전점검을 일상화, 생활화하고 아무리 사고한 것일지라도 사고가 발생 할 수 있는 모든 요인은 사전에 제거한다.

   ③ 사고 발생 시 응급조치, 지원요청, 복구, 사후수습 등 일련의 조치시 체계적이고 신속·정확한 대응으로 인명 및 재산피해를 최소화 한다.

   ④ 사고발생에 대비한 비상연락망 구축, 사고처리 체계 마련 및 대피훈련 등을 실시한다.

2. 원장은 시설입소자와 직원을 대상으로 시설의 안전관리요령 등에 대한 교육을 정기 또는 수시 실시하여야 한다.

3. 원장은 직원을 신규 채용함에 있어서 안전관리에 대한 자격을 소지자를 우선 채용하도록 노력하여야 한다.

제143조【차량관리】

1. 원장은 시설이 보유하고 있는 각 차량에 대하여 책임 운전자를 지정하여야 한다.
2. 책임 운전자는 다음 각 호의 의무를 갖는다.

   ① 차량의 정비 및 관리

   ② 운행일지 및 차량 열쇠 관리

3. 시설 차량을 운전할 수 있는 사람은 운전면허증을 소지한 사람으로서 원장에 의하여 차량운전이 허가된 사람에 한한다.

4. 운전자는 차량을 안전하게 운행하여야 하며, 운행 중 법규위반 또는 운전부주의로 인한 사고에 대하여 1차적인 책임을 진다.

5. 운전자는 차량 내에 비치된 차량운행일지를 반드시 기재하여야 한다.

제144조【보험가입의무】 원장은 화재 등 재해와 시설 차량의 사고로 인한 손해배상책임의 이행을 위하여 손해보험회사가 영위하는 책임보험(대인, 대물, 가스) 및 전문인배상책임보험에 가입하여야 한다.

제 15 장 보 칙

제145조【준용규정】

이 규정에 규정하지 아니한 사항에 대하여는 사회복지사업 관련 법규에 따른다.

【별표 1】

직원의 직명별 업무분장

직 책	업 무 분 장
시 설 장	① 제반 업무 총괄 관리 및 책임 ② 운영 방침 및 중요한 계획의 결정 지시 및 관리 ③ 각종 규정 및 규칙의 제정 등 결정 ④ 상여 승급 상벌 채용의 결정 ⑤ 대외업무 총괄 ⑥ 각 부분의 업무 계획 및 집행 방침의 승인 및 감독 ⑦ 예산 준비 및 관리 ⑧ 어르신 및 직원의 복리후생 문제
사무국장	① 원장 보좌 (대내외 행사) ② 예산의 계획 및 집행 관리 ③ 직원의 복리후생, 인사 및 근태 관리 ④ 자산의 취득 및 관리에 관한 업무 ⑤ 수익사업에 관련된 업무처리 ⑦ 경리 회계의 관한 일체의 업무 관리 ⑥ 전산관리 – 사회복지정보시스템 관리(인사관리, 시군구보고) ⑦ 시설안전관리 –화재보험 배상보험, 상해보험가입 및 관리, 시설물유지 보수관리 ⑧ 직원채용업무(공고 및 시군구 보고관련업무) ⑨ 사업계획서 및 실적보고서 작성 ⑩ 운영위원회 관련업무, 인사위원회 관련업무 ⑪ 차량관리(점검 및 수리) ⑫ 노사 및 보호자 문제발생 시 협상업무 ⑬ 외부업무(은행 및 건강보험관리공단 등 기타), 물품구입 ⑭ 직원교육진행(개인정보보호교육, 운영규정교육 기타) ⑮ 공익요원 총괄 ⑯ 각종 계약체결 업무 ⑰ 장례절차 지원업무
사회복지사	① 상담관리(입소, 퇴소, 일상생활 보호자) ② 입소계약 및 퇴소처리업무 ③ 수급자 욕구사정 파악/서류작성 ④ 급여제공계획서 작성 ⑤ 생활어르신 관리 – mmse, adl, gds 조사 ⑥ 어르신 개별파일 관리 ⑦ 프로그램 진행관리 ⑧ 수급자(보호자)만족도 조사 ⑨ 어르신 등급갱신(건강보험공단) ⑩ 보호자 상담/보호자간담회 진행 ⑪ 어르신 입.퇴소 현황 보고(서구청) ⑫ 노인학대·폭력에 대한 예방 및 대응교육, 치매예방 및 관리교육 ⑬ 시설어르신 교육 – 노인학대·폭력에 대한 예방 및 대응교육 ⑭ 자원봉사자 관리 ⑮ 홈페이지 관리 ⑯ 홍보 및 소식지 제작직원교육 진행

직 책	업 무 분 장
행정 사무원	① 세입·세출 예산 및 결산관리
	- 추가경정 예산편성 및 정리추경 예산편성
	- 전년도 국·시비 보조금 정산보고
	② 각종보조금관리 및 행정업무
	- 월별 생계비, 간식비, 장려수당, 장애연금 신청(구청) 및 집행
	- 월별 생계비, 간식비, 장려수당 정산보고(구청)
	- 월별 통장잔액증명서 발급(은행)
	- 월별 지출증빙철 마감 검산
	- 각종 회계장부 관리(현금출납부외)
	- 계정별 예산관리
	- 급여 및 상여, 수당 신청 및 지급
	- 직원보수일람표, 봉급대장, 급여명세서,급여이체내역서 작성
	- 지출관련 기안 및 공문서 작성 – 근로소득 원천징수 및 연말정산 관련
	- 입, 퇴사자 4대보험 자격관리(자격취득 및 상실신고)
	- 사회보험부담금관리(개산보험, 확정보험신고)
	- 4대보험료 및 각종 공과금 납부
	- 퇴직적립금 관리 및 퇴직금 적립현황보고
	- 퇴직자 퇴직금 산출 및 지급
	- 퇴직연금관리
	- 보수총액 신고 및 보수변경 신고
	- 후원금 직접비, 간접비 구분 사용 지출
	- 후원금 CMS 접수 신청
	- 후원금 수입 및 사용결과 보고
	- 직원 상조회 회비관련 관리
	- 직원회의 기록 작성 및 결과보고
	③ 노인장기 요양 보험수가 청구 업무
	- 어르신 입소, 퇴소, 외박 관리
	- 어르신 입소비용 및 본인부담금 관리
	- 입, 퇴소 및 외박 시 입소비용 본인부담금 재정산 관리
	- 비급여 항목 개인별 관리
	- 수입결의서, 지출결의서 관리
	④ 각종 입, 출금 전표관리
	- 지출관련 기안 및 공문서 관리
	⑤ 월별, 분기별, 년별 각종 문서 마감 관리
	- 개인별 휴가원 관리 및 연가 현황관리
	- 직원 출근부 및 근무상황부 관리
	- 각종 수·발신 공문 관리 및 내부문서 관리
	⑥ 입소비용 청구(문자) 관리
	- 급여명세서 등 우편발송 작업 및 우편발송대장 관리
	- 본인부담금 대장 관리
	- 분기별 계산서 및 세금계산서 관리

직 책	업 무 분 장
	⑦ 사무용품 및 소모품대장 관리 - 입소어르신 생활실 이름표 관리 ⑧ 정기회의 자료 작성 및 관리 - 기타 타부서에 속하지 않는 업무 ⑨ 후원금 관리 - 후원금 수입결의서, 지출결의서 작성 - 후원금 수입내역서 작성 - 후원금 사용내역서 작성 - 후원금 출납부 작성 및 지출증빙철 마감 편철
간호(조무)사	① 보건 계획 및 평가 - 보건 계획 수립, 건강 습관 조사, 건강 진단 계획 및 실시 (노인 및 직원을 대상으로 년 1회 건강 진단 실시) ② 구충제 복용 실시 ③ 의무실 운영 및 비품 관리 ④ 질병 예방 및 처치- 구강 보건 관리 및 양치 사업 실시 - 노인 병리 검사 계획 실시(기생충 결핵 혈액형 소변검사 등) - 각종 예방 접종 계획 및 실시 - 노인 특별 급식 보조 업무 - 환자 발생 시 입원조치 및 간호 계획 실시 ⑤ 기록 보관 및 보고 - 건강 기록부 관리 및 보관, 각종 보건 통계 취합 및 보고 - 의료 보호 카드 관리 및 보관, 의무 일지 기록 및 보관 - 의무실 비품대장 기록 및 관리 ⑥ 지역사회 의료기관 및 보건조직과의 협조체계 유지 ⑦ 타부서와 협조 하에 입소원의 일상적 건강관리 ⑧ 노인 발병, 부상 등 긴급사태 발생 시 적절한 조치
물리(작업) 치료사	① 노인의 신체활동능력 평가 ② 물리 및 작업치료 계획 수립 및 목표 설정 ③ 물리 및 작업치료 실시 및 효과평가 ④ 물리치료 일지 작성 및 보고
영양사 및 조리원	① 영양관리 및 식단 작성 ② 부식구입 및 검수 ③ 위생관리 ④ 식수관리 ⑤ 주방·식당의 물품 관리 및 청결유지 ⑥ 취사원 복무 관리 ⑦ 급식 및 영양급식 집행·관리 ⑧ 방문자 응접 및 접대 ⑨ 제장부 작성 및 관련 문서 관리 ⑩ 각 부서의 업무를 효율적으로 지원

직 책	업 무 분 장
요양보호사	① 건강 및 여가생활지도 ② 자원봉사자의 효율적 활용 ③ 위생지도 ④ 물품관리(개별물품 구입 및 관리) ⑤ 프로그램운영 및 지원 ⑥ 생활지도일지 작성, 일상생활기록 및 보고 ⑦ 각종 생활보호업무 및 사회적 서비스 전달
관리인	① 시설물 유지관리　② 차량운행 및 관리 ③ 소방설비 관리　④ 소방교육 및 안전교육실시　⑤ 건의함 및 인권함관리
촉탁의사	① 보건 계획수립의 지도 조언 ② 위생적인 시설 환경 유지와 개선에 필요한 사항의 지도 조언 ③ 정기적인 어르신 진단에 대한 처치 ④ 전염병 예방, 식중독 예방에 대한 지도 및 처치 ⑤ 기타 시설 의료 보건 관리에 관한 전문적 기술 및 지도 ⑥ 사망진단서 발급 등

【별표 2】

여비지급 기준표

[국내여비]   (단위 : 원)

직급	일비 (1일당)	숙박료 (1박당)	식비 (1일당)	운 임				비 고
				철도	선박	항공	자동차	
원장				정액	1등	정액	정액	
직원				정액	1등	정액	정액	

※ 세미나 등에 참석하여 참가비를 부담하여야 하는 경우에는 여비 기준에도 불구하고 이를 탄력적으로 운용할 수 있다.

[국외여비]
○ 공무원여비규정을 준용하되, 적용 구분은 원장은 4~5급 공무원, 직원은 6급 이하로 한다.

【별표 3】

보존기간별 문서의 종류

보 존 기 간	문 서 의 종 류
영구보존	① 시설의 설치 관계서류 및 연혁에 관한 기록부 ② 시설의 건축 및 부대시설에 관한 설계도서 ③ 인사기록 서류 ④ 입소자에 대한 입·퇴소 관련 서류 ⑧ 재산목록 및 재산에 관한 서류(사본) ⑨ 정관 및 제규정(사본)
5년 보존	① 단위 사업별 기본계획서 ② 감사결과 등에 관한 서류 ③ 시설 설치계획 추진에 관한 서류 ④ 불용 재산의 처분에 관한 서류 ⑤ 시설회계 및 관리 관계서류 ⑥ 업무보고 및 심사분석, 직무분석, 근무평점 ⑦ 보조금 및 후원금 관련 서류 ⑧ 각종 위원회의 개최에 관한 서류 ⑨ 주요계약, 약정 등에 관한 서류
3년 보존	① 비목전용, 일시차입금 기타예산 경리에 관한 사항 ② 각종 연수 및 친선활동에 관한 서류 ③ 대외 협조관계 서류 ④ 시설 홍보에 관한 서류 ⑤ 감독기관의 지시에 관한 서류 ⑥ 당직일지, 각 부서 업무일지 ⑦ 각 부서 사업에 관한 서류 ⑧ 제증명 발급 관계문서 ⑨ 시설물의 이용 등 운용에 관한 서류
1년 보존	영구, 10년, 5년, 3년 보존문서에 속하지 않는 기타서류

【별표 4】 부서별 업무 구분

부서	단위업무	세부사업	전결권자 담당	전결권자 팀장	전결권자 사무국장	원장	참고
전사공통	1. 연수,출장	1. 외부연수, 연수보고	O			O	
		2. 시내출장(연수제외)	O		O		
		3. 시외출장(연수제외)	O			O	
		4. 프로그램과 관련된 출장	O		O		
	2. 소모품,	1. 행정사무용 소모품	O		O		
		2. 사업용, 사무용 비품집기	O			O	
	3. 업무보고	1. 각 팀별 업무일지	O			O	
		2. 프로그램일지	O		O		
		3. 월말평가보고	O			O	
		4. 종합보고	O			O	
	4. 차량관리	1. 관리	O		O		
	5. 근태관리	1. 외출신청 및 승인	O				
		2. 조퇴 신청 및 승인	O		O		
		3. 휴가 승인	O			O	
		4. 당직 명령	O			O	
		5. 대직 근무승인	O		O		
	6. 공문서 처리	1. 직원 연수 안내	O			O	
		2. 포상자 추천 공문	O			O	
		3. 행정기관의 공문	O			O	
		4. 노인복지시설협회 공문	O			O	
		5. 기타 사회복지관련 단체	O			O	
		6. 기결재사항의 실무안내	O		O		
	7. 업무인수인계	1. 팀장 이상	O			O	
		2. 평직원	O				
	8. 실습지도	1. 실습지도 승인	O			O	
		2. 실습지도 계획/승인	O		O		
		3. 실습지도 평가서 제출	O		O		
	9. 행사프로그램	1. 프로그램계획및 결과보고	O			O	
		2. 이용자 서비스평가 및 보고	O			O	

부서	단위업무	세부사업	전결권자			원장	참고
			담당	팀장	사무국장		
행정팀	1. 직원교육	1. 직원교육 계획수립 및 결과보고	O		O	O	
		2. 신입직원 교육	O	O	O	O	
	2. 인사업무	1. 인사 (임면, 승진, 승급, 채용, 포상, 징계)	O			O	
		2. 인사고과 시행 및 결과보고	O			O	
		3. 일 당직 근무 명령	O			O	
		4. 제 증명서 발급	O		O		
		5. 직원의 업무 분장	O			O	
		6. 발령대장	O			O	
	3. 행정업무	1. 문서접수, 발송 및 수불대장	O	O	O	O	
		2. 문서보존 및 이관	O				
		3. 일, 당직 일지	O				
		4. 직, 관인 사용관리대장	O				
		5. 의전, 의식	O				
		6. 시설운영일지	O			O	
	4. 회계업무	1. 보조금 신청 및 정산	O			O	
		2. 결산업무	O			O	
		3. 국민연금 및 제보험일반행정	O				
		4. 국민연금 및 제보험료 불입 및 정산	O				
		5. 각종세무업무	O				
		6. 현금. 예금 지급	O			O	
		7. 각종 예금 및장부관리	O				
		8. 일일 출납현황	O			O	
사회복지사	1. 프로그램 개발	1. 각 단위사업별 계획서, 평가서	O			O	
		2. 서비스 대상자 선정	O		O		
		3. 대외 프로포절 제출	O			O	
	2. 입퇴소관리	1. 어르신 입·퇴소 서류관리	O		O		
	3. 사업계획, 실적	1. 사업계획/ 평가 및 보고	O			O	

부서	단위업무	세부사업	전결권자			원장	참고
			담당	팀장	사무국장		
	4. 홍보	1. 각 단위별 사업계획서, 평가서	O			O	
		2. 홈페이지 관련업무	O		O		
		3. 각종 홍보소식지 제작 및 발송	O			O	
	5. 후원사업	1. 후원활동	O	O			
		2. 월 업무보고(후원자, 후원금)	O			O	
		3. 후원자 관리를 위한 자료제작	O		O		
		4. 후원자개발, 모금제반 활동	O				
	6. 자원봉사자 업무	1. 포상자 결정	O			O	
		2. 자원봉사자 활동 확인서 발급	O				
		3. 타 기관에 봉사자 수급신청	O				
		4. 자원봉사자 평가회	O				
		5. 자원봉사자 교육	O		O		
생활관리팀	생활관리	1. 각 단위 사업별 계획서, 평가서	O			O	
		2. 각 방 인원 조정 및 결정	O				
		3. 각종 행사 보조진행	O			O	
		4. 어르신 신변처리	O		O		
		5. 업무일지	O			O	
의료재활팀	간호사	1. 입소자 건강관리보고, 업무일지	O			O	
		2. 보건의료 소모품 및 약품 구매	O			O	
		3. 입소어르신 병원 입.퇴원결정	O		O		
		4. 직원교육	O		O		
	물리치료사	1. 입소자 재활계획 및 업무일지	O			O	
		2. 소모품및 약품 구입	O			O	
		3. 직원교육	O		O		
시설관리	1. 자산관리업무	1. 제자산의 확충 및 보강	O			O	
		2. 제자산의 보수 및 유지	O			O	
		3. 제자산 수불 대장 유지관리	O		O		
		4. 제자산의 용도 폐기	O			O	
		5. 제자산의 재물조사 계획 및 결과보고	O		O		
		6. 소모품 수불 대장 관리	O		O		
		7. 각 구역 열쇠관리	O				
		8. 차량관리	O			O	
	2. 안전관리	1. 안전, 소방업무의 계획 및 시행	O			O	
	3. 환경관리	1. 환경개선을 위한 계획 및 시행	O			O	

【별표 5】

출 석 통 지 서

<table>
<tr><td rowspan="3">인
적
사
항</td><td rowspan="2">① 성명</td><td>한글</td><td></td><td>② 소 속</td><td></td></tr>
<tr><td>한자</td><td></td><td>③ 직위(급)</td><td></td></tr>
<tr><td colspan="1">④ 주소</td><td colspan="4"></td></tr>
<tr><td colspan="2">⑤ 출석이유</td><td colspan="4"></td></tr>
<tr><td colspan="2">⑥ 출석일시</td><td colspan="4"></td></tr>
<tr><td colspan="2">⑦ 출석장소</td><td colspan="4"></td></tr>
<tr><td colspan="2">유의사항</td><td colspan="4">1. 진술을 위한 출석을 원하지 아니할 때에는 아래의 진술권 포기서를 즉시 제출할 것.
2. 사정에 의하여 서면진술을 하고자 할 때에는 징계위원회 개최일 전일까지 도착하도록 진술서를 제출할 것.
3. 정당한 사유서를 제출하지 아니하고 지정된 일시에 출석하지 아니하고, 서면진술서를 제출하지 아니하는 경우에는 진술할 의사가 없는 것으로 인정·처리 한다.</td></tr>
<tr><td colspan="6">제54조의 규정에 의하여 위와 같이 귀하의 출석을 통지합니다.

 년   월   일
인사위원회위원장   (직인)
귀 하 </td></tr>
</table>

진 술 권 포 기 서

<table>
<tr><td rowspan="3">인
적
사
항</td><td rowspan="2">① 성명</td><td>한 글</td><td></td><td>② 소 속</td><td></td></tr>
<tr><td>한 자</td><td></td><td>③ 직위(급)</td><td></td></tr>
<tr><td>④ 주소</td><td colspan="4"></td></tr>
<tr><td colspan="6">본인은 귀 인사위원회에 출석하여 진술하는 것을 포기합니다.

 년   월   일
성 명   (인)
인사위원회위원장 귀하 </td></tr>
</table>

【별표 6】

서 면 진 술 서

소　속		직위(급)		
성　명		제출기일		년　월　일
사 건 명				
불 참 사 유				

진 술 내 용

제54조의 규정에 의거 위와 같이 서면으로 진술하오며 만약 위 진술내용이 사실과 상이한 경우에는 여하한 처벌도 감수하겠습니다.

년　월　일
성 명　　(인)

인사위원회위원장　귀하

【별표 7】

징 계 의 결 서

인 적 사 항	소 속	직 급	성 명
의 결 주 문			
이 유			

　

　

년   월   일

인사위원회

위 원 장　　　　　(인)
위   원　　　　　(인)
위   원　　　　　(인)
위   원　　　　　(인)
위   원　　　　　(인)
위   원　　　　　(인)
간   사　　　　　(인)

※ 징계이유에는 징계의 원인이 된 사실, 증거의 판단과 관계규정을 기재한다.

【별표 8】

징 계 처 분 사 유 설 명 서

① 소 속	② 직 위(급)	③ 성 명
④ 주 문		
⑤ 이 유	별첨 징계의결서 사본과 같음	

위와 같이 처분하였음을 통지합니다.

년   월   일

처분권자 (처분제청권자)   (직인)

귀 하

참 고 : 이 처분에 대한 불복이 있을 때에는 제55조에 의하여 이 설명서를 받은 날로부터 10일 이내에 인사위원회에 재심을 청구할 수 있습니다.

Index

Index

국문 찾아보기

ㅈ

영문 찾아보기